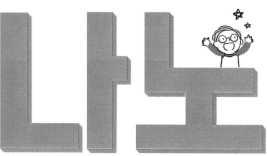

나노

중학 **수학** 3-1

KB118653

알기 쉬운 내용 정리와 **다양한** 문제 풀이로 완성하는
나만의 학습 노하우 나노!!

"선생님, 어떻게 하면 수학을 잘할 수 있나요?"

공식을 외우고 문제집을 많이 풀어 봐도 성적이 오르지 않으면 '난, 수학적 재능이 없나봐.'라고 생각해 본 적이 있을 거예요. 하지만 수학을 잘하려면 재능이 아니라 자신만의 공부 방법을 만들어야 해요.

첫째, 시작이 반이다.

우선, 수학을 잘할 수 있다는 자신감을 가지고 시작해 보세요.
수학은 심리적인 요인이 강하게 작용하는 과목이에요.
자신감 있게 차근차근 시작해 보세요. '겁먹으면 절반은 실패!'

둘째, 단계별 정리를 통해 원리와 개념의 이해를 돕자.

원리와 개념을 다음 순서로 하나하나 익혀 보세요.
– 쉬운 문제부터 풀기
– 개념과 문제를 연관시켜 생각해 보기
– 활용 문제를 풀고 개념과 연관시켜 보기

셋째, 수학을 즐기면서 자신감을 높이자.

수학은 질문에서 시작됐어요. '저 나무의 높이는 얼마일까?', '지구의 지름의 길이는 얼마일까?', '게임에서 내가 이길 확률은?' 등 본인이 흥미를 가지고 있는 것들을 수학적인 질문으로 연결해 보세요.
또한, 수학 만화, 수학 게임, 수학의 역사 등을 읽고, 수학에 흥미와 자신감을 올려 보세요.

아무쪼록 이 책이 수학에 대한 마음의 문을 여는 시작점이 되었으면 합니다.

– 지은이 씀 –

"개념편&유형편
단계별 학습 시스템"

개념편

개념 확인

소항목별로 주요 내용을 정리하며 쉽게 이해할 수 있도록 차근차근 설명해 놓았습니다.
또 'STEP UP'에서 구체적인 예 또는 설명을 제시하였으니 꼭 참조하세요.

개념 확인

1. 제곱근 … 제곱근은 제곱과 반대!

(1) 제곱근의 뜻: 어떤 수 x를 제곱하여 a가 될 때, 즉 $x^2=a(a \geq 0)$를 만족시킬 때, x를 a의 제곱근이라고 한다.
(2) 제곱근의 개수
$x^2=a$일 때, a의 제곱근의 개수는 다음과 같다.
① $a>0$일 때, 제곱근은 양수와 음수 같다.
② $a=0$일 때, 제곱근은 0 하나뿐이다.
③ $a<0$일 때, 양수나 음수를 제곱하여 근은 없다.

기본 문제

개념을 확인할 수 있는 쉬운 대표 문제를 단계적으로 풀어 볼 수 있도록 하였고 유사 문제를 두어 재확인해 볼 수 있도록 하였습니다. 확인, 또 확인 잊지 마세요.

기본 문제

1 다음 ☐ 안에 알맞은 수를 쓰시오.
(1) 3을 제곱하면 ☐, −3을 제곱하면 ☐이다.
따라서 9의 제곱근은 ☐ 이다.
(2) 25의 제곱근은 ☐ 이다.
(3) $(-2)^2=$ ☐ 이므로 $(-2)^2$의 제곱근은 ☐, ☐이다.

2 다음 수
① 100
④ 0

2-1 다음 중 옳
① $a \geq 0$
② $x^2=a$
③ x가 a
④ $-x$가
⑤ x, y가
이다.

1-1 다음 수의 제곱근을 구하시오.
(1) 81
(2) $\dfrac{9}{49}$
(3) 4^2
(4) $(-6)^2$

실력 다지기

소단원의 개념을 확실히 나의 실력으로 다질 수 있는 문제들입니다. 시간이 조금 걸려도 내 힘으로 풀어 보세요.

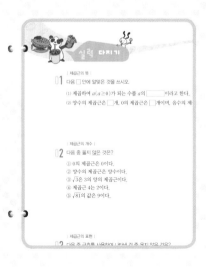

실력 다지기

┃ 제곱근의 뜻 ┃
1 다음 ☐ 안에 알맞은 것을 쓰시오.
(1) 제곱하여 $a(a \geq 0)$가 되는 수를 a의 ☐ 이라고 한다.
(2) 양수의 제곱근은 ☐ 개, 0의 제곱근은 ☐ 개이며, 음수의 제

┃ 제곱근의 개수 ┃
2 다음 중 옳지 않은 것은?
① 0의 제곱근은 0이다.
② 양수의 제곱근은 양수이다.
③ $\sqrt{3}$은 3의 양의 제곱근이다.
④ 제곱근 4는 2이다.
⑤ $\sqrt{81}$의 값은 9이다.

┃ 제곱근의 표현 ┃

중단원 마무리

시험에 자주 출제되는 문제들을 모아 정리하였습니다.
스스로 풀어 보고 서술형 문제에도 자신감을 가져 보세요.

중단원 마무리

1 x가 a의 제곱근일 때, 다음 중 옳은 것은?
① $x=\sqrt{a}$
② $x=a^2$
③ $x=a\sqrt{x}$
④ $x=\pm\sqrt{x}$
⑤ $x^2=a$

5 다음
①
②
⑤

2 다음 중 옳은 것은?
① 0의 제곱근은 없다.
② 1의 제곱근은 2개이다.
③ 2의 제곱근은 $\sqrt{2}$이다.
④ 제곱근 4는 무리수이다.
⑤ $-\sqrt{5}$는 −5의 음의 제곱근이다.

6 $a<$
①

7 a

유형편

유형별 문제

- 핵심 개념을 간단히 실었습니다.
- 주제별 유형 문제를 단계적으로 실었습니다. 유형별 문제로 연습하세요.

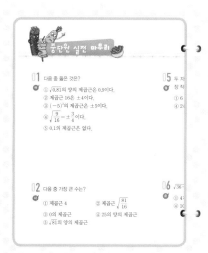

중단원 실전 마무리

- 출제 가능성이 높은 문제를 모았어요.
- 틀리기 쉬운 문제는 다시 한번 풀어 보고 다양한 문제에 대비하세요.

대단원 모의고사

대단원을 종합 점검하는 실전형 시험 문제로 자신의 실력을 가늠해 보세요.

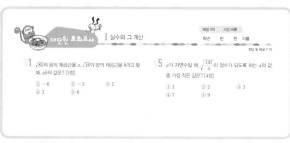

정답 및 해설

- 쉽고 자세한 풀이를 보고 스스로 학습할 수 있도록 해 보세요.
- 잘 풀리지 않는 문제는 두세 번 시도해 본 후 해설을 보는 습관을 가지세요.

이 책의 차례

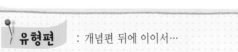

유형편 : 개념편 뒤에 이어서…

대단원 모의고사 : 유형편 말미에…

I 실수와 그 계산

1 제곱근과 실수

01 제곱근과 그 성질

기본 문제

정답 및 해설 P.2

1 다음 □ 안에 알맞은 수를 쓰시오.

(1) 3을 제곱하면 □, −3을 제곱하면 □이다.
따라서 9의 제곱근은 □, □이다.

(2) 25의 제곱근은 □, □이다.

(3) $(-2)^2=$□이므로 $(-2)^2$의 제곱근은 □, □이다.

1-1 다음 수의 제곱근을 구하시오.

(1) 81   (2) $\dfrac{9}{49}$

(3) 4^2 (4) $(-6)^2$

2 다음 수 중 제곱근의 개수가 0인 것은?

① 100   ② 16   ③ 0.25

④ 0   ⑤ −9

2-1 다음 중 옳지 <u>않은</u> 것은?

① $a \geq 0$인 a는 제곱근을 2개 가진다.

② $x^2=a$를 만족시키는 x는 a의 제곱근이다.

③ x가 a의 제곱근이면 $-x$도 a의 제곱근이다.

④ $-x$가 a의 제곱근이면 x도 a의 제곱근이다.

⑤ 양수 a의 제곱근이 x, y이면 $x+y=0$이다.

개념 확인

1. 제곱근 ··· 제곱근은 제곱과 반대!

(1) **제곱근의 뜻**: 어떤 수 x를 제곱하여 a가 될 때, 즉 $x^2=a(a \geq 0)$를 만족시킬 때, x를 a의 제곱근이라고 한다.

(2) **제곱근의 개수**

$x^2=a$일 때, a의 제곱근의 개수는 다음과 같다.

① $a>0$일 때, 제곱근은 양수와 음수의 2개가 있고 그 절댓값은 서로 같다.

② $a=0$일 때, 제곱근은 0 하나뿐이다.

③ $a<0$일 때, 양수나 음수를 제곱하면 모두 양수이므로 음수의 제곱근은 없다.

STEP UP

$x^2=a$	$a>0$	$a=0$	$a<0$
x의 개수	2	1	0

① $2^2=4$, $(-2)^2=4$에서 2와 −2는 4의 제곱근이고 절댓값이 서로 같다. 또 4는 2의 제곱이고 −2의 제곱이다.

② $0^2=0$이므로 0의 제곱근은 0이다.

③ 제곱하여 음수가 되는 수는 없으므로 음수의 제곱근은 없다.

3 다음을 근호를 사용하여 나타내시오.

    (1) 11의 제곱근   (2) 7의 음의 제곱근

    (3) 제곱근 $\dfrac{1}{3}$ (4) 0.3의 양의 제곱근

4 다음 수를 근호를 사용하지 않고 나타내시오.

    (1) $\sqrt{2^2}$ (2) 25^2의 제곱근

    (3) $\sqrt{\dfrac{1}{49}}$ (4) 0.01의 음의 제곱근

3-1 다음 중 근호를 사용하여 나타낸 것 중 옳지 <u>않은</u> 것은?

    ① 2의 제곱근 : $\pm\sqrt{2}$

    ② 제곱근 3: $\pm\sqrt{3}$

    ③ 음의 제곱근 5: $-\sqrt{5}$

    ④ 7의 양의 제곱근: $\sqrt{7}$

    ⑤ 11의 음의 제곱근: $-\sqrt{11}$

4-1 다음 중 근호를 사용하지 않고 나타낼 수 <u>없는</u> 수를 모두 고르면? (정답 2개)

    ① $\sqrt{0.\dot{4}}$ ② $\sqrt{(-2)^2}$ ③ $\sqrt{3}$

    ④ $\sqrt{\dfrac{4}{49}}$ ⑤ $\sqrt{7}$

개념 **확인**

2. 제곱근의 표현 … 제곱근은 $\sqrt{}$ 로 표현!

    (1) 근호 ($\sqrt{}$): 제곱근을 나타낼 때에 사용하는 기호 $\sqrt{}$ 를 근호라 하고 $\sqrt{a}$를 '제곱근 a' 또는 '루트 a'라고 읽는다.

    (2) 양수 a의 제곱근 표현: 양수 a의 제곱근은 2개이다. 그 중에서 양수를 a의 양의 제곱근, 음수를 a의 음의 제곱근이라 하고 각각 $\sqrt{a}$, $-\sqrt{a}$와 같이 나타낸다.

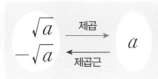

        $\llcorner\sqrt{a}$에서 근호 안의 수 a는 음수가 될 수 없다. 즉, $a \geq 0$이다.

    참고 $\sqrt{a}$와 $-\sqrt{a}$를 한꺼번에 $\pm\sqrt{a}$와 같이 나타내고 '플러스마이너스 루트 a'라고 읽는다.

STEP UP

• 제곱과 제곱근

    ① a의 제곱: a^2

    ② a의 제곱근: $\pm\sqrt{a}$

    ③ 제곱근 a: $\sqrt{a}$

• 자연수의 제곱근

자연수	1	2	3	4	5
제곱근	±1	$\pm\sqrt{2}$	$\pm\sqrt{3}$	±2	$\pm\sqrt{5}$

01 제곱근과 그 성질

기본 문제

정답 및 해설 P.2

5 다음 값을 구하시오.

(1) $(\sqrt{2})^2$　　　　(2) $(-\sqrt{5})^2$

(3) $\sqrt{4^2}$　　　　(4) $\sqrt{(-7)^2}$

(5) $-\left(-\sqrt{\dfrac{2}{3}}\right)^2$　　(6) $-\sqrt{(-3)^2}$

6 다음 □ 안에 알맞은 것을 쓰시오.

(1) $a \geq 2$일 때, $a-2\,\square\,0$이므로

$\sqrt{(a-2)^2}=\square$이다.

(2) $a < 2$일 때, $a-2 < 0$이므로

$\sqrt{(a-2)^2}=-(\square)=\square$이다.

5-1 다음을 계산하시오.

(1) $\sqrt{36}+\sqrt{25}$

(2) $\sqrt{13^2}-(-\sqrt{9})^2$

(3) $\sqrt{4}\times\sqrt{64}$

(4) $\sqrt{49}\div(-\sqrt{7^2})$

6-1 $a=-1$일 때, 다음 값을 구하시오.

$$\sqrt{(a-1)^2}-\sqrt{(a+2)^2}$$

개념 확인

3. 제곱근의 성질 (1)

$a > 0$일 때,

(1) $(\sqrt{a})^2=a,\ (-\sqrt{a})^2=a$

(2) $\sqrt{a^2}=a,\ \sqrt{(-a)^2}=a$

예 $(\sqrt{10})^2=10,\ (-\sqrt{10})^2=10$

$\sqrt{10^2}=10,\ \sqrt{(-10)^2}=10$

4. 제곱근의 성질 (2) ··· 절댓값의 성질을 이용하여 근호를 없앤다.

근호 안에 문자나 식이 제곱이 되어 있는 경우는 절댓값의 계산과 같은 방법으로 근호를 풀 수 있다.

$$\sqrt{a^2}=|a|=\begin{cases} a & (a \geq 0) \\ -a & (a < 0) \end{cases}$$

STEP UP

$a > 0$일 때,

① $x^2=a$에서 x는 a의 제곱근이므로

$x=\pm\sqrt{a}$이다. 즉, $(\sqrt{a})^2=a$,

$(-\sqrt{a})^2=a$이다.

② $(-a)^2=a^2$이므로

$\sqrt{a^2}=\sqrt{(-a)^2}=a$이다.

7 다음 수가 자연수가 되도록 하는 가장 작은 자연수 x 의 값을 구하시오.

(1) $\sqrt{20x}$

(2) $\sqrt{\dfrac{45}{x}}$

(3) $\sqrt{0.6x}$

8 다음 수가 자연수가 되도록 하는 가장 작은 자연수 x 의 값을 구하시오.

(1) $\sqrt{7-x}$

(2) $\sqrt{x+2}$

7-1 $\sqrt{\dfrac{72}{x}}$가 자연수가 되도록 하는 모든 자연수 x의 값의 합을 구하시오.

8-1 다음 수가 자연수가 되도록 하는 가장 작은 자연수 x 의 값을 구하시오.

(1) $\sqrt{18-2x}$

(2) $\sqrt{5+x}$

개념 확인

5. $\sqrt{A}$의 꼴을 자연수로 나타내기 ··· 소인수의 지수가 짝수이거나 제곱수임을 확인!

(1) A가 곱셈, 나눗셈만으로 주어질 때: A를 소인수분해하였을 때, 소인수 의 지수가 짝수이면 근호를 없애고 자연수로 나타낼 수 있다.

(2) A가 덧셈, 뺄셈을 포함할 때: A가 자연수의 제곱인 수가 되어야 한다.

01 제곱근과 그 성질

기본 문제

정답 및 해설 P.3

9 다음 □ 안에 알맞은 등호 또는 부등호를 쓰시오.

(1) $\sqrt{8}$ □ 3 (2) 4 □ $\sqrt{20}$

(3) -9 □ $-\sqrt{81}$ (4) 0.1 □ $\sqrt{0.1}$

10 다음 부등식을 만족시키는 10 이하의 자연수 x를 모두 구하시오.

(1) $\sqrt{x} > 2$ (2) $x \leq \sqrt{40}$

9-1 $x = 4$, $y = \sqrt{14}$, $z = \sqrt{18}$일 때, 다음 중 옳은 것은?

① $x < y$ ② $z < y$ ③ $-x > -y$

④ $z < x$ ⑤ $-z < -x$

10-1 부등식 $\sqrt{3x} \leq 10$을 만족시키는 자연수 x의 개수를 구하시오.

개념 확인

6. 제곱근의 대소 관계 … 근호가 모두 있거나 모두 없는 상태에서 두 수의 대소를 비교!

$a > 0$, $b > 0$일 때,

(1) $a < b$이면 $\sqrt{a} < \sqrt{b}$이다.

예 $11 < 13$이므로 $\sqrt{11} < \sqrt{13}$이다.

(2) $\sqrt{a} < \sqrt{b}$이면 $a < b$이다.

예 $\sqrt{5} < \sqrt{6}$이면 $5 < 6$이다.

STEP UP

제곱근의 대소 관계

① 근호가 있는 양수는 근호 안의 수가 클수록 큰 수이다.

② 근호가 있는 음수는 근호 안의 수가 클수록 작은 수이다.

③ 근호가 있는 수와 근호가 없는 수는 근호가 없는 수를 근호가 있는 수로 바꾸어 비교하는 것이 편리하다.

01 | 제곱근의 뜻 |

다음 □ 안에 알맞은 것을 쓰시오.

(1) 제곱하여 $a\,(a \geq 0)$가 되는 수를 a의 [   ]이라고 한다.

(2) 양수의 제곱근은 □개, 0의 제곱근은 □개이며, 음수의 제곱근은 없다.

x가 a의 제곱근이면 $-x$도 a의 제곱근이다.

02 | 제곱근의 뜻 |

다음 중 옳지 <u>않은</u> 것은?

① 0의 제곱근은 0이다.

② 양수의 제곱근은 양수이다.

③ $\sqrt{3}$은 3의 양의 제곱근이다.

④ 제곱근 4는 2이다.

⑤ $\sqrt{81}$의 값은 9이다.

'a의 제곱근'과 '제곱근 a'를 구분하도록 한다.

03 | 제곱근의 표현 |

다음 중 근호를 사용하여 나타낸 것 중 옳지 <u>않은</u> 것은?

① (양의 제곱근 3)$=\sqrt{3}$

② (제곱근 7)$=\pm\sqrt{7}$

③ (0.5의 음의 제곱근)$=-\sqrt{0.5}$

④ (4의 제곱근)$=\pm\sqrt{4}$

⑤ $\left(\dfrac{1}{2}$의 양의 제곱근$\right)=\sqrt{\dfrac{1}{2}}$

제곱근 $a \Rightarrow \sqrt{a}$

a의 제곱근 $\Rightarrow$ 제곱해서 a가 되는 수

04 | 제곱근의 성질 (1) |

다음 중 값을 바르게 구한 것은?

① $\sqrt{(-4)^2}=-4$

② $\sqrt{4^2}=2$

③ $-\sqrt{4^2}=-2$

④ $-\sqrt{4^2}=-4$

⑤ $\{-\sqrt{(-4)^2}\}^2=4$

$\sqrt{a^2}=|a|$

05 | 제곱근의 성질 (1) |

다음 수를 큰 것부터 차례로 나열하시오.

$$-\frac{1}{2} \qquad \sqrt{\left(-\frac{1}{3}\right)^2} \qquad \sqrt{\frac{1}{4}} \qquad -\sqrt{\left(\frac{1}{5}\right)^2}$$

양수는 항상 음수보다 크며, 음수는 절댓값이 작을수록 큰 수이다.

정답 및 해설 P.3

| 제곱근의 성질 (2) |

06 $a<1$, $b>2$일 때, 다음 중 바르게 나타낸 것은?

① $\sqrt{(a-1)^2}=a-1$

② $\sqrt{(b-2)^2}=2-b$

③ $\sqrt{(1-a)^2}=1-a$

④ $-\sqrt{(2-b)^2}=-(2-b)$

⑤ $\sqrt{(a-3)^2}=a-3$

$\sqrt{x^2}=\begin{cases} x & (x\geq0) \\ -x & (x<0) \end{cases}$

| 제곱근의 성질 (2) | 서술형

07 $a<6$일 때, $\sqrt{(a-6)^2}+\sqrt{(6-a)^2}$을 간단히 하고 그 과정을 서술하시오.

$a-6$과 $6-a$가 0보다 큰 지, 작은 지를 알아본다.

| $\sqrt{A}$의 꼴을 자연수로 나타내기 |

08 $\sqrt{32+a}=b$를 만족시키는 두 자연수 a, b에 대하여 $a+b$의 값을 구하시오. (단, a는 한 자리의 자연수이다.)

b가 자연수이므로 $\sqrt{32+a}$도 자연수이다.

| 제곱근의 대소 관계 |

09 $\sqrt{x}<4$를 만족시키는 자연수 x의 개수는?

① 11

② 12

③ 13

④ 14

⑤ 15

양변을 제곱한다.

| 제곱근의 대소 관계 | 서술형

10 $\sqrt{x+1}<3$, $\sqrt{y-1}\leq4$를 모두 만족하는 자연수 x, y에 대하여 $x+y$의 최댓값을 구하고 그 과정을 서술하시오.

두 양수 a, b에 대하여
$a>b$이면 $a^2>b^2$, $\sqrt{a}>\sqrt{b}$이다.

02 무리수와 실수

정답 및 해설 P.4

1 다음 보기의 수 중 무리수를 모두 고르시오.

보기
ㄱ. $\sqrt{0.1}$ ㄴ. $-\sqrt{49}$
ㄷ. π ㄹ. $0.12345678910\cdots$
ㅁ. $-0.1\dot{2}\dot{3}$ ㅂ. 0

1-1 다음 중 무리수가 <u>아닌</u> 것의 개수는?

$$-\sqrt{2} \quad 3 \quad \frac{\pi}{2} \quad -\sqrt{\frac{1}{4}} \quad -9.1 \quad \sqrt{5}$$

① 0   ② 1   ③ 2
④ 3   ⑤ 4

2 다음 설명 중 옳지 <u>않은</u> 것을 모두 고르면?

(정답 2개)

① 유한소수는 유리수이다.
② 무한소수는 무리수이다.
③ 순환소수는 유리수이다.
④ 유리수를 소수로 나타내면 유한소수이다.
⑤ 무리수를 소수로 나타내면 순환하지 않는 무한소수이다.

2-1 다음 보기 중 옳은 것을 모두 고르시오.

보기
ㄱ. 무리수는 모두 무한소수이다.
ㄴ. 무한소수는 모두 무리수이다.
ㄷ. 유한소수는 모두 유리수이다.
ㄹ. 유리수는 모두 유한소수이다.

개념 확인

1. 무리수 … 순환하지 않는 무한소수

(1) **유리수**: 분자와 분모가 정수인 분수로 나타낼 수 있는 수 (단, 분모는 0이 아니다.) → $\frac{b}{a}$ (단, a, b는 정수, $a \neq 0$)

(2) **무리수**: 어떤 수를 소수로 나타내었을 때, 순환하지 않는 무한소수로 나타내어지는 수, 즉 유리수가 아닌 수

2. 실수

(1) **실수**: 유리수와 무리수를 통틀어 실수라고 한다.

(2) **실수의 분류**

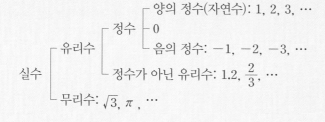

STEP UP

제곱근의 대소 관계를 이용하여 $\sqrt{2}$를 소수로 나타내기
$1 < \sqrt{2} < 2$, 정수 부분 1
$1.4 < \sqrt{2} < 1.5$, 소수 첫째 자리 4
$1.41 < \sqrt{2} < 1.42$, 소수 둘째 자리 1
이와 같이 구한 $\sqrt{2} = 1.4142\cdots$는 순환하지 않는 무한소수이다.

02 무리수와 실수

정답 및 해설 P.4

3 다음 중 옳지 <u>않은</u> 것은?

① 모든 유리수는 수직선 위의 한 점에 대응한다.
② 모든 무리수는 수직선 위의 한 점에 대응한다.
③ 서로 다른 두 자연수 사이에는 무수히 많은 정수가 있다.
④ 서로 다른 두 정수 사이에는 무수히 많은 유리수가 있다.
⑤ 서로 다른 두 유리수 사이에는 무수히 많은 실수가 있다.

3-1 다음 중 옳은 것을 모두 고르면? (정답 2개)

① 1과 2 사이에는 무수히 많은 정수가 있다.
② 유리수를 이용하여 수직선을 완전히 메울 수 있다.
③ 무리수를 이용하여 수직선을 완전히 메울 수 있다.
④ $\sqrt{3}$과 $\sqrt{5}$ 사이에는 무수히 많은 무리수가 있다.
⑤ $\sqrt{3}$과 $\sqrt{5}$ 사이에는 무수히 많은 유리수가 있다.

4 아래 그림은 한 눈금의 길이가 1인 모눈종이 위에 수직선을 그린 것이다. $\overline{AB}=\overline{AQ}$일 때 점 Q에 대응하는 수를 구하시오.

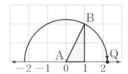

4-1 아래 그림은 한 눈금의 길이가 1인 모눈종이 위에 수직선을 그리고 그 위에 직각삼각형 ABC, 점 A를 중심으로 하고 $\overline{AB}$를 반지름으로 하는 반원을 그린 것이다.

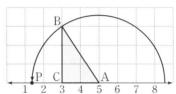

반원의 호가 수직선과 만나는 두 점 중 왼쪽에 있는 점을 P라 할 때, 점 P에 대응하는 수는?

① $5-\sqrt{10}$ ② $5-\sqrt{11}$ ③ $5-\sqrt{12}$
④ $5-\sqrt{13}$ ⑤ $5-\sqrt{14}$

개념 확인

3. 실수와 수직선 … 실수를 수직선 위에 나타내면 수직선이 완전히 메워진다.

(1) 실수와 수직선
 ① 유리수와 수직선: 서로 다른 두 유리수 사이에는 무수히 많은 유리수가 있다.
 ② 무리수와 수직선: 서로 다른 두 무리수 사이에는 무수히 많은 무리수가 있다.
 ③ 실수와 수직선: 모든 실수는 수직선 위에 나타낼 수 있고 수직선 위의 모든 점들은 실수로 나타낼 수 있다. ─ 실수에 대응하는 모든 점들로 수직선을 완전히 메울 수 있다.
(2) 수직선 위에 무리수 나타내기: 피타고라스 정리를 이용하여 무리수를 수직선 위에 나타낼 수 있다.

STEP UP

넓이가 2인 정사각형

① 한 변의 길이는 $\sqrt{2}$이다.
② 원점을 중심으로 하고 반지름의 길이가 $\sqrt{2}$인 원을 그려서 수직선과 만나는 점의 좌표를 찾는다.
③ 따라서 오른쪽 점에 대응하는 수는 $\sqrt{2}$, 왼쪽 점에 대응하는 수는 $-\sqrt{2}$이다.

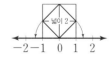

5 다음 □ 안에 알맞은 등호 또는 부등호를 쓰시오.

(1) $3-\sqrt{2}$ □ $\sqrt{8}-2$

(2) $-2+\sqrt{3}$ □ 0

(3) $7-\sqrt{41}$ □ $\sqrt{50}-\sqrt{41}$

(4) $-\sqrt{\dfrac{1}{3}}$ □ $-\dfrac{1}{3}$

6 다음 중 1보다 작은 수를 모두 고르면? (정답 2개)

① $\sqrt{6}-2$ ② $\sqrt{3}$ ③ $3-\sqrt{2}$

④ $\sqrt{3}-1$ ⑤ $-1+\sqrt{6}$

6-1 $a>25$일 때, 다음 중 옳지 <u>않은</u> 것은?

① $\sqrt{a}>5$ ② $\sqrt{a+11}>6$

③ $\sqrt{a-1}>\sqrt{24}$ ④ $-\sqrt{\dfrac{a}{5}}>-\sqrt{5}$

⑤ $-\sqrt{4a}<-10$

5-1 다음 중 두 수의 대소 관계가 옳지 <u>않은</u> 것을 모두 고르면? (정답 2개)

① $2+\sqrt{2}>3$ ② $-\sqrt{5}>-2$

③ $-2-\sqrt{3}<-3$ ④ $3<\sqrt{15}-1$

⑤ $\sqrt{\dfrac{1}{2}}-1<\sqrt{\dfrac{2}{3}}-1$

개념 확인

4. 실수의 대소 관계 ··· 두 실수의 차로 부호를 판단!

(1) 두 실수 a, b의 대소 관계는 $a-b$의 부호로 판단한다.

① $a-b>0$이면 $a>b$이다.

② $a-b=0$이면 $a=b$이다.

③ $a-b<0$이면 $a<b$이다.

STEP UP

• **실수 $m(>0)$과 $\sqrt{k}$의 크기 비교**

$m=\sqrt{m^2}$이므로

① $m^2>k$이면 $m>\sqrt{k}$이다.

② $m^2=k$이면 $m=\sqrt{k}$이다.

③ $m^2<k$이면 $m<\sqrt{k}$이다.

| 무리수 |

01 다음 수 중 무리수의 개수는?

$$\sqrt{0.\dot{4}} \qquad 3.141592 \qquad \sqrt{25} \qquad 1.\dot{8}\dot{6} \qquad \sqrt{\dfrac{16}{9}}$$

① 0   ② 1   ③ 2
④ 3   ⑤ 4

무리수는 분수의 꼴로 나타낼 수 없는 수이다.

| 무리수와 실수 |

02 다음 중 무리수가 아닌 실수를 모두 고르면? (정답 2개)

① π ② $-\sqrt{1.96}$ ③ $\sqrt{18}$

④ $-\sqrt{\dfrac{1}{3}}$ ⑤ $\sqrt{\left(-\dfrac{1}{2}\right)^2}$

실수는 유리수와 무리수로 분류할 수 있다.

| 무리수와 실수 |

03 다음 중 소수로 나타내었을 때, 순환하지 않는 무한소수인 것은?

① $\dfrac{1}{9}$ ② $-\sqrt{\dfrac{1}{4}}$ ③ $\sqrt{0.1}$

④ 0   ⑤ $\sqrt{\left(-\dfrac{2}{3}\right)^2}$

순환하지 않는 무한소수는 무리수이다.

| 무리수와 실수 |

04 다음 보기 중 옳은 것을 모두 고르시오.

보기

ㄱ. 무한소수 중에는 유리수도 있다.
ㄴ. 근호를 사용하여 나타낸 수는 무리수이다.
ㄷ. 유한소수로 나타낼 수 없는 수는 무리수이다.
ㄹ. 유리수를 소수로 나타내면 유한소수이다.

순환소수는 분수로 나타낼 수 있다.

| 실수와 수직선 |

05 다음 중 옳지 않은 것은?

① 서로 다른 두 유리수 사이에는 무수히 많은 정수가 있다.
② 서로 다른 두 무리수 사이에는 무수히 많은 무리수가 있다.
③ 1과 2 사이에는 무수히 많은 유리수가 있다.
④ 모든 실수는 수직선 위의 한 점에 대응한다.
⑤ 모든 무리수는 수직선 위에 나타낼 수 있다.

실수는 수직선과 일대일대응이다.

| 실수와 수직선 |

06 오른쪽 그림에서 □ABCD는 한 변의 길이가 1인 정사각형 3개를 수직선 위에 나란히 붙여 놓은 것이다. 이때 □ABCD의 대각선 AC의 길이가 $\overline{\rm CP}$의 길이와 같을 때, 점 P에 대응하는 수를 구하시오.

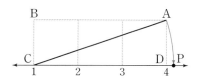

피타고라스 정리를 이용하여 $\overline{\rm AC}$의 길이를 구한다.

| 실수와 수직선 | 〔서술형〕

07 오른쪽 그림에서 모눈 한 칸은 길이가 1인 정사각형이다. 이때 수직선 위의 두 점 P, Q에 대응하는 수를 각각 구하고 그 과정을 서술하시오.

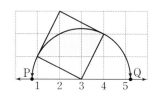

색칠된 정사각형의 한 변의 길이를 구한다.

| 실수의 대소 비교 |

08 다음 중 두 실수의 대소 관계가 옳은 것은?

① $3-\sqrt{3}>2$ 　 ② $4-\sqrt{8}>1$ 　 ③ $\sqrt{22}>5$
④ $1+\sqrt{7}>1+\sqrt{8}$ 　 ⑤ $6<\sqrt{5}+3$

실수 a, b에 대하여
$a>b$이면 $a-b>0$이다.

| 실수의 대소 비교 |

09 다음 중 $\sqrt{2}$와 $\sqrt{3}$ 사이에 있는 수가 <u>아닌</u> 것은? (단, $\sqrt{2}$는 1.414, $\sqrt{3}$은 1.732로 계산한다.)

① $\sqrt{2}+\dfrac{1}{10}$ 　 ② $1.\dot{3}$ 　 ③ $\sqrt{3}-0.1$
④ 1.5 　 ⑤ $\sqrt{\dfrac{5}{2}}$

$\sqrt{2}<\sqrt{3}$이므로 두 수 사이에 있는 수는 $\sqrt{2}$보다 크고, $\sqrt{3}$보다 작은 수이다.

| 실수의 대소 비교 | 〔서술형〕

10 자연수 x에 대하여 $\sqrt{x}$보다 크거나 같은 최소의 자연수를 $f(x)$라고 하자. 이때 $f(1)+f(2)+f(3)+\cdots+f(10)$의 값을 구하고 그 과정을 서술하시오.

$f(x)$에 대한 규칙을 찾는다.

03 근호를 포함한 식의 계산

정답 및 해설 P.6

기본 문제

1 다음 식을 간단히 하시오.

(1) $\sqrt{5}\sqrt{6}$

(2) $-\sqrt{2}\sqrt{7}$

(3) $\sqrt{\dfrac{8}{15}}\sqrt{\dfrac{21}{16}}$

(4) $\sqrt{2}\sqrt{3}\sqrt{6}$

(5) $3\sqrt{5} \times \sqrt{\dfrac{7}{5}}$

(6) $-2\sqrt{7} \times 2\sqrt{3}$

2 다음 수를 $a\sqrt{b}$의 꼴로 나타내시오. (단, b는 가장 작은 자연수가 되도록 한다.)

(1) $\sqrt{45}$

(2) $\sqrt{56}$

(3) $-\sqrt{72}$

(4) $-\sqrt{120}$

1-1 다음 □ 안에 알맞은 수를 쓰시오.

(1) $\sqrt{20}=\sqrt{\boxed{}^2 \times 5}=\boxed{}\sqrt{5}$

(2) $\sqrt{300}=\sqrt{\boxed{}^2 \times 3}=\boxed{}\sqrt{3}$

(3) $3\sqrt{6}=\sqrt{\boxed{}^2 \times 6}=\sqrt{\boxed{}}$

(4) $-5\sqrt{5}=-\sqrt{\boxed{}^2 \times 5}=-\sqrt{\boxed{}}$

2-1 다음 중 옳지 <u>않은</u> 것은?

① $\sqrt{32}=4\sqrt{2}$

② $\sqrt{2^2 \times 7}=2\sqrt{7}$

③ $-4\sqrt{3}=-\sqrt{48}$

④ $\sqrt{(-3)^2 \times 5}=-3\sqrt{5}$

⑤ $-\sqrt{(-4)^2 \times 5}=-4\sqrt{5}$

개념 확인

1. 제곱근의 곱셈 … 근호 안의 수끼리 계산하고, 제곱인 수는 근호 밖으로 빼고!

$a>0$, $b>0$일 때,

(1) $\sqrt{a}\sqrt{b}=\sqrt{ab}$ ——— 근호가 있는 수의 곱셈에서도 교환법칙, 결합법칙이 성립한다.

예 $\sqrt{2}\sqrt{3}=\sqrt{2 \times 3}=\sqrt{6}$

(2) $m\sqrt{a} \times n\sqrt{b}=mn\sqrt{ab}$

예 $2\sqrt{3} \times 4\sqrt{2}=2 \times 4 \times \sqrt{3 \times 2}=8\sqrt{6}$

(3) $\sqrt{a^2 b}=a\sqrt{b}$ ——— $a\sqrt{b}$의 꼴로 나타낼 때, 근호 안의 수가 가장 작은 자연수가 되도록 한다.

예 $\sqrt{12}=\sqrt{2^2 \times 3}=2\sqrt{3}$

STEP UP

① $a>0$, $b>0$일 때,

$(\sqrt{a}\sqrt{b})^2=(\sqrt{a})^2(\sqrt{b})^2=ab$이므로

$\sqrt{a}\sqrt{b}$는 ab의 양의 제곱근이다.

$(\sqrt{ab})^2=ab$이므로

$\sqrt{ab}$는 ab의 양의 제곱근이다.

따라서 $\sqrt{a}\sqrt{b}=\sqrt{ab}$이다.

② $\sqrt{a^2}=a$, $a=\sqrt{a^2}$이므로

$\sqrt{a^2 b}=\sqrt{a^2}\sqrt{b}=a\sqrt{b}$,

$a\sqrt{b}=\sqrt{a^2}\sqrt{b}=\sqrt{a^2 b}$이다.

기본 문제

3 다음 식을 간단히 하시오.

(1) $\dfrac{\sqrt{15}}{\sqrt{3}}$　　(2) $-\dfrac{\sqrt{51}}{\sqrt{17}}$

(3) $\sqrt{18} \div (-\sqrt{2})$　　(4) $\sqrt{\dfrac{14}{15}} \div \sqrt{\dfrac{21}{20}}$

(5) $\sqrt{30} \div 3\sqrt{5}$　　(6) $6\sqrt{21} \div 2\sqrt{7}$

3-1 다음 □ 안에 알맞은 수를 쓰시오.

(1) $\sqrt{\dfrac{10}{49}} = \boxed{}\sqrt{10}$

(2) $\dfrac{\sqrt{6}}{11} = \sqrt{\boxed{}}$

(3) $\sqrt{\dfrac{27}{16}} = \dfrac{\sqrt{\boxed{}}}{\sqrt{\boxed{}}} = \boxed{}\sqrt{3}$

4 다음 중 □ 안에 들어갈 수가 가장 작은 것은?

① $\sqrt{\dfrac{3}{16}} = \dfrac{\sqrt{3}}{\boxed{}}$

② $\dfrac{\sqrt{92}}{\sqrt{23}} = \boxed{}$

③ $8\sqrt{42} \div 4\sqrt{14} = 2\sqrt{\boxed{}}$

④ $\dfrac{\sqrt{15}}{\sqrt{60}} = \dfrac{\boxed{}}{2}$

⑤ $8 \div \sqrt{8} = \sqrt{\boxed{}}$

4-1 다음 중 옳지 않은 것은?

① $\dfrac{\sqrt{15}}{\sqrt{5}} = \sqrt{3}$

② $10 \div \sqrt{10} = 1$

③ $6\sqrt{10} \div 2\sqrt{2} = 3\sqrt{5}$

④ $3\sqrt{48} \div \sqrt{3} = 12$

⑤ $-6\sqrt{14} \div 2\sqrt{7} = -3\sqrt{2}$

개념 확인

2. 제곱근의 나눗셈 ··· 나누는 수의 역수를 곱해!

$a > 0$, $b > 0$, $c > 0$, $d > 0$일 때,

(1) $\dfrac{\sqrt{a}}{\sqrt{b}} = \sqrt{\dfrac{a}{b}}$

　예 $\dfrac{\sqrt{3}}{\sqrt{2}} = \sqrt{\dfrac{3}{2}}$

(2) $m\sqrt{a} \div n\sqrt{b} = \dfrac{m\sqrt{a}}{n\sqrt{b}} = \dfrac{m}{n}\sqrt{\dfrac{a}{b}}$

(3) $\dfrac{\sqrt{b}}{\sqrt{a}} \div \dfrac{\sqrt{d}}{\sqrt{c}} = \dfrac{\sqrt{b}}{\sqrt{a}} \times \dfrac{\sqrt{c}}{\sqrt{d}} = \sqrt{\dfrac{b}{a}} \times \sqrt{\dfrac{c}{d}} = \sqrt{\dfrac{b}{a} \times \dfrac{c}{d}} = \sqrt{\dfrac{bc}{ad}}$

(4) $\sqrt{\dfrac{a}{b^2}} = \dfrac{\sqrt{a}}{b}$

　예 $\sqrt{\dfrac{2}{9}} = \sqrt{\dfrac{2}{3^2}} = \dfrac{\sqrt{2}}{3}$

STEP UP

① $a > 0$, $b > 0$일 때,

$\left(\dfrac{\sqrt{a}}{\sqrt{b}}\right)^2 = \dfrac{(\sqrt{a})^2}{(\sqrt{b})^2} = \dfrac{a}{b}$이므로

$\dfrac{\sqrt{a}}{\sqrt{b}}$ 는 $\dfrac{a}{b}$의 양의 제곱근이다.

$\left(\sqrt{\dfrac{a}{b}}\right)^2 = \dfrac{a}{b}$이므로

$\sqrt{\dfrac{a}{b}}$ 는 $\dfrac{a}{b}$의 양의 제곱근이다.

따라서 $\dfrac{\sqrt{a}}{\sqrt{b}} = \sqrt{\dfrac{a}{b}}$이다.

② $\sqrt{\dfrac{a}{b^2}} = \dfrac{\sqrt{a}}{\sqrt{b^2}} = \dfrac{\sqrt{a}}{b}$

03 근호를 포함한 식의 계산

정답 및 해설 P.6

기본 문제

5 다음 식을 간단히 하시오.

(1) $\sqrt{6} \times \sqrt{7} \div \sqrt{2}$

(2) $\sqrt{18} \times \sqrt{15} \div 3$

6 다음 식을 간단히 하시오.

(1) $2\sqrt{15} \div \sqrt{6} \times \sqrt{10}$

(2) $\sqrt{72} \div \sqrt{6} \div \sqrt{3}$

5-1 다음 식을 간단히 하시오.

(1) $\sqrt{\dfrac{3}{4}} \times \sqrt{\dfrac{4}{27}} \div \sqrt{2}$

(2) $\sqrt{6} \times \dfrac{\sqrt{10}}{\sqrt{3}} \div \dfrac{\sqrt{20}}{\sqrt{21}}$

6-1 다음 식을 간단히 하시오.

(1) $\dfrac{\sqrt{6}}{\sqrt{7}} \div \dfrac{\sqrt{21}}{\sqrt{35}} \times \sqrt{7}$

(2) $\sqrt{24} \div \dfrac{\sqrt{6}}{\sqrt{5}} \div \dfrac{\sqrt{20}}{\sqrt{3}}$

개념 확인

3. 제곱근의 곱셈과 나눗셈의 혼합 계산 ··· 앞에서부터 차례대로, 나눗셈은 곱셈으로 고쳐서 계산!

(1) 곱셈과 나눗셈이 혼합된 식의 계산은 앞에서부터 차례대로 한다.

(2) 나눗셈은 나누는 수의 역수의 곱셈으로 바꾸어 계산하면 편리하다.

(3) $a > 0$, $b > 0$, $c > 0$일 때,

① $\sqrt{a} \times \sqrt{b} \div \sqrt{c} = \sqrt{a \times b \div c}$

② $\sqrt{a} \div \sqrt{b} \times \sqrt{c} = \sqrt{a \div b \times c}$

③ $\sqrt{a} \div \sqrt{b} \div \sqrt{c} = \sqrt{a \div b \div c}$

7 다음은 분모를 유리화하는 과정이다. 이때 □ 안에 알맞은 수를 쓰시오.

(1) $\dfrac{1}{\sqrt{5}} = \dfrac{1 \times \boxed{}}{\sqrt{5} \times \boxed{}} = \boxed{}$

(2) $\dfrac{\sqrt{3}}{3\sqrt{2}} = \dfrac{\sqrt{3} \times \boxed{}}{3\sqrt{2} \times \boxed{}} = \boxed{}$

(3) $\dfrac{6}{\sqrt{3}} = \dfrac{6 \times \boxed{}}{\sqrt{3} \times \boxed{}} = \boxed{}$

(4) $\dfrac{4}{\sqrt{8}} = \dfrac{4}{2\boxed{}} = \dfrac{4 \times \boxed{}}{2\boxed{} \times \boxed{}} = \boxed{}$

7-1 다음 수의 분모를 유리화하시오.

(1) $\dfrac{\sqrt{3}}{\sqrt{5}}$

(2) $\dfrac{3\sqrt{2}}{\sqrt{7}}$

(3) $\dfrac{4}{\sqrt{3}}$

(4) $-\dfrac{2\sqrt{5}}{\sqrt{12}}$

7-2 다음 중 분모를 유리화한 것으로 옳지 <u>않은</u> 것은?

① $\dfrac{1}{\sqrt{2}} = \dfrac{\sqrt{2}}{2}$

② $\dfrac{3}{\sqrt{5}} = \dfrac{3\sqrt{5}}{5}$

③ $-\dfrac{\sqrt{3}}{3\sqrt{2}} = -\dfrac{\sqrt{3}}{6}$

④ $\dfrac{2\sqrt{6}}{\sqrt{3}} = 2\sqrt{2}$

⑤ $\sqrt{\dfrac{5}{6}} = \dfrac{\sqrt{30}}{6}$

7-3 $a = \sqrt{2}$, $b = \sqrt{5}$일 때, $\dfrac{b}{a} + \dfrac{a}{b}$의 값을 구하시오.

개념 확인

4. 분모의 유리화 ··· 무리수인 분모를 유리수로!

(1) **분모의 유리화**: 분모에 근호가 있을 때, 분모와 분자에 0이 아닌 같은 수를 곱하여 분모를 유리수로 고치는 것을 분모의 유리화라고 한다.

(2) **분모를 유리화하는 방법**

① $a > 0$일 때, $\dfrac{b}{\sqrt{a}} = \dfrac{b \times \sqrt{a}}{\sqrt{a} \times \sqrt{a}} = \dfrac{b\sqrt{a}}{a}$ ⟵ $\sqrt{a} \times \sqrt{a} = (\sqrt{a})^2 = a$

② $a > 0$, $b > 0$일 때, $\dfrac{\sqrt{b}}{\sqrt{a}} = \dfrac{\sqrt{b} \times \sqrt{a}}{\sqrt{a} \times \sqrt{a}} = \dfrac{\sqrt{ab}}{a}$

③ $b > 0$일 때, $\dfrac{c}{\sqrt{a^2 b}} = \dfrac{c}{a\sqrt{b}} = \dfrac{c \times \sqrt{b}}{a\sqrt{b} \times \sqrt{b}} = \dfrac{c\sqrt{b}}{ab}$

STEP UP

분모를 유리화하는 이유

① 소수로 쉽게 나타낼 수 있다.

예 $\dfrac{1}{\sqrt{2}} = \dfrac{1}{1.414\cdots}$

➡ $\dfrac{\sqrt{2}}{2} = \dfrac{1.414\cdots}{2} = 0.707\cdots$

② 분모를 유리수로 만들면 계산을 간단히 할 수 있다.

예 $\sqrt{3} + \dfrac{1}{\sqrt{3}} = \sqrt{3} + \dfrac{\sqrt{3}}{3} = \dfrac{4\sqrt{3}}{3}$

03 근호를 포함한 식의 계산

기본 문제

정답 및 해설 P.7

8 다음 제곱근표를 이용하여 주어진 수를 구하시오.

수	0	1	2	3	4	5
3.1	1.761	1.764	1.766	1.769	1.772	1.775
3.2	1.789	1.792	1.794	1.797	1.800	1.803
3.3	1.817	1.819	1.822	1.825	1.828	1.830
3.4	1.844	1.847	1.849	1.852	1.855	1.857

(1) $\sqrt{3.22}$　　　(2) $\sqrt{3.4}$

9 다음 제곱근표를 이용하여 구한 $\sqrt{a}$의 값이 5.138, $\sqrt{b}$의 값이 5.301일 때, a, b의 값을 구하시오.

수	0	1	2	3	4	5
25	5.000	5.010	5.020	5.030	5.040	5.050
26	5.099	5.109	5.119	5.128	5.138	5.148
27	5.196	5.206	5.215	5.225	5.235	5.244
28	5.292	5.301	5.310	5.320	5.329	5.339

8-1 위의 제곱근표에서 $\sqrt{3.3}$의 값을 x, $\sqrt{3.25}$의 값을 y라 할 때, $x-y$의 값을 구하시오.

9-1 위의 제곱근표에서 $\sqrt{x}$의 값이 5.329, $\sqrt{27.2}$의 값이 y일 때, $1000y-100x$의 값을 구하시오.

개념 확인

5. 제곱근표를 이용하여 제곱근의 값 구하기

(1) 제곱근표를 이용하여 제곱근의 값 구하기: 제곱근의 값은 처음 두 자리의 수의 가로줄과 끝 자리의 수의 세로줄이 만나는 곳의 수를 읽으면 된다.

　　예 다음 제곱근표에서 $\sqrt{1.43}$의 값은 1.4의 가로줄과 3의 세로줄이 만나는 곳의 수인 1.196이다.

수	0	1	2	3	4
⋮	⋮	⋮	⋮	⋮	⋮
1.3	1.140	1.145	1.149	1.153	1.158
1.4	1.183	1.187	1.192	1.196	1.200
⋮	⋮	⋮	⋮	⋮	⋮

STEP UP

① 제곱근표 1.00에서 99.9까지의 수에 대한 양의 제곱근의 값을 반올림하여 소수점 아래 셋째 자리까지 구하여 나타낸 표이다.
② 제곱근표에서 먼저 가로줄을 읽은 후 세로줄을 읽어 만나는 곳의 수를 찾는다.

10 $\sqrt{3}+\sqrt{27}-\sqrt{12}$를 간단히 하면?

① $2\sqrt{3}$　　② $3\sqrt{3}$　　③ $4\sqrt{3}$

④ $5\sqrt{3}$　　⑤ $6\sqrt{3}$

11 $\sqrt{12}-\sqrt{27}+\sqrt{A}=4\sqrt{3}$일 때, A의 값을 구하시오.

10-1 다음 식을 간단히 하시오.

(1) $\sqrt{50}-2\sqrt{32}+\sqrt{8}$

(2) $2\sqrt{12}+\sqrt{20}-\sqrt{27}-3\sqrt{45}$

11-1 $6\sqrt{6}-\sqrt{54}+2\sqrt{24}=A\sqrt{6}$일 때, A의 값을 구하시오.

개념 확인

6. 제곱근의 덧셈과 뺄셈 ⋯ 다항식의 덧셈과 뺄셈의 방법과 같아요.

근호 안의 수가 같은 것끼리 모아서 다항식의 덧셈과 뺄셈에서 동류항끼리 계산하듯이 덧셈과 뺄셈을 한다.

즉, $a>0$이고 m, n이 유리수일 때,

(1) $m\sqrt{a}+n\sqrt{a}=(m+n)\sqrt{a}$ ┐ $\sqrt{a}+\sqrt{b}\neq\sqrt{a+b}$, $\sqrt{a}-\sqrt{b}\neq\sqrt{a-b}$

(2) $m\sqrt{a}-n\sqrt{a}=(m-n)\sqrt{a}$ ┘

참고 근호 안의 수를 가장 작게 하였을 때 근호 안의 수가 다르면 덧셈과 뺄셈은 더 이상 간단히 할 수 없다.

STEP UP

$$3\sqrt{2}+\sqrt{3}-2\sqrt{2}$$
$$=3\sqrt{2}-2\sqrt{2}+\sqrt{3} \quad ①$$
$$=(3-2)\sqrt{2}+\sqrt{3} \quad ②$$
$$=\sqrt{2}+\sqrt{3} \quad ③$$

① 근호 안의 수가 같은 것끼리 모은다.

② $3\sqrt{2}$, $2\sqrt{2}$를 동류항처럼 생각하여 계산한다.

③ $\sqrt{2}$, $\sqrt{3}$은 근호 안의 수가 다르므로 더 이상 간단히 할 수 없다.

03 근호를 포함한 식의 계산

정답 및 해설 P.8

12 다음 식을 간단히 하시오.

(1) $\sqrt{2}(\sqrt{6}+\sqrt{12})$

(2) $\sqrt{3}(\sqrt{18}-\sqrt{27})+\sqrt{96}$

13 $\dfrac{\sqrt{2}}{\sqrt{3}}+\sqrt{48}=a\sqrt{6}+4\sqrt{b}$일 때, 양의 유리수 a, b에 대하여 ab의 값은?

① $\dfrac{1}{3}$ 　 ② $\dfrac{2}{3}$ 　 ③ 1

④ $\dfrac{3}{2}$ 　 ⑤ 3

12-1 $\sqrt{7}(\sqrt{14}-\sqrt{5})$를 간단히 하면?

① $\sqrt{14}-\sqrt{5}$ 　 ② $\sqrt{21}-2\sqrt{3}$ 　 ③ $3\sqrt{7}$

④ $7\sqrt{2}-\sqrt{35}$ 　 ⑤ $7\sqrt{2}-2\sqrt{3}$

13-1 $2\sqrt{3}(\sqrt{3}+\sqrt{8})+\dfrac{2\sqrt{3}-\sqrt{18}}{\sqrt{2}}$을 간단히 하면?

① $2-5\sqrt{6}$ 　 ② $2+5\sqrt{6}$ 　 ③ $3-5\sqrt{6}$

④ $3+5\sqrt{6}$ 　 ⑤ $4-5\sqrt{6}$

개념 확인

7. 복잡한 식의 덧셈과 뺄셈

(1) 근호 안에 제곱인 인수가 있는 경우: 근호 안의 수를 소인수분해하였을 때, $\sqrt{a^2 b}\ (a>0,\ b>0)$의 꼴이면 $a\sqrt{b}$로 나타내어 계산한다.

(2) 괄호가 있는 경우: 분배법칙을 이용하여 괄호를 푼 후 계산한다.

　즉, $a>0,\ b>0,\ c>0$일 때,

　① $\sqrt{a}(\sqrt{b}+\sqrt{c})=\sqrt{ab}+\sqrt{ac}$

　② $\sqrt{a}(\sqrt{b}-\sqrt{c})=\sqrt{ab}-\sqrt{ac}$

　③ $(\sqrt{a}+\sqrt{b})\sqrt{c}=\sqrt{ac}+\sqrt{bc}$

　④ $(\sqrt{a}-\sqrt{b})\sqrt{c}=\sqrt{ac}-\sqrt{bc}$

(3) 덧셈, 뺄셈, 곱셈, 나눗셈이 섞여 있는 식의 계산

　① $\sqrt{a^2 b}$의 꼴은 $a\sqrt{b}$로 고친다.

　② 분모에 근호가 있으면 분모를 유리화한다.

　③ 괄호가 있으면 분배법칙을 이용하여 괄호를 푼다.

　④ 곱셈과 나눗셈을 먼저 계산한다.

　⑤ 근호 안의 수가 같은 것끼리 모아서 덧셈과 뺄셈을 한다.

STEP UP

$\sqrt{2}(\sqrt{12}-\sqrt{18}+\sqrt{48})$ ── ①

$=\sqrt{2}(2\sqrt{3}-3\sqrt{2}+4\sqrt{3})$ ── ②

$=\sqrt{2}(6\sqrt{3}-3\sqrt{2})$ ── ③

$=6\sqrt{6}-6$

① 근호 안에 있는 제곱인 인수를 근호 밖으로 꺼낸다.

② 근호 안의 수가 같은 것끼리 동류항처럼 생각하여 계산한다.

③ 분배법칙을 이용하여 괄호를 푼다.

정답 및 해설 P.8

| 제곱근의 곱셈 |

01 다음 중 옳지 <u>않은</u> 것은?

① $\sqrt{5}\sqrt{7}=\sqrt{35}$

② $3\sqrt{3}\times\sqrt{11}=3\sqrt{33}$

③ $-2\sqrt{2}\times(-3\sqrt{7})=-6\sqrt{14}$

④ $\sqrt{\dfrac{3}{8}}\times\sqrt{\dfrac{2}{3}}=\dfrac{1}{2}$

⑤ $-\sqrt{6}\sqrt{3}=-3\sqrt{2}$

두 양수 a, b에 대하여
$\sqrt{a}\times\sqrt{b}=\sqrt{ab}$가 성립한다.

| 제곱근의 나눗셈 |

02 $\dfrac{\sqrt{42}}{\sqrt{6}}\div\dfrac{\sqrt{7}}{\sqrt{18}}$ 을 계산하면?

① $\sqrt{3}$ ② $\sqrt{6}$ ③ $2\sqrt{3}$

④ $3\sqrt{2}$ ⑤ $2\sqrt{6}$

제곱근의 나눗셈은 나누는 수의 분
자와 분모를 서로 바꿔서 곱셈으로
계산한다.

| 제곱근의 곱셈과 나눗셈의 혼합 계산 |

03 $\sqrt{20}\times\sqrt{72}\div\sqrt{24}=2\sqrt{x}$를 만족시키는 자연수 x의 값은?

① 15 ② 18 ③ 24

④ 30 ⑤ 42

곱셈과 나눗셈이 섞여 있는 계산은
앞에서부터 차례로 한다.

| 분모의 유리화 |

04 다음 수의 분모를 유리화하시오.

(1) $\dfrac{\sqrt{7}}{\sqrt{2}\sqrt{3}}$

(2) $\dfrac{10}{\sqrt{2}\sqrt{5}}$

분모를 유리수로 만들기 위해 같은
수를 분자와 분모에 곱한다.

| 분모의 유리화 |

05 다음 중 분모를 유리화한 것으로 옳지 <u>않은</u> 것은?

① $\dfrac{\sqrt{3}}{\sqrt{24}} = \dfrac{\sqrt{2}}{4}$

② $\dfrac{\sqrt{40}}{\sqrt{6}} = \dfrac{2\sqrt{15}}{3}$

③ $\dfrac{3}{\sqrt{3}} = \sqrt{3}$

④ $\dfrac{3\sqrt{12}}{\sqrt{14}} = \dfrac{3\sqrt{42}}{7}$

⑤ $\dfrac{\sqrt{5}}{5\sqrt{13}} = \dfrac{\sqrt{13}}{13}$

유리화를 하기 전, 먼저 분자와 분모를 간단히 한다.

| 제곱근의 덧셈과 뺄셈 |

06 $a = \sqrt{5} + 2\sqrt{3}$, $b = 2\sqrt{5} - \sqrt{3}$일 때, $3(a+2b) - 2(a+2b)$를 간단히 하시오.

식을 먼저 간단히 한 다음, 주어진 값을 대입한다.

| 복잡한 식의 덧셈과 뺄셈 |

07 $\dfrac{2}{\sqrt{3}}(3 - \sqrt{2}) + \sqrt{8}\left(\sqrt{3} + \dfrac{\sqrt{3}}{\sqrt{2}}\right) = m\sqrt{3} + n\sqrt{6}$일 때, 유리수 m, n의 값을 구하시오.

분모가 무리수인 경우 유리화를 먼저 하고 식을 계산한다.

| 복잡한 식의 덧셈과 뺄셈 | **서술형**

08 $a = \sqrt{150} + \sqrt{98} - \dfrac{1}{\sqrt{3}}(\sqrt{6} + 6\sqrt{2})$일 때, $\sqrt{2}a$의 값을 구하고 그 과정을 서술하시오.

먼저 a를 간단히 정리한 다음 $\sqrt{2}a$의 값을 구한다.

01 x가 a의 제곱근일 때, 다음 중 옳은 것은?

(하)
① $x=\sqrt{a}$　　② $x=a^2$　　③ $a=\sqrt{x}$

④ $a=\pm\sqrt{x}$　　⑤ $x^2=a$

02 다음 중 옳은 것은?

(하)
① 0의 제곱근은 없다.

② 1의 제곱근은 2개이다.

③ 2의 제곱근은 $\sqrt{2}$이다.

④ 제곱근 4는 무리수이다.

⑤ $-\sqrt{5}$는 -5의 음의 제곱근이다.

03 $\sqrt{256}$의 양의 제곱근을 a, 제곱근 16을 b라고 할 때,

(중) $a+b$의 값은?

① 4　　② 8　　③ 12

④ 16　　⑤ 20

04 다음 중 그 값이 나머지와 다른 하나는?

(중)
① $-(-\sqrt{3})^2$　② $\sqrt{3^2}$　③ $\sqrt{(-3)^2}$

④ $(-\sqrt{3})^2$　⑤ $(\sqrt{3})^2$

05 다음 중 옳지 않은 것은?

(중)
① $-(-\sqrt{5})^2=5$　　② $\sqrt{(-3)^2}=3$

③ $-\sqrt{4^2}=-4$　　④ $-\sqrt{(-6)^2}=-6$

⑤ $\sqrt{(-7)^2}=7$

06 $a<0$일 때, $\sqrt{4a^2}+\sqrt{(-3a)^2}$을 간단히 하면?

(중)
① $-a$　　② $-2a$　　③ $-3a$

④ $-4a$　　⑤ $-5a$

07 $a>0$일 때, 다음 보기 중 옳은 것을 모두 고른 것은?

(하)
보기

ㄱ. $\sqrt{a^2}=a$　　　　ㄴ. $\sqrt{(-a)^2}=-a$

ㄷ. $-(\sqrt{a})^2=-a$　　ㄹ. $(-\sqrt{a})^2=a$

① ㄱ, ㄴ, ㄷ　　② ㄱ, ㄴ, ㄹ　　③ ㄱ, ㄷ, ㄹ

④ ㄴ, ㄷ, ㄹ　　⑤ ㄱ, ㄴ, ㄷ, ㄹ

08 $-\sqrt{\dfrac{40}{x}}$이 정수가 되도록 하는 가장 작은 자연수 x의

(중) 값을 구하시오.

09 다음 중 대소 관계가 옳은 것은?

중

① $\sqrt{\dfrac{3}{4}} > \sqrt{\dfrac{4}{5}}$　　　　② $\dfrac{1}{2} < \sqrt{\dfrac{1}{3}}$

③ $0.1 > \sqrt{0.01}$　　　　④ $-3 < -\sqrt{10}$

⑤ $-\sqrt{\dfrac{1}{5}} > 0$

10 다음 중 무리수의 개수는?

중

$$0.3, \quad \sqrt{12}, \quad -\sqrt{\dfrac{1}{4}}, \quad \pi, \quad \sqrt{5}-2, \quad \sqrt{9}$$

① 1　　　　② 2　　　　③ 3

④ 4　　　　⑤ 5

11 다음 중 $\sqrt{5}$에 대한 설명으로 옳지 않은 것은?

하

① 무리수이다.

② 수직선 위의 한 점이다.

③ 2보다 작다.

④ 순환하지 않는 무한소수이다.

⑤ 넓이가 5인 정사각형의 한 변의 길이이다.

12 다음 중 옳은 것을 모두 고르면? (정답 2개)

중

① $\sqrt{3}$은 $\dfrac{b}{a}$(단, a, b는 정수, $a \neq 0$)의 꼴로 나타낼 수 있다.

② 무리수와 무리수의 합은 무리수이다.

③ $\dfrac{\sqrt{3}+2}{2}$는 $\sqrt{3}$과 2 사이에 있는 수이다.

④ -2와 2 사이에는 3개의 유리수가 있다.

⑤ $\sqrt{3}-0.01$은 순환하지 않는 무한소수이다.

13 다음 보기의 수들을 크기가 작은 것부터 차례로 나열하시오.

중

보기

ㄱ. $2+\sqrt{2}$　　　　ㄴ. $-\sqrt{3}+1$

ㄷ. $\sqrt{2}+\sqrt{3}$　　　　ㄹ. $-\sqrt{3}+\sqrt{2}$

14 다음 중 옳은 것은?

중

① $-3\sqrt{2} = \sqrt{18}$　　　　② $\dfrac{\sqrt{12}}{2} = \sqrt{6}$

③ $\sqrt{15} \div \sqrt{3} = 5$　　　　④ $\sqrt{8} \times \sqrt{12} = 4\sqrt{6}$

⑤ $\sqrt{12} \div \sqrt{\dfrac{3}{4}} = 3$

15 $3\sqrt{24} = a\sqrt{6}$, $\sqrt{\dfrac{135}{3}} = b\sqrt{5}$일 때, $\sqrt{\dfrac{a}{b}}$의 값은?

중

① $\sqrt{2}$　　　　② $\sqrt{3}$　　　　③ 2

④ $\sqrt{5}$　　　　⑤ $\sqrt{6}$

16 $\sqrt{2} = a$, $\sqrt{5} = b$라고 할 때, $\sqrt{20}$을 a, b를 사용하여 나타내면?

중

① $\dfrac{1}{2}ab$　　　　② $\sqrt{2}ab$　　　　③ $2ab$

④ a^2b　　　　⑤ ab^2

17 $\dfrac{\sqrt{72}}{3} \div \sqrt{\dfrac{1}{4}} \times \left(-\dfrac{3\sqrt{2}}{5}\right)$를 간단히 하면?

① $-\dfrac{36}{5}$ ② $-\dfrac{33}{5}$ ③ -6

④ $-\dfrac{27}{5}$ ⑤ $-\dfrac{24}{5}$

18 오른쪽 그림과 같이 가로, 세로의 길이가 각각 $\sqrt{6}$ cm, $\sqrt{3}$ cm인 직육면체가 있다. 이 직육면체의 부피가 12 cm³일 때, 높이는?

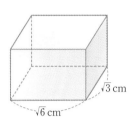

① $2\sqrt{2}$ cm   ② $2\sqrt{3}$ cm

③ $\dfrac{\sqrt{6}}{2}$ cm   ④ $\dfrac{3\sqrt{2}}{2}$ cm

⑤ $\dfrac{3\sqrt{3}}{2}$ cm

19 $\dfrac{\sqrt{27}}{6\sqrt{2}}$의 분모를 유리화하면?

① $\dfrac{\sqrt{6}}{2}$ ② $\dfrac{\sqrt{3}}{4}$ ③ $\dfrac{\sqrt{6}}{4}$

④ $\dfrac{3\sqrt{3}}{4}$ ⑤ $\sqrt{6}$

20 $\dfrac{a}{\sqrt{72}}$의 분모를 유리화하면 $\dfrac{\sqrt{2}}{3}$일 때, a의 값을 구하시오.

21 $\dfrac{\sqrt{3}+2\sqrt{6}}{4} - \dfrac{\sqrt{3}-\sqrt{6}}{6} = \square\sqrt{3} + \square\sqrt{6}$일 때, $\square$ 안에 차례로 알맞은 수를 쓰시오.

22 $a=3\sqrt{2}-\sqrt{5}$, $b=-2\sqrt{5}$일 때, $(a+2b)-3b$를 간단히 하시오.

23 다음 그림에서 A, B, C는 모두 정사각형 모양의 색종이이다. A, B, C의 넓이가 각각 12 cm², 6 cm², 3 cm²일 때, 색종이로 이루어진 도형의 밑변의 길이를 구하시오.

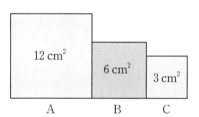

24 오른쪽 그림과 같은 사다리꼴 ABCD의 넓이는?

① $12\sqrt{3}+4\sqrt{6}$

② $10\sqrt{2}+5\sqrt{6}$

③ $6\sqrt{2}+8\sqrt{6}$

④ $8\sqrt{3}+10\sqrt{6}$

⑤ $10\sqrt{3}+15\sqrt{6}$

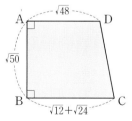

중단원 마무리

서술형

25 다음 그림과 같이 수직선 위에 넓이가 6인 정사각형
ABCD가 있다. 점 A를 중심으로 하고 반지름의 길이
가 $\overline{AB}$인 원을 그렸을 때, 원과 수직선이 만나는 두 점
을 각각 P, Q라고 한다. 두 점 P, Q에 대응하는 수를 구
하고 그 과정을 서술하시오.

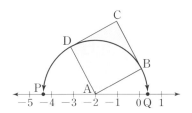

26 $A=\sqrt{\left(-\dfrac{11}{25}\right)^2}-\left(-\sqrt{\dfrac{3}{4}}\right)^2\div\sqrt{\dfrac{9}{144}}\times\left\{-\sqrt{\left(-\dfrac{1}{3}\right)^2}\right\}$

일 때, 다음 물음에 답하고 그 과정을 서술하시오.

(1) A의 값을 구하시오.
(2) 제곱근 A를 구하시오.

27 오른쪽 그림과 같이
$\angle A=90°$인 직각삼각형
ABC에서 $\overline{AB}$, $\overline{AC}$를
각각 한 변으로 하는 정
사각형을 그렸더니 넓이
가 각각 20, 12가 되었다. 이때 △ABC의 넓이를 구하
고 그 과정을 서술하시오.

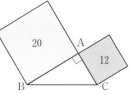

28 $a=\sqrt{75}-\sqrt{72}-\sqrt{12}+\sqrt{50}$이라고 할 때, 다음 물음에
답하고 그 과정을 서술하시오.

(1) a의 값을 구하시오.
(2) $\dfrac{a}{\sqrt{6}}$의 값을 구하시오.

인수분해와 이차방정식

01 다항식의 곱셈

기본 문제

정답 및 해설 P.10

1 다음 식을 전개하시오.

(1) $(x+3)(x+6)$

(2) $(x-2)(3y+4)$

2 다음 식을 전개하시오.

(1) $(a-b+1)(a+b)$

(2) $(3x-y)(x+2y-3)$

1-1 다음 식을 전개하시오.

(1) $(a-2)(b-4)$

(2) $(a-b)(2a+b)$

(3) $(x-6)(3x+2)$

(4) $(3x+2y)(2x-y)$

2-1 $(2x-3y+1)(3x+y-4)$를 전개할 때, xy의 계수를 구하시오.

개념 확인

1. 다항식의 곱셈 원리 ⋯ 빠짐없이 모두 곱하자!

(다항식)×(다항식): 분배법칙을 이용하여 전개하고 동류항이 있으면 간단히 한다.

$$(a+b)(c+d) = \underset{①}{ac} + \underset{②}{ad} + \underset{③}{bc} + \underset{④}{bd}$$

예 $(a+b)(2a+b) = a \times 2a + a \times b + b \times 2a + b \times b$

$\qquad = 2a^2 + \underline{ab+2ab} + b^2 = 2a^2 + 3ab + b^2$

$\qquad\qquad\qquad$ 동류항

$(a+b)(c+d)$

(1) 직사각형의 넓이를 이용

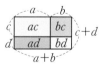

(2) 분배법칙 이용

$(a+b)(c+d)$

$= a(c+d) + b(c+d)$

$= ac+ad+bc+bd$

3 다음 식을 전개하시오.

(1) $(a+5)^2$

(2) $(x-3)^2$

(3) $(3y+2)^2$

(4) $(-2a+b)^2$

4 다음 □ 안에 알맞은 수를 쓰시오.

(1) $(a+6)^2=a^2+\boxed{}a+\boxed{}$

(2) $(4x-7)^2=\boxed{}x^2-\boxed{}x+\boxed{}$

3-1 다음 식을 전개하시오.

(1) $(b+4)^2$

(2) $\left(x-\dfrac{1}{2}\right)^2$

(3) $(2a-5b)^2$

(4) $(-x-6y)^2$

4-1 다음 등식을 만족시키는 양수 A, B의 값을 각각 구하시오.

(1) $(x+A)^2=x^2+Bx+16$

(2) $(2y-A)^2=4y^2-6y+B$

개념 확인

2. 곱셈 공식 (1) … 합과 차의 제곱!

(1) 합의 제곱: $(a+b)^2=a^2+2ab+b^2$

 ⇨ 분배법칙을 이용하여 확인하면

 $(a+b)^2=(a+b)(a+b)=a^2+ab+ab+b^2=a^2+2ab+b^2$

 예 $(x+1)^2=x^2+2\times x\times 1+1^2=x^2+2x+1$

(2) 차의 제곱: $(a-b)^2=a^2-2ab+b^2$

 ⇨ 분배법칙을 이용하여 확인하면

 $(a-b)^2=(a-b)(a-b)=a^2-ab-ab+b^2=a^2-2ab+b^2$

 예 $(x-1)^2=x^2-2\times x\times 1+1^2=x^2-2x+1$

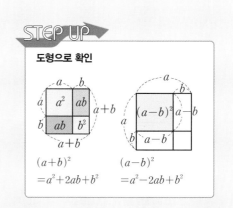

STEP UP

도형으로 확인

$(a+b)^2$
$=a^2+2ab+b^2$

$(a-b)^2$
$=a^2-2ab+b^2$

01 다항식의 곱셈

정답 및 해설 P.11

기본 문제

5 다음 식을 전개하시오.

(1) $(x+6)(x-6)$

(2) $(5a-1)(5a+1)$

(3) $\left(2a-\dfrac{1}{2}b\right)\left(2a+\dfrac{1}{2}b\right)$

(4) $(-x+3y)(x+3y)$

6 다음 □ 안에 알맞은 수를 쓰시오.

$$(x-1)(x+1)(x^2+1)(x^4+1)$$
$$=(x^{□}-1)(x^2+1)(x^4+1)$$
$$=(x^{□}-1)(x^4+1)$$
$$=x^{□}-1$$

5-1 다음 식을 전개하시오.

(1) $(a-4)(a+4)$

(2) $(-3b-4a)(4a-3b)$

(3) $(-2x+3y)(-2x-3y)$

(4) $\left(\dfrac{1}{2}x-\dfrac{2}{3}\right)\left(\dfrac{1}{2}x+\dfrac{2}{3}\right)$

6-1 다음 식을 전개하시오.

(1) $(x-3y)(x+3y)(x^2+9y^2)$

(2) $(2-x)(2+x)(4+x^2)(16+x^4)$

개념 확인

3. 곱셈 공식 (2) ··· 합과 차의 곱!

$$(a+b)(a-b)=a^2-b^2$$

⇨ 분배법칙을 이용하여 확인하면

$$(a+b)(a-b)=a^2-ab+ab-b^2=a^2-b^2$$

예 $(a+2)(a-2)=a^2-2^2=a^2-4$

STEP UP

도형으로 확인

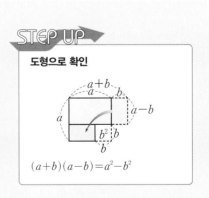

$$(a+b)(a-b)=a^2-b^2$$

7 다음 식을 전개하시오.

(1) $(x+4)(x-7)$

(2) $(x-3y)(x-6y)$

(3) $(2x+3)(3x-4)$

(4) $(x-7y)(5x+y)$

8 다음 식에서 상수 A, B의 값을 각각 구하시오.

(1) $(x+4)(x+A)=x^2+Bx-12$

(2) $(-2x+5)(Ax+1)=-6x^2+13x+B$

7-1 다음 식을 전개하시오.

(1) $(x+6)(x+2)$

(2) $\left(x-\dfrac{1}{2}y\right)\left(x+\dfrac{1}{3}y\right)$

(3) $(-4x+3)(x-5)$

(4) $(3x+5y)(2x-4y)$

8-1 다음 식에서 상수 A, B의 값을 각각 구하시오.

(1) $(x+A)(x+2)=x^2+Bx-6$

(2) $(2x-3)(4x+A)=8x^2-2x+B$

개념 확인

4. 곱셈 공식 (3) … 일차항의 계수가 1인 경우와 아닌 경우

└─ 가장 높은 차수가 1인 다항식

(1) 일차항의 계수가 1인 두 일차식의 곱

두 수의 합

$$(x+a)(x+b)=x^2+(a+b)x+ab$$

두 수의 곱

예 $(x+2)(x+3)=x^2+(2+3)x+2\times3=x^2+5x+6$

(2) 일차항의 계수가 1이 아닌 두 일차식의 곱

외항의 계수의 곱

$$(ax+b)(cx+d)=acx^2+(ad+bc)x+bd$$

내항의 계수의 곱

예 $(3x+1)(2x+5)=(3\times2)x^2+(3\times5+1\times2)x+1\times5$

$\qquad\qquad\quad =6x^2+17x+5$

STEP UP

- 분배법칙으로 확인

$$(x+a)(x+b)=x^2+bx+ax+ab$$
$$=x^2+(a+b)x+ab$$

$$(ax+b)(cx+d)=acx^2+adx+bcx+bd$$
$$=acx^2+(ad+bc)x+bd$$

- 도형으로 확인

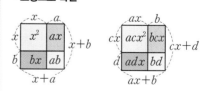

01 다항식의 곱셈

기본 문제 · · · 정답 및 해설 P.12

9 다음은 곱셈 공식을 이용하여 수의 계산을 하는 과정이다. □ 안에 알맞은 수를 쓰시오.

(1) $102^2 = (100 + \boxed{})^2$

$= \boxed{}^2 + 2 \times \boxed{} \times \boxed{} + \boxed{}^2$

$= 10000 + \boxed{} + 4 = \boxed{}$

(2) $203 \times 197 = (200 + \boxed{})(200 - \boxed{})$

$= 200^2 - \boxed{}$

$= 40000 - \boxed{} = \boxed{}$

(3) $87 \times 92 = (90 - \boxed{})(90 + \boxed{})$

$= 90^2 + (-3 + 2) \times 90 + (-3) \times \boxed{}$

$= 8100 - 90 - \boxed{} = \boxed{}$

9-1 곱셈 공식을 이용하여 다음을 계산하시오.

(1) 199^2

(2) 48×52

(3) 298×295

9-2 다음 보기의 곱셈 공식 중 주어진 수의 계산을 위해 이용하기 가장 편리한 곱셈 공식을 찾으시오.

> **보기**
>
> ㄱ. $(a+b)^2 = a^2 + 2ab + b^2$
> ㄴ. $(a-b)^2 = a^2 - 2ab + b^2$
> ㄷ. $(a+b)(a-b) = a^2 - b^2$
> ㄹ. $(x+a)(x+b) = x^2 + (a+b)x + ab$

(1) 1004^2

(2) 3.99×4.01

(3) 9.98^2

(4) 503×505

9-3 곱셈 공식을 이용하여 $53^2 - 49 \times 51$을 계산하시오.

개념 확인

5. 곱셈 공식을 이용한 수의 계산 · · · 수를 다른 두 수의 합 또는 차로 바꾸자!

(1) 수의 제곱의 계산: $(a+b)^2 = a^2 + 2ab + b^2$ 또는

$(a-b)^2 = a^2 - 2ab + b^2$을 이용한다.

⑩ $101^2 = (100+1)^2 = 100^2 + 2 \times 100 \times 1 + 1^2 = 10000 + 200 + 1$

$= 10201$

$99^2 = (100-1)^2 = 100^2 - 2 \times 100 \times 1 + 1^2 = 10000 - 200 + 1$

$= 9801$

(2) 두 수의 곱의 계산: $(a+b)(a-b) = a^2 - b^2$ 또는

$(x+a)(x+b) = x^2 + (a+b)x + ab$를 이용한다.

⑩ $101 \times 99 = (100+1)(100-1) = 100^2 - 1^2 = 10000 - 1 = 9999$

$101 \times 97 = (100+1)(100-3)$

$= 100^2 + (1-3) \times 100 + 1 \times (-3)$

$= 10000 - 200 - 3 = 9797$

STEP UP

수를 곱셈 공식이 이용 가능한 모양으로 바꿀 때,

$499^2 = (500-1)^2$

$77 \times 83 = (80-3)(80+3)$

과 같이 10의 배수에 한 자리의 수를 더하거나 빼는 모양의 꼴로 바꾸면 곱셈 공식을 이용하기 편리하다.

기본 문제

10 다음 분수의 분모를 유리화하시오.

(1) $\dfrac{1}{\sqrt{2}+1}$

(2) $\dfrac{6}{3-\sqrt{3}}$

11 분모의 유리화를 이용하여 $\dfrac{\sqrt{5}+\sqrt{3}}{\sqrt{5}-\sqrt{3}}$ 을 계산하면 $a+b\sqrt{15}$일 때, 유리수 a, b의 값을 구하시오.

10-1 다음 분수의 분모를 유리화하시오.

(1) $\dfrac{1}{\sqrt{5}+2}$

(2) $\dfrac{2}{\sqrt{6}-2}$

(3) $\dfrac{1}{2\sqrt{2}-3}$

(4) $\dfrac{2}{3-\sqrt{13}}$

11-1 분모의 유리화를 이용하여 $\dfrac{\sqrt{15}-\sqrt{5}}{\sqrt{15}+\sqrt{5}}$ 를 계산하면 $a+b\sqrt{3}$일 때, 유리수 a, b에 대하여 $a+b$의 값을 구하시오.

개념 확인

6. 곱셈 공식을 이용한 분모의 유리화 ⋯ 분모를 유리화하고, 곱셈과 나눗셈을 먼저!

분모가 2개의 항으로 되어 있는 무리수일 때, 곱셈 공식 $(a+b)(a-b)=a^2-b^2$을 이용하여 분모를 유리화한다.

$a>0$, $b>0$일 때,

$$\frac{1}{\sqrt{a}+\sqrt{b}}=\frac{1\times(\sqrt{a}-\sqrt{b})}{(\sqrt{a}+\sqrt{b})(\sqrt{a}-\sqrt{b})}=\frac{\sqrt{a}-\sqrt{b}}{a-b}$$

$$\frac{1}{\sqrt{a}-\sqrt{b}}=\frac{1\times(\sqrt{a}+\sqrt{b})}{(\sqrt{a}-\sqrt{b})(\sqrt{a}+\sqrt{b})}=\frac{\sqrt{a}+\sqrt{b}}{a-b}$$

STEP UP

분모가 2개의 항으로 된 무리수인 경우, 분모를 유리화할 때 이용되는 곱셈 공식은 $(a+b)(a-b)=a^2-b^2$ 이다.

분모	분모, 분자에 곱하는 수
$\sqrt{a}+\sqrt{b}$	$\sqrt{a}-\sqrt{b}$
$\sqrt{a}-\sqrt{b}$	$\sqrt{a}+\sqrt{b}$
$a+\sqrt{b}$	$a-\sqrt{b}$
$a-\sqrt{b}$	$a+\sqrt{b}$

반대 부호

| 다항식의 곱셈 원리 |

01 $(a+b)(x-y)$를 전개하면?

① $ax+ay+bx+by$ ② $ax+ay+bx-by$ ③ $ax-ay+bx-by$

④ $ax-ay-bx-by$ ⑤ $ax+ay-bx-by$

(다항식)×(다항식)은 분배법칙을 이용하여 전개한다.

| 다항식의 곱셈 공식 |

02 다음 식을 전개하시오.

(1) $(x+2)^2$

(2) $\left(3y-\dfrac{1}{2}\right)^2$

(3) $(9-x)(9+x)$

(4) $(x+8)(x-10)$

(5) $(-6x+1)(2x-3)$

(6) $\left(4x-\dfrac{1}{3}y\right)\left(9x+\dfrac{1}{4}y\right)$

여러 가지 곱셈 공식을 이용하여 전개한다.

| 다항식의 곱셈 공식 |

03 다음 중 식의 전개가 올바른 것은?

① $(2a+3)^2=4a^2+6a+9$

② $(a+10)(a-10)=a^2-100$

③ $(x+2)(x-6)=x^2+4x-12$

④ $(3x+2)(5x+2)=15x^2+4$

⑤ $(x-2y)(x+5y)=x^2+3x-10y^2$

| 다항식의 곱셈 공식 |

04 다음 그림의 색칠한 직사각형의 넓이를 나타내는 식을 보기에서 찾으시오.

ㄱ. $a^2-2ab+b^2$ ㄴ. a^2-b^2
ㄷ. $2a^2+ab-b^2$ ㄹ. $2a^2+ab+b^2$

(1)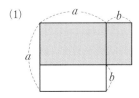

(2)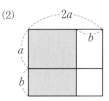

(1) (가로의 길이)$=a+b$
   (세로의 길이)$=a-b$

| 곱셈 공식을 이용한 수의 계산 |

05 다음 중 주어진 수의 계산을 편리하게 하기 위해 이용되는 곱셈 공식을 잘못 짝지은 것은?

① $106^2 \Rightarrow (a+b)^2$

② $98^2 \Rightarrow (a-b)^2$

③ $501 \times 499 \Rightarrow (a+b)(a-b)$

④ $3.03 \times 2.99 \Rightarrow (x+a)(x+b)$

⑤ $99.87 \times 100.13 \Rightarrow (x+a)(x+b)$

수를 곱셈 공식이 이용 가능한 모양으로 바꾸어서 주어진 곱셈 공식과 비교한다.

| 복잡한 다항식의 곱셈 | 서술형

06 $(3x-2y-4)(3x+2y-4)$를 전개하였을 때, 각 항의 계수와 상수항의 합을 구하고 그 과정을 서술하시오.

곱셈 공식 $(a+b)(a-b)=a^2-b^2$ 을 이용하여 전개한다.

| 곱셈 공식의 응용 |

07 $x+\dfrac{1}{x}=3$일 때, $x^2+3x+\dfrac{3}{x}+\dfrac{1}{x^2}$의 값을 구하시오.

| 곱셈 공식의 응용 |

08 $(2+1)(2^2+1)(2^4+1)=2^a+b$일 때, 두 상수 a, b의 값을 구하시오.

$1=2-1$이므로 주어진 식을 $(2-1)(2+1)(2^2+1)(2^4+1)$로 보고, 곱셈 공식 $(a+b)(a-b)=a^2-b^2$을 이용하여 전개한다.

| 곱셈 공식을 이용한 수의 계산 | 서술형

09 곱셈 공식을 이용하여 $\dfrac{1999}{2000\times1998-1999^2}$ 를 계산하고 그 과정을 서술하시오.

$2000=1999+1$, $1998=1999-1$

| 분모의 유리화 |

10 $\dfrac{2}{\sqrt{3}+\sqrt{2}}$ 를 간단히 하면 $a\sqrt{3}+b\sqrt{2}$이다. 유리수 a, b에 대하여 $a-b$의 값은?

① 1 ② 2 ③ 3
④ 4 ⑤ 5

곱셈 공식 $(a+b)(a-b)=a^2-b^2$ 을 이용하여 분모를 유리화한다.

02 다항식의 인수분해

기본 문제

정답 및 해설 P.14

1 다음 식을 인수분해하시오.

(1) $ac+bc$

(2) $-3a^2+2ab$

(3) $-2x^2y-8xy^2+6xy$

(4) $x(y-a)+2(a-y)$

2 다음 식의 인수를 모두 구하시오. (단, 인수 1은 제외한다.)

(1) $(x+1)(x-4)$

(2) $xy-y$

(3) $a(b+2)-(b+2)$

(4) x^3+x

1-1 다음 식을 인수분해하시오.

(1) $2x^2-4x$

(2) $8ab^2-6ab+4a$

(3) $a(x+3y)-b(x+3y)$

(4) $2x(2a-b)+y(b-2a)$

2-1 두 식 A, B에 대하여 다음 물음에 답하시오.

$$A=(x-1)(x+3), \ B=x^2+3x$$

(1) 두 식 A, B의 인수를 각각 구하시오.

(2) 두 식 A, B의 공통인 인수를 구하시오.

개념 확인

1. 인수분해 ··· 전개의 반대!

(1) **인수**: 하나의 다항식을 두 개 이상의 다항식의 곱으로 나타낼 때, 각각의 식을 처음 다항식의 인수라고 한다.

$$x^2+5x+4 \underset{\text{전개}}{\overset{\text{인수분해}}{\rightleftarrows}} \underset{\text{인수}}{(x+1)} \underset{\text{인수}}{(x+4)}$$

(2) **인수분해**: 하나의 다항식을 두 개 이상의 인수의 곱으로 나타내는 것을 그 다항식을 인수분해한다고 한다.

(3) **공통인 인수**: 다항식에서 각 항에 공통으로 들어 있는 인수

(4) **공통인 인수를 이용한 인수분해**: $ma+mb=m(a+b)$

STEP UP

① 인수(因: 원인, 數: 수)분해: 어떤 수나 식을 원인이 되는 수나 식으로 나누는 것

② 수에서 인수는 약수의 개념과 동일하고, 인수분해는 소인수분해의 개념과 동일하다.

정답 및 해설 P.14

3 다음 식을 인수분해하시오.

(1) $x^2 + 6x + 9$

(2) $x^2 + x + \dfrac{1}{4}$

(3) $9a^2 + 6ab + b^2$

(4) $4x^2 + 20xy + 25y^2$

4 다음 식을 인수분해하시오.

(1) $x^2 - 6x + 9$

(2) $x^2 - 3x + \dfrac{9}{4}$

(3) $4a^2 - 12ab + 9b^2$

(4) $16a^2 - 40ab + 25b^2$

3-1 다음 식을 인수분해하시오.

(1) $x^2 + 12x + 36$

(2) $4x^2 + 2x + \dfrac{1}{4}$

(3) $5a^2 + 20a + 20$

(4) $ax^2 + 10ax + 25a$

4-1 다음 식을 인수분해하시오.

(1) $x^2 - 12x + 36$

(2) $16a^2 - 8ab + b^2$

(3) $8x^2 - 8xy + 2y^2$

(4) $5ax^2 - 5ax + \dfrac{5}{4}a$

개념 확인

2. 인수분해 공식 (1) ··· 다항식의 제곱으로 바뀐다.

(1) $a^2 + 2ab + b^2 = (a+b)^2$

　예 $x^2 + 8x + 16 = x^2 + 2 \times x \times 4 + 4^2 = (x+4)^2$

(2) $a^2 - 2ab + b^2 = (a-b)^2$

　예 $x^2 - 8x + 16 = x^2 - 2 \times x \times 4 + 4^2 = (x-4)^2$

STEP UP

공통인 인수가 있는 경우에는 먼저 공통인 인수로 묶어내고 인수분해 공식을 이용한다.

예 $3x^2 + 6x + 3$

　$= 3(x^2 + 2x + 1)$

　$= 3(x+1)^2$

02 다항식의 인수분해

기본 문제

정답 및 해설 P.15

5 다음 식 중 완전제곱식인 것을 모두 찾으시오.

(1) $(2x+3)^2$

(2) $(2x+1)(2x-1)$

(3) $2(x-1)^2$

(4) $7x^2+7$

6 다음 식이 완전제곱식이 되도록 □ 안에 알맞은 것을 쓰시오.

(1) x^2+12x+ □   (2) $16x^2-24xy+$ □

(3) a^2+ □ $a+25$ (4) $4a^2+$ □ $ab+49b^2$

5-1 다음 보기 중 완전제곱식으로 나타낼 수 있는 것을 모두 고르시오.

보기

ㄱ. x^2-6x+9

ㄴ. $-16x^3-x$

ㄷ. $(x+1)^2-4(x+1)^2$

6-1 다음 식이 완전제곱식이 되도록 □ 안에 알맞은 것을 쓰시오.

(1) $9a^2+12ab+$ □   (2) a^2-a+ □

(3) x^2+ □ $x+64$ (4) $25x^2+$ □ $xy+9y^2$

개념 확인

3. 완전제곱식

(1) **완전제곱식**: 다항식의 제곱으로 된 식이나 다항식의 제곱에 상수를 곱한 식

  예 $(x+2)^2$, $(2a-b)^2$, $2(3x+2y)^2$, ⋯

(2) **완전제곱식이 될 조건**: 완전제곱식이 되려면 인수분해 공식 (1)을 쓸 수 있어야 하므로 $a^2\pm2ab+b^2$의 꼴로 만들 수 있어야 한다.

  예 x^2+2x+b가 완전제곱식이 되려면

  $x^2+2x+b=x^2+2\times x\times1+1^2$이므로 $b=1^2=1$이다.

  또 x^2+ax+9가 완전제곱식이 되려면

  $x^2+ax+9=x^2+2\times x\times(\pm3)+(\pm3)^2$이므로

  $a=2\times(\pm3)=\pm6$이다.

x^2+ax+b가 완전제곱식이 될 조건 (단, $b>0$)

① 상수항이 x의 계수의 $\frac{1}{2}$의 제곱이어야 한다. 즉, $b=\left(\frac{a}{2}\right)^2$이다.

② x의 계수가 상수항의 제곱근의 2배이어야 한다. 즉, $a=\pm2\sqrt{b}$이다.

기본 문제

7 다음 식을 인수분해하시오.

(1) a^2-9

(2) $16a^2-b^2$

(3) $9x^2-4y^2$

(4) $-x^2+64$

8 다음 식을 인수분해하시오.

(1) $4a^2-100$

(2) $6x^2-24y^2$

(3) x^3-xy^2

(4) a^4-b^4

7-1 다음 식을 인수분해하시오.

(1) a^2-81

(2) $4x^2-y^2$

(3) a^2-49b^2

(4) $-9x^2+16y^2$

8-1 다음 식을 인수분해하시오.

(1) $-9a^2+36$

(2) $27ax^2-12ay^2$

(3) $-a^3+a$

(4) x^4-16

개념 확인

4. 인수분해 공식 (2) ··· 제곱의 차!

$a^2-b^2=(a+b)(a-b)$

예 $x^2-16=x^2-4^2=(x+4)(x-4)$

$25a^2-b^2=(5a)^2-b^2=(5a+b)(5a-b)$

참고 $-a^2+b^2$의 꼴의 식은 $-(a+b)(a-b)$로 인수분해할 수도 있고 b^2-a^2의 꼴로 바꾸어 $(b+a)(b-a)$로 인수분해할 수도 있다.

$a^2-b^2=\underline{(a+b)}\,\underline{(a-b)}$
제곱의 차   합   차

02 다항식의 인수분해

기본 문제

9 다음 식을 인수분해하시오.

(1) $a^2 + 5a - 6$

(2) $a^2 - 6a + 5$

(3) $x^2 - 7xy + 6y^2$

(4) $x^2 + 4xy - 12y^2$

9-2 다음 식이 $(x+a)(x+b)$로 인수분해될 때, 두 상수 a, b에 대하여 $a-b$의 값을 구하시오. (단, $a > b$)

(1) $x^2 - x - 30$

(2) $x^2 - 14x + 24$

9-1 다음 식을 인수분해하시오.

(1) $x^2 - x - 20$

(2) $x^2 + 16x + 15$

(3) $x^2 - 7xy + 12y^2$

(4) $x^2 + 7xy - 30y^2$

9-3 $x-4$가 $x^2 + kx - 8$의 인수일 때, 상수 k의 값을 구하시오.

개념 확인

5. 인수분해 공식 (3) … x^2의 계수가 1일 때 이용!

$$x^2 + (a+b)x + ab = (x+a)(x+b)$$

⑩ $x^2 + 3x + 2$를 인수분해하려면 $a+b=3$, $ab=2$를 만족시키는 두 정수를 찾아야 한다.

먼저 $ab=2$인 a, b의 순서쌍 (a, b)를 찾으면 $(1, 2)$, $(2, 1)$, $(-1, -2)$, $(-2, -1)$

인데 이 중에서 합이 3인 경우는 $(1, 2)$ 또는 $(2, 1)$이다.

따라서 $x^2 + 3x + 2 = x^2 + (1+2)x + 1 \times 2 = (x+1)(x+2)$이다.

10 다음 식을 인수분해하시오.

(1) $3x^2 - x - 2$

(2) $2x^2 + 11x + 12$

(3) $4x^2 - 8xy + 3y^2$

(4) $6x^2 - 7xy - 3y^2$

10-2 다음 식의 인수 중 일차식인 인수를 모두 구하시오.

(1) $6x^2 + 5x + 1$

(2) $8x^3 - 3x^2y - 5xy^2$

10-1 다음 식을 인수분해하시오.

(1) $2x^2 - 5x + 2$

(2) $5a^2 - 4a - 12$

(3) $3a^2 + 11ab + 6b^2$

(4) $8x^2 - 6xy - 5y^2$

10-3 다음 □ 안에 알맞은 수를 쓰시오.

(1) $3x^2 - 8x + \boxed{} = (x - \boxed{})(3x - 2)$

(2) $6x^2 - \boxed{}x + 5 = (2x - 5)(3x - \boxed{})$

개념 확인

6. 인수분해 공식 (4) … x^2의 계수가 1이 아닐 때 이용!

$$\boxed{ac}x^2 + (ad + bc)x + \boxed{bd} = (ax + b)(cx + d)$$

$$
\begin{array}{l}
ax \quad\quad\searrow\; b \rightarrow \quad bcx \\
cx \quad\quad\nearrow\; d \rightarrow \underline{+)\; adx} \\
\quad\quad\quad\quad\quad\quad\quad (ad + bc)x
\end{array}
$$

예 $2x^2 + 5x + 3$을 인수분해하려면 곱하여 $2x^2$이 되는 두 식과 곱하여 3이 되는 두 수를 먼저 찾은 후 대각선 방향으로 곱한 두 곱의 합이 가운데 항 $5x$와 같은 것을 찾으면 된다.

$$\boxed{2x^2} + 5x + \boxed{3}$$

$$
\begin{array}{l}
x \quad\quad\searrow\; 1 \rightarrow \quad 2x \\
2x \quad\quad\nearrow\; 3 \rightarrow \underline{+)\; 3x} \\
\quad\quad\quad\quad\quad\quad\quad 5x
\end{array}
$$

따라서 $2x^2 + 5x + 3 = (x + 1)(2x + 3)$이다.

STEP UP

곱하여 $2x^2$이 되는 두 식과 곱하여 3이 되는 두 수는 왼쪽의 예를 제외하고 다음과 같은 세 가지 경우가 더 있다.

① $$
\begin{array}{l}
x \quad\quad\searrow\; 3 \rightarrow \quad 6x \\
2x \quad\quad\nearrow\; 1 \rightarrow \underline{+)\; x} \\
\quad\quad\quad\quad\quad\quad\quad 7x
\end{array}
$$

② $$
\begin{array}{l}
x \quad\quad\searrow\; -1 \rightarrow \quad -2x \\
2x \quad\quad\nearrow\; -3 \rightarrow \underline{+)\; -3x} \\
\quad\quad\quad\quad\quad\quad\quad -5x
\end{array}
$$

③ $$
\begin{array}{l}
x \quad\quad\searrow\; -3 \rightarrow \quad -6x \\
2x \quad\quad\nearrow\; -1 \rightarrow \underline{+)\; -x} \\
\quad\quad\quad\quad\quad\quad\quad -7x
\end{array}
$$

그러나 대각선 방향으로 곱한 두 곱의 합이 가운데 항 $5x$와 같지 않다.

02 다항식의 인수분해

정답 및 해설 P.17

11 인수분해 공식을 이용하여 다음을 계산하시오.

(1) $13 \times 96 + 13 \times 4$

(2) $55^2 - 45^2$

(3) $\sqrt{29^2 - 20^2}$

12 다음 식의 값을 구하시오.

(1) $x = 97$일 때, $x^2 + 6x + 9$의 값

(2) $a = \sqrt{3} + 1$, $b = \sqrt{3} - 1$일 때, $a^2 - b^2$의 값

11-1 인수분해 공식을 이용하여 다음을 계산하시오.

(1) $15 \times 36^2 - 15 \times 34^2$

(2) $97^2 - 9$

(3) $\sqrt{52^2 - 48^2}$

12-1 다음 식의 값을 구하시오.

(1) $a = 4 + \sqrt{3}$일 때, $a^2 - 8a + 16$의 값

(2) $x = \dfrac{1}{2 - \sqrt{3}}$, $y = \dfrac{1}{2 + \sqrt{3}}$일 때, $x^2 - y^2$의 값

개념 확인

7. 인수분해 공식의 활용 ··· 인수분해를 이용할 수 있는 모양으로 바꾸자!

(1) **수의 계산**: 인수분해 공식을 이용하여 수의 모양을 바꾸어 계산하면 편리하다.

    📌 $99^2 - 98^2 = (99 + 98)(99 - 98) = 197 \times 1 = 197$

(2) **식의 값**: 수나 식을 대입할 때에는 주어진 식을 인수분해한 후 문자의 값을 대입하면 계산이 편리하다.

    📌 $x = 98$일 때, $x^2 + 4x + 4 = (x + 2)^2 = (98 + 2)^2 = 100^2 = 10000$

| 인수분해 |

01 다음 중 $3ax-12ax^2$의 인수가 <u>아닌</u> 것은?

① x ② $3a$ ③ $a(1-4x)$

④ $3a(x-4)$ ⑤ $ax(1-4x)$

분배법칙을 이용하여 공통인 인수로 묶어낸다.

| 인수분해 공식 (1) |

02 $4x^2-12x+a$가 $(2x+b)^2$으로 인수분해될 때, 두 상수 a, b에 대하여 $a+b$의 값은?

① 3   ② 6   ③ 12

④ 30   ⑤ 42

$4x^2-12x+a$를 완전제곱식으로 고친다.

| 완전제곱식 |

03 $\frac{1}{4}x^2+axy+16y^2$이 완전제곱식이 될 때, 상수 a의 값은?

① 0   ② $\pm\frac{1}{2}$ ③ ±2

④ ±4 ⑤ ±8

$\frac{1}{4}x^2=\left(\frac{1}{2}x\right)^2$, $16y^2=(4y)^2$

| 인수분해 공식 (2) |

04 $4x^2-64y^2$을 인수분해하면?

① $(x+4y)(x-4y)$ ② $(x+8y)(x-8y)$

③ $4(x+4y)(x-4y)$ ④ $4(x+8y)(x-8y)$

⑤ $(4x+8y)(4x-8y)$

공통인 인수가 있는 경우에는 공통인 수를 먼저 묶어낸 후 인수분해 공식을 이용한다.

| 인수분해 공식 (3) | 서술형

05 $(x-2)^2-x$가 x의 계수가 1인 두 일차식의 곱으로 인수분해될 때, 두 일차식의 합을 구하고 그 과정을 서술하시오.

$(x-2)^2-x$를 전개하여 간단히 한 후 인수분해한다.

정답 및 해설 P.18

| 곱셈 공식 (3), (4) |

06 다음 식에서 a, b의 값을 각각 구하시오.

(1) $x^2-3x+a=(x+3)(x+b)$　　　　(2) $2x^2+7x+a=(x+3)(2x+b)$

우변을 전개하여 좌변과 비교한다.

| 수의 계산 |

07 $\sqrt{25^2-24^2}$을 계산할 때, 다음 중 가장 편리하게 이용할 수 있는 인수분해 공식은?

① $a^2+2ab+b^2=(a+b)^2$
② $a^2-2ab+b^2=(a-b)^2$
③ $a^2-b^2=(a+b)(a-b)$
④ $x^2+(a+b)x+ab=(x+a)(x+b)$
⑤ $acx^2+(ad+bc)x+bd=(ax+b)(cx+d)$

a^2-b^2의 형태이다.

| 식의 값 |

08 $x=3-\sqrt{7}$일 때, $(x-4)^2+2(x-4)+1$의 값은?

① $8-2\sqrt{7}$　　　　② $8+2\sqrt{7}$　　　　③ 2
④ 7　　　　⑤ 16

$x-4$를 치환하여 인수분해한다.

| 인수분해 공식 (3) |

09 이차식 x^2+ax+b를 인수분해하는데 은지는 x의 계수를 잘못 보고 풀어서 $(x+1)(x-14)$가 되었고, 남주는 상수항을 잘못 보고 풀어서 $(x+3)(x-8)$이 되었다. 이때 처음 이차식을 바르게 인수분해하면?

① $(x+2)(x-7)$　　② $(x-2)(x+7)$　　③ $(x-2)(x-7)$
④ $(x-1)(x+14)$　　⑤ $(x-1)(x-14)$

은지가 옳게 본 것은 상수항이고, 남주가 옳게 본 것은 x의 계수이다.

| 인수분해 공식의 도형에의 활용 | 서술형

10 오른쪽 그림과 같은 세 종류의 직사각형 모양의 타일 15개를 서로 겹치지 않게 이어 붙여 큰 직사각형 모양으로 만들려고 한다. 이때 큰 직사각형의 둘레의 길이를 구하고 그 과정을 서술하시오.

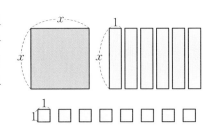

주어진 직사각형 모양의 타일은 넓이가 x^2인 것이 1개, x인 것이 6개, 1인 것이 8개이다.

01 $(ax+2y)(3x-2y+6)$을 전개하면 xy의 계수가 10 이다. 이때 a의 값은?

① -3 ② -2 ③ -1

④ 1 ⑤ 2

02 $(x+a)(x+4)=x^2+bx-8$일 때, $(ax+by)^2$을 전개하면?

① $2x^2-4xy+2y^2$ ② $2x^2+4xy+2y^2$

③ $4x^2-4xy+4y^2$ ④ $4x^2+8xy+4y^2$

⑤ $4x^2-8xy+4y^2$

03 다음 중 오른쪽 그림에서 색칠한 부분의 넓이를 a, b에 대한 식으로 나타낸 것은?

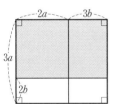

① $4a^2-9b^2$

② $6a^2-6b^2$

③ $6a^2+5ab-6b^2$

④ $6a^2+7ab-6b^2$

⑤ $6a^2+13ab-6b^2$

04 $\left(a+\dfrac{1}{a}\right)\left(a-\dfrac{1}{a}\right)\left(a^2+\dfrac{1}{a^2}\right)$을 간단히 하면?

① $2a^4-\dfrac{2}{a^4}$ ② $2a^4+\dfrac{2}{a^4}$ ③ $a^4-\dfrac{1}{a^4}$

④ $a^4+\dfrac{1}{a^4}$ ⑤ $\left(a^2-\dfrac{1}{a^2}\right)^2$

05 곱셈 공식을 이용하여 수를 계산하려고 한다. 다음 중 이용하려는 곱셈 공식이 바르게 연결되지 <u>않은</u> 것은?

① $103^2 \Rightarrow (a+b)^2=a^2+2ab+b^2$

② $68^2 \Rightarrow (a-b)^2=a^2-2ab+b^2$

③ $91\times89 \Rightarrow (a+b)(a-b)=a^2-b^2$

④ $203\times198 \Rightarrow (x+a)(x+b)$
$ =x^2+(a+b)x+ab$

⑤ $46\times54 \Rightarrow (x+a)(x+b)=x^2+(a+b)x+ab$

06 $(x+1)(x-3)=x^2+ax-3$일 때, a의 값은?

① -2 ② -1 ③ 0

④ 1 ⑤ 2

07 $(2x+3y)(x-2y)=Ax^2+Bxy+Cy^2$일 때, $A+B+C$의 값은?

① -5 ② -4 ③ -3

④ -2 ⑤ -1

08 $(ax+1)(2x-3)-(3x-2)(2x+1)$을 간단히 하였더니 x^2의 계수와 x의 계수의 합이 -2이었다. 이때 상수 a의 값을 구하시오.

09 $(777-1)(777+1)(777^2+1)=777^a+b$일 때, $a+b$
값은?

① 1   ② 2   ③ 3
④ 4   ⑤ 5

10 다음은 101×102를 곱셈 공식을 이용하여 계산하는 과
정의 일부분이다. □ 안에 들어갈 수로 알맞은 것은?

$$101 \times 102 = (100+1)(100+2)$$
$$= 100^2 + \square \times 100 + 2$$

① 1   ② 2   ③ 3
④ 4   ⑤ 5

11 다음 식을 만족시키는 x의 값은?

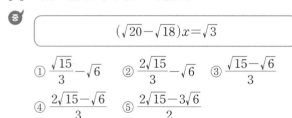

$$(\sqrt{20}-\sqrt{18})x = \sqrt{3}$$

① $\dfrac{\sqrt{15}}{3}-\sqrt{6}$ ② $\dfrac{2\sqrt{15}}{3}-\sqrt{6}$ ③ $\dfrac{\sqrt{15}-\sqrt{6}}{3}$

④ $\dfrac{2\sqrt{15}-\sqrt{6}}{3}$ ⑤ $\dfrac{2\sqrt{15}-3\sqrt{6}}{2}$

12 $A=\dfrac{2}{\sqrt{3}+1}$, $B=\dfrac{1}{2+\sqrt{3}}$일 때, $A+B$의 값을 구하시
오.

13 두 다항식 a^2b-ab^2, $3a-3b$의 공통인 인수는?

① a ② ab ③ $a+b$
④ $a-b$ ⑤ a^2-b^2

14 다음 중 x^3-x의 인수가 <u>아닌</u> 것은?

① x^3 ② x^2+x ③ x^2-1
④ x^2-x ⑤ $x+1$

15 다음 식이 모두 완전제곱식이 될 때, □ 안에 들어갈 알
맞은 양수 중 가장 큰 것은?

① $a^2+2a+\square$ ② $\square x^2-4x+1$
③ $a^2+\square ab+\dfrac{1}{4}b^2$ ④ $9x^2+\square x+1$
⑤ $4x^2+\square x+\dfrac{1}{4}$

16 $(x-3)(x-7)+k$가 완전제곱식으로 인수분해될 때,
상수 k의 값은?

① 3   ② 4   ③ 5
④ 6   ⑤ 7

17

$-121y^2+9x^2$을 인수분해하면?

① $(3x+11y)^2$

② $(3x-11y)^2$

③ $(3x+21y)(3x-21y)$

④ $(3x+11y)(3x-11y)$

⑤ $-(3x+11y)(3x-11y)$

18

$(2x+7)(3x-4)-5x(x+2)$가 두 일차식의 곱으로 인수분해될 때, 두 일차식의 합은?

① $2x+3$ ② $2x-3$ ③ $2x+5$

④ $2x+11$ ⑤ $2x-11$

19

x^2+9x+k가 $(x+a)(x+b)$로 인수분해될 때, 상수 k의 값 중 가장 큰 값은? (단, a, b는 자연수)

① 8 ② 14 ③ 18

④ 20 ⑤ 25

20

$x^2+(4a-2)x-16$을 인수분해하면 $(x-2)(x+b)$가 된다. 이때 $a+b$의 값은?

① -10 ② -6 ③ -2

④ 6 ⑤ 10

21

다음 두 다항식의 공통인 인수는?

$$2x^2-13x+6 \qquad 6x^2+3x-3$$

① $x-1$ ② $x+1$ ③ $2x-1$

④ $2x+1$ ⑤ $2x-3$

22

다음 보기 중 $x+1$을 인수로 가지는 것을 모두 고른 것은?

ㄱ. $2x^2-4x+2$ ㄴ. $3x^2-3$

ㄷ. x^2+3x-4 ㄹ. $3x^2-4x-7$

① ㄱ, ㄴ ② ㄱ, ㄹ ③ ㄴ, ㄷ

④ ㄴ, ㄹ ⑤ ㄷ, ㄹ

23

윗변의 길이가 $a+3$, 아랫변의 길이가 $a+7$인 사다리꼴이 있다. 이 사다리꼴의 넓이가 $2a^2+13a+15$일 때, 이 사다리꼴의 높이는?

① $a+5$ ② $a+15$ ③ $2a-3$

④ $2a+1$ ⑤ $2a+3$

24

$999\times991+16$이 어떤 자연수의 제곱이 된다고 할 때, 어떤 자연수는?

① 991 ② 993 ③ 995

④ 997 ⑤ 999

25 $a^2=25$, $b^2=16$일 때, $\left(\dfrac{a}{5}-\dfrac{b}{2}\right)\left(\dfrac{a}{5}+\dfrac{b}{2}\right)$의 값을 구하
고 그 과정을 서술하시오.

28 $a=\dfrac{2}{2-\sqrt{2}}$, $b=\dfrac{2}{2+\sqrt{2}}$일 때, $a^2-2ab+b^2$의 값을 구
하고 그 과정을 서술하시오.

26 A, B가 다음과 같을 때, 곱셈 공식을 이용하여 $A-B$
의 값을 구하고 그 과정을 서술하시오.

$$A=\dfrac{9876^2-1}{9875},\ B=\dfrac{9876^2-1}{9877}$$

29 다음 그림에서 두 도형 A, B의 넓이가 같을 때, 도형 B
의 가로의 길이를 구하고 그 과정을 서술하시오.

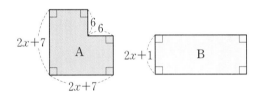

27 $\left(1-\dfrac{1}{2^2}\right)\left(1-\dfrac{1}{3^2}\right)\left(1-\dfrac{1}{4^2}\right)\cdots\left(1-\dfrac{1}{9^2}\right)$의 값을 구하고
그 과정을 서술하시오.

30 두 다항식 $A=4x^2-1$, $B=6x+3$에 대하여
$\dfrac{A}{B}=ax+b$일 때, 두 상수 a, b에 대하여 ab의 값을 구
하고 그 과정을 서술하시오.

01 인수분해를 이용한 이차방정식의 풀이

기본 문제

1 다음 중 x에 대한 이차방정식을 모두 고르면?

① $3x+5=0$　　　　② $(2-x)x=0$

③ $5x=2x^2$　　　　④ $4x^2-3x+1$

⑤ $3+x^2=-x+x^2$

2 다음 이차방정식을 $ax^2+bx+c=0$의 꼴로 나타낼 때, 세 상수 a, b, c의 값을 각각 구하시오. (단, $a>0$)

(1) $x^2-8x+7=0$

(2) $2x^2=3x+1$

(3) $3(x^2+x)=5x+1$

(4) $(x-4)^2=3(x-1)^2$

1-1 다음 중 x에 대한 이차방정식이 <u>아닌</u> 것은?

① $3x^2=0$　　　　② $3x(x-1)=2x^2$

③ $6=\dfrac{x^2}{5}$　　　　④ $(5+x^2)x=x^3-2x^2$

⑤ $(x-1)(x+1)=x^2+x$

2-1 이차방정식 $-(x+2)^2+6=3x(x+1)$을 간단히 하면 $ax^2+bx-2=0$이 된다고 할 때, 두 상수 a, b에 대하여 $a+b$의 값을 구하시오.

개념 확인

1. 이차방정식의 뜻 ··· 우변이 0일 때, 좌변이 이차식!

(1) x에 대한 이차방정식: 우변에 있는 모든 항을 좌변으로 이항하여 정리하였을 때, (x에 대한 이차식)$=0$과 같은 꼴로 나타낼 수 있는 방정식

　　예 $x^2-4=0$, $2x^2-5x+2=0$

(2) 이차방정식의 일반형: 일반적인 x에 대한 이차방정식의 꼴

$$ax^2+bx+c=0 \text{ (단, } a, b, c\text{는 상수, } a\neq0)$$

STEP UP

• x에 대한 방정식: 미지수 x의 값에 따라 참일 수도 있고 거짓일 수도 있는 등식

• 이차방정식을 찾는 방법
① 등호가 있는 식(등식)인가?
② 정리하였을 때, (이차식)$=0$의 꼴인가?

01 인수분해를 이용한 이차방정식의 풀이

기본 문제

정답 및 해설 P.21

3 다음 보기 중 $x=2$가 해가 되는 이차방정식을 모두 고르시오.

> **보기**
>
> ㄱ. $2x^2-6=0$ ㄴ. $x^2-4x+5=0$
>
> ㄷ. $3x^2-5x-2=0$ ㄹ. $-x^2+3x-2=0$

4 다음 표의 빈칸을 채우고 x의 값이 -1, 0, 1, 2일 때, 이차방정식 $x^2-x-2=0$의 해를 구하시오.

x	-1	0	1	2
x^2-x-2				

3-1 다음 중 [ ] 안의 수가 주어진 이차방정식의 해인 것을 모두 고르면?

① $x^2+4x=0$ [-4]

② $x^2-x+6=0$ [2]

③ $x^2+2x+1=0$ [1]

④ $(x-2)^2-1=0$ [3]

⑤ $-x^2-6x+7=0$ [-1]

4-1 x의 값이 -2, -1, 0, 1, 2일 때, 이차방정식 $x(x+2)=0$의 해를 구하시오.

개념 확인

2. 이차방정식의 해(근) ··· 등식이 성립하면 이차방정식의 해!

(1) **이차방정식의 해(근)**: 이차방정식 $ax^2+bx+c=0$(a, b, c는 상수, $a\neq0$)을 참이 되게 하는 x의 값
이차방정식을 풀 때, x의 값의 범위가 주어지지 않으면 실수의 범위에서 생각한다.

　예 $x=1$을 이차방정식 $x^2-3x+2=0$에 대입하면 $1^2-3\times1+2=0$이므로 $x=1$은 $x^2-3x+2=0$의 해이다.

(2) **이차방정식을 푼다**: 이차방정식의 해를 모두 구하는 것

> $x=k$가 x에 대한 이차방정식 $ax^2+bx+c=0$(a, b, c는 상수, $a\neq0$)의 해이면 $x=k$를 주어진 이차방정식에 대입하였을 때, 등식이 성립해야 한다.

기본 문제

5 다음 등식을 만족하는 x의 값을 구하시오.

(1) $x(x+3)=0$

(2) $(x-1)(x+6)=0$

(3) $(x-5)(2x+1)=0$

(4) $(3x-4)(5x+2)=0$

6 다음 이차방정식을 인수분해를 이용하여 푸시오.

(1) $x^2+x-30=0$

(2) $x^2-8x+12=0$

(3) $5x^2-14x-3=0$

(4) $6x^2-7x-3=0$

5-1 다음 두 이차방정식의 공통인 해를 구하시오.

$$(x+4)(2x-3)=0, \ (3x-2)(x+4)=0$$

6-1 다음 이차방정식을 인수분해를 이용하여 푸시오.

(1) $3x^2+6x=0$

(2) $x(x-2)=3$

(3) $x^2+x=-2x+10$

(4) $2x^2-10=(x+1)(x-1)$

개념 확인

3. 인수분해를 이용한 이차방정식의 풀이 ··· $AB=0$은 $A=0$ 또는 $B=0$

(1) $AB=0$의 성질: $AB=0 \iff A=0$ 또는 $B=0$

(2) 인수분해를 이용한 이차방정식의 풀이

① 우변의 모든 항을 좌변으로 이항하여 정리한다. ➡ $ax^2+bx+c=0$

② 좌변을 인수분해한다. ➡ $a(x-p)(x-q)=0$

③ $AB=0$의 성질을 이용한다. ➡ $x-p=0$ 또는 $x-q=0$

④ 해를 구한다. ➡ $x=p$ 또는 $x=q$

예 이차방정식 $x^2-5x+6=0$의 좌변을 인수분해하면 $(x-2)(x-3)=0$

$AB=0$의 성질에 의하여 $x-2=0$ 또는 $x-3=0$이다.

따라서 $x=2$ 또는 $x=3$이다.

STEP UP

[$A=0$ 또는 $B=0$의 의미]

다음 세 가지 중에서 어느 하나가 성립한다.

① $A=0, B\neq0$

② $A\neq0, B=0$

③ $A=0, B=0$

01 인수분해를 이용한 이차방정식의 풀이

기본 문제

정답 및 해설 P.22

7 다음 이차방정식을 푸시오.

(1) $x^2+6x+9=0$

(2) $4x^2-4x+1=0$

(3) $2x^2-20x+50=0$

(4) $6-x^2=2(5-2x)$

8 다음 이차방정식이 중근을 가지도록 상수 a의 값을 정하시오.

(1) $x^2-2x+a=0$

(2) $x^2+8x+a+9=0$

7-1 다음 이차방정식 중 중근을 가지는 것은?

① $x^2-25=0$
② $x^2-x=2$
③ $4x^2-12x+9=0$
④ $x^2-3x-10=0$
⑤ $9x^2-1=0$

8-1 다음과 같은 x에 대한 이차방정식이 중근을 가질 때, 상수 k의 값을 구하시오.

(1) $x^2-6x+4-k=0$

(2) $9x^2+6x+k=0$

개념 확인

4. 이차방정식의 중근

(1) **이차방정식의 중근**: 이차방정식의 해가 중복되어 있을 때, 이 해를 주어진 이차방정식의 중근이라고 한다.

(2) **이차방정식이 중근을 가질 조건**: 이차방정식의 모든 항을 좌변으로 이항하여 정리하였을 때, (완전제곱식)=0의 꼴이 되면 이 이차방정식은 중근을 가진다.

STEP UP

x^2의 계수가 1인 이차방정식이 중근을 가지면 다음이 성립한다.

① (상수항)$=\left\{\dfrac{(x\text{의 계수})}{2}\right\}^2$

② (x의 계수)$=\pm 2\sqrt{(\text{상수항})}$

| 이차방정식 |

01 다음 방정식 중 x에 대한 이차방정식이 <u>아닌</u> 것은?

① $x^2=5$ 　② $2(x^2-1)=x^2+1$ 　③ $x^2+x=0$
④ $3x^2-3(x-1)^2=0$ 　⑤ $x^2=3(x+1)$

x에 대한 이차방정식은
$ax^2+bx+c=0(a\neq0)$의 꼴로 정
리되어야 한다.

| 이차방정식이 될 조건 | 　서술형

02 $ax^2+6x-2=3x^2-bx+c$가 이차방정식이 될 조건을 구하고 그 과정을 서술하시오.
(단, a, b, c는 상수)

$ax^2+bx+c=0$이 x에 대한 이차방
정식이 되려면 x^2의 계수 a에 대하여
$a\neq0$을 만족시키면 된다.

| 이차방정식의 해 |

03 다음 이차방정식 중 $x=-1$을 해로 가지는 것을 모두 고르면?

① $(x-1)^2=0$ 　② $(x+3)^2=4$ 　③ $x^2-x=0$
④ $x^2-5x-6=0$ 　⑤ $2x^2+5x+2=0$

$x=-1$을 주어진 이차방정식에 대
입하여 성립하는 것을 찾는다.

| 이차방정식의 해 |

04 x의 값이 -2, -1, 0, 1, 2일 때, 이차방정식 $x^2+3x-4=0$의 해는?

① $x=-2$ 　② $x=-1$ 　③ $x=0$
④ $x=1$ 　⑤ $x=2$

주어진 x의 값을 이차방정식에 대입
하여 성립하는 x의 값을 찾는다.

| 이차방정식의 해 |

05 다음을 구하시오.

(1) $x=-2$가 이차방정식 $x^2-4x+a=0$의 해일 때, 상수 a의 값
(2) $x=p$가 이차방정식 $x^2+3x+1=0$의 해일 때, p^2+3p의 값

주어진 해를 이차방정식에 대입한다.

정답 및 해설 P.23

| 이차방정식의 공통인 근 |

06 다음과 같은 x에 대한 두 이차방정식의 공통인 근을 구하시오.

$$(3x+1)(x-6)=0 \qquad (x+6)(3x+1)=0$$

$AB=0$이면 $A=0$ 또는 $B=0$이다.

| 인수분해를 이용한 이차방정식의 풀이 |

07 다음 이차방정식을 인수분해를 이용하여 푸시오.

(1) $x^2+4x+3=0$

(2) $16x^2-1=0$

(3) $x^2-12x+36=0$

(4) $8x^2+8x+2=0$

(5) $x^2=5x+14$

(6) $(x-3)(x-5)=4x^2+4$

(5), (6) 모든 항을 좌변으로 이항한 후 좌변을 인수분해한다.

| 인수분해를 이용한 이차방정식의 풀이 |

08 이차방정식 $x^2-8x+15=0$의 두 근 a, b에 대하여 $ax^2+bx-2=0$의 해를 구하시오.

(단, $a>b$)

인수분해를 이용하여 이차방정식의 해를 구한다.

| 이차방정식의 중근 |

09 이차방정식 $2(x-2)^2+5-k=0$이 하나의 근을 가질 때, 상수 k의 값은?

① 1   ② 2   ③ 3

④ 4   ⑤ 5

하나의 근을 가진다는 것은 중근을 가진다는 의미이다.

| 이차방정식의 중근 | 서술형

10 이차방정식 $x^2-8x+4-2m=0$이 중근을 가질 때, 상수 m의 값과 중근을 구하고 그 과정을 서술하시오.

x^2의 계수가 1인 이차방정식에서 $(\text{상수항})=\left\{\dfrac{(x\text{의 계수})}{2}\right\}^2$을 만족시키면 중근을 가진다.

02 근의 공식을 이용한 이차방정식의 풀이

정답 및 해설 P.24

기본 문제

1 다음 이차방정식을 푸시오.

(1) $x^2 - 64 = 0$

(2) $2x^2 = 14$

(3) $9x^2 - 4 = 0$

(4) $-3x^2 + 15 = 0$

2 다음 이차방정식을 제곱근을 이용하여 푸시오.

(1) $(x+2)^2 = 2$

(2) $(x-5)^2 = 3$

(3) $-(x-1)^2 = -4$

(4) $9(x+3)^2 - 12 = 0$

1-1 다음 이차방정식을 푸시오.

(1) $x^2 - \dfrac{5}{4} = 0$

(2) $2x^2 - 12 = 0$

(3) $12 - x^2 = 0$

(4) $20 - 4x^2 = x^2 + 5$

2-1 다음 이차방정식을 제곱근을 이용하여 푸시오.

(1) $(x+5)^2 - 6 = 0$

(2) $(2x-3)^2 = 9$

(3) $2(x-6)^2 - 14 = 0$

(4) $\dfrac{1}{2}(x+1)^2 = 5$

개념 확인

$q < 0$이면 제곱하여 음수가 되는 수는 존재하지 않으므로 실수의 범위에서는 해가 없다.

1. 제곱근을 이용한 이차방정식의 풀이 … 양수의 제곱근은 2개!

(1) $x^2 = q(q \geq 0)$의 해: $x = \pm\sqrt{q}$ (x는 q의 제곱근)

　예 $x^2 = 3$이면 $x = \pm\sqrt{3}$, $x^2 = 4$이면 $x^2 = \pm\sqrt{4} = \pm 2$이다.

(2) $(x-p)^2 = q(q \geq 0)$의 해: $x - p = \pm\sqrt{q}$이므로

　$x = p \pm \sqrt{q}$ ($x-p$는 q의 제곱근)

　예 $(x-1)^2 = 3$이면 $x-1 = \pm\sqrt{3}$이므로 $x = 1 \pm \sqrt{3}$이다.

　여기서 $x = 1 \pm \sqrt{3}$은 $x = 1 + \sqrt{3}$ 또는 $x = 1 - \sqrt{3}$이라는 의미이다.

　참고 $x = p + \sqrt{q}$ 또는 $x = p - \sqrt{q}$를 간단히 $x = p \pm \sqrt{q}$로 나타내기도 한다.

　$ax^2 = b(a \neq 0,\ ab \geq 0)$의 해: $x^2 = \dfrac{b}{a}$이므로 $x = \pm\sqrt{\dfrac{b}{a}}$

STEP UP

$(x-p)^2 = q(q \geq 0)$**의 해를 구하는 방법**

$x - p = X$로 치환하면 $X^2 = q$

따라서 $X = \pm\sqrt{q}$이므로

$x - p = \pm\sqrt{q}$에서

$x = p \pm \sqrt{q}$이다.

02 근의 공식을 이용한 이차방정식의 풀이

정답 및 해설 P.24

기본 문제

3 다음은 완전제곱식을 이용하여 이차방정식의 해를 구하는 과정이다. 이때 □ 안에 알맞은 수를 쓰시오.

(1) $x^2-6x+4=0$

➡ $x^2-6x=\square$

➡ $x^2-6x+\square=-4+\square$

➡ $(x-\square)^2=\square$

따라서 $x=\boxed{}$이다.

(2) $2x^2+4x+1=0$

➡ $x^2+2x+\square=0$

➡ $x^2+2x=\boxed{}$

➡ $x^2+2x+\square=-\dfrac{1}{2}+\square$

➡ $(x+\square)^2=\boxed{}$

따라서 $x=\boxed{}$이다.

3-1 다음 이차방정식을 완전제곱식을 이용하여 푸시오.

(1) $x^2-4x-3=0$

(2) $3x^2+6x=3$

(3) $3x^2+12x+7=0$

(4) $3(x+1)^2=x(x-4)$

3-2 다음 이차방정식을 $(x-p)^2=q$의 꼴로 고쳤을 때, 두 상수 p, q의 값을 각각 구하시오.

(1) $x^2-x-1=0$

(2) $2x^2-4x-3=4x+1$

개념 확인

2. 완전제곱식을 이용한 이차방정식의 풀이 ⋯ 인수분해가 안 될 때에는 완전제곱식을 이용!

이차방정식 $ax^2+bx+c=0$의 좌변이 인수분해가 안 될 때에는 주어진 이차방정식을 $(x-p)^2=q$의 꼴로 고쳐서 제곱근을 이용하여 푼다.

(1) 양변을 x^2의 계수로 나눈다. ⎯ $(x-p)^2=q$에서 $x-p=\pm\sqrt{q}$로 유도하는 것이 푸는 원리이다.

(2) 상수항을 우변으로 이항한다.

(3) x의 계수의 $\dfrac{1}{2}$의 제곱을 양변에 더한다.

(4) (완전제곱식)=(상수)의 꼴로 고친다.

(5) 제곱근을 이용하여 해를 구한다.

STEP UP

이차방정식 $2x^2+8x-4=0$의 풀이	
(1)	양변을 2로 나누면	$x^2+4x-2=0$
(2)	-2를 우변으로 이항하면	$x^2+4x=2$
(3)	x의 계수의 $\dfrac{1}{2}$의 제곱을 양변에 더하면	x^2+4x+4 $=2+4$
(4)	(완전제곱식)=(상수)의 꼴로 고치면	$(x+2)^2=6$
(5)	제곱근을 이용하여 해를 구하면	$x+2=\pm\sqrt{6}$ $x=-2\pm\sqrt{6}$

4 다음은 완전제곱식을 이용하여 이차방정식 $ax^2+bx+c=0$의 근의 공식을 유도하는 과정이다. 이때 ☐ 안에 알맞은 것을 쓰시오.

> 양변을 x^2의 계수 a로 나누면
> $x^2+\dfrac{b}{a}x+\boxed{}=0$이고,
> 상수항을 우변으로 이항하면
> $x^2+\dfrac{b}{a}x=-\boxed{}$이다.
> 양변에 x의 계수의 $\dfrac{1}{2}$의 제곱인 $\boxed{}$을 더하면
> $x^2+\dfrac{b}{a}x+\boxed{}=-\boxed{}+\boxed{}$이다.
> 좌변을 완전제곱식으로 고치고 우변을 정리하면
> $\left(x+\boxed{}\right)^2=\dfrac{b^2-4ac}{4a^2}$이다.
> 제곱근을 구하면
> $x+\dfrac{b}{2a}=\pm\dfrac{\sqrt{b^2-4ac}}{2a}$이다.
> 따라서 $x=\boxed{}$이다.

4-1 다음 이차방정식을 근의 공식을 이용하여 푸시오.

(1) $x^2-3x-2=0$

(2) $3x^2+5x+1=0$

(3) $5x^2-6x-4=0$

4-2 이차방정식 $x^2+5x-4=0$의 근이 $x=\dfrac{A+\sqrt{B}}{2}$일 때, 두 유리수 A, B의 값을 구하시오.

개념 확인

3. 이차방정식의 근의 공식 ··· 이차방정식의 해를 구하는 열쇠!

이차방정식 $ax^2+bx+c=0\,(a\neq0)$의 해는 다음과 같다.

$$x=\frac{-b\pm\sqrt{b^2-4ac}}{2a} \quad (\text{단, } b^2-4ac\geq0)$$

⑩ 이차방정식 $2x^2+3x-1=0$에서 $a=2$, $b=3$, $c=-1$이므로 근의 공식에 대입하면

$$x=\frac{-3\pm\sqrt{3^2-4\times2\times(-1)}}{2\times2}=\frac{-3\pm\sqrt{9+8}}{4}=\frac{-3\pm\sqrt{17}}{4}$$

STEP UP

이차방정식 $ax^2+bx+c=0$에서 a가 음수, 소수, 분수 중에서 어느 것이든지 근의 공식에 직접 대입해도 되지만 음수는 양수로, 소수와 분수는 정수로 고쳐서 대입하는 것이 더 편리하다.

02 근의 공식을 이용한 이차방정식의 풀이

정답 및 해설 P.25

기본 문제

5 다음 이차방정식을 푸시오.

(1) $0.4x^2 - 0.5x + 0.1 = 0$

(2) $\frac{1}{2}x^2 - \frac{3}{2}x + \frac{1}{4} = 0$

(3) $(2x-1)(2x+1) = 3x^2$

6 이차방정식 $(x-2)^2 - 6(x-2) = -8$을 푸시오.

5-1 다음 이차방정식을 푸시오.

(1) $0.2x(x+4) = x+1$

(2) $x - \frac{x^2+x}{3} = \frac{3x+1}{2}$

(3) $6x(x-1) - (x+3)^2 = 0$

6-1 다음 이차방정식을 푸시오.

(1) $(x-1)^2 + 4(x-1) + 4 = 0$

(2) $\frac{1}{2}(x+2)^2 + \frac{1}{3}(x+2) - \frac{1}{6} = 0$

개념 확인

4. 복잡한 이차방정식의 풀이 … 계수를 정수로 바꾸거나, 전개하거나, 치환하거나!

(1) 계수가 소수일 때에는 양변에 10, 100, 1000, …을 곱하여 계수를 정수로 바꾼 후 푼다.

(2) 계수가 분수일 때에는 양변에 분모의 최소공배수를 곱하여 계수를 정수로 바꾼 후 푼다.

(3) 괄호가 있는 식은 전개하여 $ax^2 + bx + c = 0$의 꼴로 나타낸 후 푼다.

(4) (공통인 식)$=A$로 치환한 후 $aA^2 + bA + c = 0$의 꼴로 나타내어 푼다.

STEP UP

① $0.2x^2 - 0.3x + 0.1 = 0$은 양변에 10을 곱하여 $2x^2 - 3x + 1 = 0$으로

② $\frac{1}{4}x^2 - x - \frac{1}{2} = 0$은 양변에 4를 곱하여 $x^2 - 4x - 2 = 0$으로

③ $3(x+1)^2 = x+4$는 전개한 후 정리하여 $3x^2 + 5x - 1 = 0$으로

바꾼 후 인수분해나 근의 공식을 이용하여 푼다.

기본 문제

7 이차방정식 $x^2+4x+a-2=0$의 한 근이 1일 때, 다음을 구하시오. (단, a는 상수)

(1) a의 값
(2) 다른 한 근

8 이차방정식 $x^2-4x+k=0$의 한 근이 $2-\sqrt{3}$일 때, 유리수 k의 값을 구하시오.

8-1 이차방정식 $x^2-2x-k+2=0$의 한 근이 $1+2\sqrt{3}$일 때, 유리수 k의 값을 구하시오.

7-1 이차방정식 $5x^2+ax-6=0$의 한 근이 -2일 때, 다른 한 근을 구하시오. (단, a는 상수)

개념 **확인**

5. 한 근을 알 때, 다른 한 근을 구하기 … 주어진 한 근을 이차방정식에 대입!

(1) 주어진 한 근을 이차방정식에 대입하여 문자의 값을 구한다.
(2) (1)에서 구한 문자의 값을 처음 이차방정식에 대입한다.
(3) 이차방정식을 풀어 다른 한 근을 구한다.
에 $x^2-2x+a=0$의 한 근이 3일 때,
$x=3$을 대입하면 $3^2-2\times3+a=0$이므로 $a=-3$이다.
$a=-3$을 대입하면 $x^2-2x-3=0$이다.
이차방정식을 풀면 $(x+1)(x-3)=0$에서 $x=-1$ 또는 $x=3$이므로
다른 한 근은 -1이다.

STEP UP

이차방정식 $ax^2+bx+c=0(a, b, c$는 유리수, $a \neq 0$)의 한 근이 무리수로 주어진 경우, 즉 $a+b\sqrt{m}$이 한 근이면 다른 한 근은 근의 공식에 의하여 $a-b\sqrt{m}$이다.

02 근의 공식을 이용한 이차방정식의 풀이

정답 및 해설 P.26

기본 문제

9 준호는 동생인 연호와 연년생이다. 형제의 나이를 곱하였더니 240이었을 때 준호와 연호의 나이를 구하시오.

10 지면에서 수직인 방향으로 초속 40 m로 쏘아 올린 공의 t초 후의 높이를 h m라고 하면 $h=40t-5t^2$인 관계가 성립한다. 이때 쏘아 올린지 몇 초 후에 공의 높이가 60 m가 되는지 구하시오.

9-1 나은이는 자두맛 사탕 54개를 친구들에게 똑같이 나누어 주려고 한다. 한 사람에게 돌아가는 자두맛 사탕의 개수는 친구의 수보다 3만큼 크다고 할 때, 친구의 수는?

① 3   ② 4   ③ 5
④ 6   ⑤ 7

10-1 지면으로부터 높이가 35 m 되는 곳에서 수직인 방향으로 초속 30 m로 쏘아 올린 물체의 t초 후의 높이를 h m라고 하면 $h=-5t^2+30t+35$인 관계가 성립한다. 이때 이 물체가 땅에 떨어지는 것은 몇 초 후인가?

① 5초   ② 6초   ③ 7초
④ 8초   ⑤ 9초

개념 확인

6. 이차방정식의 활용

(1) 문제를 읽고 수량 사이의 관계를 파악하여 구하려는 것을 미지수 x로 놓는다.
(2) 수량 사이의 관계를 이용하여 이차방정식을 세운다.
(3) 이차방정식을 푼다.
(4) 구한 해 중에서 문제의 뜻에 맞는 것만을 답으로 한다.
    └ 구한 해 중에서 주어진 문제의 답이 되지 않는 경우가 있음에 주의한다.

STEP UP

이차방정식의 활용 문제 푸는 순서
① 미지수 정하기
② 이차방정식 세우기
③ 이차방정식 풀기
④ 문제의 뜻에 맞는 답 고르기

11 오른쪽 그림과 같이 가로, 세로의 길이가 각각 12 cm, 8 cm인 직사각형이 있다. 가로, 세로의 길이를 똑같이 늘였더니 넓이가 처음 직사각형의 넓이의 2배가 되었다고 할 때, 직사각형의 가로의 길이는 처음보다 몇 cm 늘어났는지 구하시오.

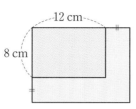

12 오른쪽 그림과 같이 가로, 세로의 길이가 각각 15 m, 12 m인 직사각형 모양의 땅에 폭이 일정한 십자형의 길을 만들려고 한다. 길을 제외한 땅의 넓이가 108 m²일 때, 이 길의 폭을 구하시오.

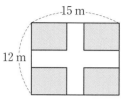

11-1 오른쪽 그림과 같이 한 변의 길이가 6 cm인 정사각형에서 x cm만큼 가로의 길이는 늘이고 세로의 길이는 줄였더니 넓이가 처음 정사각형의 넓이보다 4 cm²만큼 줄어들었다. 이때 x의 값은?

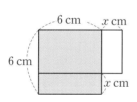

① 1   ② 1.5   ③ 2
④ 2.5   ⑤ 3

12-1 오른쪽 그림과 같이 가로의 길이가 세로의 길이보다 3 cm 더 긴 직사각형 모양의 종이가 있다. 이 종이의 네 모퉁이에서 한 변의 길이가 2 cm인 정사각형 모양의 종이를 각각 잘라 낸 다음 나머지 도형으로 뚜껑이 없는 직육면체 모양의 상자를 만들었더니 그 부피가 176 cm³이었다. 이때 처음 직사각형 모양의 종이의 세로의 길이는?

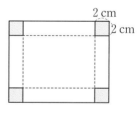

① 11 cm   ② 12 cm   ③ 13 cm
④ 14 cm   ⑤ 15 cm

| 이차방정식의 뜻 |

01 다음 중 x에 대한 이차방정식은?

① $5x=1$
② $x^2=x^2+1$
③ $(2x-1)^2=2x^2$
④ $x(x^2-2x+1)=0$
⑤ $x^2-5x=x(x+5)$

x에 대한 이차방정식은
$ax^2+bx+c=0$의 꼴이다.
(단, $a\neq0$)

| 한 근을 알 때, 미지수의 값 구하기 |

02 이차방정식 $x^2-3x+a=0$의 한 근이 -2일 때, 상수 a의 값은?

① -8
② -10
③ 0
④ 8
⑤ 10

한 근 $x=-2$를 주어진 이차방정식
에 대입한다.

| 인수분해를 이용한 이차방정식의 풀이 |

03 이차방정식 $x^2-x=2$의 두 근 중에서 작은 근이 이차방정식 $x^2+ax-a+5=0$의 한 근일 때, 상수 a의 값을 구하시오. (단, a는 상수)

먼저 주어진 이차방정식의 작은 근을 찾는다.

| 이차방정식의 중근 |

04 다음 이차방정식 중 중근을 가지지 <u>않는</u> 것은?

① $x^2-4x=-4$
② $2(x+6)^2=0$
③ $x^2=16$
④ $-6=3-6x+x^2$
⑤ $x^2+16=8x$

(완전제곱식)$=0$의 꼴이면 주어진
이차방정식은 중근을 가진다.

| 제곱근을 이용한 이차방정식의 풀이 |

05 이차방정식 $3(x-2)^2=9$의 두 근을 p, q라고 할 때, $\dfrac{1}{p}+\dfrac{1}{q}$의 값은? (단, $p>q$)

① 1
② 2
③ 3
④ 4
⑤ 5

먼저 주어진 이차방정식의 해를 구한다.

| 괄호가 있는 이차방정식의 풀이 |

06 이차방정식 $3(x-1)(x-2)=x+4$를 풀면?

① $x=\dfrac{5\pm\sqrt{19}}{3}$ ② $x=\dfrac{-5\pm\sqrt{19}}{3}$ ③ $x=\dfrac{-5\pm2\sqrt{19}}{3}$

④ $x=\dfrac{5\pm2\sqrt{19}}{3}$ ⑤ $x=\dfrac{10\pm\sqrt{19}}{3}$

주어진 이차방정식을 $ax^2+bx+c=0$의 꼴로 고친 후 근의 공식을 이용한다.

| 이차방정식의 근의 공식 | 서술형

07 이차방정식 $(x+4)^2=3x(x-2)$의 두 근을 a, b라고 할 때, $x^2+ax+b=0$의 해를 구하고 그 과정을 서술하시오. (단, $a>b$)

주어진 이차방정식의 해를 $x^2+ax+b=0$의 a, b에 대입한다.

| 이차방정식의 수의 활용 |

08 차가 3인 두 수의 제곱의 합은 187이다. 작은 수를 x라고 할 때, 이 두 수를 구하기 위한 식은?

① $x+(x+3)=187$ ② $x^2-(x+3)^2=187$
③ $x^2+(x-3)^2=187$ ④ $x^2+(x+3)^2=187$
⑤ $(x+3)^2-x^2=187$

큰 수를 $x+3$으로 놓는다.

| 이차방정식의 도형의 활용 | 서술형

09 오른쪽 그림과 같이 반지름의 길이가 4 cm인 원의 반지름의 길이를 x cm만큼 늘였더니 넓이가 처음 원의 넓이의 4배가 되었다. 이때 x의 값을 구하고 그 과정을 서술하시오.

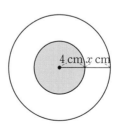

반지름의 길이가 r인 원의 넓이는 πr^2이다.

| 이차방정식의 활용 | 서술형

10 이차방정식 $x^2+ax+b=0$을 푸는 데, 초롱이는 a의 값을 잘못 보고 $x=1$ 또는 $x=8$의 해를 얻었고, 하영이는 b의 값을 잘못 보고 $x=1$ 또는 $x=5$의 해를 얻었다. 처음 이차방정식의 해를 구하고 그 과정을 서술하시오.

각각의 두 근을 이용하여 이차방정식을 만든 후 문제의 조건에서 잘못 보지 않은 값을 구한다.

01 다음 보기 중 이차방정식을 모두 고른 것은?

보기

ㄱ. x^2-3x+2 ㄴ. $x(x^2-x)=x^3$

ㄷ. $3x^2+3=3x^2+x$ ㄹ. $\frac{1}{2}x(x+1)=0$

① ㄴ ② ㄱ, ㄴ ③ ㄴ, ㄷ
④ ㄴ, ㄹ ⑤ ㄷ, ㄹ

02 등식 $2x(ax-a)=6x^2-4$가 x에 대한 이차방정식이 되기 위한 조건은?

① $a\neq6$ ② $a\neq3$ ③ $a\neq2$
④ $a\neq\frac{1}{3}$ ⑤ $a\neq-2$

03 이차방정식 $x^2+5x-1=3x^2-2x+4$를 $2x^2+ax+b=0$의 꼴로 나타내었을 때, $a+b$의 값은? (단, a, b는 상수)

① -12 ② -2 ③ 2
④ 4 ⑤ 12

04 다음 이차방정식 중 $x=-2$를 해로 가지는 것은?

① $x^2-2=0$ ② $-2x^2-4x=0$
③ $x^2+2x+2=0$ ④ $x^2-3x+2=0$
⑤ $3x^2+6x+2=0$

05 다음 보기의 이차방정식 중 $x=1$을 해로 가지는 것을 모두 고른 것은?

보기

ㄱ. $x^2+2x+4=0$ ㄴ. $x^2+2x-4=0$
ㄷ. $x^2-2x=1$ ㄹ. $(x+1)^2-4=0$
ㅁ. $(x-1)(x+3)=0$

① ㄱ, ㄴ ② ㄴ, ㄷ ③ ㄴ, ㄹ
④ ㄷ, ㄹ ⑤ ㄹ, ㅁ

06 이차방정식 $2x^2+(2a+1)x+a-3=0$의 한 근이 -1이고 다른 한 근이 b일 때, $a+b$의 값을 구하시오. (단, a, b는 상수)

07 이차방정식 $x^2+2x-1=0$의 한 근이 p, 이차방정식 $x^2-3x+1=0$의 한 근이 q일 때, $(2p^2+4p)(3q^2-9q+2)$의 값은?

① -10 ② -2 ③ -1
④ 2 ⑤ 10

08 오른쪽 표에서 가로, 세로 대각선에 있는 각각의 세 수의 합이 같을 때, 빈 곳에 들어갈 네 수의 합을 구하시오. (단, x는 자연수)

	$x-2$	$2x$
	5	
4	x^2	

09 공통인 해를 가지는 두 이차방정식 $x^2-7x+10=0$, $2x^2-10x+a=0$의 해를 모두 나열하면 2, 3, 5이다. 이때 상수 a의 값은?

① -12 ② -6 ③ -2
④ 6   ⑤ 12

10 다음 보기 중 중근을 가지는 이차방정식을 모두 고른 것은?

> **보기**
> ㄱ. $x^2=4$ 　　ㄴ. $6(x+3)^2=0$
> ㄷ. $2x^2+4x+2=0$ ㄹ. $x^2-x+\dfrac{1}{4}=0$

① ㄱ   ② ㄴ   ③ ㄴ, ㄷ
④ ㄴ, ㄹ   ⑤ ㄴ, ㄷ, ㄹ

11 이차방정식 $x^2-8x-3a+1=0$이 $x=b$를 중근으로 가질 때, $b-a$의 값은? (단, a, b는 상수)

① -9 ② -1 ③ 1
④ 9   ⑤ 11

12 이차방정식 $2(x-1)^2=14$의 두 근 중에서 큰 근을 p, 작은 근을 q라고 할 때, $p-q$의 값은?

① 2   ② $2\sqrt{7}$ ③ 4
④ $4\sqrt{7}$ ⑤ 7

13 이차방정식 $(x+a)^2=b$의 해가 $x=-2\pm\sqrt{5}$일 때, $a+b$의 값은? (단, a, b는 상수)

① 2   ② 3   ③ 5
④ 6   ⑤ 7

14 다음 중 이차방정식 $(x+2)^2=2-k$의 근에 대한 설명으로 옳지 <u>않은</u> 것은?

① $k=-2$이면 정수인 두 근을 가진다.
② $k=-1$이면 음수인 두 근을 가진다.
③ $k=0$이면 근이 2개이다.
④ $k=1$이면 무리수인 두 근을 가진다.
⑤ $k=2$이면 중근을 가진다.

15 다음은 이차방정식 $x^2-3x+1=0$의 해를 구하는 과정이다. 이때 □ 안에 들어갈 수로 알맞지 <u>않은</u> 것은?

> $x^2-3x+1=0$, $x^2-3x=-1$
> $x^2-3x+\boxed{①}=-1+\boxed{①}$
> $(x-\boxed{②})^2=\boxed{③}$
> $x-\boxed{②}=\boxed{④}$
> 따라서 $x=\boxed{⑤}$이다.

① $\dfrac{9}{4}$ ② $\dfrac{3}{2}$ ③ $\dfrac{5}{4}$
④ $\dfrac{\sqrt{5}}{2}$ ⑤ $\dfrac{3\pm\sqrt{5}}{2}$

16 이차방정식 $3x^2+12x-9=0$을 $(x+a)^2=b$의 꼴로 나타낼 때, $b-a$의 값을 구하시오. (단, a, b는 상수)

17 이차방정식 $2x^2=ax-1$의 근이 $x=\dfrac{3\pm\sqrt{b}}{2}$일 때, a, b의 값을 구하시오. (단, a, b는 상수)

18 다음 두 이차방정식의 공통인 근은?

$$1.2x^2-x=1.2 \qquad \dfrac{2}{3}x^2-2x+\dfrac{3}{2}=0$$

① $-\dfrac{3}{2}$ ② $-\dfrac{2}{3}$ ③ $\dfrac{2}{3}$

④ $\dfrac{3}{2}$ ⑤ 2

19 학생 5명이 이차방정식 $x^2-4x=0$의 풀이 방법에 대해 다음과 같이 주장하였다. 옳지 <u>않게</u> 말한 사람을 찾으시오.

> 소유: 근의 공식 $\dfrac{-b\pm\sqrt{b^2-4ac}}{2a}$에 $a=1$, $b=-4$, $c=0$을 대입하면 되지.
>
> 준호: 제곱근을 이용하여 $(x-2)^2=4$를 풀면 되잖아.
>
> 택연: 인수분해를 이용하여 $x(x-4)=0$으로 풀어도 돼.
>
> 민아: 인수분해를 이용하여 풀려면 '$AB=0$이면 $A=0$ 또는 $B=0$'이란 것을 이용해야 해.
>
> 유라: 양변을 x로 나누면 해는 $x=4$야.

20 연속하는 세 홀수에 대하여 가장 큰 홀수의 제곱이 다른 두 홀수의 제곱의 합보다 9가 작다고 할 때, 이 세 홀수를 구하시오. (단, 세 홀수는 자연수이다.)

21 길이가 28 cm인 끈으로 직사각형을 만들어 넓이가 48 cm²가 되게 하려고 한다. 이때 이 직사각형의 서로 다른 두 변의 길이를 구하시오.

22 어떤 자연수에서 4를 빼고 제곱해야 할 것을 4를 빼고 2배를 하였는데 그 결과가 같았다. 이때 어떤 자연수가 될 수 있는 것을 모두 고르면?

① 2   ② 3   ③ 4

④ 5   ⑤ 6

23 차가 5인 두 자연수의 곱이 104일 때, 이 두 자연수를 구하시오.

24 연속하는 두 자연수의 곱이 두 자연수의 제곱의 합보다 91이 작을 때, 이 두 수 중에서 작은 수는?

① 6   ② 7   ③ 8

④ 9   ⑤ 10

25 이차방정식 $x^2+2ax+3a+28=0$의 중근을 다음 순서에 따라 구하고 그 과정을 서술하시오.

(1) 상수 a의 값을 구하시오.
(2) (1)에서 구한 a의 값을 대입하여 각각의 이차방정식의 중근을 구하시오.

26 이차방정식 $2x^2-4x-1=0$의 해가 $x=\dfrac{A\pm\sqrt{B}}{2}$일 때, 다음 물음에 답하고 그 과정을 서술하시오.

(1) 이차방정식 $2x^2-4x-1=0$의 해를 구하시오.
(2) A, B의 값을 구하시오.
(3) $A-B$의 값을 구하시오.

27 다음 이차방정식의 두 근을 p, q라고 할 때, $p-q$의 값을 구하고 그 과정을 서술하시오. (단, $p>q$)

$$2(x+1)(x-1)+(x-3)^2=5$$

28 오른쪽 그림과 같은 두 정사각형의 넓이의 합이 34 cm²일 때, 큰 정사각형의 한 변의 길이를 다음 순서에 따라 구하고 그 과정을 서술하시오.

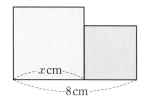

(1) 작은 정사각형의 한 변의 길이를 x에 대한 식으로 나타내시오.
(2) 두 정사각형의 넓이의 합이 34 cm²임을 이용하여 식을 세우시오.
(3) 큰 정사각형의 한 변의 길이를 구하시오.

29 오른쪽 그림과 같이 길이가 20 m인 철망으로 넓이가 50 m²인 직사각형 모양의 닭장을 만들려고 한다. 이 닭장의 세로의 길이를 x m라고 할 때, x의 값을 구하고 그 과정을 서술하시오.

30 다음 그림과 같이 바둑돌을 이용하여 삼각형 모양을 만들 때, n번째 삼각형에 사용한 바둑돌의 개수는 $\dfrac{(n+1)(n+2)}{2}$이다. 이때 바둑돌의 개수가 55인 삼각형은 몇 번째 삼각형인지 구하고 그 과정을 서술하시오.

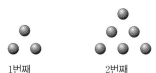

1번째   2번째

읽기 자료

○ **의미 있는 하루하루를 보내세요.**

＋ : 플러스 되는 일들을 열심히 하면서

－ : 과한 욕심은 버리고

÷ : 어려운 사람들과 함께 나누면서

＝ : 편견없이 동등한 생각을 하세요.

↕ : 자기 자신을 높이지도, 낮추지도 말고

♫ : 자기 마음의 즐거움을 찾을 줄 알며

♥ : 진실되고 아름다운 사랑을 나누세요.

－－ : 슬픈 얼굴은 이제 그만

∧∧ : 활짝 웃는 미소 띤 얼굴로

M : 앞으로 전진하는

N : 또한, 한발 물러설 줄 알아야 해요.

, : 쉼표가 있는 자리에서는 삶에 대한 여유로움을

! : 느낌표가 있는 자리에서는 세상과 자신이 하나가 되고

? : 물음표가 있는 자리에서는 끈기와 인내와 노력으로 파헤쳐 나가며

. : 앞으로의 삶을 의미 있고 뜻있게 마침표를 찍어 보시기 바랍니다.

III

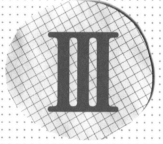

이차함수

01 이차함수와 그 그래프

기본 문제

정답 및 해설 P.31

1 다음 중 이차함수인 것에는 ○표, 이차함수가 아닌 것에는 ×표를 하시오.

(1) $y=2x-1$　　　　　　　(　　)

(2) $y=x(2+x)$　　　　　　(　　)

(3) $y=-\dfrac{1}{x^2}$　　　　　　　(　　)

(4) $y=-3x^2-1$　　　　　(　　)

2 다음 문장에서 y를 x에 대한 식으로 나타내고 그것이 이차함수인지 말하시오.

(1) 가로의 길이가 x cm, 세로의 길이가 $2x$ cm인 직사각형의 넓이 y cm^2

(2) 반지름의 길이가 x cm인 원의 둘레의 길이 y cm

(3) 반지름의 길이가 x cm인 구의 부피 y cm^3

(4) 한 변의 길이가 x cm인 정사각형의 각 변의 길이를 1 cm씩 줄여서 만든 정사각형의 넓이 y cm^2

1-1 다음 중 이차함수인 것에는 ○표, 이차함수가 아닌 것에는 ×표를 하시오.

(1) $y=\dfrac{1}{x}$　　　　　　　　(　　)

(2) $y=-x^2-\dfrac{1}{2}x$　　　　(　　)

(3) $y=x^2-x(x+2)$　　　　(　　)

(4) $y=3(x^2-2x)$　　　　　(　　)

3 x의 값이 -2, 0, 1일 때 $f(x)=x^2-2x-3$의 함숫값을 각각 구하시오.

개념 확인

1. 이차함수의 뜻

(1) **이차함수의 뜻**: 함수 $y=f(x)$에서 y가 x에 대한 이차식
　　$y=ax^2+bx+c$ (a, b, c는 상수, $\underline{a\neq 0}$)로 나타내어질 때, 이 함수를
　　이차함수라고 한다.　　└ $a=0$이면 $y=bx+c$이므로 이차함수가 아니다.

(2) **함숫값**: x의 값에 따라 유일하게 결정되는 y의 값

　참고 $y=f(x)$에서 x에 a를 대입하여 얻은 $f(a)$의 값을 $x=a$에서의 함숫값이라고 한다.

STEP UP

x가 실수일 때

① 이차함수인 예:
　$y=-4x^2$, $y=2x^2+3x-1$

② 이차함수가 아닌 예:
　$y=-2x+1$, $y=x^3+2x^2$,
　$y=\dfrac{1}{x^2}$

기본 문제

4 이차함수 $y=x^2$의 그래프에 대하여 다음 물음에 답하시오.

(1) x의 값이 -3, -2, -1, 0, 1, 2, 3일 때, 다음 표를 완성하시오.

x	-3	-2	-1	0	1	2	3
x^2							

(2) 위의 표에서 순서쌍 (x, y)를 좌표로 하는 점들을 아래의 좌표평면 위에 나타내시오.

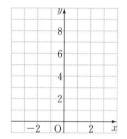

(3) x의 값이 실수 전체일 때, 이차함수 $y=x^2$의 그래프를 왼쪽의 좌표평면 위에 나타내시오.

(4) 다음 □ 안에 알맞은 것을 쓰시오.

$y=x^2$의 그래프는 $x<0$일 때 x의 값이 증가하면 y의 값은 □하고, $x>0$일 때 x의 값이 증가하면 y의 값도 □한다. 또 모양은 □로 볼록하고 원점 이외의 부분은 모두 □축보다 위에 있으며 □축에 대하여 대칭이다.

4-1 이차함수 $y=-x^2$의 그래프에 대한 다음 설명에서 □ 안에 알맞은 것을 쓰시오.

$y=-x^2$의 그래프는 $x<0$일 때 x의 값이 증가하면 y의 값도 □하고, $x>0$일 때 x의 값이 증가하면 y의 값은 □한다. 또 모양은 □로 볼록하고 원점 이외의 부분은 모두 □축보다 아래에 있으며 □축에 대하여 대칭이다.

개념 확인

2. 이차함수 $y=x^2$의 그래프 ··· 아래로 볼록해요.

(1) $x<0$일 때, x의 값이 증가하면 y의 값은 감소한다. $x>0$일 때, x의 값이 증가하면 y의 값도 증가한다.

(2) 원점 O를 지나고 아래로 볼록하다.

(3) 원점 이외의 부분은 모두 x축보다 위에 있다.

(4) y축에 대하여 대칭이다.

(5) $y=-x^2$의 그래프와 x축에 대하여 대칭이다.

대칭: 점이나 직선 또는 평면의 양쪽에 있는 부분이 같은 모양으로 배치되어 있을 때, 대칭이라고 한다.

3. 이차함수 $y=-x^2$의 그래프 ··· 위로 볼록해요.

(1) $x<0$일 때, x의 값이 증가하면 y의 값도 증가한다. $x>0$일 때, x의 값이 증가하면 y의 값은 감소한다.

(2) 원점 O를 지나고 위로 볼록하다.

(3) 원점 이외의 부분은 모두 x축보다 아래에 있다.

(4) y축에 대하여 대칭이다.

(5) $y=x^2$의 그래프와 x축에 대하여 대칭이다.

참고 ① 포물선: 이차함수의 그래프와 같은 모양의 곡선을 포물선이라고 한다.

② 축: 포물선은 선대칭도형으로 그 대칭축을 포물선의 축이라고 한다.

③ 꼭짓점: 포물선과 축의 교점을 포물선의 꼭짓점이라고 한다.

STEP UP

• $y=x^2$의 그래프 간단 정리
① 꼭짓점의 좌표는 $(0, 0)$
② 원점 이외의 부분은 모두 x축 위에 존재
③ y축에 대하여 대칭
④ 아래로 볼록
⑤ $x<0$일 때, $x\uparrow$, $y\downarrow$
$x>0$일 때, $x\uparrow$, $y\uparrow$

• $y=-x^2$의 그래프 간단 정리
① 꼭짓점의 좌표는 $(0, 0)$
② 원점 이외의 부분은 모두 x축 아래에 존재
③ y축에 대하여 대칭
④ 위로 볼록
⑤ $x<0$일 때, $x\uparrow$, $y\uparrow$
$x>0$일 때, $x\uparrow$, $y\downarrow$

01 이차함수와 그 그래프

정답 및 해설 P.32

기본 문제

5 다음 보기에 주어진 이차함수의 그래프에 대하여 아래 물음에 답하시오.

보기

ㄱ. $y=2x^2$ ㄴ. $y=\dfrac{1}{3}x^2$

ㄷ. $y=-7x^2$ ㄹ. $y=\dfrac{2}{5}x^2$

ㅁ. $y=-\dfrac{1}{4}x^2$

(1) 아래로 볼록한 포물선을 모두 찾으시오.

(2) 폭이 넓은 것부터 차례로 쓰시오.

5-1 이차함수 $y=4x^2$의 그래프에 대한 다음 설명에서 □ 안에 알맞은 것을 쓰시오.

꼭짓점의 좌표는 □이고 □축에 대하여 대칭이다. 또 이 그래프는 $x<0$인 범위에서 x의 값이 증가할 때, y의 값은 □하고 그래프의 모양은 □로 볼록하다.

6 다음 대응표를 완성하여 아래의 좌표평면 위에 각각의 그래프를 그리고 이차함수 $y=x^2$의 그래프와의 관계를 말하시오.

(1) $y=2x^2$ (2) $y=\dfrac{1}{2}x^2$

x	$\cdots$	-2	-1	0	1	2	$\cdots$
x^2	$\cdots$	4	1	0	1	4	$\cdots$
$2x^2$	$\cdots$						$\cdots$
$\dfrac{1}{2}x^2$	$\cdots$						$\cdots$

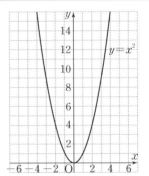

개념 확인

4. 이차함수 $y=ax^2$의 그래프 ⋯ 원점을 꼭짓점으로 하는 포물선들

(1) 그래프의 **꼭짓점**: 원점 $(0, 0)$ ──── 축의 방정식과 이차함수의 그래프와의 교점이다.

(2) y축에 대하여 대칭이다.

(3) 축의 방정식은 $x=0$(y축)이다.

(4) $a>0$이면 아래로 볼록, $a<0$이면 위로 볼록하다.

(5) a의 절댓값이 클수록 그래프의 폭이 좁아진다.

(6) 이차함수 $y=-ax^2$의 그래프와 x축에 대하여 대칭이다.

참고 그래프의 폭이 좁아지면 그래프는 y축에 가까워지고,
그래프의 폭이 넓어지면 그래프는 x축에 가까워진다.

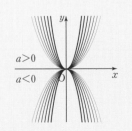

01 | 이차함수 찾기 |

다음 중 이차함수인 것을 모두 고르면? (정답 2개)

① $y=x(x-1)$ ② $y=\dfrac{1}{x^2}+3$ ③ $y=x^2-\dfrac{1}{2}x(2x-1)$

④ $y=x^3-2x^2+3$ ⑤ $y=\dfrac{x^2+4}{3}$

이차함수는 $y=ax^2+bx+c$
(a, b, c는 상수, $a \ne 0$)의 꼴이다.

02 | 이차함수 찾기 |

다음 보기 중 y를 x에 대한 식으로 나타내었을 때, 이차함수인 것을 모두 고른 것은?

보기

ㄱ. 한 변의 길이가 x cm인 정사각형의 둘레의 길이 y cm

ㄴ. 반지름의 길이가 x cm인 원의 넓이 y cm^2

ㄷ. 시속 5 km로 x시간 동안 걸은 거리 y km

ㄹ. 반지름의 길이가 x cm이고 중심각의 크기가 120°인 부채꼴의 넓이 y cm^2

① ㄱ, ㄴ ② ㄱ, ㄹ ③ ㄴ, ㄷ
④ ㄴ, ㄹ ⑤ ㄷ, ㄹ

x, y 사이의 관계를 식으로 나타내어 본다.

03 | 함숫값 |

이차함수 $f(x)=2x^2-ax+1$에서 $f(-1)=4$, $f(1)=b$이다. 이때 두 상수 a, b에 대하여 $a-b$의 값은?

① -2 ② -1 ③ 1
④ 2 ⑤ 3

$x=-1$, $x=1$을 $f(x)=2x^2-ax+1$에 대입하여 a, b의 값을 구한다.

04 | 이차함수 $y=x^2$의 그래프의 성질 |

다음 중 이차함수 $y=x^2$의 그래프에 대한 설명으로 옳지 <u>않은</u> 것은?

① 원점을 꼭짓점으로 한다.
② 아래로 볼록한 포물선이다.
③ 축의 방정식은 $y=0$이다.
④ 함숫값의 범위는 0 이상이다.
⑤ $x<0$일 때, x의 값이 증가하면 y의 값은 감소한다.

05 | 이차함수의 그래프가 지나는 점 |

이차함수 $y=ax^2$의 그래프가 점 $(2, 8)$을 지날 때, 상수 a의 값은?

① -3 ② -2 ③ -1
④ 1 ⑤ 2

$x=2$, $y=8$을 $y=ax^2$에 대입한다.

| 이차함수의 그래프가 지나는 점 | **서술형**

06 이차함수 $y=ax^2$의 그래프가 두 점 $(1, 4)$, $(-2, b)$를 지날 때, $a+b$의 값을 구하고 그 과정을 서술하시오.

$x=1$, $y=4$를 대입하여 a의 값을, $x=-2$, $y=b$를 대입하여 b의 값을 구한다.

| 이차함수 $y=ax^2$의 그래프의 폭 |

07 다음 중 오른쪽 그림의 점선으로 나타낸 그래프의 식이 될 수 있는 것은?

① $y=3x^2$ 　　　② $y=\dfrac{3}{2}x^2$

③ $y=\dfrac{2}{3}x^2$ 　　④ $y=\dfrac{1}{5}x^2$

⑤ $y=\dfrac{1}{8}x^2$

$y=ax^2$에서 a의 절댓값이 클수록 그래프의 폭이 좁아진다.

| 이차함수의 그래프가 지나는 점 | **서술형**

08 이차함수 $y=-x^2+4$의 그래프가 점 $(a, -5)$를 지날 때, 모든 상수 a의 절댓값의 합을 구하고 그 과정을 서술하시오.

$x=a$, $y=-5$를 대입하여 a의 값을 구한다.

| 이차함수 $y=ax^2$에서 a의 값의 범위 |

09 이차함수 $y=ax^2$의 그래프가 오른쪽 그림의 색칠한 부분에 존재할 때, 상수 a의 값의 범위는?

① $a>4$ 　　② $4<a<5$ 　　③ $\dfrac{1}{5}<a<4$

④ $a>\dfrac{1}{5}$ 　　⑤ $a<\dfrac{1}{5}$

$y=ax^2$에서 a의 절댓값이 클수록 그래프의 폭이 좁아진다.

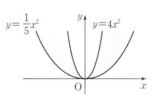

| 이차함수 $y=ax^2$의 그래프 |

10 오른쪽 그림에서 두 이차함수 $y=x^2$과 $y=ax^2$의 그래프, 또 y축이 직선 $y=16$ 위의 $\overline{AB}$의 길이를 사등분할 때, 상수 a의 값은?

① 2 　　② 3 　　③ 4

④ 5 　　⑤ 6

이차함수 $y=ax^2$의 그래프와 직선 $y=16$의 두 교점의 좌표를 구한다.

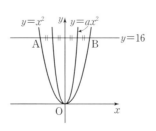

02 이차함수 $y=ax^2+bx+c$의 그래프

기본 문제

1 다음은 이차함수 $y=-2x^2+3$의 그래프에 대한 설명이다. 이때 ☐ 안에 알맞은 것을 쓰시오.

> 이차함수 $y=-2x^2+3$의 그래프는 이차함수 $y=-2x^2$의 그래프를 ☐축의 방향으로 ☐만큼 평행이동한 그래프이다.
> 꼭짓점의 좌표는 ☐이고 ☐축에 대하여 대칭이며 그래프의 모양은 ☐로 볼록한 포물선의 형태이다.
> 또 점 $(1, ☐)$을 지나고, $x>0$일 때 x의 값이 증가하면 y의 값은 ☐한다.

2 이차함수 $y=3x^2$의 그래프를 y축의 방향으로 -2만큼 평행이동한 그래프에 대하여 다음 ☐ 안에 알맞은 것을 쓰시오.

(1) 평행이동한 그래프의 식은 ☐이다.
(2) 꼭짓점의 좌표는 $(☐, ☐)$이다.
(3) $y=2x^2$의 그래프보다 폭이 ☐.

2-1 다음 이차함수의 그래프의 꼭짓점의 좌표와 축의 방정식을 각각 구하시오.

(1) $y=\dfrac{1}{2}x^2-3$ (2) $y=-3x^2+2$

(3) $y=-2x^2-5$ (4) $y=x^2+\dfrac{1}{2}$

1-1 다음 이차함수의 그래프를 y축의 방향으로 [ ] 안의 수만큼 평행이동한 그래프의 식을 구하시오.

(1) $y=4x^2$ $[1]$ (2) $y=-\dfrac{1}{5}x^2$ $[-2]$

(3) $y=-2x^2$ $\left[\dfrac{3}{4}\right]$ (4) $y=3x^2$ $\left[-\dfrac{1}{3}\right]$

개념 확인

1. 이차함수 $y=ax^2+q$의 그래프 … 위, 아래로 평행이동해요.

(1) 이차함수 $y=ax^2$의 그래프를 y축의 방향으로 q만큼 평행이동한 것이다.
(2) 꼭짓점의 좌표: $(0, q)$
(3) 축의 방정식: $x=0$(y축)

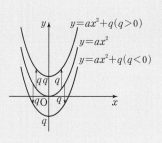

└ 한 도형을 일정한 방향으로 일정한 거리만큼 이동하는 것

참고 ① $q>0$이면 그래프가 y축의 양의 방향(위쪽)으로 이동한다.
      ② $q<0$이면 그래프가 y축의 음의 방향(아래쪽)으로 이동한다.

02 이차함수 $y=ax^2+bx+c$의 그래프

정답 및 해설 P.33

기본 문제

3 다음은 이차함수 $y=-2(x-3)^2$의 그래프에 대한 설명이다. 이때 □ 안에 알맞은 것을 쓰시오.

> 이차함수 $y=-2(x-3)^2$의 그래프는 이차함수 $y=-2x^2$의 그래프를 □축의 방향으로 □만큼 평행이동한 그래프이다.
> 꼭짓점의 좌표는 □이고 $x=$□에 대하여 대칭이며 그래프의 모양은 □로 볼록한 포물선의 형태이다.
> 또 점 $(1,$ □$)$을 지나고, $x>$□일 때 x의 값이 증가하면 y의 값은 감소한다.

4 이차함수 $y=\dfrac{1}{2}x^2$의 그래프를 x축의 방향으로 -3만큼 평행이동한 그래프에 대하여 다음 □ 안에 알맞은 것을 쓰시오.

(1) 평행이동한 그래프의 식은 □□□□□이다.

(2) 축의 방정식은 □, 꼭짓점의 좌표는 (□, □)이다.

(3) $x>$□일 때 x의 값이 증가하면 y의 값도 증가한다.

3-1 다음 이차함수의 그래프를 x축의 방향으로 [ ] 안의 수만큼 평행이동한 그래프의 식을 구하시오.

(1) $y=2x^2$ $[2]$ (2) $y=-\dfrac{1}{3}x^2$ $[-5]$

(3) $y=-x^2$ $\left[-\dfrac{1}{3}\right]$ (4) $y=\dfrac{1}{2}x^2$ $\left[\dfrac{1}{2}\right]$

4-1 다음 이차함수의 그래프의 꼭짓점의 좌표와 축의 방정식을 각각 구하시오.

(1) $y=\dfrac{1}{2}(x-3)^2$ (2) $y=-3(x+4)^2$

(3) $y=-2(x-10)^2$ (4) $y=5\left(x-\dfrac{1}{2}\right)^2$

개념 확인

2. 이차함수 $y=a(x-p)^2$의 그래프 ··· 왼쪽, 오른쪽으로 평행이동해요.

(1) 이차함수 $y=ax^2$의 그래프를 x축의 방향으로 p만큼 평행이동한 것이다.

(2) 꼭짓점의 좌표: $(p, 0)$

(3) 축의 방정식: $x=p$

참고 ① $p>0$이면 그래프가 x축의 양의 방향(오른쪽)으로 이동한다.
　　② $p<0$이면 그래프가 x축의 음의 방향(왼쪽)으로 이동한다.

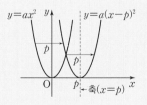

기본 문제

5 다음은 이차함수 $y=-2(x-3)^2+1$의 그래프에 대한 설명이다. 이때 □ 안에 알맞은 것을 쓰시오.

> 이차함수 $y=-2(x-3)^2+1$의 그래프는 이차함수 $y=-2x^2$의 그래프를 x축의 방향으로 □만큼, y축의 방향으로 □만큼 평행이동한 그래프이다.
> 꼭짓점의 좌표는 [　　]이고 $x=$□에 대하여 대칭이며 그래프의 모양은 [　]로 볼록한 포물선의 형태이다.
> 또 점 $(1,$ [　]$)$을 지나고, $x>$□일 때 x의 값이 증가하면 y의 값은 감소한다.

5-1 다음 이차함수의 그래프를 x축의 방향으로 p만큼, y축의 방향으로 q만큼 평행이동한 그래프의 식을 구하시오.

(1) $y=\dfrac{4}{3}x^2$ $[p=1,\ q=-1]$

(2) $y=\dfrac{3}{7}x^2$ $[p=2,\ q=4]$

(3) $y=-2x^2$ $[p=-4,\ q=-2]$

(4) $y=-\dfrac{2}{5}x^2$ $[p=-3,\ q=2]$

6 이차함수 $y=\dfrac{1}{3}x^2$의 그래프를 x축의 방향으로 -3만큼, y축의 방향으로 -1만큼 평행이동한 그래프에 대하여 다음 □ 안에 알맞은 것을 쓰시오.

(1) 평행이동한 그래프의 식은 [　　　　　]이다.

(2) 축의 방정식은 [　　], 꼭짓점의 좌표는 ([　], [　])

(3) 점 $(0,$ [　]$)$를 지나므로 그래프는 제[　], [　], [　]사분면을 지난다.

6-1 다음 이차함수의 그래프의 꼭짓점의 좌표와 축의 방정식을 각각 구하시오.

(1) $y=\dfrac{1}{2}(x-3)^2+2$

(2) $y=-3(x+4)^2-3$

(3) $y=5\left(x-\dfrac{1}{2}\right)^2-4$

(4) $y=-\dfrac{1}{4}(x+1)^2+\dfrac{1}{3}$

개념 확인

3. 이차함수 $y=a(x-p)^2+q$**의 그래프** … 위, 아래, 왼쪽, 오른쪽으로 평행이동해요.

$\underset{\llcorner 이차함수\ y=a(x-p)^2+q의\ 꼴을\ 이차함수의\ 표준형이라고\ 한다.}{}$

(1) 이차함수 $y=ax^2$의 그래프를 x축의 방향으로 p만큼, y축의 방향으로 q만큼 평행이동한 것이다.

(2) 꼭짓점의 좌표: $(p,\ q)$

(3) 축의 방정식: $x=p$

【참고】 이차함수 $y=ax^2$의 그래프의 평행이동

① y축의 방향으로 q만큼 평행이동: $y=ax^2+q$

② x축의 방향으로 p만큼 평행이동: $y=a(x-p)^2$

③ x축의 방향으로 p만큼, y축의 방향으로 q만큼 평행이동: $y=a(x-p)^2+q$

STEP UP

> **이차함수** $y=a(x-p)^2+q$**의 그래프의 평행이동**
>
> 이차함수 $y=a(x-p)^2+q$의 그래프를 x축의 방향으로 m만큼, y축의 방향으로 n만큼 평행이동한 그래프의 식은 $y=a(x-m-p)^2+q+n$이다.

02 이차함수 $y=ax^2+bx+c$의 그래프

정답 및 해설 P.33

기본 문제

7 다음 이차함수의 식을 $y=a(x-p)^2+q$의 꼴로 변형하여 꼭짓점의 좌표와 축의 방정식을 구하려고 한다. 이때 빈칸을 채우시오.

이차함수	$y=3x^2-12x+2$
변형 과정 쓰기	$y=3x^2-12x+2$ $=3(x^2-4x+4-4)+2$ $=3(x-2)^2-12+2$
$y=a(x-p)^2+q$	
꼭짓점의 좌표	
축의 방정식	

8 이차함수 $y=-x^2-x+3$의 꼭짓점의 좌표와 축의 방정식을 각각 구하시오.

7-1 다음 이차함수의 식을 $y=a(x-p)^2+q$의 꼴로 변형하여 꼭짓점의 좌표와 축의 방정식을 구하려고 한다. 이때 빈칸을 채우시오.

이차함수	$y=2x^2-4x+4$
변형 과정 쓰기	$y=2x^2-4x+4$ $=2(x^2-2x+1-1)+4$ $=2(x-1)^2-2+4$
$y=a(x-p)^2+q$	
꼭짓점의 좌표	
축의 방정식	

8-1 이차함수 $y=-2x^2-3x-1$의 꼭짓점의 좌표와 축의 방정식을 각각 구하시오.

개념 확인

4. 이차함수 $y=ax^2+bx+c$의 그래프  … 그래프를 그리려면 식을 바꿔라!

(1) 그래프 그리기: $y=a(x-p)^2+q$의 꼴로 고쳐서 그린다.

$$y=ax^2+bx+c \implies y=a\left(x+\frac{b}{2a}\right)^2-\frac{b^2-4ac}{4a}$$

(2) 꼭짓점의 좌표: $\left(-\dfrac{b}{2a}, -\dfrac{b^2-4ac}{4a}\right)$

(3) 축의 방정식: $x=-\dfrac{b}{2a}$

$\begin{aligned} y&=ax^2+bx+c \\ &=a\left\{x^2+\frac{b}{a}x+\left(\frac{b}{2a}\right)^2-\left(\frac{b}{2a}\right)^2\right\}+c \\ &=a\left(x+\frac{b}{2a}\right)^2-\frac{b^2}{4a}+c \\ &=a\left(x+\frac{b}{2a}\right)^2-\frac{b^2-4ac}{4a} \end{aligned}$

STEP UP

이차함수 $y=x^2-2x+5$를 완전제곱식을 이용하여 $y=a(x-p)^2+q$의 꼴로 고치면

$\begin{aligned} y&=x^2-2x+5 \\ &=(x^2-2x+1-1)+5 \\ &=(x-1)^2-1+5 \\ &=(x-1)^2+4 \end{aligned}$

① 꼭짓점의 좌표는 $(1, 4)$이다.
② 축의 방정식은 $x=1$이다.

기본 문제

9 다음은 이차함수 $y=x^2-4x+3$의 그래프와 x축, y축과의 교점의 좌표를 구하는 과정이다. 이때 □ 안에 알맞은 수를 쓰시오.

> $y=x^2-4x+3$에 $y=0$을 대입하면
> $x^2-4x+3=0$이다.
> 이 이차방정식의 해를 구하면 $x=$□ 또는
> $x=$□이므로 이차함수의 그래프와 x축과의
> 교점의 좌표는 (□, 0), (□, 0)이다.
> 또 $x=0$일 때, y의 값이 □이므로 y축과의 교
> 점의 좌표는 (0, □)이다.

9-1 다음 이차함수의 그래프와 x축, y축과의 교점의 좌표를 각각 구하시오.

(1) $y=x^2-4x+4$

(2) $y=2x^2-6x$

(3) $y=-3x^2-2x+5$

10 오른쪽 이차함수의 그래프에서 $\triangle ABC$의 넓이를 구하시오.

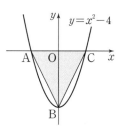

10-1 이차함수 $y=-x^2+6x-5$의 그래프가 x축과 만나는 두 점의 x좌표를 각각 p, q라 하고 y축과 만나는 점의 y좌표를 r라고 할 때, $p+q+r$의 값을 구하시오. (단, $p<q$)

개념 확인

5. 이차함수 $y=ax^2+bx+c$의 그래프와 x축, y축과의 교점 … 축과 만나는 점의 좌표를 구해요.

STEP UP

(1) x축과의 교점: $y=0$일 때의 x의 값을 구한다. ($y=0$을 대입)

(2) y축과의 교점: $x=0$일 때의 y의 값을 구한다. ($x=0$을 대입)
이차함수 $y=ax^2+bx+c$의 그래프와 y축과의 교점의 좌표는 $(0, c)$이다.

참고 이차함수의 그래프에서 y축과의 교점은 항상 존재하지만 x축과의 교점은 존재하지 않을 수도 있다. x축과의 교점은 다음의 세 가지의 경우가 있다.

x축과의 교점이 없는 경우	x축과의 교점이 하나인 경우	x축과의 교점이 두 개인 경우
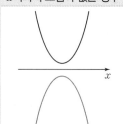	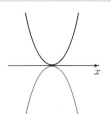	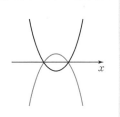

이차함수 $y=-2x^2+3x+2$의 그래프에서

① $y=0$일 때,
$-2x^2+3x+2=0$,
$2x^2-3x-2=0$,
$(2x+1)(x-2)=0$
이므로 $x=-\dfrac{1}{2}$ 또는 $x=2$이다.
따라서 이차함수의 그래프와 x축과의 교점의 좌표는 $\left(-\dfrac{1}{2}, 0\right)$, $(2, 0)$이다.

② $x=0$일 때, $y=2$이다.
따라서 이차함수의 그래프와 y축과의 교점의 좌표는 $(0, 2)$이다.

02 이차함수 $y=ax^2+bx+c$의 그래프

기본 문제

정답 및 해설 P.34

11 다음은 꼭짓점의 좌표가 $(1, 3)$이고 점 $(2, 4)$를 지나는 이차함수의 그래프의 식을 구하는 과정이다. 이때 □ 안에 알맞은 것을 쓰시오.

> 구하는 이차함수의 그래프의 식을
> $y=a(x-\boxed{})^2+\boxed{}$으로 놓자.
> 이차함수의 그래프가 점 $(2, 4)$를 지나므로
> $x=\boxed{}$, $y=\boxed{}$를 대입하면 $a=\boxed{}$이다.
> 따라서 구하는 이차함수의 그래프의 식은
> $\boxed{}$이다.

11-1 꼭짓점의 좌표가 $(1, 2)$이고 점 $(3, 10)$을 지나는 이차함수의 그래프의 식을 구하시오.

12 다음은 세 점 $(0, -2)$, $(1, -3)$, $(2, 0)$을 지나는 이차함수의 그래프의 식을 구하는 과정이다. 이때 □ 안에 알맞은 것을 쓰시오.

> 구하는 이차함수의 그래프의 식을
> $y=ax^2+bx+c$로 놓자.
> $x=0$, $y=-2$를 대입하면 $c=\boxed{}$이다.
> $x=1$, $y=-3$을 대입하면
> $a+b-2=\boxed{}$ ······ ㉠
> $x=2$, $y=0$을 대입하면
> $\boxed{}=0$ ······ ㉡
> ㉠, ㉡을 연립하여 풀면
> $a=\boxed{}$, $b=\boxed{}$이다.
> 따라서 구하는 이차함수의 그래프의 식은
> $\boxed{}$이다.

12-1 세 점 $(0, 2)$, $(-1, -2)$, $(2, 4)$를 지나는 이차함수의 그래프의 식을 구하시오.

개념 확인

6. 이차함수의 식 구하기 (1) ··· $y=a(x-p)^2+q$ 또는 $y=ax^2+bx+c$로 놓는다.

(1) 꼭짓점의 좌표 (p, q)와 그래프 위의 다른 한 점을 알 때
  ① 구하는 이차함수의 그래프의 식을 $y=a(x-p)^2+q$로 놓는다.
  ② 이 식에 주어진 다른 한 점의 좌표를 대입하여 a의 값을 구한다.

  참고 꼭짓점의 좌표가 $(0, 0)$이면 $y=ax^2$,
  꼭짓점의 좌표가 $(0, q)$이면 $y=ax^2+q$,
  꼭짓점의 좌표가 $(p, 0)$이면 $y=a(x-p)^2$,
  꼭짓점의 좌표가 (p, q)이면 $y=a(x-p)^2+q$

(2) 그래프 위의 서로 다른 세 점을 알 때 { $y=a(x-p)^2+q$보다 $y=ax^2+bx+c$를 이용하는 것이 더 편리하다. }
  ① 구하는 이차함수의 그래프의 식을 $y=ax^2+bx+c$로 놓는다.
  ② 이 식에 세 점의 좌표를 각각 대입하여 a, b, c의 값을 구한다.

  참고 x좌표가 0인 점의 좌표가 주어지면 $x=0$을 대입하여 c의 값을 먼저 구한다.

STEP UP

> 꼭짓점의 좌표가 $(-2, 1)$이고 점 $(-1, 3)$을 지나는 이차함수의 그래프의 식을 구해 보자.
> ① 꼭짓점의 좌표가 $(-2, 1)$이므로
> $y=a(x+2)^2+1$로 놓자.
> ② 점 $(-1, 3)$을 지나므로
> $3=a(-1+2)^2+1$에서
> $a=2$이다.
> ③ 따라서 구하는 이차함수의 그래프의 식은 $y=2(x+2)^2+1$이다.

기본 문제

13 다음은 축의 방정식이 $x=-2$이고 두 점 $(2, -20)$, $(-1, -5)$를 지나는 포물선을 그래프로 하는 이차함수의 식을 구하는 과정이다. 이때 □ 안에 알맞은 것을 쓰시오.

> 구하는 이차함수의 그래프의 식을
> $y=a(x+\boxed{})^2+q$로 놓자.
> 이차함수의 그래프가 두 점 $(2, -20)$, $(-1, -5)$를 지나므로 이것을 각각 대입하면
> $\boxed{}=\boxed{}a+q$, $\boxed{}=a+q$이다.
> 두 식을 연립하여 풀면 $a=\boxed{}$, $q=\boxed{}$이다.
> 따라서 구하는 이차함수의 그래프의 식은
> $\boxed{}$이다.

13-1 축의 방정식이 $x=3$이고 두 점 $(1, 6)$, $(2, 3)$을 지나는 이차함수의 그래프의 식을 구하시오.

14 다음은 x축과 두 점 $(-1, 0)$, $(3, 0)$에서 만나고 한 점 $(2, -12)$를 지나는 이차함수의 그래프의 식을 구하는 과정이다. 이때 □ 안에 알맞을 것을 쓰시오.

> 구하는 이차함수의 그래프의 식을
> $y=a(\boxed{})(\boxed{})$으로 놓자.
> 이차함수의 그래프가 점 $(2, -12)$를 지나므로 $a=\boxed{}$이다.
> 따라서 구하는 이차함수의 그래프의 식은
> $\boxed{}$이다.

14-1 x축과 두 점 $(-2, 0)$, $(1, 0)$에서 만나고 한 점 $(-3, -8)$을 지나는 이차함수의 그래프의 식을 구하시오.

개념 확인

7. 이차함수의 식 구하기 (2) ··· $y=a(x-p)^2+q$ 또는 $y=a(x-\alpha)(x-\beta)$로 놓는다.

(1) 축의 방정식 $x=p$와 서로 다른 두 점을 알 때
  ① 구하는 이차함수의 그래프의 식을 $y=a(x-p)^2+q$로 놓는다.
  ② 이 식에 두 점의 좌표를 각각 대입하여 a, q의 값을 구한다.

  참고 축의 방정식이 $x=0$이면 $y=ax^2+q$,
  축의 방정식이 $x=p$이면 $y=a(x-p)^2+q$이다.

(2) x축과의 두 교점 $(\alpha, 0)$, $(\beta, 0)$과 다른 한 점을 알 때
  ① 구하는 이차함수의 그래프의 식을 $y=a(x-\alpha)(x-\beta)$로 놓는다.
  ② 이 식에 다른 한 점의 좌표를 대입하여 a의 값을 구한다.

  참고 서로 다른 세 점을 알 때의 푸는 방법으로 풀어도 상관없지만 $y=a(x-\alpha)(x-\beta)$를 이용하여 푸는 것이 더 편리하다.

STEP UP

> 축의 방정식이 $x=1$이고 두 점 $(3, 5)$, $(5, 11)$을 지나는 이차함수의 그래프의 식을 구해 보자.
> ① 구하는 이차함수의 그래프의 식을 $y=a(x-1)^2+q$라고 놓자.
> ② 두 점 $(3, 5)$, $(5, 11)$을 지나므로 $5=4a+q$, $11=16a+q$이다.
> 두 식을 연립하여 풀면 $a=\frac{1}{2}$, $q=3$이다.
> ③ 따라서 구하는 이차함수의 그래프의 식은 $y=\frac{1}{2}(x-1)^2+3$이다.

02 이차함수 $y=ax^2+bx+c$의 그래프

기본 문제

정답 및 해설 P.35

15 이차함수 $y=ax^2+bx+c$의 그래프가 다음 그림과 같을 때, ☐ 안에 알맞은 것을 쓰시오.

그래프가 ☐로 볼록하므로 a☐0,
그래프의 축이 y축의 ☐에 있으므로 b☐0,
그래프와 y축과의 교점이 원점의 ☐에 있으므로 c☐0이다.

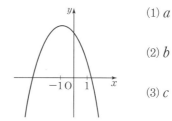

15-1

그래프가 ☐로 볼록하므로 a☐0,
그래프의 축이 y축의 ☐에 있으므로 b☐0,
그래프와 y축과의 교점이 원점의 ☐에 있으므로 c☐0이다.

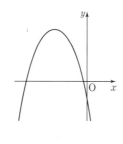

16 이차함수 $y=ax^2+bx+c$의 그래프가 다음 그림과 같을 때, 주어진 값의 부호를 말하시오.

(1) a

(2) b

(3) c

16-1 위의 그래프에서 주어진 값의 부호를 말하시오.

(1) $a+b+c$

(2) $a-b+c$

(3) ab

개념 확인

8. 이차함수 $y=ax^2+bx+c$에서 a, b, c의 부호 … 그래프의 모양을 결정!

(1) a의 부호: 그래프의 모양에 따라 결정
　① 아래로 볼록: $a>0$
　② 위로 볼록: $a<0$
(2) b의 부호: 축의 위치에 따라 결정
　① 축이 y축의 왼쪽에 위치: a, b는 같은 부호
　② 축이 y축과 일치: $b=0$
　③ 축이 y축의 오른쪽에 위치: a, b는 다른 부호
(3) c의 부호: y축과의 교점의 위치에 따라 결정
　① y축과의 교점이 원점의 위쪽에 위치: $c>0$
　② y축과의 교점이 원점에 위치: $c=0$
　③ y축과의 교점이 원점의 아래쪽에 위치: $c<0$

b의 부호는 a의 부호가 결정된 이후에 결정할 수 있다.

STEP UP

이차함수 $y=ax^2+bx+c$의 그래프에서

① a의 부호

② b의 부호

③ c의 부호

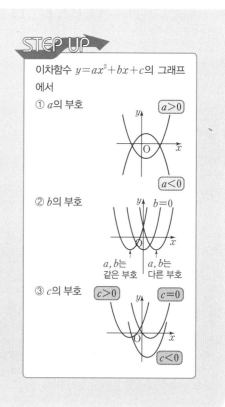

정답 및 해설 P.35

01 | 이차함수 $y=ax^2+q$의 그래프 |

오른쪽 그림에서 이차함수 $y=-\dfrac{1}{3}x^2+4$의 그래프로 옳은 것은? (단, 그래프의 폭은 모두 같다.)

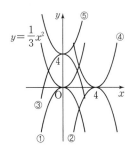

이차함수 $y=ax^2+q$의 그래프의 꼭짓점의 좌표는 $(0, q)$이다.

02 | 이차함수의 그래프의 평행이동 |

이차함수 $y=\dfrac{1}{2}x^2-3$의 그래프를 y축의 방향으로 k만큼 평행이동하면 이차함수 $y=\dfrac{1}{2}x^2+1$의 그래프와 일치한다고 한다. 이때 상수 k의 값은?

① -4 ② -2 ③ 2

④ 4 ⑤ 6

이차함수 $y=\dfrac{1}{2}x^2-3$의 그래프를 y축의 방향으로 k만큼 평행이동한 식이 $y=\dfrac{1}{2}x^2+1$이다.

03 | 이차함수 $y=a(x-p)^2$ 그래프의 성질 |

다음 중 이차함수 $y=2(x+5)^2$의 그래프에 대한 설명으로 옳지 <u>않은</u> 것은?

① 축의 방정식은 $x=-5$이다.
② 꼭짓점의 좌표는 $(-5, 0)$이다.
③ 점 $(-3, 8)$을 지난다.
④ $x>-5$일 때, x의 값이 증가하면 y의 값은 감소한다.
⑤ $y=2x^2$의 그래프와 폭이 같다.

이차함수 $y=a(x-p)^2$의 그래프는 이차함수 $y=ax^2$의 그래프를 x축의 방향으로 p만큼 평행이동시킨 그래프이다.

04 | 이차함수의 그래프의 식 | 서술형

이차함수 $y=2(x-4)^2+7$의 그래프의 꼭짓점의 좌표를 (a, b), 축의 방정식을 $x=c$라고 할 때, $a+b+c$의 값을 구하고 그 과정을 서술하시오.

$y=a(x-p)^2+q$의 그래프의 꼭짓점의 좌표는 (p, q)이고, 축의 방정식은 $x=p$이다.

05 | 이차함수 $y=a(x-p)^2+q$의 그래프 |

이차함수 $y=-\dfrac{1}{4}(x+3)^2-2$의 그래프가 지나지 <u>않는</u> 사분면은?

① 제1, 2사분면   ② 제1, 4사분면   ③ 제2, 3사분면
④ 제2, 4사분면   ⑤ 제3, 4사분면

꼭짓점의 좌표가 $(-3, -2)$이고, 위로 볼록한 그래프이다.

정답 및 해설 P.35

| 이차함수의 꼭짓점의 좌표와 축의 방정식 구하기 | 서술형

06 이차함수 $y=-2x^2-4x+1$의 그래프의 꼭짓점의 좌표가 (p, q)이고 축의 방정식이 $x=r$일 때, $p+q+r$의 값을 구하고 그 과정을 서술하시오.

주어진 식을 $y=a(x-p)^2+q$의 꼴로 나타낸다.

| 이차함수의 식 구하기 |

07 다음 중 꼭짓점의 좌표가 $(2, -1)$이고 y축과 만나는 점의 좌표가 $(0, 7)$인 이차함수의 그래프의 식은?

① $y=x^2-4x-5$ ② $y=x^2-4x+3$ ③ $y=2x^2-8x+7$
④ $y=2x^2-8x+8$ ⑤ $y=2x^2+8x+7$

꼭짓점의 좌표가 (p, q)인 이차함수의 그래프의 식은 $y=a(x-p)^2+q$이다.

| 이차함수의 식 구하기 |

08 이차함수 $y=x^2+ax+b$의 그래프가 x축과 두 점 $(-1, 0)$, $(4, 0)$에서 만날 때, $a+b$의 값을 구하시오.

x^2의 계수가 1이고 x축과 두 점 $(a, 0)$, $(b, 0)$에서 만나는 이차함수의 그래프의 식은 $y=(x-a)(x-b)$이다.

| 이차함수 $y=ax^2+bx+c$에서 a, b, c의 부호 |

09 다음 조건을 모두 만족시키는 이차함수 $y=ax^2+bx+c$의 그래프는?

(가) $a>0$ (나) $ab>0$ (다) $c<0$

$ab>0$이면 a, b는 같은 부호이므로 축이 y축의 왼쪽에 있다.

① ② ③ ④ ⑤

| 이차함수 $y=a(x+p)^2+q$에서 a, p, q의 부호 |

10 이차함수 $y=a(x+p)^2+q$의 그래프가 오른쪽 그림과 같이 제 2, 3, 4사분면을 지날 때, a, p, q의 부호를 말하시오.

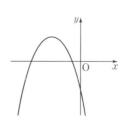

좌표평면 위에서 꼭짓점의 x좌표, y좌표의 부호를 이용한다.

01 이차함수 $y=3x^2$의 그래프를 y축의 방향으로 3만큼 평행이동한 그래프가 점 $(-1, k)$를 지날 때, k의 값은?

① 2   ② 3   ③ 4
④ 5   ⑤ 6

02 다음 중 이차함수 $y=-3(x+2)^2-1$의 그래프에 대한 설명으로 옳은 것을 모두 고르면? (정답 2개)

① 꼭짓점의 좌표는 $(2, -1)$이다.
② y축과의 교점의 좌표는 $(0, -1)$이다.
③ 이 그래프는 x축과 만나지 않는다.
④ 축의 방정식은 $x=2$이다.
⑤ $x>-2$일 때, x의 값이 증가하면 y의 값은 감소한다.

03 이차함수 $y=-2x^2$의 그래프를 x축의 방향으로 3만큼 평행이동한 그래프가 점 $(1, m)$을 지날 때, m의 값은?

① -2 ② -4 ③ -6
④ -8 ⑤ -10

04 다음 중 두 이차함수 $y=2x^2-1$, $y=2(x-1)^2$의 그래프에 대한 설명으로 옳은 것은?

① 점 $(2, 7)$을 지난다.
② 축의 방정식이 같다.
③ 그래프의 폭이 같다.
④ 꼭짓점의 좌표가 같다.
⑤ 이차함수 $y=-2x^2$의 그래프를 평행이동한 것이다.

05 이차함수 $y=2x^2$의 그래프를 x축의 방향으로 2만큼, y축의 방향으로 -3만큼 평행이동하면 점 $(3, a)$를 지난다. 이때 a의 값을 구하시오.

06 다음 중 이차함수 $y=x^2-4x+5$의 그래프에 대한 설명으로 옳은 것은?

① 위로 볼록한 그래프이다.
② 축의 방정식은 $x=2$이다.
③ 꼭짓점의 좌표는 $(-2, 1)$이다.
④ y축과 점 $(0, 1)$에서 만난다.
⑤ $x>2$일 때, x의 값이 증가하면 y의 값은 감소한다.

07 이차함수 $y=x^2-4x+k-2$의 그래프의 꼭짓점이 제4
사분면 위에 있을 때, 상수 k의 값의 범위는?

① $k<-6$ ② $k>-6$ ③ $k<0$

④ $k<6$ ⑤ $k>6$

08 x에 대한 이차함수 $y=x^2+2ax+6$의 그래프의 꼭짓
점의 좌표가 $(3,\,b)$일 때, 두 상수 $a,\,b$에 대하여 $a+b$
의 값을 구하시오.

09 이차함수 $y=-\dfrac{1}{2}x^2-4x-5$의 그래프는 이차함수
$y=-\dfrac{1}{2}x^2$의 그래프를 x축의 방향으로 p만큼, y축의
방향으로 q만큼 평행이동한 것이다. 이때 $p+q$의 값은?

① -7 ② -1 ③ 0

④ 1 ⑤ 7

10 다음 이차함수의 그래프 중 이차함수 $y=2x^2$의 그래프
를 평행이동하여 완전히 포갤 수 없는 것은?

① $y=2x^2+4$ ② $y=2x^2+3x+4$

③ $y=(1+\sqrt{2}x)^2$ ④ $y=-(x+3)^2+3x^2$

⑤ $y=(1+x)(1-x)-x^2$

11 다음 그림과 같이 이차함수 $y=x^2+2x-3$의 그래프가
x축과 만나는 두 점을 각각 A, B라 하고 y축과 만나는
점을 C라고 할 때, △ACB의 넓이는?

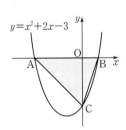

① 6 ② 8 ③ 9

④ 12 ⑤ 15

12 상 오른쪽 그림과 같이 이차함수 $y=-\dfrac{1}{2}x^2-x+4$의 그래프가 x축과 만나는 두 점을 각각 A, B라 하고 꼭짓점을 C, y축과의 교점을 D라고 할 때, $\triangle ABC : \triangle ABD$를 가장 간단한 정수의 비로 나타내시오.

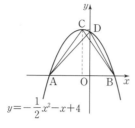

$y=-\dfrac{1}{2}x^2-x+4$

13 중 세 점 $(-2,0)$, $(0,8)$, $(4,0)$을 지나는 이차함수의 식을 $y=ax^2+bx+c$라고 할 때, $a+b+c$의 값을 구하시오.

14 상 오른쪽 그림과 같이 이차함수 $y=ax^2+bx+c$의 그래프가 원점을 지날 때, 이차함수 $y=bx^2+cx+a$의 그래프가 지나지 않는 사분면은?

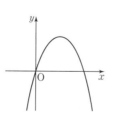

① 제1사분면   ② 제2사분면   ③ 제3사분면
④ 제4사분면   ⑤ 모든 사분면을 지난다.

15 중 이차함수 $y=ax^2+bx+c$의 그래프가 오른쪽 그림과 같을 때, 다음 중 옳은 것은?

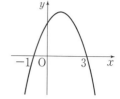

① $a>0$
② $c<0$
③ $a+b+c=0$
④ $a-b+c=0$
⑤ $9a+3b+c<0$

16 상 다음 그림과 같이 이차함수 $y=x^2-4x+3$의 그래프와 x축과의 두 교점을 각각 A, B라 하고 y축과의 교점을 C라고 할 때, 다음 물음에 답하시오.

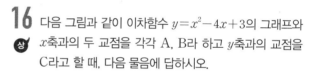

$y=x^2-4x+3$

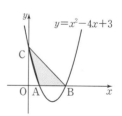

(1) 두 점 A, B의 좌표를 구하시오.
(2) 점 C의 좌표를 구하시오.
(3) $\triangle ABC$의 넓이를 구하시오.

17 세 이차함수 $y=-\dfrac{1}{2}x^2$, $y=3x^2+4$, $y=2(x-5)^2+4$ 의 그래프의 꼭짓점을 각각 A, B, C라고 할 때, △ABC의 넓이는?

① 4 ② 6 ③ 8
④ 10 ⑤ 12

18 다음의 그림과 같이 두 이차함수 $y=\dfrac{1}{2}(x-2)^2$, $y=-(x-2)^2$의 그래프 위에 있는 네 점 A, B, C, D가 정사각형을 이룰 때, 점 A의 x좌표는?

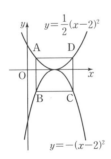

① $\dfrac{2}{3}$ ② 1 ③ $\dfrac{4}{3}$
④ $\dfrac{5}{3}$ ⑤ 2

19 이차함수 $y=x^2+bx+c$의 그래프는 축의 방정식이 $x=2$이고 점 $(1, 5)$를 지난다. 이때 두 상수 b, c에 대하여 $b-c$의 값은?

① -12 ② -4 ③ 4
④ 8 ⑤ 12

20 세 점 $(0, 7)$, $(2, 7)$, $(3, 16)$을 지나는 이차함수의 그래프의 꼭짓점의 좌표는?

① $(-2, 4)$ ② $(-1, 4)$ ③ $(-1, 5)$
④ $(1, 3)$ ⑤ $(1, 4)$

21 일차함수 $y=ax+5$의 그래프가 이차함수 $y=-x^2+4x+5$의 그래프의 꼭짓점을 지날 때, 상수 a의 값을 구하시오.

22 오른쪽 그림과 같이 이차함수 $y=-x^2-2x+3$의 그래프의 꼭짓점을 A, x축과 음의 부분에서 만나는 점을 B, y축과 만나는 점을 C라고 할 때, △ABC의 넓이를 구하고 그 과정을 서술하시오.

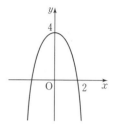

$y=-x^2-2x+3$

24 오른쪽 그림과 같이 축이 y축인 이차함수의 그래프가 점 $(4, k)$를 지날 때, k의 값을 구하고 그 과정을 서술하시오.

23 꼭짓점의 좌표가 $(1, 9)$이고 점 $(3, 1)$을 지나는 이차함수의 그래프가 있다. 다음 물음에 답하고 그 과정을 서술하시오.

(1) 주어진 조건을 만족시키는 이차함수의 그래프의 식을 구하시오.

(2) 이 그래프가 y축과 만나는 점의 좌표를 구하시오.

25 이차함수 $y=3ax^2$의 그래프가 오른쪽 그림과 같을 때, 상수 a의 값의 범위를 구하고 그 과정을 서술하시오.

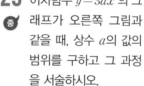

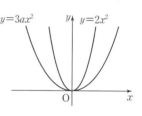

$y=3ax^2$ $y=2x^2$

제곱근표(1)

수	0	1	2	3	4	5	6	7	8	9
1.0	1.000	1.005	1.010	1.015	1.020	1.025	1.030	1.034	1.039	1.044
1.1	1.049	1.054	1.058	1.063	1.068	1.072	1.077	1.082	1.086	1.091
1.2	1.095	1.100	1.105	1.109	1.114	1.118	1.122	1.127	1.131	1.136
1.3	1.140	1.145	1.149	1.153	1.158	1.162	1.166	1.170	1.175	1.179
1.4	1.183	1.187	1.192	1.196	1.200	1.204	1.208	1.212	1.217	1.221
1.5	1.225	1.229	1.233	1.237	1.241	1.245	1.249	1.253	1.257	1.261
1.6	1.265	1.269	1.273	1.277	1.281	1.285	1.288	1.292	1.296	1.300
1.7	1.304	1.308	1.311	1.315	1.319	1.323	1.327	1.330	1.334	1.338
1.8	1.342	1.345	1.349	1.353	1.356	1.360	1.364	1.367	1.371	1.375
1.9	1.378	1.382	1.386	1.389	1.393	1.396	1.400	1.404	1.407	1.411
2.0	1.414	1.418	1.421	1.425	1.428	1.432	1.435	1.439	1.442	1.446
2.1	1.449	1.453	1.456	1.459	1.463	1.466	1.470	1.473	1.476	1.480
2.2	1.483	1.487	1.490	1.493	1.497	1.500	1.503	1.507	1.510	1.513
2.3	1.517	1.520	1.523	1.526	1.530	1.533	1.536	1.539	1.543	1.546
2.4	1.549	1.552	1.556	1.559	1.562	1.565	1.568	1.572	1.575	1.578
2.5	1.581	1.584	1.587	1.591	1.594	1.597	1.600	1.603	1.606	1.609
2.6	1.612	1.616	1.619	1.622	1.625	1.628	1.631	1.634	1.637	1.640
2.7	1.643	1.646	1.649	1.652	1.655	1.658	1.661	1.664	1.667	1.670
2.8	1.673	1.676	1.679	1.682	1.685	1.688	1.691	1.694	1.697	1.700
2.9	1.703	1.706	1.709	1.712	1.715	1.718	1.720	1.723	1.726	1.729
3.0	1.732	1.735	1.738	1.741	1.744	1.746	1.749	1.752	1.755	1.758
3.1	1.761	1.764	1.766	1.769	1.772	1.775	1.778	1.780	1.783	1.786
3.2	1.789	1.792	1.794	1.797	1.800	1.803	1.806	1.808	1.811	1.814
3.3	1.817	1.819	1.822	1.825	1.828	1.830	1.833	1.836	1.838	1.841
3.4	1.844	1.847	1.849	1.852	1.855	1.857	1.860	1.863	1.865	1.868
3.5	1.871	1.873	1.876	1.879	1.881	1.884	1.887	1.889	1.892	1.895
3.6	1.897	1.900	1.903	1.905	1.908	1.910	1.913	1.916	1.918	1.921
3.7	1.924	1.926	1.929	1.931	1.934	1.936	1.939	1.942	1.944	1.947
3.8	1.949	1.952	1.954	1.957	1.960	1.962	1.965	1.967	1.970	1.972
3.9	1.975	1.977	1.980	1.982	1.985	1.987	1.990	1.992	1.995	1.997
4.0	2.000	2.002	2.005	2.007	2.010	2.012	2.015	2.017	2.020	2.022
4.1	2.025	2.027	2.030	2.032	2.035	2.037	2.040	2.042	2.045	2.047
4.2	2.049	2.052	2.054	2.057	2.059	2.062	2.064	2.066	2.069	2.071
4.3	2.074	2.076	2.078	2.081	2.083	2.086	2.088	2.090	2.093	2.095
4.4	2.098	2.100	2.102	2.105	2.107	2.110	2.112	2.114	2.117	2.119
4.5	2.121	2.124	2.126	2.128	2.131	2.133	2.135	2.138	2.140	2.142
4.6	2.145	2.147	2.149	2.152	2.154	2.156	2.159	2.161	2.163	2.166
4.7	2.168	2.170	2.173	2.175	2.177	2.179	2.182	2.184	2.186	2.189
4.8	2.191	2.193	2.195	2.198	2.200	2.202	2.205	2.207	2.209	2.211
4.9	2.214	2.216	2.218	2.220	2.223	2.225	2.227	2.229	2.232	2.234
5.0	2.236	2.238	2.241	2.243	2.245	2.247	2.249	2.252	2.254	2.256
5.1	2.258	2.261	2.263	2.265	2.267	2.269	2.272	2.274	2.276	2.278
5.2	2.280	2.283	2.285	2.287	2.289	2.291	2.293	2.296	2.298	2.300
5.3	2.302	2.304	2.307	2.309	2.311	2.313	2.315	2.317	2.319	2.322
5.4	2.324	2.326	2.328	2.330	2.332	2.335	2.337	2.339	2.341	2.343
5.5	2.345	2.347	2.349	2.352	2.354	2.356	2.358	2.360	2.362	2.364
5.6	2.366	2.369	2.371	2.373	2.375	2.377	2.379	2.381	2.383	2.385
5.7	2.387	2.390	2.392	2.394	2.396	2.398	2.400	2.402	2.404	2.406
5.8	2.408	2.410	2.412	2.415	2.417	2.419	2.421	2.423	2.425	2.427
5.9	2.429	2.431	2.433	2.435	2.437	2.439	2.441	2.443	2.445	2.447
6.0	2.449	2.452	2.454	2.456	2.458	2.460	2.462	2.464	2.466	2.468
6.1	2.470	2.472	2.474	2.476	2.478	2.480	2.482	2.484	2.486	2.488
6.2	2.490	2.492	2.494	2.496	2.498	2.500	2.502	2.504	2.506	2.508
6.3	2.510	2.512	2.514	2.516	2.518	2.520	2.522	2.524	2.526	2.528
6.4	2.530	2.532	2.534	2.536	2.538	2.540	2.542	2.544	2.546	2.548
6.5	2.550	2.551	2.553	2.555	2.557	2.559	2.561	2.563	2.565	2.567
6.6	2.569	2.571	2.573	2.575	2.577	2.579	2.581	2.583	2.585	2.587
6.7	2.588	2.590	2.592	2.594	2.596	2.598	2.600	2.602	2.604	2.606
6.8	2.608	2.610	2.612	2.613	2.615	2.617	2.619	2.621	2.623	2.625
6.9	2.627	2.629	2.631	2.632	2.634	2.636	2.638	2.640	2.642	2.644

제곱근표(2)

수	0	1	2	3	4	5	6	7	8	9
7.0	2.646	2.648	2.650	2.651	2.653	2.655	2.657	2.659	2.661	2.663
7.1	2.665	2.666	2.668	2.670	2.672	2.674	2.676	2.678	2.680	2.681
7.2	2.683	2.685	2.687	2.689	2.691	2.693	2.694	2.696	2.698	2.700
7.3	2.702	2.704	2.706	2.707	2.709	2.711	2.713	2.715	2.717	2.718
7.4	2.720	2.722	2.724	2.726	2.728	2.729	2.731	2.733	2.735	2.737
7.5	2.739	2.740	2.742	2.744	2.746	2.748	2.750	2.751	2.753	2.755
7.6	2.757	2.759	2.760	2.762	2.764	2.766	2.768	2.769	2.771	2.773
7.7	2.775	2.777	2.778	2.780	2.782	2.784	2.786	2.787	2.789	2.791
7.8	2.793	2.795	2.796	2.798	2.800	2.802	2.804	2.805	2.807	2.809
7.9	2.811	2.812	2.814	2.816	2.818	2.820	2.821	2.823	2.825	2.827
8.0	2.828	2.830	2.832	2.834	2.835	2.837	2.839	2.841	2.843	2.844
8.1	2.846	2.848	2.850	2.851	2.853	2.855	2.857	2.858	2.860	2.862
8.2	2.864	2.865	2.867	2.869	2.871	2.872	2.874	2.876	2.877	2.879
8.3	2.881	2.883	2.884	2.886	2.888	2.890	2.891	2.893	2.895	2.897
8.4	2.898	2.900	2.902	2.903	2.905	2.907	2.909	2.910	2.912	2.914
8.5	2.915	2.917	2.919	2.921	2.922	2.924	2.926	2.927	2.929	2.931
8.6	2.933	2.934	2.936	2.938	2.939	2.941	2.943	2.944	2.946	2.948
8.7	2.950	2.951	2.953	2.955	2.956	2.958	2.960	2.961	2.963	2.965
8.8	2.966	2.968	2.970	2.972	2.973	2.975	2.977	2.978	2.980	2.982
8.9	2.983	2.985	2.987	2.988	2.990	2.992	2.993	2.995	2.997	2.998
9.0	3.000	3.002	3.003	3.005	3.007	3.008	3.010	3.012	3.013	3.015
9.1	3.017	3.018	3.020	3.022	3.023	3.025	3.027	3.028	3.030	3.032
9.2	3.033	3.035	3.036	3.038	3.040	3.041	3.043	3.045	3.046	3.048
9.3	3.050	3.051	3.053	3.055	3.056	3.058	3.059	3.061	3.063	3.064
9.4	3.066	3.068	3.069	3.071	3.072	3.074	3.076	3.077	3.079	3.081
9.5	3.082	3.084	3.085	3.087	3.089	3.090	3.092	3.094	3.095	3.097
9.6	3.098	3.100	3.102	3.103	3.105	3.106	3.108	3.110	3.111	3.113
9.7	3.114	3.116	3.118	3.119	3.121	3.122	3.124	3.126	3.127	3.129
9.8	3.130	3.132	3.134	3.135	3.137	3.138	3.140	3.142	3.143	3.145
9.9	3.146	3.148	3.150	3.151	3.153	3.154	3.15	3.158	3.159	3.161
10	3.162	3.178	3.194	3.209	3.225	3.240	3.256	3.271	3.286	3.302
11	3.317	3.332	3.347	3.362	3.376	3.391	3.406	3.421	3.435	3.450
12	3.464	3.479	3.493	3.507	3.521	3.536	3.550	3.564	3.578	3.592
13	3.606	3.619	3.633	3.647	3.661	3.674	3.688	3.701	3.715	3.728
14	3.742	3.755	3.768	3.782	3.795	3.808	3.821	3.834	3.847	3.860
15	3.873	3.886	3.899	3.912	3.924	3.937	3.950	3.962	3.975	3.987
16	4.000	4.012	4.025	4.037	4.050	4.062	4.074	4.087	4.099	4.111
17	4.123	4.135	4.147	4.159	4.171	4.183	4.195	4.207	4.219	4.231
18	4.243	4.254	4.266	4.278	4.290	4.301	4.313	4.324	4.336	4.347
19	4.359	4.370	4.382	4.393	4.405	4.416	4.427	4.438	4.450	4.461
20	4.472	4.483	4.494	4.506	4.517	4.528	4.539	4.550	4.561	4.572
21	4.583	4.593	4.604	4.615	4.626	4.637	4.648	4.658	4.669	4.680
22	4.690	4.701	4.712	4.722	4.733	4.743	4.754	4.764	4.775	4.785
23	4.796	4.806	4.817	4.827	4.837	4.848	4.858	4.868	4.879	4.889
24	4.899	4.909	4.919	4.930	4.940	4.950	4.960	4.970	4.980	4.990
25	5.000	5.010	5.020	5.030	5.040	5.050	5.060	5.070	5.079	5.089
26	5.099	5.109	5.119	5.128	5.138	5.148	5.158	5.167	5.177	5.187
27	5.196	5.206	5.215	5.225	5.235	5.244	5.254	5.263	5.273	5.282
28	5.292	5.301	5.310	5.320	5.329	5.339	5.348	5.357	5.367	5.376
29	5.385	5.394	5.404	5.413	5.422	5.431	5.441	5.450	5.459	5.468
30	5.477	5.486	5.495	5.505	5.514	5.523	5.532	5.541	5.550	5.559
31	5.568	5.577	5.586	5.595	5.604	5.612	5.621	5.630	5.639	5.648
32	5.657	5.666	5.675	5.683	5.692	5.701	5.710	5.718	5.727	5.736
33	5.745	5.753	5.762	5.771	5.779	5.788	5.797	5.805	5.814	5.822
34	5.831	5.840	5.848	5.857	5.865	5.874	5.882	5.891	5.899	5.908
35	5.916	5.925	5.933	5.941	5.950	5.958	5.967	5.975	5.983	5.992
36	6.000	6.008	6.017	6.025	6.033	6.042	6.050	6.058	6.066	6.075
37	6.083	6.091	6.099	6.107	6.116	6.124	6.132	6.140	6.148	6.156
38	6.164	6.173	6.181	6.189	6.197	6.205	6.213	6.221	6.229	6.237
39	6.245	6.253	6.261	6269	6.277	6.285	6.293	6.301	6.309	6.317

III

제곱근표(3)

수	0	1	2	3	4	5	6	7	8	9
40	6.325	6.332	6.340	6.348	6.356	6.364	6.372	6.380	6.387	6.395
41	6.403	6.411	6.419	6.427	6.434	6.442	6.450	6.458	6.465	6.473
42	6.481	6.488	6.496	6.504	6.512	6.519	6.527	6.535	6.542	6.550
43	6.557	6.565	6.573	6.580	6.588	6.595	6.603	6.611	6.618	6.626
44	6.633	6.641	6.648	6.656	6.663	6.671	6.678	6.686	6.693	6.701
45	6.708	6.716	6.723	6.731	6.738	6.745	6.753	6.760	6.768	6.775
46	6.782	6.790	6.797	6.804	6.812	6.819	6.826	6.834	6.841	6.848
47	6.856	6.863	6.870	6.877	6.885	6.892	6.899	6.907	6.914	6.921
48	6.928	6.935	6.943	6.950	6.957	6.964	6.971	6.979	6.986	6.993
49	7.000	7.007	7.014	7.021	7.029	7.036	7.043	7.050	7.057	7.064
50	7.071	7.078	7.085	7.092	7.099	7.106	7.113	7.120	7.127	7.134
51	7.141	7.148	7.155	7.162	7.169	7.176	7.183	7.190	7.197	7.204
52	7.211	7.218	7.225	7.232	7.239	7.246	7.253	7.259	7.266	7.273
53	7.280	7.287	7.294	7.301	7.308	7.314	7.321	7.328	7.335	7.342
54	7.348	7.355	7.362	7.369	7.376	7.382	7.389	7.396	7.403	7.409
55	7.416	7.423	7.430	7.436	7.443	7.450	7.457	7.463	7.470	7.477
56	7.483	7.490	7.497	7.503	7.510	7.517	7.523	7.530	7.537	7.543
57	7.550	7.556	7.563	7.570	7.576	7.583	7.589	7.596	7.603	7.609
58	7.616	7.622	7.629	7.635	7.642	7.649	7.655	7.662	7.668	7.675
59	7.681	7.688	7.694	7.701	7.707	7.714	7.720	7.727	7.733	7.740
60	7.746	7.752	7.759	7.765	7.772	7.778	7.785	7.791	7.797	7.804
61	7.810	7.817	7.823	7.829	7.836	7.842	7.849	7.855	7.861	7.868
62	7.874	7.880	7.887	7.893	7.899	7.906	7.912	7.918	7.925	7.931
63	7.937	7.944	7.950	7.956	7.962	7.969	7.975	7.981	7.987	7.994
64	8.000	8.006	8.012	8.019	8.025	8.031	8.037	8.044	8.050	8.056
65	8.062	8.068	8.075	8.081	8.087	8.093	8.099	8.106	8.112	8.118
66	8.124	8.130	8.136	8.142	8.149	8.155	8.161	8.167	8.173	8.179
67	8.185	8.191	8.198	8.204	8.210	8.216	8.222	8.228	8.234	8.240
68	8.246	8.252	8.258	8.264	8.270	8.276	8.283	8.289	8.295	8.301
69	8.307	8.313	8.319	8.325	8.331	8.337	8.343	8.349	8.355	8.361
70	8.367	8.373	8.379	8.385	8.390	8.396	8.402	8.408	8.414	8.420
71	8.426	8.432	8.438	8.444	8.450	8.456	8.462	8.468	8.473	8.479
72	8.485	8.491	8.497	8.503	8.509	8.515	8.521	8.526	8.532	8.538
73	8.544	8.550	8.556	8.562	8.567	8.573	8.579	8.585	8.591	8.597
74	8.602	8.608	8.614	8.620	8.626	8.631	8.637	8.643	8.649	8.654
75	8.660	8.666	8.672	8.678	8.683	8.689	8.695	8.701	8.706	8.712
76	8.718	8.724	8.729	8.735	8.741	8.746	8.752	8.758	8.764	8.769
77	8.775	8.781	8.786	8.792	8.798	8.803	8.809	8.815	8.820	8.826
78	8.832	8.837	8.843	8.849	8.854	8.860	8.866	8.871	8.877	8.883
79	8.888	8.894	8.899	8.905	8.911	8.916	8.922	8.927	8.933	8.939
80	8.944	8.950	8.955	8.961	8.967	8.972	8.978	8.983	8.989	8.994
81	9.000	9.006	9.011	9.017	9.022	9.028	9.033	9.039	9.044	9.050
82	9.055	9.061	9.066	9.072	9.077	9.083	9.088	9.094	9.099	9.105
83	9.110	9.116	9.121	9.127	9.132	9.138	9.143	9.149	9.154	9.160
84	9.165	9.171	9.176	9.182	9.187	9.192	9.198	9.203	9.209	9.214
85	9.220	9.225	9.230	9.236	9.241	9.247	9.252	9.257	9.263	9.268
86	9.274	9.279	9.284	9.290	9.295	9.301	9.306	9.311	9.317	9.322
87	9.327	9.333	9.338	9.343	9.349	9.354	9.359	9.365	9.370	9.375
88	9.381	9.386	9.391	9.397	9.402	9.407	9.413	9.418	9.423	9.429
89	9.434	9.439	9.445	9.450	9.455	9.460	9.466	9.471	9.476	9.482
90	9.487	9.492	9.497	9.503	9.508	9.513	9.518	9.524	9.529	9.534
91	9.539	9.545	9.550	9.555	9.560	9.566	9.571	9.576	9.581	9.586
92	9.592	9.597	9.602	9.607	9.612	9.618	9.623	9.628	9.633	9.638
93	9.644	9.649	9.654	9.659	9.664	9.670	9.675	9.680	9.685	9.690
94	9.695	9.701	9.706	9.711	9.716	9.721	9.726	9.731	9.737	9.742
95	9.747	9.752	9.757	9.762	9.767	9.772	9.778	9.783	9.788	9.793
96	9.798	9.803	9.808	9.813	9.818	9.823	9.829	9.834	9.839	9.844
97	9.849	9.854	9.859	9.864	9.869	9.874	9.879	9.884	9.889	9.894
98	9.899	9.905	9.910	9.915	9.920	9.925	9.930	9.935	9.940	9.945
99	9.950	9.955	9.960	9.965	9.970	9.975	9.980	9.985	9.990	9.995

나노

나만의 노하우

나만의 노하우

중학 **수학** 3-1

② 유형편

이 책의 차례

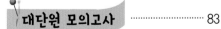

I 실수와 그 계산

1 제곱근과 실수

01 제곱근과 그 성질

정답 및 해설 P.40

① 제곱근의 뜻과 표현

- **제곱근의 뜻**: $x^2=a(a\geq0)$를 만족시킬 때, x를 a의 제곱근이라고 한다.
- **제곱근의 개수**
  $x^2=a$일 때,

$x^2=a$	$a>0$	$a=0$	$a<0$
x의 개수	2	1	0

- 양수의 제곱근은 절댓값이 서로 같고 부호가 다르다.
- 0의 제곱근은 0이다.
- 음수의 제곱근은 없다.
- **근호($\sqrt{}$)**: 제곱근을 나타낼 때에 사용하는 기호 $\sqrt{}$를 근호라 하고 $\sqrt{a}$를 '제곱근 a' 또는 '루트 a'라고 읽는다.
- **양수 a의 제곱근 표현**
  (1) a의 양의 제곱근: $\sqrt{a}$
  (2) a의 음의 제곱근: $-\sqrt{a}$
  (3) $\sqrt{a}$와 $-\sqrt{a}$를 한꺼번에 $\pm\sqrt{a}$로 나타낸다.
- **a의 제곱근과 제곱근 $a(a>0)$**
  (1) a의 제곱근: $\pm\sqrt{a}$
  (2) 제곱근 a: $\sqrt{a}$

01 다음 □ 안에 알맞은 말을 쓰시오.

(1) 어떤 수 x를 제곱하여 a가 될 때, 즉 $x^2=a$일 때 x를 a의 □□□□이라고 한다.

(2) 양수의 제곱근은 □ 개 있으며, 0의 제곱근은 □ 하나뿐이다.

02 다음에 주어진 수에 대하여 제곱근의 개수를 각각 구하시오.

$$0.8, \quad -2, \quad 0, \quad \frac{1}{4}, \quad 50, \quad -100$$

03 17의 제곱근을 x, 21의 제곱근을 y라고 할 때, x^2-y^2의 값은?

① -4 ② -2 ③ 0
④ 2   ⑤ 4

04 9의 제곱근을 a, 5의 제곱근을 b라고 하자. $c=a^2-b^2$일 때, c의 제곱근은?

① ±16 ② ±4 ③ ±2
④ 4   ⑤ 2

05 다음 중 옳은 것은?

① 6의 제곱근은 $\pm\sqrt{6}$이다.
② $\sqrt{25}$의 양의 제곱근은 5이다.
③ $\sqrt{(-2)^2}$의 값은 -2이다.
④ 0의 제곱근은 없다.
⑤ $(-\sqrt{9})^2$의 제곱근은 -3이다.

06 다음 수의 제곱근을 구할 때, 근호를 사용하지 않고 제곱근을 나타낼 수 <u>없는</u> 것은?

① $1.\dot{7}$ ② 6.25   ③ $\dfrac{121}{25}$
④ $\sqrt{81}$ ⑤ 3.6

② 제곱근의 성질

> $a>0$일 때,
> - $(\sqrt{a})^2=a,\ (-\sqrt{a})^2=a$
> - $\sqrt{a^2}=a,\ \sqrt{(-a)^2}=a$
> - $\sqrt{a^2}=|a|=\begin{cases} a & (a\geq 0) \\ -a & (a<0) \end{cases}$

01 다음 값을 구하시오.

(1) $(\sqrt{3})^2$

(2) $-(\sqrt{2})^2$

(3) $\sqrt{(-2.4)^2}$

(4) $-\sqrt{\left(-\dfrac{4}{3}\right)^2}$

02 $a>0$일 때, 다음 중 옳은 것은?

① $(\sqrt{a})^2=-a$

② $\sqrt{(-a)^2}=-a$

③ $-\sqrt{(-a)^2}=a$

④ $-\sqrt{a^2}=a$

⑤ $(-\sqrt{a})^2=a$

03 다음은 $a<0$일 때, $\sqrt{(2a)^2}+\sqrt{(-3a)^2}$을 간단히 하는 과정이다. 이때 □ 안에 알맞은 것을 쓰시오.

> $a<0$일 때,
> $2a\,\boxed{}\,0$이므로 $\sqrt{(2a)^2}=\boxed{}$이고
> $-3a\,\boxed{}\,0$이므로 $\sqrt{(-3a)^2}=\boxed{}$이다.
> 따라서
> $\sqrt{(2a)^2}+\sqrt{(-3a)^2}=(\boxed{})+(\boxed{})$
> $=\boxed{}$
> 이다.

04 $a=-\sqrt{6},\ b=\sqrt{3}$일 때, a^2-2b^2의 값은?

① 12 ② 6 ③ 0

④ -3 ⑤ -6

05 $\sqrt{(-81)^2}$의 양의 제곱근을 A, $(-\sqrt{36})^2$의 음의 제곱근을 B라고 할 때, $A+B$의 값을 구하시오.

06 $a>0$일 때, $\sqrt{(-2a)^2}+\sqrt{(a+2)^2}-\sqrt{9a^2}$을 간단히 하면?

① $-11a+2$ ② $-6a-2$ ③ -2

④ 2 ⑤ $-4a+2$

07 $a>0,\ b<0$일 때, $\sqrt{(2a)^2}+\sqrt{b^2}-\sqrt{(-3b)^2}$을 간단히 하면?

① $-2a+2b$ ② $2a-4b$ ③ $2a-2b$

④ $2a+2b$ ⑤ $2a+4b$

정답 및 해설 P.40

③ $\sqrt{A}$의 꼴을 자연수로 나타내기

- A가 곱셈, 나눗셈만으로 주어질 때: A를 소인수분해하였을 때, 소인수의 지수가 짝수이면 근호를 없애고 자연수로 나타낼 수 있다.
- A가 덧셈, 뺄셈을 포함할 때: A가 자연수의 제곱인 수가 되어야 한다.

01 다음 □ 안에 알맞은 수를 쓰시오.

(1) $\sqrt{15+x}$가 자연수가 되도록 하는 가장 작은 자연수 x는 다음과 같이 구할 수 있다.

> $15+x$는 15보다 큰 제곱수가 되어야 한다.
> 따라서 15보다 큰 제곱수 중에서 가장 작은 수는 □이므로 $15+x=$□에서
> $x=$□이다.

(2) $\sqrt{15-x}$가 자연수가 되도록 하는 가장 작은 자연수 x는 다음과 같이 구할 수 있다.

> $15-x$는 15보다 작은 제곱수가 되어야 한다.
> 따라서 15보다 작은 제곱수 중에서 가장 큰 수는 □이므로 $15-x=$□에서
> $x=$□이다.

02 $\sqrt{18x}$가 자연수가 되도록 하는 가장 작은 자연수 x의 값을 구하시오.

03 $\sqrt{\dfrac{84}{x}}$가 자연수가 되도록 하는 가장 작은 자연수 x의 값을 구하시오.

04 $\sqrt{20+x}$가 자연수가 되도록 하는 가장 작은 두 자리의 자연수 x는?

① 16 　　② 17 　　③ 18
④ 29 　　⑤ 44

05 $\sqrt{26-x}$가 자연수가 되도록 하는 모든 자연수 x의 값의 합은?

① 55 　　② 60 　　③ 65
④ 70 　　⑤ 75

06 $\sqrt{135x}=y$를 만족시키는 두 자연수 x, y에 대하여 $x+y$의 값 중 가장 작은 값은?

① 52 　　② 54 　　③ 56
④ 58 　　⑤ 60

④ 제곱근의 대소 관계

$a>0$, $b>0$일 때,
- $a<b$이면 $\sqrt{a}<\sqrt{b}$
- $\sqrt{a}<\sqrt{b}$이면 $a<b$
- 근호가 없는 수 a와 근호가 있는 수 $\sqrt{b}$의 비교
  (1) a를 $\sqrt{a^2}$으로 바꾼 후 $\sqrt{a^2}$과 $\sqrt{b}$를 비교
  (2) 각각을 제곱하여 a^2과 b를 비교

01 다음 □ 안에 알맞은 알맞은 부등호를 쓰시오.

(1) $\sqrt{5}$ □ $\sqrt{6}$ (2) $\sqrt{0.25}$ □ $\sqrt{\dfrac{1}{5}}$

(3) 2 □ $\sqrt{3}$ (4) $-\sqrt{\dfrac{1}{5}}$ □ $-\dfrac{1}{2}$

02 다음 두 수의 대소 관계가 옳지 않은 것은?

① $\sqrt{1.5}<1.5$ ② $-\dfrac{1}{2}>-\sqrt{\dfrac{1}{3}}$

③ $\sqrt{12}<4$ ④ $-2>-\sqrt{2}$

⑤ $-\sqrt{3}<-\sqrt{2}$

03 다음 중 가장 큰 수는?

① $\left(-\sqrt{\dfrac{1}{7}}\right)^2$ ② $\sqrt{\left(\dfrac{1}{6}\right)^2}$ ③ $\sqrt{\dfrac{1}{4}}$

④ $\sqrt{\left(-\dfrac{1}{3}\right)^2}$ ⑤ $\left(\dfrac{1}{2}\right)^2$

04 a는 넓이가 2인 정사각형의 한 변의 길이이고, b는 넓이가 $\dfrac{2}{3}$인 정사각형의 한 변의 길이이다. 다음 중 옳지 않은 것은?

① $a>b$ ② $\sqrt{a}>\sqrt{b}$ ③ $a^2>b^2$
④ $a^2=3b^2$ ⑤ $\sqrt{(a-b)^2}=b-a$

05 다음 수를 큰 것부터 차례로 나열하시오.

$$\sqrt{13} \quad \sqrt{18} \quad 4 \quad -\sqrt{3} \quad -\sqrt{6} \quad 0 \quad -2$$

06 $\sqrt{(2-\sqrt{2})^2}+\sqrt{(1-\sqrt{2})^2}$을 간단히 하시오.

07 자연수 x에 대하여 $\sqrt{x}$ 이하의 자연수의 개수를 $f(x)$라고 할 때, $f(72)-f(20)$의 값은?

① 0 ② 1 ③ 2
④ 3 ⑤ 4

02 무리수와 실수

정답 및 해설 P.41

① 무리수와 실수

- **유리수**: 분자와 분모가 정수인 분수로 나타낼 수 있는 수 (단, 분모는 0이 아니다.)
- **무리수**: 어떤 수를 소수로 나타내었을 때, 순환하지 않는 무한소수로 나타내어지는 수, 즉 유리수가 아닌 수
- **소수의 분류**

```
        ┌ 유한소수 ◄─────── 유리수
소수 ─┤           ┌ 순환소수 ◄──┘
        └ 무한소수 ┤
                    └ 순환하지 않는 무한소수 ◄──┐
                                              무리수
```

- **실수**: 유리수와 무리수를 통틀어 실수라고 한다.
- **실수의 분류**

```
        ┌ 유리수 ┬ 정수 ┬ 양의 정수(자연수)
실수 ─┤         │       ├ 0
        │         │       └ 음의 정수
        │         └ 정수가 아닌 유리수
        └ 무리수
```

01 다음 중 옳은 것은 ○표 , 옳지 <u>않은</u> 것은 ×표를 하시오.

(1) 순환소수는 모두 유리수이다. (　　)

(2) $\sqrt{25}$는 무리수이다. (　　)

(3) $\sqrt{3.6}$은 무리수이다. (　　)

(4) 순환하지 않는 무한소수는 무리수이다. (　　)

02 다음 설명 중 옳지 <u>않은</u> 것을 모두 고르면? (정답 2개)

① 순환소수는 모두 유리수이다.

② 무한소수는 모두 무리수이다.

③ 유한소수는 모두 유리수이다.

④ 유리수를 소수로 나타내면 모두 유한소수이다.

⑤ 무리수를 소수로 나타내면 순환하지 않는 무한소수이다.

03 다음 보기 중 옳은 것을 모두 고른 것은?

보기

ㄱ. 무한소수는 무리수이다.

ㄴ. 양수의 제곱근은 모두 무리수이다.

ㄷ. 유리수인 동시에 무리수인 수는 없다.

① ㄱ　　　　② ㄴ　　　　③ ㄷ

④ ㄱ, ㄴ　　⑤ ㄱ, ㄷ

04 다음 수 중 무리수의 개수는?

$$3.14 \quad \sqrt{2}-1 \quad -\sqrt{16} \quad \sqrt{0.\dot{1}} \quad \sqrt{0.1}$$

① 0　　　　② 1　　　　③ 2

④ 3　　　　⑤ 4

05 다음 중 유리수가 아닌 실수를 모두 고르면? (정답 2개)

① $\sqrt{49}$　　　② $0.\dot{7}3\dot{1}$　　　③ -2π

④ $\dfrac{1}{5}$　　　⑤ $\sqrt{8.1}$

06 다음 중 소수로 나타내었을 때, 순환하지 않는 무한소수가 되는 것을 모두 고르면? (정답 2개)

① $\dfrac{\sqrt{3}}{3}$　　　② $\sqrt{0.9}$　　　③ $\sqrt{\dfrac{25}{16}}$

④ $-\sqrt{25}$　　⑤ $0.0\dot{1}$

② 실수와 수직선

- **실수와 수직선**
  (1) 모든 실수는 수직선 위에 나타낼 수 있다.
  (2) 서로 다른 두 실수 사이에는 무수히 많은 실수가
  있다.
- **수직선 위에 무리수 나타내기**
  (1) 정사각형의 한 변의 길이 구하기
  (2) 기준점 찾기
  (3) 기준점(a)의 오른쪽이면 $a+$(길이)
  기준점(a)의 왼쪽이면 $a-$(길이)

01 다음 중 옳지 <u>않은</u> 것을 모두 고르면? (정답 2개)

① $\sqrt{2}$와 $\sqrt{3}$ 사이에는 무리수가 없다.
② 0과 1 사이에는 무수히 많은 무리수가 있다.
③ 서로 다른 두 무리수 사이에는 무수히 많은 유리
  수가 있다.
④ 유리수에 대응하는 모든 점들로 수직선을 완전히
  메울 수 없다.
⑤ 서로 다른 두 유리수 사이에는 항상 정수가 있다.

02 다음 중 두 수 -1과 $\sqrt{2}$에 대응하는 수직선 위의 두 점
사이에 있는 수에 대한 설명으로 옳은 것은?

① 자연수는 없다.　　　② 정수가 3개 있다.
③ 유리수가 4개 있다.　④ 무리수가 1개 있다.
⑤ 무수히 많은 실수가 있다.

03 다음 그림에서 □ABCD는 정사각형이고 $\overline{AD}=\overline{AP}$,
$\overline{AB}=\overline{AQ}$일 때, 물음에 답하시오.

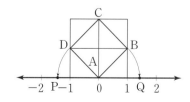

(1) $\overline{AB}$의 길이를 구하시오.
(2) 두 점 P, Q에 대응하는 수를 차례로 구하시오.

04 다음 그림에서 모눈 한 칸의 길이는 1이다. □PQRS와
□P′Q′R′S′가 모두 정사각형일 때, 수직선 위의 네 점
A, B, C, D에 대응하는 수를 차례로 구하시오.

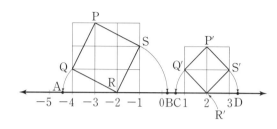

05 다음 그림에서 □PQRS는 한 변의 길이가 1인 정사각
형이다. $\overline{AQ}=\overline{QS}$일 때, 수직선 위의 점 A에 대응하는
수는?

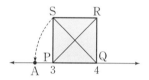

① $2+\sqrt{2}$　　② $3-\sqrt{2}$　　③ $4-\sqrt{2}$
④ $3+\sqrt{2}$　　⑤ $4+\sqrt{2}$

06 오른쪽 그림의 정사각형
ABCD에서 $\overline{AC}=\overline{AQ}$,
$\overline{BD}=\overline{BP}$일 때, 다음 중
옳지 <u>않은</u> 것을 모두 고
르면? (정답 2개)

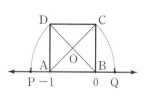

① $P(-\sqrt{2})$　　　　② $Q(-1+\sqrt{2})$
③ $\overline{PQ}=3$　　　　　④ $\overline{BO}=\sqrt{2}$
⑤ $\overline{PA}=\sqrt{2}-1$

③ 실수의 대소 관계

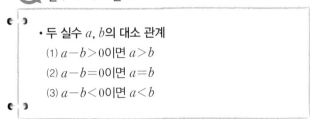

- **두 실수 a, b의 대소 관계**
  (1) $a-b>0$이면 $a>b$
  (2) $a-b=0$이면 $a=b$
  (3) $a-b<0$이면 $a<b$

01 다음 □ 안에 부등호 > 또는 <를 쓰시오.

(1) $1-\sqrt{3}$ □ -1

(2) $3+\sqrt{5}$ □ $\sqrt{5}+\sqrt{8}$

(3) $\sqrt{\dfrac{2}{3}}+1$ □ $\sqrt{\dfrac{1}{2}}+1$

(4) $\sqrt{7}-\sqrt{6}$ □ $-\sqrt{5}+\sqrt{7}$

(5) $\sqrt{5}+1$ □ 3

02 다음 중 실수의 대소 관계가 옳은 것은?

① $\sqrt{18}+1>\sqrt{20}+1$　　② $\sqrt{12}-2<\sqrt{27}-2$

③ $3-\sqrt{5}<\sqrt{8}-\sqrt{5}$　　④ $\sqrt{12}-1>3$

⑤ $1<\sqrt{3}-1$

03 다음 중 □ 안에 들어갈 부등호가 나머지 넷과 다른 하나는?

① $\sqrt{7}-3$ □ $\sqrt{11}-3$

② $7-\sqrt{3}$ □ $\sqrt{5^2}$

③ $-4+\sqrt{10}$ □ $\sqrt{10}-\sqrt{12}$

④ 2 □ $\sqrt{27}-3$

⑤ $\sqrt{5}+2$ □ $\sqrt{6}+2$

04 두 양수 a, b에 대하여 $a>b$일 때, 다음 중 옳지 <u>않은</u> 것은?

① $a-b>0$　　　　② $\sqrt{a}-\sqrt{b}>0$

③ $\sqrt{(b-a)^2}=a-b$　　④ $|b-a|=b-a$

⑤ $\sqrt{a}>\sqrt{b}$

05 두 실수 $4+\sqrt{2}$와 $\sqrt{3}+4$의 대소를 비교하시오.

06 다음 보기의 □ 안에 알맞은 부등호를 차례로 나열한 것은?

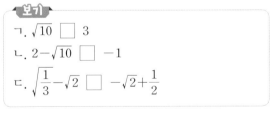

보기

ㄱ. $\sqrt{10}$ □ 3

ㄴ. $2-\sqrt{10}$ □ -1

ㄷ. $\sqrt{\dfrac{1}{3}}-\sqrt{2}$ □ $-\sqrt{2}+\dfrac{1}{2}$

① $<$, $<$, $>$　　② $<$, $>$, $>$　　③ $>$, $<$, $>$

④ $>$, $>$, $<$　　⑤ $>$, $>$, $>$

07 다음 수를 수직선 위에 나타낼 때, 가장 오른쪽에 위치하는 것은?

① $2-\sqrt{6}$　　② $-2+\sqrt{15}$　　③ 2

④ $-1-\sqrt{2}$　　⑤ 0

03 근호를 포함한 식의 계산

정답 및 해설 P.43

① 제곱근의 곱셈

> $a>0$, $b>0$일 때,
> - $\sqrt{a}\sqrt{b}=\sqrt{ab}$
> - $m\sqrt{a}\times n\sqrt{b}=mn\sqrt{ab}$
> - $\sqrt{a^2b}=a\sqrt{b}$

01 다음 식을 간단히 하시오.

(1) $\sqrt{3}\times\sqrt{7}$ (2) $\sqrt{6}\times\sqrt{\dfrac{5}{3}}$

(3) $\sqrt{\dfrac{2}{3}}\times\sqrt{\dfrac{15}{4}}$ (4) $\sqrt{15}\times\sqrt{0.4}$

02 다음을 $a\sqrt{b}$의 꼴로 나타내시오. (단, b는 가장 작은 자연수가 되도록 한다.)

(1) $\sqrt{18}$ (2) $\sqrt{98}$

(3) $-2\sqrt{32}$ (4) $2\sqrt{45}$

03 다음을 $\sqrt{a}$의 꼴로 나타내시오.

(1) $2\sqrt{7}$ (2) $3\sqrt{5}$

(3) $6\sqrt{3}$ (4) $-2\sqrt{6}$

(5) $\dfrac{\sqrt{11}}{2}$

04 다음 중 옳지 <u>않은</u> 것은?

① $\sqrt{7}\sqrt{3}=\sqrt{21}$

② $-2\sqrt{3}\times(-3\sqrt{2})=-6\sqrt{6}$

③ $\sqrt{\dfrac{3}{2}}\times\sqrt{\dfrac{4}{3}}=\sqrt{2}$

④ $-\sqrt{6}\sqrt{5}=-\sqrt{30}$

⑤ $5\sqrt{3}\times\sqrt{3}=15$

05 $\sqrt{18}\times\sqrt{20}\times\sqrt{15}=a\sqrt{6}$일 때, 유리수 a의 값을 구하시오.

06 $2\sqrt{3}=\sqrt{a}$, $\sqrt{288}=b\sqrt{2}$, $5\sqrt{c}=\sqrt{150}$일 때, $\sqrt{\dfrac{ab}{c}}$의 값은?

① 2 ② $\sqrt{10}$ ③ $3\sqrt{2}$

④ $2\sqrt{5}$ ⑤ $2\sqrt{6}$

07 $a>0$, $b>0$이고 $ab=27$일 때, $a\sqrt{\dfrac{8b}{a}}-b\sqrt{\dfrac{2a}{b}}$의 값은?

① $2\sqrt{2}$ ② $3\sqrt{2}$ ③ $2\sqrt{6}$

④ $3\sqrt{6}$ ⑤ $5\sqrt{6}$

② 제곱근의 나눗셈

$a>0, b>0, c>0, d>0$일 때,

- $\dfrac{\sqrt{a}}{\sqrt{b}}=\sqrt{\dfrac{a}{b}}$

- $m\sqrt{a} \div n\sqrt{b}=\dfrac{m\sqrt{a}}{n\sqrt{b}}=\dfrac{m}{n}\sqrt{\dfrac{a}{b}}$

- $\dfrac{\sqrt{b}}{\sqrt{a}} \div \dfrac{\sqrt{d}}{\sqrt{c}}=\dfrac{\sqrt{b}}{\sqrt{a}} \times \dfrac{\sqrt{c}}{\sqrt{d}}=\sqrt{\dfrac{b}{a}} \times \sqrt{\dfrac{c}{d}}$

$\qquad =\sqrt{\dfrac{b}{a} \times \dfrac{c}{d}}=\sqrt{\dfrac{bc}{ad}}$

- $\sqrt{\dfrac{a}{b^2}}=\dfrac{\sqrt{a}}{b}$

01 다음 식을 간단히 하시오.

(1) $\dfrac{\sqrt{20}}{\sqrt{2}}$　　　　(2) $-\dfrac{\sqrt{147}}{\sqrt{7}}$

(3) $\dfrac{\sqrt{51}}{\sqrt{3}}$　　　　(4) $6\sqrt{6} \div 3\sqrt{2}$

02 다음을 $\dfrac{b\sqrt{c}}{a}$ 의 꼴로 나타내시오. (단, c는 가장 작은 자연수가 되도록 한다.)

(1) $\sqrt{\dfrac{7}{4}}$　　(2) $\sqrt{\dfrac{11}{25}}$　　(3) $\sqrt{0.72}$

03 다음을 $\sqrt{a}$의 꼴로 나타내시오.

(1) $\dfrac{\sqrt{3}}{2}$　　　　(2) $-\dfrac{\sqrt{2}}{4}$

(3) $-\dfrac{\sqrt{5}}{10}$　　　　(4) $\dfrac{\sqrt{10}}{5}$

04 $\dfrac{\sqrt{24}}{\sqrt{4}} \div \dfrac{\sqrt{6}}{\sqrt{14}}$ 를 계산하면?

① $\sqrt{2}$　　　② $\sqrt{7}$　　　③ $\sqrt{10}$

④ $\sqrt{14}$　　　⑤ $\sqrt{24}$

05 다음 중 옳은 것을 모두 고르면? (정답 2개)

① $\sqrt{12} \div \sqrt{6}=\sqrt{6}$

② $6\sqrt{55} \div 3\sqrt{11}=\dfrac{\sqrt{5}}{2}$

③ $8\sqrt{3} \div \dfrac{4\sqrt{3}}{\sqrt{5}}=2\sqrt{5}$

④ $\dfrac{12}{\sqrt{8}} \div \dfrac{3}{\sqrt{24}}=\sqrt{3}$

⑤ $\sqrt{\dfrac{13}{3}} \div \dfrac{\sqrt{13}}{2\sqrt{3}}=2$

06 $x=\sqrt{5}$일 때, $4x$는 $\dfrac{2}{x}$의 몇 배인가?

① 2배　　　② 5배　　　③ 10배

④ 20배　　　⑤ 40배

07 $\sqrt{3}=x$, $\sqrt{5}=y$일 때, 다음 중 옳지 <u>않은</u> 것은?

① $\sqrt{15}=xy$　　② $\sqrt{\dfrac{5}{3}}=\dfrac{y}{x}$　　③ $\sqrt{\dfrac{25}{27}}=\dfrac{y^2}{x^3}$

④ $\sqrt{75}=xy^2$　　⑤ $\sqrt{\dfrac{9}{125}}=\dfrac{x}{y^3}$

③ 제곱근의 곱셈과 나눗셈의 혼합 계산

- 곱셈과 나눗셈이 혼합된 식의 계산은 앞에서부터 차례로 한다.
- 나눗셈은 나누는 수의 역수의 곱셈으로 바꾸어 계산하면 편리하다.
- $a>0$, $b>0$, $c>0$일 때,
  (1) $\sqrt{a}\times\sqrt{b}\div\sqrt{c}=\sqrt{a\times b\div c}$
  (2) $\sqrt{a}\div\sqrt{b}\times\sqrt{c}=\sqrt{a\div b\times c}$
  (3) $\sqrt{a}\div\sqrt{b}\div\sqrt{c}=\sqrt{a\div b\div c}$

01 다음 □ 안에 알맞은 수를 쓰시오.

(1) $\sqrt{3}\times\sqrt{10}\div\sqrt{6}=\sqrt{\boxed{}\times\boxed{}\div\boxed{}}$

$=\sqrt{\boxed{}\times\boxed{}\times\boxed{}}$

$=\sqrt{\boxed{}}$

(2) $\sqrt{\dfrac{2}{5}}\times\sqrt{\dfrac{15}{8}}\div 24=\sqrt{\boxed{}\times\boxed{}\div\boxed{}}$

$=\sqrt{\boxed{}\times\boxed{}\times\boxed{}}$

$=\sqrt{\boxed{}}$

02 다음 □ 안에 알맞은 수를 쓰시오.

(1) $\sqrt{45}\times\sqrt{2}\div\sqrt{5}=\sqrt{\boxed{}\times\boxed{}\div\boxed{}}$

$=\sqrt{\boxed{}\times\boxed{}\times\boxed{}}$

$=\sqrt{\boxed{}}$

(2) $\sqrt{8}\div\sqrt{20}\div\dfrac{\sqrt{2}}{\sqrt{5}}=\sqrt{\boxed{}\times\boxed{}\times\boxed{}}$

$=\sqrt{\boxed{}}=\boxed{}$

03 $2\sqrt{5}\times\sqrt{6}\div\sqrt{10}$을 간단히 하면?

① 2   ② $2\sqrt{2}$ ③ $2\sqrt{3}$
④ $2\sqrt{6}$ ⑤ $2\sqrt{10}$

04 $4\sqrt{6}\div\sqrt{7}\times\sqrt{21}=a\sqrt{2}$일 때, a의 값은?

① 4   ② 6   ③ 8
④ 10   ⑤ 12

05 $a=\sqrt{84}\times\sqrt{3}\div\sqrt{21}$일 때, $\sqrt{20}\div\sqrt{m}\times\sqrt{3}=a$를 만족시키는 m의 값은?

① 2   ② 3   ③ 5
④ 6   ⑤ 7

06 $\dfrac{2\sqrt{6}}{\sqrt{5}}\div\dfrac{4\sqrt{3}}{\sqrt{30}}\div\sqrt{\dfrac{1}{11}}$을 계산하면?

① $2\sqrt{6}$ ② $3\sqrt{3}$ ③ $\sqrt{30}$
④ $\sqrt{33}$ ⑤ 6

07 밑면의 가로의 길이가 $\sqrt{15}$ cm, 세로의 길이가 $\sqrt{12}$ cm인 직육면체의 부피가 $12\sqrt{10}$ cm³일 때, 이 직육면체의 높이를 구하시오.

03 근호를 포함한 식의 계산

④ 분모의 유리화

- **분모의 유리화**: 분모에 근호가 있을 때, 분모와 분자에 0이 아닌 같은 수를 곱하여 분모를 유리수로 고치는 것
- **분모를 유리화하는 방법**

  (1) $a > 0$일 때, $\dfrac{b}{\sqrt{a}} = \dfrac{b \times \sqrt{a}}{\sqrt{a} \times \sqrt{a}} = \dfrac{b\sqrt{a}}{a}$

  (2) $a > 0$, $b > 0$일 때, $\dfrac{\sqrt{b}}{\sqrt{a}} = \dfrac{\sqrt{b} \times \sqrt{a}}{\sqrt{a} \times \sqrt{a}} = \dfrac{\sqrt{ab}}{a}$

  (3) $a > 0$, $b > 0$일 때,

  $$\dfrac{c}{\sqrt{a^2 b}} = \dfrac{c}{a\sqrt{b}} = \dfrac{c \times \sqrt{b}}{a\sqrt{b} \times \sqrt{b}} = \dfrac{c\sqrt{b}}{ab}$$

01 다음은 분모를 유리화하는 과정이다. 이때 $\square$ 안에 알맞은 수를 쓰시오.

(1) $\dfrac{3}{\sqrt{8}} = \dfrac{3}{\square\sqrt{2}} = \dfrac{3 \times \square}{\square\sqrt{2} \times \square} = \dfrac{\square}{\square}$

(2) $\dfrac{4}{\sqrt{27}} = \dfrac{4}{\square\sqrt{3}} = \dfrac{4 \times \square}{\square\sqrt{3} \times \square} = \dfrac{\square}{\square}$

(3) $\dfrac{\sqrt{2}}{\sqrt{75}} = \dfrac{\sqrt{2}}{\square\sqrt{3}} = \dfrac{\sqrt{2} \times \square}{\square\sqrt{3} \times \square} = \dfrac{\square}{\square}$

02 다음 수의 분모를 유리화하시오.

(1) $\dfrac{2}{\sqrt{20}}$　　　　(2) $\dfrac{\sqrt{3}}{\sqrt{8}}$　　　　(3) $-\dfrac{4}{2\sqrt{2}}$

03 $a > 0$, $b > 0$일 때, 다음 중 옳지 않은 것은?

① $\sqrt{a}\sqrt{b} = \sqrt{ab}$

② $\sqrt{ab^2} = b\sqrt{a}$

③ $\sqrt{\dfrac{a}{b}} = \dfrac{a\sqrt{b}}{b}$

④ $\dfrac{\sqrt{b}}{\sqrt{a}} = \dfrac{\sqrt{ab}}{a}$

⑤ $\left(\dfrac{\sqrt{b}}{\sqrt{a}}\right)^2 = \dfrac{b}{a}$

04 다음 중 분모를 유리화한 것으로 옳지 않은 것은?

① $\dfrac{\sqrt{5}}{\sqrt{12}} = \dfrac{\sqrt{15}}{6}$

② $\dfrac{5}{\sqrt{10}} = \dfrac{\sqrt{10}}{2}$

③ $\dfrac{\sqrt{2}}{\sqrt{7}} = \dfrac{\sqrt{14}}{7}$

④ $\dfrac{\sqrt{14}}{\sqrt{6}} = \dfrac{\sqrt{42}}{6}$

⑤ $\dfrac{\sqrt{18}}{2\sqrt{3}} = \dfrac{\sqrt{6}}{2}$

05 $x = 2\sqrt{5}$일 때, $x + \dfrac{2}{x}$의 값은?

① $\dfrac{11\sqrt{5}}{5}$　　② $\dfrac{12\sqrt{5}}{5}$　　③ $\dfrac{13\sqrt{5}}{5}$

④ $\dfrac{14\sqrt{5}}{5}$　　⑤ $3\sqrt{5}$

06 $\dfrac{2\sqrt{7}}{\sqrt{3}} = a\sqrt{21}$, $\dfrac{6}{\sqrt{75}} = \dfrac{1}{5}\sqrt{b}$일 때, ab의 값을 구하시오.

07 $\dfrac{\sqrt{8}}{\sqrt{54}} = \dfrac{a\sqrt{2}}{b\sqrt{6}} = c\sqrt{3}$일 때, abc의 값은?

① $\dfrac{2}{3}$　　② 1　　③ $\dfrac{4}{3}$

④ $\dfrac{5}{3}$　　⑤ 2

⑤ 제곱근을 어림한 값

• **제곱근표**: 1.00에서 99.9까지의 수에 대한 양의 제곱근의 값을 반올림하여 소수점 아래 셋째 자리까지 구하여 나타낸 표
• **제곱근표를 이용하여 제곱근의 값 구하기**: 제곱근을 어림한 값은 왼쪽 두 자리의 수의 가로줄과 상단의 끝 자리의 수의 세로줄이 만나는 곳의 수를 읽으면 된다.

01 다음 제곱근표를 이용하여 주어진 수를 구하시오.

수	0	1	2	3	4	5
6.0	2.449	2.452	2.454	2.456	2.458	2.460
6.1	2.470	2.472	2.474	2.476	2.478	2.480
6.2	2.490	2.492	2.494	2.496	2.498	2.500
6.3	2.510	2.512	2.514	2.516	2.518	2.520
6.4	2.530	2.532	2.534	2.536	2.538	2.540
6.5	2.550	2.551	2.553	2.555	2.557	2.559

(1) $\sqrt{6.1}$ (2) $\sqrt{6.03}$

(3) $\sqrt{6.44}$ (4) $\sqrt{6.54}$

02 다음 제곱근표를 이용하여 물음에 답하시오.

수	0	1	2	3	4	5
60	7.746	7.752	7.759	7.765	7.772	7.778
61	7.810	7.817	7.823	7.829	7.836	7.842
62	7.874	7.880	7.887	7.893	7.899	7.906
63	7.937	7.944	7.950	7.956	7.962	7.969
64	8.000	8.006	8.012	8.019	8.025	8.031
65	8.062	8.068	8.075	8.081	8.087	8.093

(1) $\sqrt{64.1}$의 값을 구하시오.

(2) $\sqrt{a}$의 값이 7.778일 때, a의 값을 구하시오.

03 **01**의 제곱근표에서 $\sqrt{6.31}$의 값을 a, $\sqrt{6.45}$의 값을 b라고 할 때, $1000(b-a)$의 값은?

① 20   ② 22   ③ 24
④ 26   ⑤ 28

04 **02**의 제곱근표에서 $\sqrt{x}$의 값이 8.093, $\sqrt{y}$의 값이 7.823일 때, $x+y$의 값은?

① 126.1   ② 126.3   ③ 126.5
④ 126.7   ⑤ 126.9

05 다음 제곱근표에서 $a=\sqrt{22.3}$, $b=2\sqrt{5}$일 때, $a-b$의 값은?

	0	1	2	3	4
20	4.472	4.483	4.494	4.506	4.517
21	4.583	4.593	4.604	4.615	4.626
22	4.690	4.701	4.712	4.722	4.733

① 0.25   ② 0.26   ③ 0.27
④ 0.28   ⑤ 0.29

I

06 다음 중 **05**의 제곱근표를 이용하여 제곱근의 근삿값을 구할 수 있는 것은?

① $\sqrt{2}$ ② $\sqrt{3}$ ③ $\sqrt{5}$
④ $\sqrt{6}$ ⑤ $\sqrt{7}$

03 근호를 포함한 식의 계산

정답 및 해설 P.45

⑥ 제곱근의 덧셈과 뺄셈

- 근호 안의 수가 같은 것끼리 모아서 다항식의 덧셈과 뺄셈에서 동류항끼리 계산하듯이 덧셈과 뺄셈을 한다.
- $a>0$, $b>0$이고 k, l, m, n이 유리수일 때,
  (1) $m\sqrt{a}+n\sqrt{a}=(m+n)\sqrt{a}$
  (2) $m\sqrt{a}-n\sqrt{a}=(m-n)\sqrt{a}$
  (3) $k\sqrt{a}+l\sqrt{b}+m\sqrt{a}+n\sqrt{b}=(k+m)\sqrt{a}+(l+n)\sqrt{b}$
  (4) $\sqrt{a}+\sqrt{b}\neq\sqrt{a+b}$

01 다음 식을 간단히 하시오.

(1) $3\sqrt{2}+2\sqrt{2}$

(2) $\sqrt{3}+6\sqrt{3}$

(3) $3\sqrt{5}+7\sqrt{5}-6\sqrt{5}$

(4) $\sqrt{6}-2\sqrt{3}-2\sqrt{6}+4\sqrt{3}$

02 다음 중 옳은 것은?

① $3\sqrt{2}+2\sqrt{3}=5\sqrt{5}$ ② $\sqrt{50}-\sqrt{8}=3\sqrt{2}$

③ $\sqrt{9}-\sqrt{6}=\sqrt{3}$ ④ $2\sqrt{3}-4\sqrt{3}=-2$

⑤ $\sqrt{3}+\sqrt{4}=\sqrt{7}$

03 $5\sqrt{5}+3\sqrt{20}-\sqrt{45}=A\sqrt{5}$일 때, A의 값을 구하시오.

04 $\sqrt{8}-\sqrt{18}+\dfrac{3}{\sqrt{2}}$ 를 간단히 하면?

① -2 ② $-\dfrac{\sqrt{2}}{2}$ ③ $\dfrac{\sqrt{2}}{2}$

④ $\sqrt{2}$ ⑤ $2\sqrt{2}$

05 $\sqrt{2}-\sqrt{8}+\sqrt{48}-\sqrt{108}=a\sqrt{2}+b\sqrt{3}$일 때, $a+b$의 값은? (단, a, b는 유리수)

① -6 ② -5 ③ -4

④ -3 ⑤ -2

06 $A=2\sqrt{7}+5\sqrt{7}-4\sqrt{7}$, $B=3\sqrt{3}-2\sqrt{3}+5\sqrt{3}$일 때, AB의 값은?

① $9\sqrt{5}$ ② $9\sqrt{7}$ ③ $18\sqrt{5}$

④ $18\sqrt{7}$ ⑤ $18\sqrt{21}$

07 $x=\sqrt{5}+\sqrt{3}$, $y=\sqrt{5}-\sqrt{3}$일 때, $(x+y)(x-y)$의 값은?

① $\sqrt{15}$ ② $2\sqrt{15}$ ③ $3\sqrt{15}$

④ $4\sqrt{15}$ ⑤ $5\sqrt{15}$

❼ 복잡한 식의 덧셈과 뺄셈

- 근호 안에 제곱인 인수가 있는 경우: 근호 안의 수를 소인수분해하였을 때, $\sqrt{a^2 b}\,(a>0,\ b>0)$의 꼴이면 $a\sqrt{b}$로 나타내어 계산한다.
- 괄호가 있는 경우: 분배법칙을 이용하여 괄호를 푼 후 계산한다.
- $a>0,\ b>0,\ c>0$일 때,
  (1) $\sqrt{a}(\sqrt{b}+\sqrt{c})=\sqrt{ab}+\sqrt{ac}$
  (2) $\sqrt{a}(\sqrt{b}-\sqrt{c})=\sqrt{ab}-\sqrt{ac}$
  (3) $(\sqrt{a}+\sqrt{b})\sqrt{c}=\sqrt{ac}+\sqrt{bc}$
  (4) $(\sqrt{a}-\sqrt{b})\sqrt{c}=\sqrt{ac}-\sqrt{bc}$
- 덧셈, 뺄셈, 곱셈, 나눗셈이 섞여 있는 식의 계산
  (1) $\sqrt{a^2 b}$의 꼴은 $a\sqrt{b}$의 꼴로 고친다.
  (2) 분모에 근호가 있으면 분모를 유리화한다.
  (3) 괄호가 있으면 분배법칙을 이용하여 괄호를 푼다.
  (4) 곱셈과 나눗셈을 먼저 계산한다.
  (5) 근호 안의 수가 같은 것끼리 모아서 덧셈과 뺄셈을 한다.

01 다음 식을 간단히 하시오.

(1) $\sqrt{2}(\sqrt{3}+\sqrt{5})$

(2) $\sqrt{7}(\sqrt{5}-\sqrt{3})$

(3) $-\sqrt{5}(2+\sqrt{10})$

(4) $\sqrt{2}(3-\sqrt{8})$

(5) $\sqrt{2}(\sqrt{6}+\sqrt{10})$

(6) $\sqrt{3}(\sqrt{6}-2\sqrt{3})$

02 $\sqrt{5}\left(\dfrac{3\sqrt{3}}{5}-\dfrac{1}{\sqrt{5}}\right)+\sqrt{3}\left(\dfrac{1}{\sqrt{3}}+\dfrac{1}{\sqrt{5}}\right)$을 계산하면?

① 1　　② $\dfrac{4\sqrt{15}}{5}$　　③ $\sqrt{15}$

④ $\dfrac{6\sqrt{15}}{5}$　　⑤ $2\sqrt{15}$

03 다음 보기 중 옳은 것을 모두 고르시오.

　ㄱ. $\sqrt{192}-\sqrt{12}=4\sqrt{3}$

　ㄴ. $\sqrt{300}-\sqrt{0.03}=\dfrac{99\sqrt{3}}{10}$

　ㄷ. $\sqrt{3}+2\sqrt{50}-3\sqrt{12}-5\sqrt{8}=-5\sqrt{3}$

04 $7\sqrt{3}+2a-8-5a\sqrt{3}$을 계산한 결과가 유리수일 때, 유리수 a의 값은?

① $\dfrac{7}{4}$　　② $\dfrac{7}{5}$　　③ $\dfrac{7}{6}$

④ $\dfrac{4}{3}$　　⑤ $\dfrac{3}{2}$

05 $x=\sqrt{7},\ y=\sqrt{3}$일 때, $\dfrac{y}{x}+\dfrac{x}{y}$의 값은?

① 1　　② $\dfrac{\sqrt{21}}{10}$　　③ $\dfrac{\sqrt{21}}{21}$

④ $\sqrt{21}$　　⑤ $\dfrac{10\sqrt{21}}{21}$

01 다음 중 옳은 것은?

하

① $\sqrt{0.81}$의 양의 제곱근은 0.9이다.

② 제곱근 16은 ± 4이다.

③ $(-5)^2$의 제곱근은 ± 5이다.

④ $\sqrt{\dfrac{9}{16}} = \pm\dfrac{3}{4}$이다.

⑤ 0.1의 제곱근은 없다.

02 다음 중 가장 큰 수는?

하

① 제곱근 4

② 제곱근 $\sqrt{\dfrac{81}{16}}$

③ 0의 제곱근

④ 25의 양의 제곱근

⑤ $\sqrt{81}$의 양의 제곱근

03 $(-3)^2$의 양의 제곱근을 a, $\dfrac{16}{81}$의 음의 제곱근을 b라고

중 할 때, ab의 값은?

① $-\dfrac{4}{3}$

② $-\dfrac{1}{6}$

③ $-\dfrac{1}{9}$

④ $\dfrac{1}{3}$

⑤ 1

04 $x = \sqrt{\dfrac{25}{4}}$, $y = \sqrt{(-7)^2}$일 때, $2x + \dfrac{1}{2}y$의 값은?

중

① $\dfrac{17}{2}$

② $\dfrac{3}{2}$

③ -1

④ $-\dfrac{3}{2}$

⑤ -5

05 두 자연수 a, b에 대하여 $\sqrt{54a} = b$일 때, b의 값 중 가

중 장 작은 값은?

① 6

② 12

③ 18

④ 24

⑤ 27

06 $\sqrt{36-x}$가 정수가 되도록 하는 자연수 x의 개수는?

중

① 4개

② 6개

③ 8개

④ 10개

⑤ 12개

07 다음 중 두 수의 대소 관계가 옳은 것은?

하

① $3 > \sqrt{12}$

② $4 > \sqrt{8}$

③ $\sqrt{\dfrac{1}{3}} < \dfrac{1}{2}$

④ $-2 < -\sqrt{5}$

⑤ $\sqrt{0.1} < 0.1$

08 $a = \dfrac{1}{4}$일 때, 다음 중 그 값이 가장 작은 것은?

중

① $\sqrt{\dfrac{1}{a}}$

② $\dfrac{1}{a}$

③ $\sqrt{a}$

④ a^2

⑤ a

09 다음 수 중 무리수의 개수는?

$$\dfrac{\sqrt{2}}{3},\ \pi,\ \sqrt{0.\dot{4}},\ \sqrt{\dfrac{3}{16}},\ \sqrt{3}-1,\ -\sqrt{16}$$

① 2   ② 3   ③ 4
④ 5   ⑤ 6

10 다음 중 소수로 나타내었을 때, 순환하지 않는 무한소수인 것은?

① $\sqrt{4}-\sqrt{9}$ ② $\dfrac{1}{3}$ ③ $-\sqrt{\dfrac{1}{16}}$

④ 제곱근 81   ⑤ $\sqrt{25}$의 양의 제곱근

11 아래 그림에서 색칠한 두 사각형은 모두 정사각형이다. 네 점 P, Q, R, S에 대응하는 수를 각각 a, b, c, d라고 할 때, 다음 중 옳은 것은?

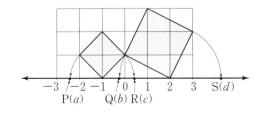

① $a=-2-\sqrt{2}$ ② $b>2-\sqrt{3}$
③ $c=\sqrt{2}$ ④ $d=2+\sqrt{5}$
⑤ $d>5$

12 다음 중 옳지 <u>않은</u> 것은?

① 1과 2 사이에는 무수히 많은 유리수가 있다.
② 0과 1 사이에는 무수히 많은 무리수가 있다.
③ $\sqrt{2}$와 $\sqrt{3}$ 사이에는 무수히 많은 실수가 있다.
④ 수직선 위의 한 점에는 반드시 한 실수가 대응한다.
⑤ 유리수와 무리수에 대응하는 점만으로는 수직선을 완전히 메울 수 없다.

13 다음 중 두 실수의 대소 관계가 옳은 것은?

① $3<\sqrt{3}+1$ ② $\sqrt{24}-1>4$
③ $\sqrt{\dfrac{1}{3}}+\dfrac{1}{4}>\dfrac{1}{2}$ ④ $4-\sqrt{2}<\sqrt{15}-\sqrt{2}$
⑤ $-2-\sqrt{6}<-2-\sqrt{7}$

14 두 실수 $X=\sqrt{10}-\sqrt{(-2)^2}$, $Y=\sqrt{10}-\sqrt{5}$의 대소를 비교하시오.

15 다음 중 옳지 <u>않은</u> 것을 모두 고르면? (정답 2개)

① $-\sqrt{2}\sqrt{8}=-4$
② $2\sqrt{6}\sqrt{3}=6\sqrt{2}$
③ $\sqrt{\dfrac{3}{8}}\times\sqrt{\dfrac{16}{3}}=2$
④ $-\sqrt{3}\times\sqrt{6}\times\sqrt{8}=-12$
⑤ $-5\sqrt{3}=\sqrt{75}$

16 $a=\sqrt{5}$, $b=\sqrt{7}$일 때, $\sqrt{175}$을 a, b를 사용하여 나타내면?

① ab　　　② a^2b　　　③ ab^2
④ $\sqrt{ab}$　　　⑤ $a\sqrt{b}$

17 다음 중 옳지 <u>않은</u> 것을 모두 고르면? (정답 2개)

① $\dfrac{\sqrt{20}}{\sqrt{5}}=2$

② $\sqrt{24}\div\sqrt{3}=2\sqrt{2}$

③ $\dfrac{\sqrt{60}}{\sqrt{5}}\div\dfrac{\sqrt{6}}{\sqrt{27}}=3\sqrt{6}$

④ $2\sqrt{18}\div\sqrt{6}=6$

⑤ $\sqrt{12}\div 4\sqrt{3}=1$

18 $\dfrac{\sqrt{3}}{3\sqrt{2}}=a\sqrt{6}$, $\dfrac{\sqrt{5}}{\sqrt{12}}=b\sqrt{15}$일 때, 두 유리수 a, b에 대하여 $a+b$의 값은?

① $\dfrac{1}{2}$　　　② $\dfrac{1}{3}$　　　③ $\dfrac{1}{4}$
④ $\dfrac{1}{5}$　　　⑤ $\dfrac{1}{6}$

19 $\dfrac{2\sqrt{6}}{\sqrt{5}}\div\sqrt{\dfrac{1}{7}}\times\dfrac{4\sqrt{3}}{\sqrt{30}}$ 을 계산하면 $\dfrac{b\sqrt{21}}{a}$이다. 이때 $a+b$의 값은? (단, a, b는 한 자리의 자연수이다.)

① 9　　　② 10　　　③ 11
④ 12　　　⑤ 13

20 오른쪽 그림과 같은 삼각기둥의 부피가 $3\sqrt{5}$ cm³일 때, 색칠한 면의 넓이는?

① $2\sqrt{2}$ cm²　　② $2\sqrt{5}$ cm²
③ $3\sqrt{5}$ cm²　　④ $2\sqrt{10}$ cm²
⑤ $3\sqrt{10}$ cm²

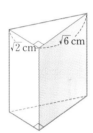

21 $\dfrac{\sqrt{x}}{\sqrt{52}}$의 분모를 유리화하면 $\dfrac{\sqrt{195}}{26}$일 때, 유리수 x의 값을 구하시오.

22 $\dfrac{3}{\sqrt{32}}=a\sqrt{2}$, $\sqrt{\dfrac{1}{27}}=b\sqrt{3}$일 때, $\sqrt{a}\div\sqrt{b}$의 값은?

(단, a, b는 유리수)

① $\dfrac{\sqrt{3}}{6}$　　　② $\dfrac{\sqrt{3}}{4}$　　　③ $\dfrac{3\sqrt{3}}{4}$
④ $\dfrac{\sqrt{6}}{2}$　　　⑤ $\dfrac{3\sqrt{6}}{4}$

23 다음 제곱근표에서 $\sqrt{4.92}=x$, $\sqrt{4.76}=y$일 때, 하 $10(x+y)$의 값을 구하시오.

	2	3	4	5	6
4.7	2.173	2.175	2.177	2.179	2.182
4.8	2.195	2.198	2.200	2.202	2.205
4.9	2.218	2.220	2.223	2.225	2.227

24 아래는 제곱근표 중 일부를 나타낸 것이다. 다음 중 옳 중 은 것을 모두 고르면? (정답 2개)

	5	6	7	8	9
15	3.937	3.950	3.962	3.975	3.987
16	4.062	4.074	4.087	4.099	4.111
17	4.183	4.195	4.207	4.219	4.231

① $4.087^2=16\times7$
② $\sqrt{15.7}=3.962$
③ 3.937은 155의 제곱근이다.
④ 17.8의 제곱근은 ±4.219이다.
⑤ 위 제곱근표를 통하여 $\sqrt{1.65}$의 값을 알 수 있다.

25 $\dfrac{\sqrt{3}}{2}-\dfrac{\sqrt{5}}{3}-\dfrac{\sqrt{3}}{5}+\dfrac{\sqrt{5}}{6}=a\sqrt{3}+b\sqrt{5}$일 때, 두 유리수 중 a, b에 대하여 $a+b$의 값은?

① $\dfrac{2}{15}$ ② $\dfrac{1}{6}$ ③ $\dfrac{1}{5}$
④ $\dfrac{7}{30}$ ⑤ $\dfrac{4}{15}$

26 $\sqrt{48}+2\sqrt{7}-\sqrt{63}-\sqrt{3}$을 간단히 하면?
중 ① $5\sqrt{3}-3\sqrt{7}$ ② $5\sqrt{3}-\sqrt{7}$ ③ $3\sqrt{3}-\sqrt{7}$
④ $3\sqrt{3}+2\sqrt{7}$ ⑤ $5\sqrt{3}+5\sqrt{7}$

27 $\dfrac{\sqrt{12}}{2}(a-\sqrt{3})+3\left(\dfrac{\sqrt{27}}{6}-a\right)$가 유리수가 되도록 하 중 는 유리수 a의 값을 구하시오.

28 $\sqrt{6}\left(\sqrt{\dfrac{1}{18}}+\dfrac{\sqrt{10}}{\sqrt{3}}\right)-\dfrac{1-\sqrt{15}}{\sqrt{5}}=a\sqrt{3}+b\sqrt{5}$일 때, ab 중 의 값은? (단, a, b는 유리수)

① 1 ② $\dfrac{9}{5}$ ③ 2
④ $\dfrac{12}{5}$ ⑤ 3

29 오른쪽 그림과 같이 정사각형 모양의 종이 위에 원 모양의 피자가 내접하여 놓여 있다. 종이의 넓이가 $200\ cm^2$일 때, 피자의 넓이를 구하고 그 과정을 서술하시오.

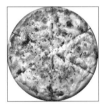

31 $\sqrt{72x}=y$를 만족시키는 가장 작은 자연수 x, y에 대하여 $\sqrt{x}\left(\dfrac{3}{\sqrt{2}}+1\right)+\sqrt{y}\sqrt{\dfrac{2}{3}}$의 값을 구하고 그 과정을 서술하시오.

30 $\sqrt{\dfrac{504}{k}}$ 가 정수가 되도록 하는 100 이하의 자연수 k의 값의 합을 구하고 그 과정을 서술하시오.

32 다음 그림과 같이 넓이가 각각 $3\ cm^2$, $12\ cm^2$, $27\ cm^2$인 정사각형 모양의 색종이 3개를 옆으로 이어 붙였다. 이때 3개의 색종이로 이루어진 도형의 둘레의 길이를 구하고 그 과정을 서술하시오.

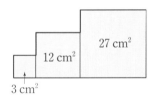

Ⅱ 인수분해와 이차방정식

01 다항식의 곱셈

정답 및 해설 P.49

① 다항식의 곱셈 원리와 곱셈 공식 (1)

> • **곱셈 원리**
> (다항식)×(다항식): 분배법칙을 이용하여 전개하고 동류항이 있으면 간단히 한다.
> $$\Rightarrow (a+b)(c+d)=\underset{①}{ac}+\underset{②}{ad}+\underset{③}{bc}+\underset{④}{bd}$$
>
> • **곱셈 공식 (1)**
> (1) 합의 제곱 $\Rightarrow (a+b)^2=a^2+2ab+b^2$
> (2) 차의 제곱 $\Rightarrow (a-b)^2=a^2-2ab+b^2$

01 다음은 식을 전개하는 과정이다. □ 안에 알맞은 것을 쓰시오.

> $(a+3)(b-2)$
> $=\square \times b + \square \times (-2) + \square \times b + \square \times (-2)$
> $=\square - \square + \square - \square$

02 다음 식을 전개하시오.

(1) $(2a+1)(3a-1)$

(2) $(-x+4y)(3x-2y)$

03 $(2a-b)(3c+d)$를 전개한 식에서 ac의 계수를 p, bd의 계수를 q라고 할 때, $p+q$의 값을 구하시오.

04 $(7x-2y)(-x+2y-5)$를 전개하였을 때, xy의 계수는?

① 12   ② 14   ③ 16
④ 18   ⑤ 20

05 $(ax+2y-3)(x-3y+b)$의 전개식에서 상수항이 6, xy의 계수가 -4일 때, x의 계수는?

① -7 ② -6 ③ -5
④ -4 ⑤ -3

06 다음은 식을 전개하는 과정이다. □ 안에 알맞은 것을 쓰시오.

(1) $(x+7)^2 = \square^2 + 2 \times x \times \square + \square^2$
$= \boxed{}$

(2) $(3a-2b)^2 = (\square)^2 - 2 \times 3a \times \square + (\square)^2$
$= \boxed{}$

07 다음 식을 전개하시오.

(1) $(a+10)^2$

(2) $\left(-x+\dfrac{1}{2}\right)^2$

08 $(2x+a)^2=4x^2-12x+b$를 만족시키는 a, b의 값을 구하시오. (단, a, b는 상수)

09 오른쪽 그림의 색칠된 두 부분 P와 Q의 넓이의 합을 식으로 나타내면?

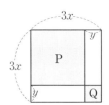

① $3x^2-6xy+y^2$
② $3x^2-6xy+2y^2$
③ $9x^2-6xy$
④ $9x^2-6xy+y^2$
⑤ $9x^2-6xy+2y^2$

② 곱셈 공식 (2)

- 합·차의 곱 ⇨ $(a+b)(a-b)=a^2-b^2$
- $(-a-b)(-a+b)=a^2-b^2$
- $(-a+b)(a+b)=-a^2+b^2$
- $(-a-b)(a-b)=-a^2+b^2$

01 다음은 식을 전개하는 과정이다. □ 안에 알맞은 것을 쓰시오.

(1) $(a+3)(a-3)=a^2-3^\square$
$\qquad =a^2-\square$

(2) $(3x-2)(3x+2)=(\square)^2-2^2$
$\qquad =\square$

(3) $\left(x+\dfrac{1}{2}y\right)\left(x-\dfrac{1}{2}y\right)=x^2-\left(\square\right)^2$
$\qquad =x^2-\square$

02 다음 식을 전개하시오.

(1) $(x+10)(x-10)$

(2) $(6+a)(-6+a)$

(3) $(-2x-7)(-2x+7)$

(4) $\left(-\dfrac{1}{3}a-\dfrac{1}{2}b\right)\left(\dfrac{1}{3}a-\dfrac{1}{2}b\right)$

03 다음 □ 안에 알맞은 수를 쓰시오.

$(a-b)(a+b)(a^2+b^2)(a^4+b^4)$
$=(a^\square-b^\square)(a^2+b^2)(a^4+b^4)$
$=(a^\square-b^\square)(a^4+b^4)$
$=a^\square-b^\square$

04 $(2x+a)(2x-a)=4x^2-\dfrac{9}{16}$일 때, 다음 중 a의 값이 될 수 있는 것을 모두 고르면?

① $-\dfrac{4}{3}$ ② $-\dfrac{3}{4}$ ③ $\dfrac{1}{4}$

④ $\dfrac{3}{4}$ ⑤ $\dfrac{4}{3}$

05 $\left(-4x+\dfrac{1}{3}y\right)\left(-4x-\dfrac{1}{3}y\right)$를 전개하면?

① $4x^2-\dfrac{1}{3}y^2$ ② $-4x^2-\dfrac{1}{3}y^2$

③ $16x^2-\dfrac{1}{9}y^2$ ④ $-16x^2-\dfrac{1}{9}y^2$

⑤ $16x^2-\dfrac{1}{3}y^2$

06 $a^2=16$, $b^2=36$일 때, $\left(\dfrac{1}{4}a-\dfrac{2}{3}b\right)\left(\dfrac{1}{4}a+\dfrac{2}{3}b\right)$의 값을 구하시오.

07 다음 등식에서 □ 안에 들어갈 알맞은 수는?

$$(1-a)(1+a)(1+a^2)=1-a^\square$$

① 2 ② 3 ③ 4
④ 5 ⑤ 6

08 $(1-x)(1+x)(1+x^2)(1+x^4)=a-x^b$일 때, a, b의 값을 구하시오. (단, a, b는 상수)

정답 및 해설 P.50

③ 곱셈 공식 (3)

- x의 계수가 1인 두 일차식의 곱
  $\Rightarrow (x+a)(x+b)=x^2+(a+b)x+ab$
  $\Rightarrow (x+ay)(x+by)=x^2+(a+b)xy+aby^2$
- x의 계수가 1이 아닌 두 일차식의 곱
  $\Rightarrow (ax+b)(cx+d)=acx^2+(ad+bc)x+bd$
  $\Rightarrow (ax+by)(cx+dy)=acx^2+(ad+bc)xy+bdy^2$

01 다음 식을 전개하시오.

(1) $(x+6)(x-1)$

(2) $(x-2y)(x-5y)$

02 다음 식을 전개하시오.

(1) $(3x-4)(4x+1)$

(2) $(2x+3y)(-5x+2y)$

03 다음 □ 안에 알맞은 수를 차례로 쓰시오.

(1) $(x+\boxed{})(x+4)=x^2+\boxed{}x+8$

(2) $(4x+1)(\boxed{}x-3)=12x^2+(\boxed{})x+(\boxed{})$

04 다음 식을 전개하시오.

(1) $(x+4)(x-5)+(2x+1)(2x-3)$

(2) $(3x-5y)(-2x+4y)-(x+y)(x+9y)$

05 $(x+3)(x+A)$를 전개하면 x의 계수가 -4이다. 이때 상수항은?

① -21 ② -12 ③ -3

④ 12 ⑤ 21

06 $(x+a)(x+b)=x^2+cx-10$이다. 다음 중 c의 값이 될 수 <u>없는</u> 것은? (단, a, b, c는 정수)

① -9 ② -3 ③ 3

④ 6 ⑤ 9

07 $(Ax+3)(2x-B)=6x^2+Cx-9$일 때, $A+B+C$의 값은?

① -6 ② -3 ③ 3

④ 6 ⑤ 8

08 $(5x-2)(2x+3)-(x+3)(x-6)$을 간단히 하면 Ax^2+Bx+C가 된다고 할 때, $A-B+C$의 값은?

① 7 ② 8 ③ 9

④ 10 ⑤ 11

09 다음 그림과 같이 가로의 길이가 $5x$, 세로의 길이가 $3x$인 직사각형 모양의 정원에 폭이 2인 길을 내려고 한다. 길을 제외한 정원의 넓이를 구하시오.

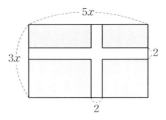

④ 곱셈 공식을 이용한 수의 계산

- **수의 제곱의 계산**
  $\Rightarrow (a+b)^2=a^2+2ab+b^2$,
  $(a-b)^2=a^2-2ab+b^2$
  을 이용한다.
- **두 수의 곱의 계산**
  $\Rightarrow (a+b)(a-b)=a^2-b^2$,
  $(x+a)(x+b)=x^2+(a+b)x+ab$
  를 이용한다.

01 다음 수를 곱셈 공식
$$(a+b)^2=a^2+2ab+b^2$$
을 이용하여 계산하시오.

(1) 201^2

(2) 1005^2

02 다음 수를 곱셈 공식
$$(a-b)^2=a^2-2ab+b^2$$
을 이용하여 계산하시오.

(1) 99^2

(2) 997^2

03 다음 수를 곱셈 공식
$$(a+b)(a-b)=a^2-b^2$$
을 이용하여 계산하시오.

(1) 503×497

(2) 9.8×10.2

04 다음 수를 곱셈 공식
$$(x+a)(x+b)=x^2+(a+b)x+ab$$
를 이용하여 계산하시오.

(1) 291×307

(2) 99.7×99.9

05 다음 식에서 □ 안에 들어갈 알맞은 수는?

$$75 \times 65 = (\square+5)(\square-5) = \square^2-25 = 4875$$

① 42 ② 49 ③ 50
④ 60 ⑤ 70

06 다음 중 주어진 수의 계산을 편리하게 하기 위하여 이용하는 곱셈 공식을 잘못 짝지은 것은?

① $404^2 \Rightarrow (a+b)^2$
② $19.9^2 \Rightarrow (a-b)^2$
③ $64 \times 56 \Rightarrow (x+a)(x+b)$
④ $102 \times 105 \Rightarrow (x+a)(x+b)$
⑤ $8.99 \times 9.01 \Rightarrow (a+b)(a-b)$

07 $101 \times 99 - 98 \times 97$을 곱셈 공식을 이용하여 계산하시오.

08 다음을 곱셈 공식을 이용하여 계산하면?

$$\frac{1009 \times 1012 + 2}{1010}$$

① 1009 ② 1010 ③ 1011
④ 1012 ⑤ 1013

09 $4(5+1)(5^2+1)(5^4+1)(5^8+1)=5^a+b$일 때, $a+b$의 값을 구하시오. (단, a, b는 상수)

⑤ 곱셈 공식을 이용한 분모의 유리화

• 곱셈 공식 $(a+b)(a-b)=a^2-b^2$을 이용하여 분모가 2개의 항으로 되어 있는 무리수의 분모를 유리화한다.

$a>0$, $b>0$일 때

$$\frac{1}{\sqrt{a}+\sqrt{b}}=\frac{1\times(\sqrt{a}-\sqrt{b})}{(\sqrt{a}+\sqrt{b})(\sqrt{a}-\sqrt{b})}=\frac{\sqrt{a}-\sqrt{b}}{a-b}$$

$$\frac{1}{\sqrt{a}-\sqrt{b}}=\frac{1\times(\sqrt{a}+\sqrt{b})}{(\sqrt{a}-\sqrt{b})(\sqrt{a}+\sqrt{b})}=\frac{\sqrt{a}+\sqrt{b}}{a-b}$$

01 다음 □ 안에 알맞은 수를 쓰시오.

(1) $\dfrac{1}{2-\sqrt{3}}=\dfrac{\boxed{}}{(2-\sqrt{3})\times(\boxed{})}$

$\qquad = \dfrac{\boxed{}}{4-\boxed{}}=\boxed{}$

(2) $\dfrac{3}{\sqrt{2}+\sqrt{5}}=\dfrac{3\times(\boxed{})}{(\sqrt{2}+\sqrt{5})\times(\boxed{})}$

$\qquad = \dfrac{3\times(\boxed{})}{\boxed{}-5}=\boxed{}$

02 다음 수의 역수를 구하시오.

(1) $\dfrac{4-\sqrt{5}}{11}$

(2) $\dfrac{\sqrt{7}+2}{3}$

03 다음 식을 간단히 하시오.

(1) $\dfrac{1}{\sqrt{2}+1}+\dfrac{1}{\sqrt{2}-1}$

(2) $\dfrac{2}{3-\sqrt{7}}-\dfrac{2}{3+\sqrt{7}}$

04 분모의 유리화를 이용하여 $\dfrac{6}{\sqrt{12}-3}$을 계산하면 $a+b\sqrt{3}$일 때, 유리수 a, b의 값을 구하시오.

05 $x=\dfrac{1}{\sqrt{2}-1}$일 때, x^2-2x+1의 값은?

① -2 ② -1 ③ 1
④ 2 ⑤ 3

06 $x=\dfrac{2+\sqrt{3}}{2-\sqrt{3}}$일 때, $x-\dfrac{1}{x}$의 값은?

① $-8\sqrt{3}$ ② $-4\sqrt{3}$ ③ $2\sqrt{3}$
④ $4\sqrt{3}$ ⑤ $8\sqrt{3}$

07 $x=3-2\sqrt{2}$, $y=1-\sqrt{2}$일 때, $\dfrac{\sqrt{6}}{x}+\dfrac{\sqrt{3}}{y}$ 을 간단히 하면?

① $6+2\sqrt{3}$ ② $2\sqrt{6}+2\sqrt{3}$ ③ $2\sqrt{6}+3\sqrt{3}$
④ $3\sqrt{6}+3\sqrt{3}$ ⑤ $4\sqrt{6}+3\sqrt{3}$

08 $x=\dfrac{\sqrt{3}-\sqrt{2}}{\sqrt{3}+\sqrt{2}}$, $y=\dfrac{\sqrt{3}+\sqrt{2}}{\sqrt{3}-\sqrt{2}}$일 때, $x-y$의 값을 구하시오.

02 다항식의 인수분해

정답 및 해설 P.52

① 인수분해

- **인수**: 하나의 다항식을 두 개 이상의 다항식의 곱으로 나타낼 때, 각각의 식을 처음 다항식의 인수라고 한다.
- **인수분해**: 하나의 다항식을 두 개 이상의 인수의 곱으로 나타내는 것을 그 다항식을 인수분해한다고 한다.
- **공통인 인수**: 다항식에서 각 항에 공통으로 들어 있는 인수
- **공통인 인수를 이용한 인수분해**: $ma+mb=m(a+b)$

01 다음은 공통인 인수를 이용하여 인수분해하는 과정이다. 이때 $\square$ 안에 알맞은 것을 쓰시오.

(1) $a^2+ab=a\times\square+a\times\square=a(\square+\square)$

(2) $-x^2y+6xy^2=(-xy)\times\square+(-xy)\times(\square)$
$$=-xy(\square-\square)$$

(3) $(a+b)c+(a+b)d=(a+b)(\square+\square)$

(4) $2a(x-3y)-(x-3y)=(x-3y)(\square-\square)$

02 다음 식을 인수분해하시오.

(1) $5xy^2-3xy$

(2) $-ax+ay-2a$

(3) $a(2b-c)+4(2b-c)$

(4) $(x-y)(y-1)-(x-2)(x-y)$

03 다음 식의 1이 아닌 인수를 모두 구하시오.

(1) $xy-x+y-1$

(2) $xy+y-2x-2$

04 다음 중 인수분해가 옳지 <u>않은</u> 것은?

① $a^2-a=a(a-1)$

② $x^2y+2x^2=x^2(y+2)$

③ $-3x-6x^2=-3x(1-2x)$

④ $-2a^2+5ab=a(5b-2a)$

⑤ $2x^3-x^2+x=x(2x^2-x+1)$

05 $x(y-1)+(1-y)$를 인수분해하면?

① $(y-1)(x-1)$ ② $(1-y)(x-1)$

③ $(y-1)(x+1)$ ④ $(1-y)(x+1)$

⑤ $(y+1)(x+1)$

06 $(a-1)(a+2)-2(a-1)$은 a의 계수가 1인 두 일차식의 곱으로 인수분해된다. 이때 두 일차식의 합을 구하시오.

07 다음 중 $-x^2+2xy$의 인수가 <u>아닌</u> 것을 모두 고르면? (정답 2개)

① $-x^2+2xy$ ② $2y-x$ ③ $2x-y$

④ $x-y$ ⑤ x

08 다음 식을 인수분해하시오.

(1) $xy-y-2x+2$

(2) $ac+ad-2bc-2bd$

② 인수분해 공식 (1)

- $a^2+2ab+b^2=(a+b)^2$
- $a^2-2ab+b^2=(a-b)^2$

01 다음은 주어진 다항식을 인수분해하는 과정이다. 이때 □ 안에 알맞은 것을 쓰시오.

(1) $x^2+2x+1=x^2+2\times x\times\boxed{}+\boxed{}^2$

$=(\boxed{})^2$

(2) $a^2+3a+\dfrac{9}{4}=a^2+2\times a\times\boxed{}+\left(\boxed{}\right)^2$

$=\left(\boxed{}\right)^2$

(3) $x^2+6xy+9y^2=x^2+2\times x\times\boxed{}+\left(\boxed{}\right)^2$

$=(\boxed{})^2$

(4) $4a^2+12ab+9b^2=(2a)^2+2\times 2a\times\boxed{}+\left(\boxed{}\right)^2$

$=(\boxed{})^2$

02 다음은 주어진 다항식을 인수분해하는 과정이다. 이때 □ 안에 알맞은 것을 쓰시오.

(1) $x^2-4x+4=x^2-2\times x\times\boxed{}+\boxed{}^2$

$=(\boxed{})^2$

(2) $a^2-a+\dfrac{1}{4}=a^2-2\times a\times\boxed{}+\left(\boxed{}\right)^2$

$=\left(\boxed{}\right)^2$

(3) $x^2-12xy+36y^2=x^2-2\times x\times\boxed{}+\left(\boxed{}\right)^2$

$=(\boxed{})^2$

(4) $49a^2-14ab+b^2=(7a)^2-2\times 7a\times\boxed{}+\boxed{}^2$

$=(\boxed{})^2$

03 다음 식을 인수분해하시오.

(1) $a^2+10a+25$

(2) $9x^2+3xy+\dfrac{1}{4}y^2$

(3) $4a^2-12a+9$

(4) $\dfrac{9}{16}x^2-\dfrac{3}{2}xy+y^2$

04 다음 식에서 A, B의 값을 구하시오.

$$x^2-18x+81=(x+A)^2$$
$$9y^2+24y+16=(3y+B)^2$$

05 $4x^2+2xy+\dfrac{1}{4}y^2=(2x+Ay)^2$일 때, A의 값은?

① $-\dfrac{1}{2}$ 　　② $-\dfrac{1}{4}$ 　　③ $\dfrac{1}{4}$

④ $\dfrac{1}{2}$ 　　⑤ 1

06 다음 식을 인수분해하시오.

$$8x^2+8x+2$$

07 $-ax^2+4ax-4a$를 인수분해하면?

① $-a(x-2)^2$ 　② $-a(x+2)^2$ 　③ $a(x-2)^2$

④ $a(x+2)^2$ 　　⑤ $-a(x-4)^2$

08 다음 식이 $(ax+by)^2$으로 인수분해된다고 할 때, 두 상수 a, b에 대하여 $a+b$의 값을 구하시오.

$$\dfrac{4}{3}x\left(\dfrac{1}{3}x-2y\right)+4y^2$$

③ 완전제곱식

- **완전제곱식**: 다항식의 제곱으로 된 식이거나 여기에 상수를 곱한 식
- **완전제곱식이 될 조건**: $a^2 \pm 2ab + b^2$의 꼴로 만들 수 있어야 한다.

01 다음 중 주어진 식이 완전제곱식으로 나타낼 수 있으면 ( ) 안에 ○표, 완전제곱식으로 나타낼 수 없으면 ( ) 안에 ×표를 하시오.

(1) $(x+1)(x-1)$ (   )

(2) $x^2 - 4x + 4$ (   )

(3) $(x+3)^2 + (x-3)^2$ (   )

(4) $-2x^2 + 20x - 50$ (   )

02 다음 식이 완전제곱식이 되도록 □ 안에 알맞은 것을 쓰시오.

(1) $a^2 - 8a + \boxed{}$

(2) $x^2 + \dfrac{2}{3}x + \boxed{}$

(3) $2x^2 + 4xy + \boxed{}$

(4) $9a^2 - 30ab + \boxed{}$

03 다음 식이 완전제곱식이 되도록 □ 안에 알맞은 것을 쓰시오.

(1) $x^2 + \boxed{} + 36$

(2) $a^2 + \boxed{} + \dfrac{1}{4}$

(3) $49x^2 + \boxed{} + y^2$

(4) $12a^2 + \boxed{} + 27b^2$

04 다음 중 완전제곱식으로 인수분해할 수 <u>없는</u> 것을 모두 고르면? (정답 2개)

① $a^2 + \dfrac{1}{2}a + \dfrac{1}{4}$

② $x^2 - 16x + 64$

③ $2x^2 + 4x + 2$

④ $9a^2 - 3ab + b^2$

⑤ $5x^2 - 20xy + 20y^2$

05 $\dfrac{1}{9}x^2 + kx + 25$가 완전제곱식이 되도록 하는 상수 k의 값을 모두 고르면?

① $-\dfrac{10}{3}$ ② $-\dfrac{5}{3}$ ③ $\dfrac{5}{3}$

④ $\dfrac{10}{3}$ ⑤ 10

06 $(x+2)(x-6)+k$가 완전제곱식이 되도록 하는 상수 k의 값은?

① 8   ② 12   ③ 16

④ 20   ⑤ 24

07 $16x^2 + 2(k+1)x + 9$가 완전제곱식이 되도록 하는 상수 k의 값을 모두 구하시오.

08 $9x^2 + \boxed{}xy + \boxed{}y^2$이 완전제곱식이 될 때, 다음 중 □ 안에 들어갈 알맞은 수를 차례로 짝지은 것은?

① $\pm 6, \dfrac{1}{2}$ ② $\pm 12, 2$ ③ $\pm 18, 9$

④ $\pm 24, 8$ ⑤ $\pm 30, 50$

02 다항식의 인수분해

정답 및 해설 P.54

④ 인수분해 공식 (2)

- $a^2-b^2=(a+b)(a-b)$
- $-a^2+b^2=-(a+b)(a-b)=(b+a)(b-a)$

01 다음은 주어진 다항식을 인수분해하는 과정이다. 이때 □ 안에 알맞은 것을 쓰시오.

(1) $a^2-4=a^2-\boxed{}^2=(a+\boxed{})(a-\boxed{})$

(2) $9x^2-16y^2=(3x)^2-(\boxed{})^2$
$=(3x+\boxed{})(3x-\boxed{})$

(3) $-x^2+\dfrac{1}{4}=-\left(x^2-\dfrac{1}{4}\right)=-\left\{x^2-\left(\boxed{}\right)^2\right\}$
$=-\left(x+\boxed{}\right)\left(x-\boxed{}\right)$

(4) $-3a^2+3b^2=-3(a^2-\boxed{}^2)$
$=-3(a+\boxed{})(a-\boxed{})$

02 다음 식을 인수분해하시오.

(1) x^2-1 (2) $\dfrac{1}{9}a^2-25$

(3) $-4x^2+36y^2$ (4) $8a^2-18b^2$

03 다음은 x^4-1을 인수분해하는 과정이다. 이때 □ 안에 알맞은 것을 쓰시오.

$$x^4-1=(\boxed{})^2-\boxed{}$$
$$=(x^2+1)(\boxed{})$$
$$=(x^2+1)(\boxed{})(\boxed{})$$

04 두 일차식의 곱이 $9a^2-\dfrac{1}{4}b^2$일 때, 두 일차식의 합을 구하시오.

05 $-48x^2+27y^2$을 인수분해하면?

① $-3(4x+3y)^2$
② $-3(4x-3y)^2$
③ $3(4x+3y)(4x-3y)$
④ $3(4x+3y)(3y-4x)$
⑤ $-3(4y+3x)(4y-3x)$

06 다음 중 ax^2-ay^2의 인수가 <u>아닌</u> 것은?

① a ② $x+y$ ③ $x-y$
④ $a(x-y)$ ⑤ $(x-y)^2$

07 $(2x+1)(x-3)+5(x-1)$을 인수분해하면 $a(x+b)(x-b)$일 때, 두 양수 a, b에 대하여 $a+b$의 값은?

① 2   ② 3   ③ 4
④ 5   ⑤ 6

08 다음 식을 인수분해하시오.

$$(a-b)x^4+16(b-a)$$

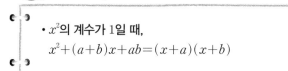

⑤ 인수분해 공식 (3)

- x^2의 계수가 1일 때,
  $$x^2+(a+b)x+ab=(x+a)(x+b)$$

01 다음은 주어진 다항식을 인수분해하는 과정이다. 이때 □ 안에 알맞은 수를 쓰시오.

(1) $x^2+4x+3=x^2+(1+\boxed{})x+1\times\boxed{}$
$$=(x+1)(x+\boxed{})$$

(2) $x^2+5x-14=x^2+\{7+(\boxed{})\}x+7\times(\boxed{})$
$$=(x+7)(x-\boxed{})$$

(3) $x^2-2x-8=x^2+\{2+(\boxed{})\}x+2\times(\boxed{})$
$$=(x+2)(x-\boxed{})$$

(4) $x^2-7x+10$
$$=x^2+\{(-2)+(\boxed{})\}x+(-2)\times(\boxed{})$$
$$=(x-2)(x-\boxed{})$$

02 다음 □ 안에 알맞은 양수를 쓰시오.

(1) $x^2+9x+14=(x+\boxed{})(x+\boxed{})$

(2) $x^2-3xy-18y^2=(x+\boxed{}y)(x-\boxed{}y)$

(3) $x^2+\boxed{}x-4=(x+4)(x-\boxed{})$

(4) $x^2-6x+\boxed{}=(x-2)(x-\boxed{})$

03 다음 식을 인수분해하시오.

(1) x^2+5x+6 　　(2) x^2+x-12
(3) $x^2-8xy+7y^2$ 　　(4) $x^2-xy-6y^2$

04 $x^2+5x-14$가 x의 계수가 모두 1인 두 일차식의 곱으로 인수분해될 때, 이 두 일차식의 합은?

① $2x-5$ 　　② $2x-7$ 　　③ $2x-9$
④ $2x+5$ 　　⑤ $2x+7$

05 $x^2+ax-20$의 한 인수가 $x+4$일 때, 상수 a의 값은?

① -9 　　② -6 　　③ -1
④ 1 　　⑤ 9

06 $x^2+Ax+18$이 $(x+a)(x+b)$로 인수분해될 때, 다음 중 A의 값이 될 수 없는 것은? (단, a, b는 정수)

① -19 　　② -9 　　③ -3
④ 11 　　⑤ 19

07 $(x-1)(x+4)-6=(x+a)(x+b)$일 때, 두 상수 a, b에 대하여 $a-b$의 값을 구하시오. (단, $a>b$)

08 x^2의 계수가 1인 이차식을 인수분해하는 데 우영이는 x의 계수를 잘못 보고 $(x+4)(x+8)$로 인수분해하였고, 선화는 상수항을 잘못 보고 $(x-2)(x-10)$으로 인수분해하였다. 처음 주어진 이차식을 바르게 인수분해하시오.

6 인수분해 공식 (4)

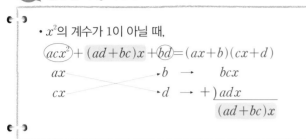

- x^2의 계수가 1이 아닐 때,

$$\overset{\frown}{ac}x^2 + \boxed{(ad+bc)}x + \overset{\frown}{bd} = (ax+b)(cx+d)$$

$$ax \quad\quad\quad b \;\to\; bcx$$
$$cx \quad\quad\quad d \;\to\; +)\,adx$$
$$\overline{\quad\quad\quad\quad (ad+bc)x}$$

01 다음은 주어진 다항식을 인수분해하는 과정이다. 이때 □ 안에 알맞은 것을 쓰시오.

(1) $2x^2+7x+6=(x+2)(\boxed{})$

$$x \quad\quad 2 \;\to\; \boxed{}$$
$$\boxed{} \quad\quad \boxed{} \;\to\; +)\,\boxed{}$$
$$\overline{\quad\quad\quad 7x}$$

(2) $3x^2-2xy-5y^2=(x+y)(\boxed{})$

$$x \quad\quad y \;\to\; \boxed{}$$
$$\boxed{} \quad\quad \boxed{} \;\to\; +)\,\boxed{}$$
$$\overline{\quad\quad -2xy}$$

02 다음 □ 안에 알맞은 양수를 쓰시오.

(1) $6x^2+11x-\boxed{}=(2x+\boxed{})(\boxed{}x-2)$

(2) $3x^2-\boxed{}x+12=(x-3)(3x-\boxed{})$

03 다음 식을 인수분해하시오.

(1) $2x^2-9x+4$
(2) $3x^2-14x-5$
(3) $5x^2+xy-6y^2$
(4) $8x^2+6xy+y^2$

04 $4x^2+Ax-15=(2x+B)(Cx-3)$일 때, $A+B+C$의 값은? (단, A, B, C는 상수)

① -4 ② 1 ③ 3
④ 7 ⑤ 11

05 다음 두 다항식의 공통인 인수는?

$$6x^2+7x-3 \quad\quad 6x^2+5x-6$$

① $6x^2$ ② $3x-1$ ③ $3x-2$
④ $2x+3$ ⑤ x

06 다음 보기 중 $x-2$를 인수로 가지는 다항식을 모두 고른 것은?

보기
ㄱ. x^2-4 ㄴ. x^2-4x+4
ㄷ. x^2-x-6 ㄹ. $2x^2-x-6$

① ㄱ, ㄴ, ㄷ ② ㄱ, ㄴ, ㄹ
③ ㄱ, ㄷ, ㄹ ④ ㄴ, ㄷ, ㄹ
⑤ ㄱ, ㄴ, ㄷ, ㄹ

07 이차식 $(x-4)(x+3)+5x^2$을 인수분해하시오.

08 넓이가 $12x^2+11x+2$인 직사각형의 가로의 길이가 $3x+2$일 때, 이 직사각형의 둘레의 길이는?

① $10x+2$ ② $10x+6$ ③ $14x+2$
④ $14x+6$ ⑤ $14x+8$

⑦ 인수분해 공식의 활용

- **수의 계산**: 인수분해 공식을 이용하여 수의 모양을 바꾸어 계산한다.
- **식의 값**: 주어진 식을 인수분해한 후 문자의 값을 대입하여 계산한다.

01 다음 □ 안에 알맞은 수를 쓰시오.

(1) $28 \times 16.7 + 28 \times 3.3 = 28 \times (16.7 + \boxed{})$
$$= 28 \times \boxed{} = \boxed{}$$

(2) $98^2 + 4 \times 98 + 4 = (98 + \boxed{})^2$
$$= \boxed{}^2 = \boxed{}$$

(3) $51^2 - 2 \times 51 + 1 = (51 - \boxed{})^2$
$$= \boxed{}^2 = \boxed{}$$

(4) $75^2 - 25^2 = (75 + \boxed{})(75 - \boxed{})$
$$= \boxed{} \times \boxed{} = \boxed{}$$

02 인수분해 공식을 이용하여 다음을 계산하시오.

(1) $99 \times 111 - 99 \times 11$
(2) $48^2 + 2 \times 48 \times 12 + 12^2$
(3) $12.6^2 - 2 \times 12.6 \times 0.6 + 0.36$
(4) $\sqrt{45^2 - 36^2}$

03 인수분해 공식을 이용하여 다음을 계산하시오.

$$91^2 - 2 \times 91 + 1$$

04 인수분해 공식을 이용하여 다음을 계산하면?

$$\frac{996 \times 994 + 996 \times 6}{998^2 - 4}$$

① 1   ② 2   ③ 3
④ 4   ⑤ 5

05 다음을 계산하면?

$$\sqrt{\frac{97^2 - 1}{96} + \frac{1}{100}}$$

① $\dfrac{99}{10}$ ② $\dfrac{99}{20}$ ③ $\dfrac{49}{5}$
④ $\dfrac{98}{5}$ ⑤ $\dfrac{98}{9}$

06 다음 식의 값을 구하시오.

(1) $x = \sqrt{3} + 1$일 때, $x^2 - 2x + 1$의 값
(2) $a = 2 - \sqrt{2}$, $b = 2 + \sqrt{2}$일 때, $a^2 + 2ab + b^2$의 값
(3) $x + y = 2$, $x - y = 4$일 때, $x^2 - y^2 + 6x - 6y$의 값

07 $x - y = \sqrt{2}$, $x^2 - y^2 = \sqrt{6}$일 때, $2x^2 + 4xy + 2y^2 - 1$의 값은?

① 3   ② 5   ③ 17
④ 31   ⑤ 35

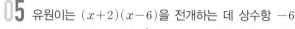

01 $(2x-ay+3)(x+y-1)$의 전개식에서 xy의 계수와 상수항이 같을 때, a의 값은?

① 2　　　　② 3　　　　③ 4
④ 5　　　　⑤ 6

02 $(3x-y)^2+(x-6y)(2x+5y)$를 간단히 하면?

① $5x^2-10xy-29y^2$　　② $5x^2-13xy-29y^2$
③ $11x^2-10xy-29y^2$　　④ $11x^2-13xy-29y^2$
⑤ $11x^2+13xy-29y^2$

03 다음 중 $(-4a+3b)^2$과 전개식이 같은 것은?

① $(-4a-3b)^2$　　② $-(4a+3b)^2$
③ $(3a-4b)^2$　　④ $(3b-4a)^2$
⑤ $-(3b-4a)^2$

04 a, b가 자연수이고 $(x+a)(x+b)=x^2+11x+c$일 때, c의 최댓값을 구하시오.

05 유원이는 $(x+2)(x-6)$을 전개하는 데 상수항 -6을 A로 잘못 보아서 x^2+8x-B로 전개하였고, 지은이는 $(x-2)(3x+5)$를 전개하는 데 x의 계수 3을 C로 잘못 보아서 $Cx^2+11x-10$으로 전개하였다. 이때 $(Ax+B)(Cx+1)$을 전개하면?

① $-18x^2+42x-12$　　② $-18x^2-30x+12$
③ $-18x^2+30x-12$　　④ $18x^2-42x+12$
⑤ $18x^2-42x-12$

06 다음 중 옳지 <u>않은</u> 것은?

① $(a-b)^2=a^2-2ab+b^2$
② $(2a-1)(2a+1)=2a^2-1$
③ $(a+4)(a-3)=a^2+a-12$
④ $(-a+1)(-a-1)=a^2-1$
⑤ $(3a+1)(2a+3)=6a^2+11a+3$

07 오른쪽 그림에서 색칠한 부분의 넓이를 a, b에 대한 식으로 나타내면?

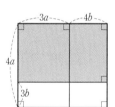

① $9a^2-16b^2$
② $16a^2-9b^2$
③ $12a^2+7ab-12b^2$
④ $12a^2-7ab-12b^2$
⑤ $12a^2+13ab-12b^2$

08 $(2x+a)^2=4x^2-12x+b$일 때, $a+b$의 값은?

① 2　　　　② 3　　　　③ 4
④ 5　　　　⑤ 6

09 다음은 102×103을 곱셈 공식을 이용하여 계산하는 과정의 일부분이다. □ 안에 들어갈 알맞은 수는?
하

$$102 \times 103 = (100+2)(100+3)$$
$$= 100^2 + \square \times 100 + 6$$

① 1   ② 2   ③ 3
④ 4   ⑤ 5

10 $(2030-1)(2030+1)(2030^2+1) = 2030^\square -1$일 때,
중 □ 안에 알맞은 수는?

① 1   ② 2   ③ 3
④ 4   ⑤ 5

11 $\dfrac{2}{\sqrt{3}+\sqrt{2}} + \dfrac{3}{\sqrt{3}-\sqrt{2}} = a\sqrt{3}+b\sqrt{2}$일 때, 유리수 a, b
중 의 값을 구하시오.

12 $2-\sqrt{3}$의 역수가 $a+b\sqrt{3}$일 때, 유리수 a, b에 대하여
중 $a+b$의 값은?

① 1   ② 2   ③ 3
④ 4   ⑤ 5

13 다음 중 옳지 <u>않은</u> 것은?
하

① $2a^2 - a = a(2a-1)$
② $9a^2 - 1 = (3a+1)(3a-1)$
③ $x^2 + 6xy + 9y^2 = (x+3y)^2$
④ $x^2 - 6x - 7 = (x-1)(x+7)$
⑤ $2x^2 - 9xy - 5y^2 = (2x+y)(x-5y)$

14 $ax^2 - 20x + b = (2x+c)^2$일 때, 세 상수 a, b, c에 대하
중 여 $a+b+c$의 값은?

① 7   ② 9   ③ 14
④ 24   ⑤ 34

15 다항식 $x^2 + x - n$이 $(x+a)(x+b)$로 인수분해될 때,
상 다음 중 n의 값이 될 수 <u>없는</u> 것은?

(단, a, b는 정수, $a < b$)

① 2   ② 6   ③ 8
④ 12   ⑤ 20

16 다음 그림과 같은 세 종류의 정사각형 또는 직사각형 모
중 양의 타일 14개를 서로 겹치지 않게 이어 붙여서 1개의 큰 직사각형 모양을 만들려고 한다. 이때 큰 직사각형의 가로와 세로의 길이의 합은?

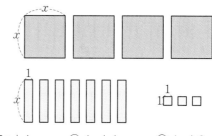

① $5x+4$ ② $4x+4$ ③ $4x+3$
④ $5x-4$ ⑤ $4x-4$

17 $(x+5)(x-4)+x(3x+1)$을 인수분해하면?

① $(x-2)(4x+5)$ ② $(x+2)(4x-5)$

③ $2(x+2)(2x-5)$ ④ $2(x-2)(2x-5)$

⑤ $2(x-2)(2x+5)$

18 다음 보기 중 $a^3-a^2+2a^2b-2ab$의 인수인 것을 모두 고른 것은?

> **보기**
>
> ㄱ. a ㄴ. $a+2b$
>
> ㄷ. $a+1$ ㄹ. $a-1$

① ㄱ, ㄷ   ② ㄴ, ㄷ   ③ ㄱ, ㄴ, ㄷ

④ ㄱ, ㄴ, ㄹ   ⑤ ㄴ, ㄷ, ㄹ

19 다음 중 $111^2-2\times111\times11+11^2$을 계산할 때, 가장 편리하게 이용할 수 있는 인수분해 공식은?

① $a^2+2ab+b^2=(a+b)^2$

② $a^2-2ab+b^2=(a-b)^2$

③ $a^2-b^2=(a+b)(a-b)$

④ $x^2+(a+b)x+ab=(x+a)(x+b)$

⑤ $acx^2+(ad+bc)x+bd=(ax+b)(cx+d)$

20 $x=\dfrac{1}{3+2\sqrt{2}}$일 때, x^2-6x+9의 값을 구하시오.

21 $<x,\ y>=x^2-3y$로 정의할 때, $<a^2-4,\ 4-a^2>$을 인수분해하시오.

22 자연수 $3^{24}-1$은 20과 30 사이에 있는 두 자연수로 나누어떨어진다. 이때 이 두 자연수의 합은?

① 51   ② 52   ③ 53

④ 54   ⑤ 55

23 $\dfrac{\sqrt{2^{16}+4^9}}{\sqrt{4^6+2^{10}}}$을 계산하면?

① 4   ② 8   ③ 12

④ 16   ⑤ $8\sqrt{2}$

24 $ab=3$, $a^2b+ab^2-2ab=12$일 때, $9-2ab-a^2-b^2$의 값을 구하시오.

25 한 변의 길이가 x인 정사각형이 있다. 이 정사각형의 가로의 길이를 a만큼 줄이고 세로의 길이를 $3a$만큼 늘려서 만든 직사각형의 넓이가 $x^2+bx-12$라고 한다. 이때 a, b의 값을 구하고 그 과정을 서술하시오.

28 $a+b=2$, $ab=-1$일 때, $\dfrac{a^2-b^2}{ab^2-a^2b}$의 값을 구하고 그 과정을 서술하시오.

26 오른쪽 그림과 같이 가로의 길이가 $2x$, 세로의 길이가 y인 직사각형 ABCD에서 두 정사각형 ABEH와 HGFD를 잘라 내었을 때, 남은 직사각형 GECF의 넓이를 x, y에 대한 식으로 나타내면 $ax^2+bxy+cy^2$이 된다. 이때 $a+b+c$의 값을 다음 순서로 구하고 그 과정을 서술하시오.

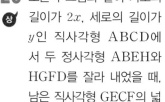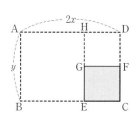

(1) $\overline{GF}$의 길이를 구하시오.
(2) $\overline{GE}$의 길이를 구하시오.
(3) $a+b+c$의 값을 구하시오.

29 오른쪽 그림과 같이 넓이가 $6x^2+ax-12$인 직사각형의 가로의 길이가 $3x+4$일 때, 세로의 길이를 x에 대한 일차식으로 나타내고 그 과정을 서술하시오.

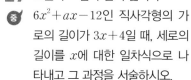

27 $x=\dfrac{1}{\sqrt{5}+2}$, $y=\dfrac{1}{\sqrt{5}-2}$일 때, x^3y-xy^3의 값을 다음 순서에 따라 구하고 그 과정을 서술하시오.

(1) x의 분모를 유리화하시오.
(2) y의 분모를 유리화하시오.
(3) x^3y-xy^3의 값을 구하시오.

30 다음 두 다항식이 모두 완전제곱식이 될 때, 물음에 답하고 그 과정을 서술하시오. (단, $p>0$)

$$3x^2+(p+2)x+3, \quad x^2-8x+q+7$$

(1) p의 값을 구하시오.
(2) q의 값을 구하시오.
(3) $p-q$의 값을 구하시오.

01 인수분해를 이용한 이차방정식의 풀이

정답 및 해설 P.59

① 이차방정식의 뜻과 해(근)

- **x에 대한 이차방정식**: 우변에 있는 모든 항을 좌변으로 이항하여 정리하였을 때,
  (x에 대한 이차식)$=0$의 꼴로 나타낼 수 있는 방정식
- **이차방정식의 일반형**: $ax^2+bx+c=0$ (단, a, b, c는 상수, $a\neq0$)
- **이차방정식의 해(근)**: 이차방정식 $ax^2+bx+c=0$ ($a\neq0$)을 참이 되게 하는 x의 값
- **이차방정식을 푼다**: 이차방정식의 해를 모두 구하는 것

01 다음에 주어진 식이 이차방정식이면 ( ) 안에 ○, 이차방정식이 아니면 ( ) 안에 ×표를 하시오.

(1) $-x^2=0$ ( )

(2) $4x^2-1$ ( )

(3) $x(x^2+x)-x=0$ ( )

(4) $(2x+1)^2=0$ ( )

02 다음 이차방정식을 $ax^2+bx+c=0$의 꼴로 나타낼 때, a, b, c의 값을 각각 구하시오. (단, $a>0$)

(1) $2x^2-5x+7=0$　　(2) $6x^2-11x=10$

(3) $x(3x+2)=x-4$　　(4) $-x(x-4)=0$

03 다음 중 이차방정식인 것을 모두 고르면?

① $x(x-2)=0$　　② $3x^2-6x=3x^2+2$

③ $\dfrac{1}{2}x(x+1)^2=0$　　④ $x^3+1=x(x+x^2)$

⑤ $2x^2=\dfrac{1}{x^2}-5x+3$

04 이차방정식 $(x+2)^2=4x^2+5x$를 $ax^2+bx+c=0$의 꼴로 나타내었을 때, $a+b+c$의 값은? (단, $a>0$)

① -2　　　② -1　　　③ 0

④ 1　　　⑤ 2

05 다음 [ ] 안의 수가 주어진 방정식의 해인 것을 모두 고르면?

① $x(x+3)=0$　[0]

② $x^2+2x-3=0$　[3]

③ $x^2+6x+9=0$　[-3]

④ $2x^2-3x+5=0$　[1]

⑤ $x^2-4x+4=0$　[-2]

06 다음 중 $x=2$가 해가 되는 이차방정식은?

① $x^2+x-2=0$　　② $x^2-2=0$

③ $2x^2+3x-14=0$　　④ $2x(2x-3)=0$

⑤ $7x^2+12x-14=0$

07 다음 물음에 답하시오.

(1) $x=3$이 이차방정식 $x^2-ax+3=0$의 해일 때, 상수 a의 값을 구하시오.

(2) $x=p$가 이차방정식 $x^2+2x-5=0$의 해일 때, p^2+2p의 값을 구하시오.

② 인수분해를 이용한 이차방정식의 풀이

• AB의 성질: $AB=0 \iff A=0$ 또는 $B=0$
• 인수분해를 이용한 이차방정식의 풀이
: $ax^2+bx+c=0 \Rightarrow a(x-p)(x-q)=0$
  $\Rightarrow x-p=0$ 또는 $x-q=0$
  $\Rightarrow x=p$ 또는 $x=q$

01 다음 등식을 만족하는 x의 값을 구하시오.

(1) $(x+5)(x-7)=0$
(2) $2x(x+6)=0$
(3) $(5x+6)(3-x)=0$
(4) $(3x+2)(4x-9)=0$

02 다음은 주어진 이차방정식을 인수분해를 이용하여 푸는 과정이다. 이때 □ 안에 알맞은 수를 쓰시오.

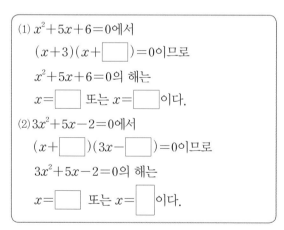

(1) $x^2+5x+6=0$에서
$(x+3)(x+\boxed{})=0$이므로
$x^2+5x+6=0$의 해는
$x=\boxed{}$ 또는 $x=\boxed{}$이다.
(2) $3x^2+5x-2=0$에서
$(x+\boxed{})(3x-\boxed{})=0$이므로
$3x^2+5x-2=0$의 해는
$x=\boxed{}$ 또는 $x=\boxed{}$이다.

03 다음 이차방정식을 인수분해를 이용하여 푸시오.

(1) $x^2-11x+18=0$
(2) $x^2-4x-12=0$
(3) $-2x^2+7x=0$
(4) $15x^2+8x+1=0$

04 이차방정식 $x^2-10x+24=0$을 풀면?

① $x=4$ 또는 $x=6$
② $x=3$ 또는 $x=8$
③ $x=4$ 또는 $x=-6$
④ $x=3$ 또는 $x=-8$
⑤ $x=-4$ 또는 $x=-6$

05 두 이차방정식 $x^2-4x-21=0$, $2x^2-11x-21=0$의 공통인 해는?

① -7 ② -3 ③ $-\dfrac{3}{2}$
④ $\dfrac{3}{2}$ ⑤ 7

06 이차방정식 $(x+2)^2=5x^2-11$의 두 근 중 큰 근을 m, 작은 근을 n이라고 할 때, $m-n$의 값은?

① 0 ② 1 ③ 2
④ 3 ⑤ 4

07 x에 대한 이차방정식 $(a-2)x^2+a(a+1)x-6=0$의 한 근이 1일 때, 상수 a의 값을 구하시오.

③ 이차방정식의 중근

- **이차방정식의 중근**: 이차방정식의 해가 중복되어 있을 때, 이 해를 주어진 이차방정식의 중근이라고 한다.
- **중근을 가지는 이차방정식**: $k(ax+b)^2=0\,(k\neq 0)$ 의 꼴이고 중근은 $x=-\dfrac{b}{a}$ 이다.
- x^2의 계수가 1인 이차방정식이 중근을 가지면

$$(상수항)=\left\{\frac{(x의\ 계수)}{2}\right\}^2,$$

$$(x의\ 계수)=\pm 2\times\sqrt{(상수항)}$$

01 다음 이차방정식을 푸시오.

(1) $(x+8)^2=0$

(2) $(3x-1)^2=0$

(3) $2(x-4)^2=0$

(4) $\dfrac{1}{2}(2x+5)^2=0$

02 다음 이차방정식을 푸시오.

(1) $x^2+12x+36=0$

(2) $16x^2=24x-9$

(3) $3x^2+6x+3=0$

(4) $27x^2+36x+12=0$

03 다음 이차방정식이 중근을 가지도록 □ 안에 알맞은 수를 쓰시오.

(1) $x^2+4x+\boxed{}=0$

(2) $4x^2+28x+\boxed{}=0$

(3) $x^2+\boxed{}x+16=0$

(4) $9x^2+\boxed{}x+25=0$

04 다음 중 중근을 가지는 이차방정식은?

① $x^2-25=0$ ② $2x^2=x(x-3)$

③ $x^2=x+12$ ④ $4x^2-12x+9=0$

⑤ $x^2-10x+9=0$

05 이차방정식 $2x^2-4x+m=0$이 중근을 가질 때, 상수 m의 값은?

① -2 ② -1 ③ 1

④ 2 ⑤ 4

06 다음 두 이차방정식이 모두 중근을 가질 때, 상수 k의 값을 구하시오.

$$x^2-6x+4-m=0,\ x^2+2mx+k+10=0$$

07 이차방정식 $(x+2)(x+a)=b$가 중근 $x=-4$를 가질 때, 두 상수 a, b에 대하여 $a-b$의 값은?

① 2 ② 4 ③ 6

④ 8 ⑤ 10

08 이차방정식 $x^2+4kx+k+3=0$이 중근을 가지도록 하는 상수 k의 값을 구하시오.

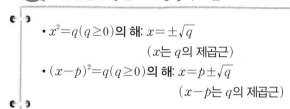

02 근의 공식을 이용한 이차방정식의 풀이

정답 및 해설 P.62

① 제곱근을 이용한 이차방정식의 풀이

- $x^2=q\,(q\geq0)$의 해: $x=\pm\sqrt{q}$
  (x는 q의 제곱근)
- $(x-p)^2=q\,(q\geq0)$의 해: $x=p\pm\sqrt{q}$
  ($x-p$는 q의 제곱근)

01 다음은 주어진 이차방정식을 제곱근을 이용하여 푸는 과정이다. 이때 $\square$ 안에 알맞은 수를 쓰시오.

(1) $2x^2=8$에서 $x^2=\boxed{}$이므로 $2x^2=8$의 해는
$x=\boxed{}$이다.

(2) $(x-1)^2-2=0$에서 $(x-1)^2=2$,
$x-1=\boxed{}$이므로 $(x-1)^2-2=0$의 해는
$x=\boxed{}$이다.

02 다음 이차방정식을 제곱근을 이용하여 푸시오.

(1) $x^2=25$
(2) $3x^2=18$
(3) $-4x^2+12=0$
(4) $2x^2-20=0$

03 다음 이차방정식을 제곱근을 이용하여 푸시오.

(1) $(x-4)^2-11=0$
(2) $2(x+2)^2=8$
(3) $-(x-7)^2=-7$
(4) $\dfrac{1}{2}(x+1)^2-4=0$

04 이차방정식 $7(x-5)^2=21$의 해는?

① $-5\pm\sqrt{3}$ ② $-3\pm\sqrt{3}$ ③ $-3\pm\sqrt{5}$
④ $3\pm\sqrt{5}$ ⑤ $5\pm\sqrt{3}$

05 이차방정식 $3(x+2)^2=15$의 해가 $x=A\pm\sqrt{B}$일 때, $B-A$의 값은? (단, A, B는 유리수)

① 3 ② 7 ③ 10
④ 13 ⑤ 17

06 이차방정식 $4(x+a)^2-8=0$의 해가 $x=3\pm\sqrt{b}$일 때, $a+b$의 값은? (단, a, b는 유리수)

① -11 ② -5 ③ -1
④ 1 ⑤ 5

07 이차방정식 $2(x-a)^2=b$의 해가 $x=2\pm\sqrt{5}$일 때, ab의 값은? (단, a, b는 유리수)

① 5 ② 10 ③ 15
④ 20 ⑤ 25

② 완전제곱식을 이용한 이차방정식의 풀이

> • 이차방정식 $ax^2+bx+c=0$의 좌변이 인수분해가
> 안 될 때에는 주어진 이차방정식을 $(x-p)^2=q$의
> 꼴로 고쳐서 제곱근을 이용하여 푼다.
> (1) 양변을 x^2의 계수로 나눈다.
> (2) 상수항을 우변으로 이항한다.
> (3) x의 계수의 $\dfrac{1}{2}$의 제곱을 양변에 더한다.
> (4) (완전제곱식)=(상수)의 꼴로 고친다.
> (5) 제곱근을 이용하여 해를 구한다.

01 다음은 완전제곱식을 이용하여 주어진 이차방정식의 근을 구하는 과정이다. 이때 □ 안에 알맞은 수를 쓰시오.

(1) $x^2-8x-1=0$

➡ $x^2-8x=\boxed{}$

➡ $x^2-8x+\boxed{}=1+\boxed{}$

➡ $(x-\boxed{})^2=\boxed{}$

➡ $x-\boxed{}=\boxed{}$

➡ $x=\boxed{}$

(2) $3x^2+15x+9=0$

➡ $x^2+5x+\boxed{}=0$

➡ $x^2+5x=\boxed{}$

➡ $x^2+5x+\boxed{}=-3+\boxed{}$

➡ $\left(x+\boxed{}\right)^2=\boxed{}$

➡ $x+\boxed{}=\boxed{}$

➡ $x=\boxed{}$

02 다음 이차방정식을 완전제곱식을 이용하여 푸시오.

(1) $x^2+6x+4=0$

(2) $x^2-3x-1=0$

(3) $2x^2-2x-6=0$

(4) $4x^2+8x-12=0$

03 다음 보기는 완전제곱식을 이용하여 이차방정식 $x^2+6x=-2$를 푸는 과정이다. 이때 (가), (나)에 들어갈 알맞은 수를 차례대로 나열한 것은?

> **보기**
> $x^2+6x=-2$, $x^2+6x+\boxed{(가)}^2=-2+\boxed{(가)}^2$
> $(x+\boxed{(가)})^2=\boxed{(나)}$, $x+\boxed{(가)}=\pm\sqrt{\boxed{(나)}}$
> 따라서 $x=-\boxed{(가)}\pm\sqrt{\boxed{(나)}}$이다.

① 3, 2 ② 3, 7 ③ 4, 2
④ 9, 7 ⑤ 9, 49

04 이차방정식 $(x+3)(4x-1)=-x+2$를 $(x+a)^2=b$의 꼴로 나타낼 때, $a-b$의 값은?

① -5 ② $-\dfrac{23}{4}$ ③ -2
④ $-\dfrac{5}{4}$ ⑤ -1

05 이차방정식 $x^2-6x+p=9$를 완전제곱식을 이용하여 풀었더니 해가 $x=3\pm\sqrt{150}$이었다. 이때 상수 p의 값은?

① -3 ② -2 ③ 2
④ 3 ⑤ 6

06 이차방정식 $x^2+2ax-2=0$을 완전제곱식을 이용하여 풀었더니 해가 $x=2\pm\sqrt{b}$이었다. 이때 상수 a, b의 값은?

① $a=-2$, $b=-6$ ② $a=-2$, $b=6$
③ $a=2$, $b=-6$ ④ $a=2$, $b=6$
⑤ $a=2$, $b=12$

③ 이차방정식의 근의 공식

> • x에 대한 이차방정식 $ax^2+bx+c=0$의 해:
> $$x=\frac{-b\pm\sqrt{b^2-4ac}}{2a} \quad (단, \ b^2-4ac\geq0)$$

01 다음은 근의 공식을 이용하여 주어진 이차방정식의 근을 구하는 과정이다. 이때 □ 안에 알맞은 수를 쓰시오.

(1) $2x^2-3x-1=0$

근의 공식에 $a=2$, $b=\boxed{}$, $c=\boxed{}$을 대입하면

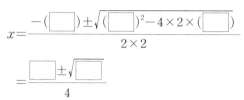

$$x=\frac{-(\boxed{})\pm\sqrt{(\boxed{})^2-4\times2\times(\boxed{})}}{2\times2}$$

$$=\frac{\boxed{}\pm\sqrt{\boxed{}}}{4}$$

(2) $3x^2+6x+1=0$

근의 공식에 $a=3$, $b=\boxed{}$, $c=\boxed{}$을 대입하면

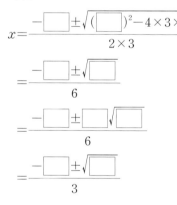

$$x=\frac{-\boxed{}\pm\sqrt{(\boxed{})^2-4\times3\times\boxed{}}}{2\times3}$$

$$=\frac{-\boxed{}\pm\sqrt{\boxed{}}}{6}$$

$$=\frac{-\boxed{}\pm\boxed{}\sqrt{\boxed{}}}{6}$$

$$=\frac{-\boxed{}\pm\sqrt{\boxed{}}}{3}$$

02 다음 이차방정식을 근의 공식을 이용하여 푸시오.

(1) $x^2-x-7=0$

(2) $2x^2+7x+4=0$

(3) $x^2+4x+2=0$

(4) $3x^2-8x-2=0$

03 이차방정식 $(x-2)(x+3)=7x$를 근의 공식을 이용하여 풀려고 한다. 근의 공식 $x=\dfrac{-b\pm\sqrt{b^2-4ac}}{2a}$에 대입할 때, a, b, c의 값은? (단, $a>0$)

① $a=1$, $b=6$, $c=-6$
② $a=1$, $b=-8$, $c=-6$
③ $a=1$, $b=7$, $c=6$
④ $a=1$, $b=-6$, $c=-7$
⑤ $a=1$, $b=-6$, $c=-6$

04 이차방정식 $2x^2+6x-1=0$을 풀면?

① $x=\dfrac{-3\pm\sqrt{11}}{2}$ ② $x=\dfrac{3\pm\sqrt{11}}{2}$

③ $x=\dfrac{-6\pm\sqrt{11}}{2}$ ④ $x=3\pm\sqrt{11}$

⑤ $x=\dfrac{-3\pm2\sqrt{11}}{4}$

05 이차방정식 $3x^2-5x+1=0$의 근을 근의 공식을 이용하여 구하면 $x=\dfrac{5\pm\sqrt{a}}{b}$이다. 이때 $a+b$의 값은?

(단, a, b는 유리수)

① 16 ② 17 ③ 18
④ 19 ⑤ 20

06 이차방정식 $2x^2-10x+A=0$의 해가 $x=\dfrac{B\pm\sqrt{7}}{2}$일 때, AB의 값은?

① -90 ② -45 ③ 45
④ 80 ⑤ 90

07 $x^2+6x+9=0$의 해를 m이라고 할 때, 이차방정식 $2mx^2+10x+m^2-1=0$의 해를 구하시오.

02 근의 공식을 이용한 이차방정식의 풀이

정답 및 해설 P.63

④ 복잡한 이차방정식의 풀이

- 계수가 소수일 때에는 양변에 10, 100, 1000, …을 곱하여 계수를 정수로 바꾼 후 푼다.
- 계수가 분수일 때에는 양변에 분모의 최소공배수를 곱하여 계수를 정수로 바꾼 후 푼다.
- 괄호가 있는 식은 전개하여 $ax^2+bx+c=0$의 꼴로 나타낸 후 푼다.
- (공통인 식)$=A$로 치환한 후 $aA^2+bA+C=0$의 꼴로 나타낸 후 푼다.

01 다음 이차방정식을 푸시오.

(1) $x^2-0.7x+0.1=0$

(2) $0.04x^2-0.19x+0.22=0$

02 다음 이차방정식을 푸시오.

(1) $\dfrac{1}{2}x^2-\dfrac{1}{4}x-1=0$

(2) $\dfrac{x^2+x}{2}=\dfrac{x+1}{3}$

03 다음은 치환을 이용하여 이차방정식 $(x+3)^2-(x+3)-6=0$의 근을 구하는 과정이다. 이때 □ 안에 알맞은 수를 쓰시오.

$(x+3)^2-(x+3)-6=0$에서

$x+3=A$로 치환하면

$A^2-A-6=0$, $(A+\boxed{})(A-\boxed{})=0$

이므로 $A=\boxed{}$ 또는 $A=\boxed{}$이다.

이때 $A=x+3$을 대입하면

$x+3=\boxed{}$ 또는 $x+3=\boxed{}$이다.

따라서 $x=\boxed{}$ 또는 $x=\boxed{}$이다.

04 이차방정식 $0.6x^2+0.4x=1$의 두 근의 곱은?

① $-\dfrac{5}{3}$ ② $-\dfrac{1}{6}$ ③ 0

④ $\dfrac{3}{5}$ ⑤ 6

05 다음 두 이차방정식의 공통인 해는?

$$\dfrac{1}{6}x^2-\dfrac{2}{3}x+\dfrac{1}{2}=0 \qquad 0.2x^2-0.3x+0.1=0$$

① -15 ② -3 ③ 1

④ 3 ⑤ 15

06 이차방정식 $(x+1)^2+4(x+1)+3=0$의 두 근의 합은?

① -6 ② -2 ③ 0

④ 2 ⑤ 6

07 $(2x-y+3)(2x-y-1)+4=0$일 때, $4x-2y$의 값은?

① -4 ② -2 ③ -1

④ 1 ⑤ 2

⑤ 한 근을 알 때, 다른 한 근 구하기

(1) 주어진 한 근을 이차방정식에 대입하여 문자의 값을 구한다.
(2) (1)에서 구한 문자의 값을 처음의 이차방정식에 대입한다.
(3) 이차방정식을 풀어 다른 한 근을 구한다.

01 이차방정식 $x^2+ax=0$의 한 근이 4일 때, 상수 a의 값과 다른 한 근을 구하시오.

02 이차방정식 $x^2+6x+a=0$의 한 근이 -1일 때, 상수 a의 값과 다른 한 근을 구하시오.

03 이차방정식 $ax^2+12x-3=0$의 한 근이 $\frac{1}{3}$일 때, 상수 a의 값과 다른 한 근을 구하시오.

04 이차방정식 $x^2+2x+k=0$의 한 근이 $\sqrt{3}-1$일 때, 유리수 k의 값은?

① -2 ② -1 ③ 1
④ 2 ⑤ 3

05 이차방정식 $x^2+ax-2a-4=0$의 한 근이 3이고 다른 한 근을 b라고 할 때, $a+b$의 값은?

① -7 ② -3 ③ 0
④ 3 ⑤ 7

06 두 이차방정식 $x^2-ax+3=0$, $(x+3)(x+b)=0$의 해가 같을 때, 두 상수 a, b의 값을 구하시오.

07 이차방정식 $x^2+4x+3-k=0$의 한 근이 $-2+\sqrt{5}$일 때, 유리수 k의 값은?

① -4 ② -2 ③ 0
④ 2 ⑤ 4

08 이차방정식 $x^2-3x-1=0$의 한 근을 a라고 할 때, $a-\dfrac{1}{a}$의 값을 구하시오.

09 두 이차방정식 $x^2-ax+2a=0$, $2x^2+x-b=0$의 공통인 근이 1일 때 다음을 구하시오. (단, a, b는 상수)

(1) a, b의 값을 구하시오.
(2) $x^2-ax+2a=0$에서 다른 한 근을 구하시오.
(3) $2x^2+x-b=0$에서 다른 한 근을 구하시오.

정답 및 해설 P.65

⑥ 이차방정식의 활용

• 이차방정식의 활용 문제의 풀이 순서
(1) 문제를 읽고 수량 사이의 관계를 파악하여 구하려는 것을 미지수 x로 놓는다.
(2) 수량 사이의 관계를 이용하여 이차방정식을 세운다.
(3) 이차방정식을 푼다.
(4) 구한 해 중에서 문제의 뜻에 맞는 것만을 답으로 한다.

01 다음은 연속하는 세 자연수에 대하여 가운데 수의 제곱이 세 수의 합의 2배와 같을 때, 세 자연수를 구하는 과정이다. 이때 □ 안에 알맞은 것을 쓰시오.

연속하는 세 자연수를 $x-1$, x, $x+1$이라고 하면
$x^2 = 2\{(x-1) + \boxed{} + (\boxed{})\}$
위의 이차방정식을 풀면
$x = \boxed{}$ 또는 $x = \boxed{}$
그런데 $x > 1$이므로 $x = \boxed{}$이다.
따라서 세 자연수는 $\boxed{}$, $\boxed{}$, $\boxed{}$이다.

02 지면에서 수직인 방향으로 초속 50 m로 쏘아 올린 물체의 t초 후의 높이를 h m라고 하면 $h = -5t^2 + 50t$인 관계가 성립한다. 다음은 이 물체의 높이가 120 m가 될 때의 시간은 몇 초 후인지 구하는 과정이다. 이때 □ 안에 알맞은 것을 쓰시오.

높이가 120 m이므로
$\boxed{} = -5t^2 + 50t$, $5t^2 - 50t + \boxed{} = 0$,
$t^2 - 10t + \boxed{} = 0$, $(t - \boxed{})(t - \boxed{}) = 0$
이므로 $t = \boxed{}$ 또는 $t = \boxed{}$이다.
따라서 물체의 높이가 120 m가 될 때의 시간은
$\boxed{}$초 후 또는 $\boxed{}$초 후이다.

03 가로, 세로의 길이가 각각 7 cm, 5 cm인 직사각형이 있다. 가로, 세로의 길이를 똑같이 늘였더니 넓이가 처음 직사각형의 넓이보다 45 cm²만큼 더 커졌다고 할 때, 늘어난 길이를 구하시오.

04 수학 교과서를 펼쳤더니 펼쳐진 두 면의 쪽수의 곱이 342였다. 이때 이 두 면의 쪽수의 합은?

① 33　　② 35　　③ 37
④ 39　　⑤ 41

05 지면에서 수직인 방향으로 초속 60 m로 쏘아 올린 물체의 t초 후의 높이가 $(60t - 5t^2)$ m일 때, 이 물체가 다시 지면에 떨어지는 것은 쏘아 올린지 몇 초 후인가?

① 10초 후　② 11초 후　③ 12초 후
④ 13초 후　⑤ 14초 후

06 둘레의 길이가 36 cm이고 넓이가 56 cm²인 직사각형이 있다. 가로의 길이가 세로의 길이보다 더 길 때, 가로의 길이를 구하시오.

07 오른쪽 그림과 같은 정사각형에서 가로, 세로의 길이를 각각 4 cm, 2 cm씩 늘였더니 넓이가 처음 정사각형의 넓이의 3배가 되었다. 이때 처음 정사각형의 한 변의 길이를 구하시오.

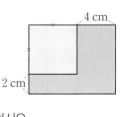

중단원 실전 마무리

01 다음 중 이차방정식이 <u>아닌</u> 것은?

① $2x^2=0$ ② $\dfrac{1}{2}x^2=x-1$

③ $3x^2-x=0$ ④ $5(x+2)^2=5x^2$

⑤ $2x(x-x^2)=1-2x^3$

02 $a^2x^2+(a-1)x-1=9x^2+x$가 x에 대한 이차방정식이 되기 위한 조건은?

① $a\neq3$

② $a\neq-3$

③ $a\neq-3$이고 $a\neq3$

④ $a\neq-3$ 또는 $a\neq3$

⑤ $a\neq0$이고 $a\neq-3$

03 다음 중 [ ] 안의 수가 주어진 이차방정식의 해인 것은?

① $x(x-2)=0$ $[-2]$

② $x^2-4x=4$ $[\,2\,]$

③ $-x^2+3x=2$ $[\,1\,]$

④ $4x^2+x-12=0$ $[\,3\,]$

⑤ $3x^2+2x-1=0$ $[-3]$

04 이차방정식 $x^2-3x+1=0$의 한 근이 p일 때, $p+\dfrac{1}{p}$의 값은?

① -3 ② -1 ③ 1

④ 2 ⑤ 3

05 다음 이차방정식 중 해가 $x=1$ 또는 $x=3$인 것은?

① $x(x+3)=0$ ② $(x+3)(x-1)=0$

③ $(x+1)(x-3)=0$ ④ $-3x(x+1)=0$

⑤ $(x-1)(x-3)=0$

06 이차방정식 $(2x-5)^2=9$를 풀면?

① $x=1$ 또는 $x=4$

② $x=1$ 또는 $x=-4$

③ $x=-1$ 또는 $x=4$

④ $x=-1$ 또는 $x=2$

⑤ $x=-1$ 또는 $x=-4$

07 이차방정식 $(x+1)^2=\dfrac{3}{2}$의 해가 $x=\dfrac{A\pm\sqrt{B}}{2}$일 때, $A+B$의 값은? (단, A, B는 유리수)

① 2 ② 4 ③ 5

④ 6 ⑤ 8

08 다음은 완전제곱식을 이용하여 이차방정식 $9x^2+12x-1=0$의 해를 구하는 과정의 일부분이다. 이때 $A+B$의 값은?

$$9x^2+12x-1=0,\ x^2+\dfrac{12}{9}x-\dfrac{1}{9}=0$$

$$x^2+\dfrac{4}{3}x+\boxed{A}=\dfrac{1}{9}+\boxed{A}$$

$$\left(x+\dfrac{2}{3}\right)^2=\boxed{B}$$

① $\dfrac{1}{9}$ ② $\dfrac{4}{9}$ ③ $\dfrac{5}{9}$

④ $\dfrac{7}{9}$ ⑤ 1

09 이차방정식 $2x^2-6x-3=0$을 $(x+a)^2=b$의 꼴로 나타낼 때, $8ab$의 값을 구하시오.

10 이차방정식 $3x^2+4x+A=0$의 근이 $x=\dfrac{-2\pm\sqrt{19}}{3}$ 일 때, 상수 A의 값은?

① -5 ② -4 ③ -3
④ -2 ⑤ -1

11 이차방정식 $0.2x^2-x=-\dfrac{1}{2}$을 풀면?

① $x=5\pm\sqrt{15}$ ② $x=\dfrac{-5\pm\sqrt{15}}{2}$

③ $x=\dfrac{5\pm\sqrt{15}}{2}$ ④ $x=\dfrac{-5\pm\sqrt{35}}{2}$

⑤ $x=\dfrac{5\pm\sqrt{35}}{2}$

12 이차방정식 $\dfrac{1}{5}x^2-\dfrac{2}{5}x-\dfrac{1}{3}=0$의 해가 $x=\dfrac{a\pm2\sqrt{b}}{3}$ 일 때, $b-a$의 값은? (단, a, b는 유리수)

① 1 ② 2 ③ 3
④ 4 ⑤ 5

13 $(a+b-1)(a+b-2)-12=0$일 때, $a+b$의 값은?
(단, $a+b>0$)

① 2 ② 3 ③ 4
④ 5 ⑤ 6

14 이차방정식 $\dfrac{2}{3}x^2+2x-\dfrac{1}{2}=0$의 두 근 중 큰 근을 k라고 할 때, $2k+3$의 값은?

① -12 ② $-2\sqrt{3}$ ③ $2\sqrt{3}$
④ $4\sqrt{3}$ ⑤ 12

15 일차함수 $y=mx-2$의 그래프가 점 $(2m-1,\ m^2)$을 지날 때, 양수 m의 값은?

① 1 ② 2 ③ 3
④ 4 ⑤ 5

16 이차방정식 $x^2-4ax+b=0$의 근이 $x=4\pm\sqrt{13}$일 때, $b-a$의 값을 구하시오. (단, a, b는 상수)

17 x에 대한 이차방정식 $x^2-k^2x+k-7=0$의 한 근이 3일 때, 다른 한 근은? (단, k는 상수, $k>0$)

① -3 ② -2 ③ -1

④ 2 ⑤ 3

18 이차방정식 $x^2-4x+k=0$의 한 근이 $2+\sqrt{7}$일 때, 상수 k와 다른 한 근의 합은?

① $-5-\sqrt{7}$ ② $-1-\sqrt{7}$ ③ $2-\sqrt{7}$

④ $3-\sqrt{7}$ ⑤ $5-\sqrt{7}$

19 n각형의 대각선의 개수는 $\dfrac{n(n-3)}{2}$이다. 이때 대각선의 개수가 54인 다각형은 몇 각형인가?

① 팔각형   ② 구각형   ③ 십각형

④ 십일각형   ⑤ 십이각형

20 연속하는 두 짝수의 제곱의 합이 164일 때, 두 수 중 작은 수는? (단, 두 짝수는 자연수이다.)

① 4   ② 6   ③ 8

④ 10   ⑤ 12

21 지면으로부터 50 m 높이인 어떤 건물의 옥상에서 수직인 방향으로 초속 90 m로 폭죽을 쏘아 올린 후 폭죽의 t초 후의 지면으로부터의 높이를 h m라고 할 때, $h=-5t^2+90t+50$인 관계가 성립한다. 이때 처음으로 폭죽의 높이가 450 m가 되는 것은 폭죽을 쏘아 올린지 몇 초 후인가?

① 8초 후   ② 9초 후   ③ 10초 후

④ 11초 후   ⑤ 12초 후

22 길이가 20 cm인 노끈을 잘라서 정사각형 두 개를 만들었더니 두 정사각형의 넓이의 합이 17 cm²가 되었다. 이때 이 두 정사각형의 한 변의 길이의 차를 구하시오.

23 어느 탐험대가 동굴을 살펴보다가 32개의 보물을 찾았다. 이 보물을 탐험 대원들이 똑같이 나누어 가졌더니 각자 가진 보물 수가 탐험 대원 수보다 4만큼 적었다. 이때 탐험 대원 수를 구하시오.

24 오른쪽 그림과 같이 원 모양의 연못의 둘레에 폭이 일정한 잔디밭을 만들려고 한다. 연못의 반지름의 길이가 6 m이고 잔디밭의 넓이가 28π m²라고 할 때, 잔디밭의 폭은?

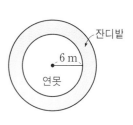

① 1 m   ② 1.5 m   ③ 2 m

④ 2.5 m   ⑤ 3 m

25 n각형의 대각선의 개수는 $\dfrac{n(n-3)}{2}$이다. 대각선의 개수가 90인 다각형은 몇 각형인지 구하고 그 과정을 서술하시오.

26 남주는 연속하는 두 자연수를 제곱한 후 더해야 할 것을 더한 후 제곱하였더니 바르게 계산한 값보다 264가 커졌다. 이때 연속하는 두 자연수를 구하고 그 과정을 서술하시오.

27 민아와 효성이가 x^2의 계수가 1인 이차방정식을 푸는데 민아는 x의 계수를 잘못 보고 풀어서 -2, 3을 근으로 얻었고, 효성이는 상수항을 잘못 보고 풀어서 3, -4를 근으로 얻었다. 이때 처음 이차방정식의 근을 구하고 그 과정을 서술하시오.

28 다음 그림과 같이 모양과 크기가 같은 직사각형 모양의 종이 9장을 넓이가 264 cm²인 직사각형 모양의 널빤지에 겹치지 않게 빈틈없이 붙였더니 가로의 길이가 3 cm인 직사각형 모양의 공간이 남았다. 이때 직사각형 모양의 종이 1장의 넓이를 구하고 그 과정을 서술하시오.

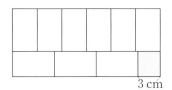

29 오른쪽 그림과 같이 직선 $y=-3x+6$이 x축과 만나는 점을 A, y축과 만나는 점을 B라고 하자. 직선 $y=-3x+6$ 위의 한 점 P에서 x축, y축에 내린 수선의 발을 각각 Q, R라고 할 때,

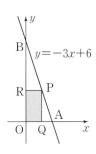

$\square OQPR=\dfrac{1}{3}\triangle OAB$를 만족시키는 점 P의 x좌표를 구하고 그 과정을 서술하시오.

(단, 점 P는 제1사분면 위의 점이다.)

30 오른쪽 그림과 같이 세 반원으로 이루어진 도형에서 $\overline{AB}$의 길이가 12 cm이고 색칠한 부분의 넓이가 8π cm²일 때, 다음 물음에 답하고 그 과정을 서술하시오. (단, $\overline{AC}>\overline{BC}$)

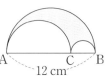

(1) $\overline{AC}=x$ cm라고 할 때, x에 대한 이차방정식을 세우시오.
(2) x에 대한 이차방정식을 푸시오.
(3) $\overline{AC}$의 길이를 구하시오.

III 이차함수

1 이차함수

01 이차함수와 그 그래프

정답 및 해설 P.69

1 이차함수의 뜻

- **이차함수의 뜻**: 함수 $y=f(x)$에서 y가 x에 대한 이차식 $y=ax^2+bx+c$(a, b, c는 상수, $a \neq 0$)의 꼴로 나타내어질 때, 이 함수를 이차함수라고 한다.
- **이차함수를 찾는 방법**: 식을 간단하게 정리하였을 때, $y=ax^2+bx+c$($a \neq 0$)의 꼴이어야 한다.
- **함숫값**: x의 값에 따라 유일하게 결정되는 y의 값

01 다음 보기 중 이차함수인 것을 모두 고르시오.

보기

ㄱ. $y=(x+1)(x-2)$　　ㄴ. $y=-x(x+1)$

ㄷ. $y=3x-4$　　ㄹ. $y=\dfrac{1}{2x^2}$

ㅁ. $y=-2$　　ㅂ. $y=x^2-(x-1)^2$

02 다음 중 y가 x에 대한 이차함수인 것은?

① $y=2x$　　　　② $y=\dfrac{2}{x}$

③ $y=x(x-1)$　　④ $y=-\dfrac{1}{4x^2}$

⑤ $y=3$

03 다음 문장에서 y를 x에 대한 식으로 나타내고 그 식이 이차함수인지 말하시오.

(1) 한 변의 길이가 x cm인 정육면체의 부피 y cm³

(2) 가로의 길이가 x cm, 세로의 길이가 $(x+4)$ cm 인 직사각형의 넓이 y cm²

04 다음 중 y가 x에 대한 이차함수인 것은?

① 가로의 길이가 x cm, 세로의 길이가 $(x-1)$ cm, 높이가 $(x+1)$ cm인 직육면체의 부피 y cm³

② x km의 거리를 시속 4 km로 달렸을 때, 걸린 시간 y시간

③ 지름의 길이가 x cm인 원의 넓이 y cm²

④ 1개에 500원인 과자 x개를 사면서 5000원을 냈을 때, 거스름돈 y원

⑤ 한 변의 길이가 $(x+1)$ cm인 정사각형의 둘레의 길이 y cm

05 이차함수 $f(x)=2x^2+x+3$에 대하여 다음 함숫값을 구하시오.

(1) $f(-2)$　　　　(2) $f(0)$

(3) $f\left(\dfrac{3}{2}\right)$　　　　(4) $f(1)$

06 이차함수 $f(x)=2x^2-3x-1$에서 $f(a)=1$일 때, 정수 a의 값은?

① -2　　　② -1　　　③ 1

④ 2　　　　⑤ 3

07 이차함수 $f(x)=-x^2-2x+3$에서 $f(k)=-5$일 때, 다음 중 k의 값이 될 수 있는 것을 모두 고르면?

(정답 2개)

① -4　　　② -2　　　③ 0

④ 2　　　　⑤ 4

② 이차함수 $y=ax^2$의 그래프

• **이차함수 $y=x^2$의 그래프**
(1) 꼭짓점의 좌표는 $(0, 0)$
(2) 원점 이외의 부분은 모두 x축 위쪽에 존재
(3) y축에 대하여 대칭이고 아래로 볼록
(4) 이차함수 $y=-x^2$의 그래프와 x축에 대하여 대칭

• **이차함수 $y=-x^2$의 그래프**
(1) 꼭짓점의 좌표는 $(0, 0)$
(2) 원점 이외의 부분은 모두 x축 아래쪽에 존재
(3) y축에 대하여 대칭이고 위로 볼록

• **이차함수 $y=ax^2$의 그래프**
(1) 꼭짓점의 좌표는 $(0, 0)$
(2) y축에 대하여 대칭
(3) 축의 방정식은 $x=0(y$축$)$
(4) $a>0$이면 아래로 볼록, $a<0$이면 위로 볼록
(5) a의 절댓값이 클수록 그래프의 폭이 좁아진다.
(6) 이차함수 $y=-ax^2$의 그래프와 x축에 대하여 대칭

01 다음은 이차함수 $y=x^2$에 대한 설명이다. 이때 □ 안에 알맞은 것을 쓰시오.

(1) □ 로 볼록한 포물선이다.

(2) 꼭짓점의 좌표는 □ 이다.

(3) 이차함수 $y=-x^2$의 그래프와 □ 축에 대하여 대칭이다.

(4) $x>0$일 때, x의 값이 증가하면 y의 값도 □ 한다.

02 다음 중 이차함수 $y=x^2$의 그래프에 대한 설명으로 옳은 것을 모두 고르면? (정답 2개)

① 원점을 지난다.
② 위로 볼록하다.
③ x축에 대하여 대칭이다.
④ x의 값이 증가할 때 y의 값도 증가한다.
⑤ 제1, 2사분면을 지난다.

03 다음 중 이차함수 $y=-x^2$의 그래프 위의 점을 모두 고르면? (정답 2개)

① $(-4, -16)$ ② $(-2, 4)$ ③ $(0, 1)$
④ $\left(\dfrac{1}{2}, \dfrac{1}{4}\right)$ ⑤ $\left(\dfrac{3}{2}, -\dfrac{9}{4}\right)$

04 다음은 이차함수 $y=2x^2$의 그래프에 대한 다음 설명이다. 이때 □ 안에 알맞은 것을 쓰시오.

꼭짓점의 좌표는 □ 이고 □ 축에 대하여 대칭이다. 또 그래프의 모양은 □ 로 볼록하고 이차함수 $y=$ □ 의 그래프와 x축에 대하여 대칭이다.

05 이차함수 $y=ax^2$의 그래프가 두 점 $(-4, 2)$, $(1, b)$를 지날 때, $a+b$의 값은? (단, a, b는 상수)

① $\dfrac{1}{4}$ ② $\dfrac{1}{2}$ ③ 1
④ 2 ⑤ 4

06 이차함수 $y=x^2$, $y=-x^2$의 그래프가 다음 그림과 같을 때, (ㄱ)~(ㄹ)의 그래프 중 이차함수 $y=-\dfrac{5}{4}x^2$의 그래프로 알맞은 것을 고르시오.

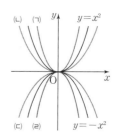

02 이차함수 $y=ax^2+bx+c$의 그래프

정답 및 해설 P.69

① 이차함수 $y=ax^2+q$의 그래프

> • 이차함수 $y=ax^2$의 그래프를 y축의 방향으로 q만큼 평행이동한 것이다.
> $q>0$이면 그래프가 y축의 양의 방향(위쪽)으로,
> $q<0$이면 그래프가 y축의 음의 방향(아래쪽)으로 이동한다.
> • **꼭짓점의 좌표**: $(0, q)$
> • **축의 방정식**: $x=0(y$축$)$

01 다음 이차함수의 그래프를 y축의 방향으로 [ ] 안의 수만큼 평행이동한 그래프의 식을 구하고 그 그래프의 꼭짓점의 좌표와 축의 방정식을 각각 구하시오.

이차함수	(1) $y=-x^2$ [2]	(2) $y=\dfrac{2}{3}x^2$ [-1]
평행이동한 그래프의 식		
꼭짓점의 좌표		
축의 방정식		

02 다음 보기 중 이차함수 $y=ax^2+q(a\neq0, q\neq0)$의 그래프에 대한 설명으로 옳은 것을 모두 고른 것은?

> **보기**
> ㄱ. 꼭짓점의 좌표는 $(q, 0)$이다.
> ㄴ. $a<0$이면 그래프는 아래로 볼록하다.
> ㄷ. a의 절댓값이 클수록 그래프의 폭이 좁아진다.
> ㄹ. 축의 방정식은 $x=0$이다.
> ㅁ. 이차함수 $y=ax^2$의 그래프를 y축의 방향으로 q만큼 평행이동시킨 것이다.

① ㄱ, ㄴ, ㄷ   ② ㄱ, ㄹ, ㅁ   ③ ㄴ, ㄷ, ㄹ
④ ㄴ, ㄷ, ㅁ   ⑤ ㄷ, ㄹ, ㅁ

03 이차함수 $y=-2x^2$의 그래프를 y축의 방향으로 2만큼 평행이동한 그래프에 대하여 다음 ☐ 안에 알맞은 것을 쓰시오.

(1) 평행이동한 그래프의 식은 [ ]이다.

(2) 꼭짓점의 좌표는 [ ]이고 축의 방정식은 [ ]이다.

(3) 그래프의 모양은 [ ]로 볼록하다.

(4) 이차함수 $y=-x^2$의 그래프보다 폭이 [ ].

(5) x [ ] 0일 때, x의 값이 증가하면 y의 값은 감소한다.

04 다음 중 이차함수 $y=x^2-\dfrac{1}{4}$의 그래프에 대한 설명으로 옳은 것은?

① 대칭축은 y축이다.
② 꼭짓점은 원점이다.
③ 점 $(2, 0)$을 지난다.
④ 위로 볼록한 포물선이다.
⑤ 이차함수 $y=x^2$의 그래프를 y축의 방향으로 $\dfrac{1}{4}$만큼 평행이동시킨 것이다.

05 이차함수 $y=3x^2$의 그래프를 y축의 방향으로 k만큼 평행이동하면 점 $(1, 4)$를 지난다. 이때 k의 값을 구하시오.

06 이차함수 $y=\dfrac{5}{2}x^2$의 그래프를 y축의 방향으로 k만큼 평행이동하면 점 $(2, -3)$을 지난다. 이때 이 그래프의 꼭짓점의 좌표를 구하시오.

② 이차함수 $y=a(x-p)^2$의 그래프

- 이차함수 $y=ax^2$의 그래프를 x축의 방향으로 p만큼 평행이동한 것이다.
  $p>0$이면 그래프가 x축의 양의 방향(오른쪽)으로, $p<0$이면 그래프가 x축의 음의 방향(왼쪽)으로 이동한다.
- 꼭짓점의 좌표: $(p, 0)$
- 축의 방정식: $x=p$

01 다음 이차함수의 그래프를 x축의 방향으로 [ ] 안의 수만큼 평행이동한 그래프의 식을 구하고 그 그래프의 꼭짓점의 좌표와 축의 방정식을 각각 구하시오.

이차함수	(1) $y=2x^2$ [-1]	(2) $y=-\dfrac{1}{3}x^2$ [1]
평행이동한 그래프의 식		
꼭짓점의 좌표		
축의 방정식		

02 이차함수 $y=\dfrac{2}{3}x^2$의 그래프를 x축의 방향으로 -2만큼 평행이동한 그래프에 대하여 다음 □ 안에 알맞은 것을 쓰시오.

(1) 평행이동한 그래프의 식은 ☐☐☐☐ 이다.

(2) 꼭짓점의 좌표는 ☐☐☐ 이고 축의 방정식은 ☐☐☐ 이다.

(3) 그래프의 모양은 ☐☐☐로 볼록하다.

(4) 이차함수 $y=-x^2$의 그래프보다 폭이 ☐☐☐.

(5) x ☐☐ -2일 때, x의 값이 증가하면 y의 값도 증가한다.

03 다음 중 이차함수 $y=-3(x-2)^2$의 그래프에 대한 설명으로 옳은 것은?

① 아래로 볼록한 포물선이다.
② 직선 $x=-2$를 축으로 한다.
③ 꼭짓점은 $(2, -3)$이다.
④ 모든 x의 값에 대하여 y의 값은 항상 음수이다.
⑤ 이차함수 $y=-3x^2$의 그래프를 x축의 방향으로 2만큼 평행이동한 것이다.

04 이차함수 $y=-4x^2$의 그래프를 x축의 방향으로 p만큼 평행이동하면 축의 방정식이 $x=2$이고 점 $(4, k)$를 지난다. 이때 $p+k$의 값을 구하시오.

05 이차함수 $y=a(x-p)^2$의 그래프가 오른쪽 그림과 같을 때, 두 상수 a, p에 대하여 ap의 값은?

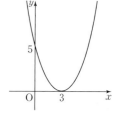

① $-\dfrac{5}{3}$ ② $-\dfrac{5}{9}$

③ $\dfrac{5}{9}$ ④ 1

⑤ $\dfrac{5}{3}$

06 다음 중 축의 위치가 가장 오른쪽에 있는 이차함수의 그래프의 식은?

① $y=-3(x+1)^2$ ② $y=-2(x-7)^2$

③ $y=\dfrac{1}{2}(x-3)^2$ ④ $y=\dfrac{3}{4}(x+2)^2$

⑤ $y=\left(x+\dfrac{3}{2}\right)^2$

02 이차함수 $y=ax^2+bx+c$의 그래프

정답 및 해설 P.70

③ 이차함수 $y=a(x-p)^2+q$의 그래프

> • 이차함수 $y=ax^2$의 그래프를 x축의 방향으로 p만큼, y축의 방향으로 q만큼 평행이동한 것이다.
> • **꼭짓점의 좌표:** (p, q)
> • **축의 방정식:** $x=p$
> • 이차함수 $y=a(x-p)^2+q$의 그래프를 x축의 방향으로 m만큼, y축의 방향으로 n만큼 평행이동한 그래프의 식은 $y=a(x-m-p)^2+q+n$이다.

01 다음 이차함수의 그래프를 x축, y축의 방향으로 [ ] 안의 수만큼 차례로 평행이동한 그래프의 식을 구하고 그 그래프의 꼭짓점의 좌표와 축의 방정식을 각각 구하시오.

이차함수	(1) $y=x^2$ $[1, 2]$	(2) $y=-2x^2$ $[-2, 4]$
평행이동한 그래프의 식		
꼭짓점의 좌표		
축의 방정식		

02 이차함수 $y=-\dfrac{1}{2}x^2$의 그래프를 x축의 방향으로 3만큼, y축의 방향으로 -2만큼 평행이동한 그래프에 대하여 다음 □ 안에 알맞은 것을 쓰시오.

(1) 평행이동한 그래프의 식은 □□□□□이다.

(2) 꼭짓점의 좌표는 □□이고 축의 방정식은 □이다.

(3) 그래프의 모양은 □로 볼록하다.

(4) 이차함수 $y=-x^2$의 그래프보다 폭이 □.

(5) x □ 3일 때, x의 값이 증가하면 y의 값은 감소한다.

03 다음 중 이차함수 $y=-(x+1)^2-2$의 그래프에 대한 설명으로 옳은 것은?

① 위로 볼록한 포물선이다.
② 축의 방정식은 $x=1$이다.
③ 이차함수 $y=2x^2$의 그래프와 폭이 같다.
④ 꼭짓점의 좌표는 $(1, -2)$이다.
⑤ 이차함수 $y=-x^2$의 그래프를 x축의 방향으로 1만큼, y축의 방향으로 -2만큼 평행이동한 것이다.

04 이차함수 $y=\dfrac{1}{4}x^2$의 그래프를 x축의 방향으로 -1만큼, y축의 방향으로 -3만큼 평행이동하면 점 $(a, 1)$을 지난다. 이때 a의 값을 모두 구하시오.

05 이차함수 $y=a(x-p)^2+q$의 그래프가 오른쪽 그림과 같을 때, a, p, q의 부호로 옳은 것은?

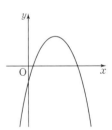

① $a<0, p<0, q<0$
② $a<0, p>0, q<0$
③ $a<0, p>0, q>0$
④ $a>0, p<0, q<0$
⑤ $a>0, p>0, q>0$

06 이차함수 $y=2(x-1)^2-1$의 그래프가 지나지 <u>않는</u> 사분면은?

① 제1사분면 ② 제2사분면 ③ 제3사분면
④ 제4사분면 ⑤ 제1, 4사분면

④ 이차함수 $y=ax^2+bx+c$의 그래프

- **그래프 그리기**: $y=a(x-p)^2+q$의 꼴로 고쳐서 그린다.
- **꼭짓점의 좌표**: $\left(-\dfrac{b}{2a},\ -\dfrac{b^2-4ac}{4a}\right)$
- **축의 방정식**: $x=-\dfrac{b}{2a}$
- 두 이차함수의 그래프의 식에서 x^2의 계수가 같으면 평행이동하여 두 이차함수의 그래프를 완전히 포갤 수 있다.

01 다음 이차함수의 식을 $y=a(x-p)^2+q$의 꼴로 고치고 꼭짓점의 좌표와 축의 방정식을 각각 구하시오.

이차함수	(1) $y=x^2-4x+1$	(2) $y=-x^2+6x$
$y=a(x-p)^2+q$		
꼭짓점의 좌표		
축의 방정식		

02 다음 이차함수의 식을 $y=a(x-p)^2+q$의 꼴로 변형하시오.

(1) $y=x^2+6x-2$

(2) $y=-2x^2-2x+3$

(3) $y=\dfrac{1}{3}x^2-2x$

(4) $y=-\dfrac{1}{4}x^2+\dfrac{1}{2}x+1$

03 다음 중 이차함수 $y=\dfrac{1}{2}x^2-4x+1$의 그래프에 대한 설명으로 옳은 것은?

① 위로 볼록한 그래프이다.

② 축의 방정식은 $x=-4$이다.

③ 꼭짓점의 좌표는 $(-4,\ -7)$이다.

④ $x<4$일 때, x의 값이 증가하면 y의 값도 증가한다.

⑤ 이차함수 $y=\dfrac{1}{2}x^2$의 그래프를 x축의 방향으로 4만큼, y축의 방향으로 -7만큼 평행이동한 것이다.

04 다음 중 이차함수 $y=-x^2+2x-3$의 그래프에 대한 설명으로 옳은 것은?

① 꼭짓점의 좌표는 $(1,\ -3)$이다.

② 직선 $x=2$를 축으로 한다.

③ 아래로 볼록한 포물선이다.

④ y축과의 교점은 $(0,\ -3)$이다.

⑤ 이차함수 $y=-x^2$의 그래프를 x축의 방향으로 1만큼, y축의 방향으로 2만큼 평행이동한 것이다.

05 이차함수 $y=x^2+4x$를 $y=a(x-p)^2+q$의 꼴로 나타낼 때, q의 값은?

① -4　　　② -2　　　③ 2

④ 4　　　⑤ 8

06 다음 이차함수의 그래프 중 꼭짓점이 x축 위의 점이 아닌 것은?

① $y=-3\left(x-\dfrac{1}{2}\right)^2$　　　② $y=-2(x+4)^2$

③ $y=-x^2-6x-9$　　　④ $y=3\left(x+\dfrac{3}{2}\right)^2$

⑤ $y=4x^2+9$

07 이차함수 $y=-x^2+4x+3a-4$의 그래프가 x축에 접할 때, 상수 a의 값은?

① -2 ② $-\dfrac{1}{3}$ ③ 0

④ $\dfrac{1}{3}$ ⑤ 2

11 이차함수 $y=\dfrac{1}{4}x^2-x$의 그래프에서 x의 값이 증가할 때 y의 값은 감소하는 x의 값의 범위는?

① $x>-2$ ② $x<-2$ ③ $x>2$

④ $x<2$ ⑤ $x>-\dfrac{1}{4}$

08 이차함수 $y=x^2+6x+c$의 그래프가 점 $(-1, 4)$를 지날 때, 이 그래프의 꼭짓점의 좌표는? (단, c는 상수)

① $(3, 0)$ ② $(0, 3)$ ③ $(-3, 0)$

④ $(0, -3)$ ⑤ $(2, 5)$

12 이차함수 $y=\dfrac{1}{2}x^2+1$의 그래프를 x축의 방향으로 -3만큼 평행이동하면 점 $(-1, m)$을 지난다. 이때 m의 값을 구하시오.

09 두 이차함수 $y=2x^2-4x+3$, $y=-\dfrac{1}{2}x^2+ax+b$의 그래프의 꼭짓점의 좌표가 같을 때, $a-b$의 값은?

① $-\dfrac{3}{2}$ ② $-\dfrac{1}{2}$ ③ $\dfrac{1}{2}$

④ 1 ⑤ $\dfrac{3}{2}$

13 이차함수 $y=-3x^2+12x+k$의 그래프는 $y=-3x^2$의 그래프를 x축의 방향으로 m만큼, y축의 방향으로 5만큼 평행이동한 것이다. 이때 $m+k$의 값을 구하시오. (단, k는 상수)

10 다음 이차함수의 그래프 중 축이 가장 오른쪽에 있는 것은?

① $y=x^2+3$ ② $y=-(x-1)^2$

③ $y=4(x-4)^2+2$ ④ $y=x^2+4x-1$

⑤ $y=\dfrac{1}{4}x^2+x+1$

14 이차함수 $y=2x^2$의 그래프를 x축의 방향으로 m만큼, y축의 방향으로 n만큼 평행이동하였더니 $y=2x^2+16x+29$의 그래프가 되었다. 이때 $m+n$의 값은?

① -7 ② -5 ③ 1

④ 1 ⑤ 7

⑤ 이차함수 $y=ax^2+bx+c$의 그래프와 x축, y축과의 교점

- **x축과의 교점**: $y=0$일 때의 x의 값을 구한다.
  (즉, $y=0$을 대입)
- **y축과의 교점**: $x=0$일 때의 y의 값을 구한다.
  (즉, $x=0$을 대입)
- 이차함수 $y=ax^2+bx+c$의 그래프와 y축과의 교점의 좌표는 $(0, c)$이다.

01 다음은 이차함수 $y=\frac{1}{2}x^2+4x+\frac{15}{2}$의 그래프와 x축, y축과의 교점의 좌표를 구하는 과정이다. 이때 □ 안에 알맞은 것을 쓰시오.

> $\frac{1}{2}x^2+4x+\frac{15}{2}=0$에서 양변에 □를 곱하면
>
> $x^2+8x+15=0$, $(x+□)(x+3)=0$이므로
>
> $x=□$ 또는 $x=-3$이다.
>
> 따라서 x축과의 교점의 좌표는 □, $(-3, 0)$
>
> 이다. 또 $x=0$일 때, $y=□$이므로 y축과의
>
> 교점의 좌표는 □이다.

02 다음 이차함수의 그래프와 x축, y축과의 교점의 좌표를 각각 구하시오.

(1) $y=x^2+4x+4$

(2) $y=5x^2-3x$

(3) $y=-x^2+5x+14$

(4) $y=x^2-16$

03 이차함수 $y=x^2-5x-6$의 그래프와 x축과의 교점을 각각 A, B라고 할 때, $\overline{AB}$의 길이는?

① 5 ② 6 ③ 7
④ 8 ⑤ 9

04 이차함수 $y=-x^2+4x+a$의 그래프가 x축과 만나는 두 점 중 한 점의 x좌표가 3일 때, 이 그래프가 y축과 만나는 점의 y좌표는?

① -3 ② -1 ③ 0
④ 1 ⑤ 3

05 이차함수 $y=x^2-6x+8$의 그래프가 x축과 만나는 두 점의 x좌표가 각각 p, q이고 y축과 만나는 점의 y좌표가 r일 때, $p+q+r$의 값은? (단, $p>q$)

① 18 ② 14 ③ 10
④ 6 ⑤ 2

06 다음 그림과 같이 이차함수 $y=-2x^2+12x-10$의 그래프가 x축과 만나는 두 점을 각각 A, B라 하고 꼭짓점을 C라고 할 때, △ABC의 넓이는?

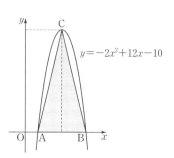

① 4 ② 8 ③ 12
④ 16 ⑤ 20

02 이차함수 $y=ax^2+bx+c$의 그래프

정답 및 해설 P.73

6 이차함수의 식 구하기 (1)

- **꼭짓점의 좌표 (p, q)와 그래프 위의 다른 한 점을 알 때**
  (1) 이차함수의 그래프의 식을 $y=a(x-p)^2+q$로 놓는다.
  (2) 이 식에 주어진 다른 한 점의 좌표를 대입하여 a의 값을 구한다.
- **그래프 위의 서로 다른 세 점을 알 때**
  (1) 구하는 이차함수의 그래프의 식을 $y=ax^2+bx+c$로 놓는다.
  (2) 이 식에 세 점의 좌표를 각각 대입하여 a, b, c의 값을 구한다.

01 다음은 꼭짓점의 좌표가 $(1, 3)$이고 점 $(-1, -5)$를 지나는 이차함수의 그래프의 식을 구하는 과정이다. 이때 □ 안에 알맞은 것을 쓰시오.

> 구하는 식을 $y=a(x-\boxed{})^2+\boxed{}$으로 놓자.
> 이 그래프가 점 $(-1, -5)$를 지나므로
> $x=\boxed{}$, $y=\boxed{}$를 대입하여 풀면 $a=\boxed{}$
> 따라서 구하는 이차함수의 그래프의 식은
> $y=\boxed{}$이다.

02 다음은 세 점 $(0, -15)$, $(1, -8)$, $(2, -3)$을 지나는 이차함수의 그래프의 식을 구하는 과정이다. 이때 □ 안에 알맞은 것을 쓰시오.

> 구하는 식을 $y=ax^2+bx+c$로 놓자.
> $x=0$, $y=-15$를 대입하면 $c=\boxed{}$이다.
> $x=1$, $y=-8$을 대입하면
> $a+b-15=\boxed{}$이다. ...... ㉠
> $x=2$, $y=-3$을 대입하면
> $\boxed{}=-3$이다. ...... ㉡
> ㉠, ㉡을 연립하여 풀면
> $a=\boxed{}$, $b=\boxed{}$이다.
> 따라서 구하는 이차함수의 그래프의 식은
> $y=\boxed{}$이다.

03 꼭짓점의 좌표가 $(2, 1)$이고 점 $(-2, 3)$을 지나는 이차함수의 그래프의 식을 $y=ax^2+bx+c$의 꼴로 나타내시오.

04 이차함수 $y=ax^2+bx+c$의 그래프가 오른쪽 그림과 같을 때, $4a+2b+c$의 값을 구하시오. (단, a, b, c는 상수)

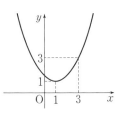

05 꼭짓점의 좌표가 $(1, -3)$이고 점 $(3, 5)$를 지나는 이차함수의 그래프가 y축과 만나는 점의 좌표는?

① $\left(0, \dfrac{1}{2}\right)$ ② $(0, -1)$ ③ $\left(0, -\dfrac{3}{2}\right)$

④ $(0, -2)$ ⑤ $\left(0, -\dfrac{5}{2}\right)$

06 이차함수 $y=ax^2+bx+c$의 그래프가 세 점 $(1, 0)$, $(0, 3)$, $(-2, -1)$을 지날 때, $a-b+c$의 값은? (단, a, b, c는 상수)

① 0 ② 1 ③ $\dfrac{8}{3}$

④ $\dfrac{9}{2}$ ⑤ $\dfrac{19}{4}$

⑦ 이차함수의 식 구하기 (2)

- **축의 방정식 $x=p$와 그래프 위의 서로 다른 두 점을 알 때**
  (1) 구하는 이차함수의 그래프의 식을
      $y=a(x-p)^2+q$로 놓는다.
  (2) 이 식에 두 점의 좌표를 각각 대입하여 a, q의 값을 구한다.
- **x축과의 두 교점 $(\alpha, 0)$, $(\beta, 0)$과 그래프 위의 다른 한 점을 알 때**
  (1) 구하는 이차함수의 그래프의 식을
      $y=a(x-\alpha)(x-\beta)$로 놓는다.
  (2) 이 식에 다른 한 점의 좌표를 대입하여 a의 값을 구한다.

01 다음은 축의 방정식이 $x=-1$이고 두 점 $(2, 22)$, $(-3, 12)$를 지나는 이차함수의 그래프의 식을 구하는 과정이다. 이때 □ 안에 알맞은 것을 쓰시오.

> 구하는 식을 $y=a(x+\boxed{})^2+q$로 놓자.
>
> 이 그래프가 두 점 $(2, 22)$, $(-3, 12)$를 지나므로
> 이 식에 $x=2$, $y=22$를 대입하면
> $\boxed{}=9a+q$ ...... ㉠
> 이 식에 $x=-3$, $y=12$를 대입하면
> $\boxed{}=4a+q$ ...... ㉡
> ㉠, ㉡을 연립하여 풀면 $a=\boxed{}$, $q=\boxed{}$이다.
> 따라서 구하는 이차함수의 식은
> $y=\boxed{}$이다.

02 오른쪽 그림은 직선 $x=-2$를 축으로 하는 이차함수 $y=x^2+ax+b$의 그래프이다. 이때 $a+b$의 값을 구하시오.
(단 a, b는 상수)

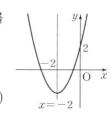

03 다음은 x축과 두 점 $(-2, 0)$, $(4, 0)$에서 만나고 한 점 $(2, -8)$을 지나는 이차함수의 그래프의 식을 구하는 과정이다. 이때 □ 안에 알맞은 것을 쓰시오.

> 구하는 식을 $y=a(x+2)(x-\boxed{})$로 놓자.
> 이 그래프가 점 $(2, -8)$을 지나므로
> $-8=a(\boxed{}+2)(\boxed{}-4)$에서
> $\boxed{}a=-8$, $a=\boxed{}$이다.
> 따라서 구하는 이차함수의 그래프의 식은
> $y=\boxed{}$이다.

04 축의 방정식이 $x=3$이고 두 점 $(1, 1)$, $(2, -5)$를 지나는 이차함수의 그래프의 식을 $y=ax^2+bx+c$라고 할 때, $ac+b$의 값을 구하시오. (단 a, b, c는 상수)

05 세 점 $(-2, 0)$, $(6, 0)$, $(0, 3)$을 지나는 이차함수의 그래프의 식을 $y=ax^2+bx+c$라고 할 때, $a(b+c)$의 값은? (단, a, b, c는 상수)

① -1 ② $-\dfrac{1}{4}$ ③ 0

④ $\dfrac{1}{4}$ ⑤ 1

06 오른쪽 그림과 같이 이차함수 $y=ax^2+bx+c$의 그래프가 x축과 두 점에서 만날 때, $a-b-c$의 값은?
(단, a, b, c는 상수)

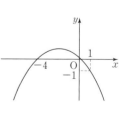

① -1 ② $-\dfrac{3}{5}$ ③ 0

④ $\dfrac{3}{5}$ ⑤ 1

III

정답 및 해설 P.74

8 이차함수 $y=ax^2+bx+c$에서 a, b, c의 부호

- **a의 부호**: 그래프의 모양에 따라 결정
(1) 아래로 볼록: $a>0$
(2) 위로 볼록: $a<0$
- **b의 부호**: 축의 위치에 따라 결정
(1) 축이 y축의 왼쪽에 위치: a, b는 같은 부호
(2) 축이 y축과 일치: $b=0$
(3) 축이 y축의 오른쪽에 위치: a, b는 다른 부호
- **c의 부호**: y축과의 교점의 위치에 따라 결정
(1) y축과의 교점이 원점의 위쪽에 위치: $c>0$
(2) y축과의 교점이 원점에 위치: $c=0$
(3) y축과의 교점이 원점의 아래쪽에 위치: $c<0$
- a의 부호를 먼저 결정하고 난 후 b의 부호를 결정한다.
- a, b, c의 부호에 맞게 그래프를 그려서 그래프가 지나는 사분면을 찾아낸다.

01 이차함수 $y=ax^2+bx+c$의 그래프가 다음 그림과 같을 때, ☐ 안에 알맞은 부등호를 쓰시오.

(1) 그래프가 위로 볼록하므로
a☐0이다.
축이 y축의 왼쪽에 있으므로
b☐0이다.
y축과의 교점이 원점의
아래쪽에 있으므로 c☐0이다.

(2) 그래프가 아래로 볼록하므로 a☐0이다.
축이 y축의 오른쪽에 있으므로 b☐0이다.
y축과의 교점이 원점의 위쪽에 있으므로 c☐0이다.

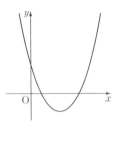

02 이차함수 $y=ax^2+bx+c$의 그래프가 오른쪽 그림과 같을 때, a, b, c의 부호를 각각 말하시오.

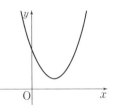

03 이차함수 $y=ax^2+bx+c$의 그래프가 오른쪽 그림과 같을 때, 다음 중 옳은 것은?

① $a>0$ ② $b<0$
③ $c<0$ ④ $ac<0$
⑤ $a-b+c<0$

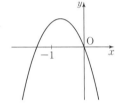

04 이차함수 $y=ax^2+bx+c$의 그래프가 오른쪽 그림과 같을 때, 다음 중 옳은 것은?

① $ab>0$
② $bc>0$
③ $ca>0$
④ $4a-2b+c>0$
⑤ $4a+2b+c<0$

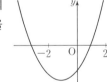

05 이차함수 $y=a(x-b)^2+c$의 그래프가 오른쪽 그림과 같을 때, 이차함수 $y=cx^2+bx+a$의 그래프가 절대로 지날 수 <u>없는</u> 사분면을 말하시오.

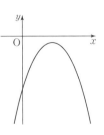

01 다음 중 이차함수인 것을 모두 고르면? (정답 2개)

① $y=x+1$

② $y=x(x+1)$

③ $y=2x^2+3-2(x^2+1)$

④ $y=\dfrac{1}{x^2}$

⑤ $y=\dfrac{1}{2}x(x+1)$

02 이차함수 $y=f(x)$에서 $f(x)=x^2+1$일 때, $f(1)+f(-1)$의 값을 구하시오.

03 다음 중 이차함수 $y=-x^2$의 그래프에 대한 설명으로 옳은 것을 모두 고르면? (정답 2개)

① 위로 볼록하다.

② x의 값이 증가하면 y의 값도 증가한다.

③ x축에 대하여 대칭이다.

④ 점 $\left(-\dfrac{1}{3},\ \dfrac{1}{9}\right)$을 지난다.

⑤ 원점을 지나는 포물선이다.

04 이차함수 $y=ax^2$의 그래프가 두 점 $(-4,\ 8)$, $(k,\ 2)$를 지날 때, 두 상수 a, k에 대하여 ak의 값을 구하시오. (단, $k>0$)

05 오른쪽 그림은 이차함수 $y=a(x-b)^2$의 그래프이다. 이때 $a+b$의 값은? (단, a, b는 상수)

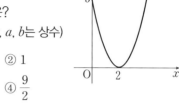

① 0

② 1

③ $\dfrac{8}{3}$

④ $\dfrac{9}{2}$

⑤ $\dfrac{13}{4}$

06 다음 이차함수의 그래프 중 위로 볼록하면서 폭이 가장 넓은 것은?

① $y=\dfrac{1}{2}x^2$

② $y=x^2$

③ $y=3x^2$

④ $y=-\dfrac{1}{3}x^2$

⑤ $y=-2x^2$

07 이차함수 $y=ax^2+q$의 그래프는 $y=\dfrac{1}{4}x^2-2$의 그래프와 x축에 대하여 대칭이고 점 $(-4,\ b)$를 지난다. 이때 세 상수 a, b, q에 대하여 abq의 값은?

① -4

② -1

③ 0

④ 1

⑤ 4

08 이차함수 $y=2x^2+1$의 그래프를 x축의 방향으로 m만큼, y축의 방향으로 n만큼 평행이동시켰더니 $y=2(x-2)^2+4$의 그래프가 되었다. 이때 m, n의 값은?

① $m=-2,\ n=3$

② $m=-2,\ n=4$

③ $m=2,\ n=3$

④ $m=2,\ n=4$

⑤ $m=2,\ n=5$

09 이차함수 $y=(a-1)(x-2)^2+a^2-6a+6$의 그래프
의 꼭짓점의 y좌표가 1일 때, 상수 a의 값을 구하시오.

10 일차함수 $y=ax+b$의 그래프
가 오른쪽 그림과 같을 때, 다음
중 이차함수 $y=(x-a)^2+b$의
그래프가 될 수 있는 것을 모두
고르면? (정답 2개)

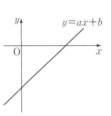

①   ②

③   ④

⑤

11 오른쪽 그림과 같은 이차함수
$y=-(x-2)^2+6$의 그래프
에서 △ABC의 넓이를 구하시
오. (단, 점 A는 꼭짓점이다.)

12 이차함수 $y=x^2-3x+a$의 그래프의 꼭짓점의 y좌표
는 0보다 크다. 이 그래프가 점 (a, a)를 지날 때, 상수
a의 값을 구하시오.

13 이차함수 $y=-x^2+14x+a$의 그래프는 x축과 두 점
에서 만나고 그 중에서 한 점의 좌표는 $(6, 0)$이다. 이
때 다른 한 점의 좌표는?

① $(-8, 0)$ ② $(-5, 0)$ ③ $(4, 0)$
④ $(5, 0)$ ⑤ $(8, 0)$

14 세 점 $(5, 0)$, $(0, -5)$, $(4, 3)$을 지나는 이차함수의 그
래프의 축의 방정식은?

① $x=-3$ ② $x=-2$ ③ $x=1$
④ $x=2$ ⑤ $x=3$

15 오른쪽 그림은 이차함수
$y=ax^2+bx+c$의 그래프이
다. 이때 a, b, c의 부호를 각각
말하시오.

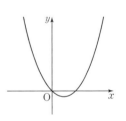

16 이차함수 $y=ax^2+bx+c$의 그래프의 꼭짓점이 제4사
분면 위에 있다. $a>0$, $c>0$일 때, 이 이차함수의 그래
프가 지나지 <u>않는</u> 사분면은?

① 제1사분면 ② 제2사분면
③ 제3사분면 ④ 제4사분면
⑤ 모든 사분면을 지난다.

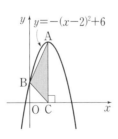

17 이차함수 $y=-\dfrac{1}{3}x^2+4x+k$의 그래프의 꼭짓점이 제 4사분면 위에 있을 때, 상수 k의 값의 범위는?

① $k<-12$ ② $k>-12$ ③ $k<0$
④ $k<12$ ⑤ $k>12$

18 이차함수 $y=x^2-4x+10$의 그래프의 꼭짓점을 A라 하고 이차함수 $y=x^2+x$의 그래프와 직선 $y=12$의 두 교점을 B, C라고 할 때, $\triangle ABC$의 넓이를 구하시오.

19 이차함수 $y=ax^2+bx+c$의 그래프가 오른쪽 그림과 같을 때, 다음 중 옳은 것은?

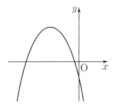

① $a>0$ ② $ab<0$
③ $c>0$ ④ $ac>0$
⑤ $abc>0$

20 이차함수 $y=ax^2-bx-2$의 그래프가 오른쪽 그림과 같을 때, 일차함수 $y=ax+b$의 그래프가 지나지 <u>않는</u> 사분면은?

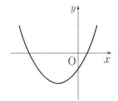

① 제1사분면
② 제2사분면
③ 제3사분면
④ 제4사분면
⑤ 모든 사분면을 지난다.

21 이차함수 $y=a(x+p)^2-q$의 그래프가 제 1, 2, 3사분면만을 지날 때, 세 상수 a, p, q의 부호를 각각 말하시오.

22 오른쪽 그림은 직선 $x=4$ 를 축으로 하는 이차함수 $y=\dfrac{3}{16}x^2+bx+c$의 그래프이다. 이때 이 그래프의 꼭짓점의 좌표는?

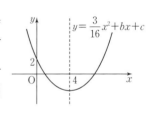

① $\left(4,\ -\dfrac{5}{2}\right)$ ② $(4,\ -2)$ ③ $\left(4,\ -\dfrac{3}{2}\right)$

④ $(4,\ -1)$ ⑤ $\left(4,\ -\dfrac{1}{2}\right)$

23 다음 두 이차함수의 그래프의 꼭짓점이 일치할 때, 두 정수 a, b의 값을 구하시오.

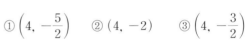

$$y=2x^2-4ax+4a^2-2b-10$$
$$y=-x^2+3bx-2b^2+a$$

24 오른쪽 그림과 같이 이차함수 $y = -\dfrac{1}{2}x^2$의 그래프와 직선 $y = -6$으로 둘러싸인 부분에 내접하는 정사각형 ABCD의 넓이를 구하시오.

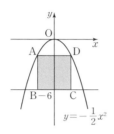

26 이차함수 $y = -4x^2 + x + k$의 그래프가 다음 두 조건을 만족시킬 때, 상수 k의 값을 구하시오.

> ⑺ y축과 만나는 점의 y좌표는 0보다 작다.
> ⑻ 점 $(k, -k^2 - 16)$을 지난다.

25 이차함수 $y = -(x + a)^2 + 2a + 2$의 그래프의 꼭짓점을 지나고 기울기가 -2인 직선을 그래프로 하는 일차함수의 식을 구하시오.

27 이차함수 $y = x^2 - 2x + a$의 그래프가 x축과 만나는 두 점을 각각 A, B라고 하면 $\overline{AB} = 8$이다. 이때 상수 a의 값을 구하시오.

28 이차함수 $y=x^2+2x-7$의 그래프의 꼭짓점의 좌표가 (p, q)이고 이 그래프와 y축이 만나는 점의 y좌표가 r일 때, 다음 물음에 답하고 그 과정을 서술하시오.

(1) p, q의 값을 구하시오.
(2) r의 값을 구하시오.
(3) $p+q-r$의 값을 구하시오.

30 y축을 축으로 하고 y축과 만나는 점의 y좌표가 3인 이차함수의 그래프가 두 점 $(5, -22)$, $(2, k)$를 지난다고 한다. 이때 k의 값을 구하고 그 과정을 서술하시오.

29 오른쪽 그림과 같이 이차함수 $y=x^2+2x-8$의 그래프의 꼭짓점을 A, 그래프와 x축이 만나는 두 점을 각각 B, C라고 할 때, △ACB의 넓이를 구하고 그 과정을 서술하시오.

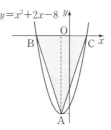

31 오른쪽 그림은 이차함수 $y=x^2-4$의 그래프와 x축에 대하여 대칭인 그래프를 나타낸 것이다. 두 점 C, A는 각각의 꼭짓점이고 두 점 B, D는 x축과의 교점일 때, □ABCD의 넓이를 구하고 그 과정을 서술하시오.

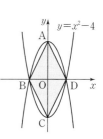

MEMO

대단원 모의고사   Ⅰ 실수와 그 계산

01 $\sqrt{81}$의 음의 제곱근을 a, $\sqrt{16}$의 양의 제곱근을 b라고 할 때, ab의 값은? [3점]

① -6 ② -3 ③ 2
④ 3 ⑤ 6

02 다음 보기 중 옳은 것을 모두 고른 것은? [3점]

ㄱ. 0의 제곱근은 없다.
ㄴ. -4의 제곱근은 1개다.
ㄷ. $(-2)^2$의 제곱근은 2개다.
ㄹ. 1.44의 제곱근은 2개이고, 두 제곱근의 합은 0이다.

① ㄱ, ㄷ   ② ㄱ, ㄹ   ③ ㄴ, ㄷ
④ ㄴ, ㄹ   ⑤ ㄷ, ㄹ

03 $a>0$일 때, 다음 중 옳지 <u>않은</u> 것은? [3점]

① $\sqrt{a^2}=a$
② $\sqrt{(-a)^2}=-a$
③ $(\sqrt{a})^2=a$
④ $-\sqrt{a^2}=-a$
⑤ $(-\sqrt{a})^2=a$

04 다음 중 올바르게 계산한 것은? [3점]

① $(-\sqrt{6})^2 \times (-\sqrt{3^2})=18$
② $\sqrt{49} \div (-\sqrt{7})^2=-1$
③ $-\left(\sqrt{\dfrac{1}{2}}\right)^2 + \sqrt{\left(-\dfrac{3}{2}\right)^2}=1$
④ $(-\sqrt{5})^2 - \sqrt{4^2}=-9$
⑤ $\sqrt{(-3)^2} + \sqrt{16}=13$

05 a가 자연수일 때, $\sqrt{\dfrac{147}{a}}$이 정수가 되도록 하는 a의 값 중 가장 작은 값은? [4점]

① 1 ② 2 ③ 3
④ 7 ⑤ 9

06 $\sqrt{12-x}$가 자연수가 되도록 하는 모든 자연수 x의 값의 합은? [4점]

① 19 ② 20 ③ 21
④ 22 ⑤ 23

07 다음 중 두 수의 대소 관계가 옳은 것은? [3점]

① $\sqrt{3}>2$
② $-4>-\sqrt{15}$
③ $\sqrt{\dfrac{2}{3}}<\sqrt{\dfrac{3}{4}}$
④ $-\sqrt{\dfrac{1}{2}}>-\sqrt{\dfrac{1}{3}}$
⑤ $\sqrt{\dfrac{1}{3}}<0.1$

08 다음 설명 중 옳은 것은? [3점]

① 무한소수는 모두 무리수이다.
② 근호를 써서 나타낸 수는 무리수이다.
③ 유리수를 소수로 나타내면 유한소수가 된다.
④ 정수나 유한소수로 나타낼 수 없는 수는 무리수이다.
⑤ 무리수를 소수로 나타내면 순환하지 않는 무한소수가 된다.

09 다음 그림에서 두 사각형 ABCD, AEFG는 모두 정사각형이고 $\overline{AD}=\overline{AP}$, $\overline{AE}=\overline{AQ}$이다. 두 점 P, Q에 대응하는 수를 각각 a, b라고 할 때, $(a+2)^2+(b+2)^2$의 값을 구하시오. [4점]

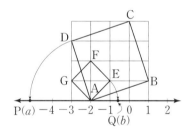

10 $\sqrt{(4-\sqrt{15})^2}-\sqrt{(\sqrt{15}-4)^2}$을 간단히 하면? [4점]

① $-2\sqrt{15}$　　② -8　　③ 0
④ 8　　⑤ $2\sqrt{15}$

11 $\sqrt{5}\sqrt{10}\sqrt{15}=a\sqrt{b}$일 때, $a+b$의 값은? (단, b는 가장 작은 자연수가 되도록 한다.) [3점]

① 20　　② 25　　③ 30
④ 35　　⑤ 40

12 $\dfrac{\sqrt{12}}{\sqrt{5}}\div\dfrac{\sqrt{2}}{\sqrt{15}}$를 간단히 하였더니 $a\sqrt{2}$일 때, a의 값은? [3점]

① 2　　② 3　　③ 5
④ 6　　⑤ 10

13 $\dfrac{\sqrt{3}}{2}\times\dfrac{\sqrt{6}}{\sqrt{5}}\div\dfrac{\sqrt{15}}{\sqrt{8}}=a\sqrt{b}$일 때, $10a+b$의 값은? (단, b는 가장 작은 자연수가 되도록 한다.) [4점]

① 7　　② 9　　③ 11
④ 13　　⑤ 15

14 부피가 $12\sqrt{2}$ cm³인 직육면체의 높이가 $2\sqrt{3}$ cm, 세로의 길이가 $3\sqrt{3}$ cm일 때, 가로의 길이를 구하시오. [5점]

15 $\dfrac{3}{\sqrt{24}}=a\sqrt{6}$, $\dfrac{3}{\sqrt{12}}=b\sqrt{3}$일 때, ab의 값은? [4점]

① 1　　　　② $\dfrac{1}{2}$　　　　③ $\dfrac{1}{4}$

④ $\dfrac{1}{8}$　　　　⑤ $\dfrac{1}{16}$

18 $6\sqrt{2}-2a+8+3\sqrt{2a}$의 값이 유리수가 되도록 하는 유리수 a의 값은? [5점]

① -1　　　　② -2　　　　③ -3

④ -4　　　　⑤ -5

19 $\dfrac{2}{\sqrt{3}}+\dfrac{12}{\sqrt{27}}-\dfrac{2\sqrt{2}}{\sqrt{6}}=A\sqrt{3}$일 때, 유리수 A의 값을 구하시오. [5점]

16 다음 제곱근표를 이용하여 $\sqrt{1.92}+\sqrt{1.64}$를 어림한 값을 구하시오. [4점]

수	0	1	2	3	4
1.5	1.225	1.229	1.233	1.237	1.241
1.6	1.265	1.269	1.273	1.277	1.281
1.7	1.304	1.308	1.311	1.315	1.319
1.8	1.342	1.345	1.349	1.353	1.356
1.9	1.378	1.382	1.386	1.389	1.393
2.0	1.414	1.418	1.421	1.425	1.428

20 $\sqrt{3}+4\sqrt{7}-\sqrt{12}-\sqrt{63}=a\sqrt{3}+b\sqrt{7}$일 때, 두 유리수 a, b에 대하여 $a+b$의 값은? [5점]

① -2　　　　② -1　　　　③ 0

④ 1　　　　⑤ 2

17 다음 중 계산 결과가 <u>다른</u> 하나는? [4점]

① $\dfrac{2}{\sqrt{2}}$　　　　② $\sqrt{18}-\sqrt{8}$　　　③ $\sqrt{0.5}$

④ $\sqrt{10-8}$　　　　⑤ $\sqrt{50}+\sqrt{2}-\dfrac{10}{\sqrt{2}}$

21 $\dfrac{6}{\sqrt{2}}(\sqrt{2}+\sqrt{3})-\dfrac{\sqrt{27}-\sqrt{72}}{\sqrt{3}}$ 를 간단히 하면? [4점]

① $3+\sqrt{6}$　　　② $3+5\sqrt{6}$　　　③ $-3+5\sqrt{6}$

④ $3-5\sqrt{6}$　　　⑤ $3+\sqrt{3}-2\sqrt{6}$

서술형

22 두 유리수 a, b에 대하여 $ab<0$, $b-a<0$일 때, 다음 식을 간단히 하고 그 과정을 서술하시오. [5점]

$$\sqrt{a^2}+\sqrt{(-b)^2}-\sqrt{(a-b)^2}+\sqrt{(2b-a)^2}$$

24 $\sqrt{288}=a\sqrt{2}$, $\dfrac{3}{\sqrt{18}}=\dfrac{\sqrt{2}}{b}$일 때, 다음 물음에 답하고 그 과정을 서술하시오. [5점]

(1) a의 값을 구하시오.

(2) b의 값을 구하시오.

(3) $\sqrt{\dfrac{b}{a}}$의 값을 구하시오.

23 $A=\left\{(-\sqrt{8})^2-\sqrt{\dfrac{1}{4}}\right\}\times\left(\sqrt{\dfrac{2}{3}}\right)^2\div\sqrt{\left(-\dfrac{1}{3}\right)^2}$일 때, A의 제곱근을 구하고 그 과정을 서술하시오. [5점]

25 밑면의 가로의 길이가 $\sqrt{12}$ cm, 세로의 길이가 $\sqrt{6}$ cm인 직육면체의 부피가 $12\sqrt{5}$ cm³일 때, 이 직육면체의 겉넓이를 구하고 그 과정을 서술하시오. [5점]

01 $(2x+5)^2-(x-3)^2=(3x+a)(bx+8)$일 때, 상수 a, b에 대하여 $a+b$의 값은? [3점]

① 2 　　② 3 　　③ 4
④ 6 　　⑤ 8

02 $(-3x+2y)(x-4y)-2(x+y)^2$을 간단히 하면? [3점]

① $-6x^2+10xy-10y^2$ 　② $-x^2+10xy-10y^2$
③ $-5x^2+8xy-10y^2$ 　④ $-5x^2+10xy-10y^2$
⑤ $-5x^2+16xy-7y^2$

03 $(x+a)(x-3)=x^2-x-b$일 때, 상수 a, b에 대하여 $a-b$의 값을 구하시오. [4점]

04 $321^2-320\times322$의 값은? [3점]

① 1 　　② 12 　　③ 21
④ 312 　　⑤ 321

05 $x=\dfrac{1}{\sqrt{2}+1}$, $y=\dfrac{1}{\sqrt{2}-1}$일 때, $\dfrac{y}{x}+\dfrac{x}{y}$의 값은? [4점]

① 2 　　② 4 　　③ 6
④ 8 　　⑤ 10

06 $a^2-8a-20=(a+A)(a+B)$일 때, $A+B$의 값은? (단, A, B는 상수) [3점]

① -12 　　② -8 　　③ -1
④ 8 　　⑤ 12

07 오른쪽 그림과 같이 넓이가 x^2인 정사각형에서 넓이가 9인 정사각형을 떼어냈을 때, 어두운 부분의 넓이를 두 일차식의 곱으로 나타내시오. [4점]

08 다음 중 1이 아닌 공통인 인수를 가지지 <u>않는</u> 식은? [4점]

① x^2-4　　　　② x^2+x-2

③ $2x^2+3x-2$　　④ x^2-x-6

⑤ x^2-4x+4

09 $15x^2-7x-2=(5x+a)(3x+b)$일 때, $a-b$의 값은? (단, a, b는 상수) [3점]

① -3　　　② -1　　　③ 1

④ 2　　　　⑤ 3

10 부피가 $2x^2-32$이고 높이가 2인 직육면체의 가로의 길이를 a, 세로의 길이를 b라고 할 때, a, b를 x에 대한 식으로 나타내시오. [5점]

11 $23\times76-23\times73$를 인수분해 공식을 이용하여 계산하면? [4점]

① 61　　　② 63　　　③ 67

④ 69　　　⑤ 71

12 다음 보기 중 이차방정식을 모두 고른 것은? [3점]

> **보기**
>
> ㄱ. $(x-1)(x+2)=x^2+3$
>
> ㄴ. $x^2=9$
>
> ㄷ. $(x-3)^2=2$
>
> ㄹ. x^2-4x+3

① ㄱ, ㄴ　　② ㄱ, ㄷ　　③ ㄴ, ㄷ

④ ㄴ, ㄹ　　⑤ ㄴ, ㄷ, ㄹ

13 $x=-1$이 이차방정식 $x^2-ax+12=0$과 $x^2-2x+b=0$의 해일 때, 상수 a, b에 대하여 $a+b$의 값은? [3점]

① -16　　② -15　　③ -14

④ -13　　⑤ -12

14 두 이차방정식 $x^2+2x-8=0$과 $x^2+x-6=0$을 동시에 만족시키는 해는? [4점]

① $x=-4$　　② $x=-3$　　③ $x=1$

④ $x=2$　　　⑤ $x=3$

15 다음 이차방정식 중 중근을 갖지 <u>않는</u> 것은? [4점]

① $x^2-6x+9=0$ ② $4x^2-4x+1=0$

③ $x^2+x=-\dfrac{1}{4}$ ④ $x^2+25=10x$

⑤ $2x^2-4x=6$

16 다음은 이차방정식 $2x^2-7x+4=0$을 완전제곱식을 이용하여 푸는 과정이다. 이때 옳지 <u>않은</u> 것은? [5점]

$$2x^2-7x+4=0$$
$$x^2-\frac{7}{2}x+①=0$$
$$x^2-\frac{7}{2}x+②=-①+②$$
$$(x-③)^2=④$$
$$x=⑤$$

① 2 ② $\dfrac{49}{16}$ ③ $-\dfrac{7}{4}$

④ $\dfrac{17}{16}$ ⑤ $\dfrac{7\pm\sqrt{17}}{4}$

17 이차방정식 $2x^2-4x-3=0$을 풀면 $x=\dfrac{a\pm\sqrt{b}}{2}$일 때, $a+b$의 값은? [3점]

① 10 ② 11 ③ 12
④ 13 ⑤ 14

18 이차방정식 $\dfrac{x(x-1)}{5}=\dfrac{(x+1)(x-3)}{4}$을 푸시오. [4점]

19 x에 대한 이차방정식 $x^2-ax-(a+1)=0$의 x의 계수와 상수항을 서로 바꾸어 풀었더니 한 근이 $x=-2$이었다. 처음 이차방정식의 근을 구하시오. [5점]

20 이차방정식 $(a+2)x^2-(a^2-4)x-2(a+2)=0$의 한 근이 -1일 때, a의 값과 다른 한 근을 더한 값은? [5점]

① -5 ② -1 ③ 0
④ 1 ⑤ 5

21 이차방정식 $2x^2+3ax+a-4=0$의 두 근이 -1, b일 때, $a+b$의 값은? [4점]

① 0 ② $\dfrac{1}{2}$ ③ 1
④ $\dfrac{3}{2}$ ⑤ 2

서술형

22 오른쪽 그림과 같이 세 모서리의 길이가 각각 $x+3$, $x-3$, $2x+1$인 직육면체의 겉넓이를 구하고 그 과정을 서술하시오. (단, $x>3$)

[5점]

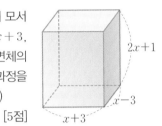

23 인수분해 공식을 이용하여 다음을 계산하고 그 과정을 서술하시오. [5점]

$$1-2^2+3^2-4^2+\cdots+9^2-10^2$$

24 0이 아닌 어떤 정수에 2를 더하고 제곱해야 할 것을 2를 더하고 2배를 하였는데 그 결과가 같았다. 이때 0이 아닌 어떤 정수를 구하고 그 과정을 서술하시오. [5점]

25 오른쪽 그림과 같은 직사각형에서 어두운 부분의 넓이가 45일 때, x의 값을 구하고 그 과정을 서술하시오.

[5점]

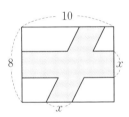

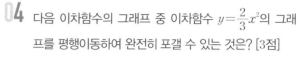
01 스키 선수가 활강을 할 때, x초 후에 내려온 거리를 y m라고 하면 y는 x^2에 정비례한다고 한다. 다음은 경과 시간에 따라 스키 선수가 내려온 거리를 조사하여 나타낸 것이다. [4점]

x(초)	1	2	3	4	…
y(m)	2	8	18	32	…

(1) x, y 사이의 관계를 식으로 나타내시오.
(2) 활강한 거리가 200 m일 때 걸린 시간을 구하시오.

02 이차함수 $y=f(x)$에서 $f(x)=x^2-2x+1$일 때, $f(1)+f(-1)$의 값은? [3점]

① -4 ② -1 ③ 0
④ 1 ⑤ 4

03 다음 그림은 보기의 이차함수의 그래프를 나타낸 것이다. 그래프가 나타내는 이차함수의 식을 보기에서 찾으시오. [4점]

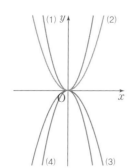

보기

ㄱ. $y=-\dfrac{3}{2}x^2$ ㄴ. $y=-\dfrac{3}{4}x^2$

ㄷ. $y=\dfrac{3}{2}x^2$ ㄹ. $y=\dfrac{3}{4}x^3$

04 다음 이차함수의 그래프 중 이차함수 $y=\dfrac{2}{3}x^2$의 그래프를 평행이동하여 완전히 포갤 수 있는 것은? [3점]

① $y=-\dfrac{3}{2}(x+1)^2$ ② $y=-\dfrac{2}{3}x^2$

③ $y=-\dfrac{2}{3}(x-1)^2+1$ ④ $y=\dfrac{2}{3}x^2+2$

⑤ $y=\dfrac{3}{2}x^2+1$

05 오른쪽 그림은 이차함수 $y=-\dfrac{3}{2}x^2$의 그래프를 x축의 방향으로 평행이동시킨 이차함수의 그래프이다. (1), (2)의 이차함수의 식은? [3점]

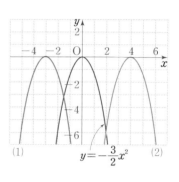

① (1) $y=\dfrac{3}{2}(x+3)^2$ (2) $y=\dfrac{3}{2}(x-4)^2$

② (1) $y=-\dfrac{3}{2}(x+3)^2$ (2) $y=\dfrac{3}{2}(x-4)^2$

③ (1) $y=-\dfrac{3}{2}(x-3)^2$ (2) $y=\dfrac{3}{2}(x+4)^2$

④ (1) $y=-\dfrac{3}{2}(x+3)^2$ (2) $y=-\dfrac{3}{2}(x-4)^2$

⑤ (1) $y=-\dfrac{3}{2}(x-3)^2$ (2) $y=-\dfrac{3}{2}(x-4)^2$

06 이차함수 $y=ax^2$의 그래프가 오른쪽 그림과 같을 때, 다음 중 상수 a의 값이 될 수 있는 것을 모두 고르면? (정답 2개) [3점]

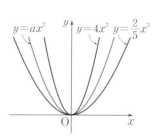

① -3 ② $\dfrac{1}{5}$ ③ $\dfrac{1}{2}$
④ 3 ⑤ 5

대단원 모의고사

07 다음 중 옳은 것을 모두 고르면? (정답 2개) [4점]

① 이차함수 $y=-2x^2$의 함숫값의 범위는 $y\geq0$이다.

② 이차함수 $y=x^2-2$의 그래프의 축의 방정식은 $x=0$이다.

③ 이차함수 $y=-2(x-3)^2$의 그래프는 점 $(-3, 0)$을 지난다.

④ 이차함수 $y=2\left(x-\dfrac{1}{2}\right)^2+3$의 그래프는 제3사분면과 제4사분면을 지나지 않는다.

⑤ 이차함수 $y=\dfrac{2}{3}x^2$의 그래프와 x축에 대하여 대칭인 그래프의 식은 $y=-\dfrac{3}{2}x^2$이다.

08 다음 중 이차함수 $y=-x^2+2x+2$의 그래프에 대한 설명으로 옳은 것은? [3점]

① y축과 만나는 점의 좌표는 $(0, 3)$이다.

② 직선 $x=1$을 축으로 한다.

③ 꼭짓점의 좌표는 $(-1, 3)$이다.

④ $x<1$일 때, x의 값이 증가하면 y의 값은 감소한다.

⑤ 이차함수 $y=x^2$의 그래프를 x축의 방향으로 1만큼, y축의 방향으로 3만큼 평행이동한 것이다.

09 이차함수 $y=ax^2+bx+c$의 그래프의 꼭짓점이 제2사분면 위에 있고 $a<0$, $c<0$일 때, 이 이차함수의 그래프가 지나지 <u>않는</u> 사분면은? [4점]

① 제1사분면 　② 제2사분면 　③ 제3사분면

④ 제4사분면 　⑤ 모든 사분면을 지난다.

10 일차함수 $y=ax+b$의 그래프가 오른쪽 그림과 같을 때, 다음 중 이차함수 $y=ax^2-b$의 그래프로 적당한 것은? [4점]

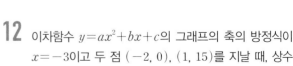

11 이차함수 $y=\dfrac{1}{2}x^2-2x+3$의 그래프에서 x의 값이 증가할 때 y의 값은 감소하는 x의 값의 범위는? [3점]

① $x>-2$ 　② $x<-2$ 　③ $x>2$

④ $x<2$ 　　⑤ $x>0$

12 이차함수 $y=ax^2+bx+c$의 그래프의 축의 방정식이 $x=-3$이고 두 점 $(-2, 0)$, $(1, 15)$를 지날 때, 상수 a, b, c에 대하여 $a+b-c$의 값은? [5점]

① 2 　　② 1 　　③ -1

④ -2 　　⑤ -3

13 함수 $y=(2x+1)^2-x(ax+3)$이 이차함수가 되기 위한 상수 a의 조건은? [3점]

① $a<5$ ② $a>1$ ③ $a>3$
④ $a=4$ ⑤ $a\neq4$

14 일차함수 $y=2x+b$의 그래프가 이차함수 $y=2x^2-8x+6$의 그래프의 꼭짓점을 지날 때, 상수 b의 값은? [4점]

① 2 ② -2 ③ 10
④ -10 ⑤ -6

15 이차함수 $y=x^2-2ax+b$의 그래프의 꼭짓점의 좌표가 $(4, 2)$일 때, 상수 a, b에 대하여 $a+b$의 값은? [4점]

① -2 ② -14 ③ 22
④ 6 ⑤ 4

16 이차함수 $y=-2x^2$의 그래프를 y축의 방향으로 3만큼 평행이동한 그래프가 점 $(1, n)$을 지날 때, 상수 n의 값은? [4점]

① -3 ② -1 ③ 0
④ 1 ⑤ 3

17 다음 이차함수 중 그 그래프가 x축과 서로 다른 두 점에서 만나는 것은? [3점]

① $y=-x^2-6x-17$ ② $y=(x+3)^2+2$
③ $y=-3(x-1)^2-1$ ④ $y=x^2-4x+4$
⑤ $y=-2(x+1)^2+3$

18 오른쪽 그림과 같은 이차함수의 그래프가 점 $(p, 8)$을 지날 때, p의 값을 모두 구하시오.

[4점]

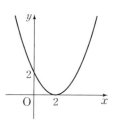

19 이차함수 $y=2x^2-4x+1$의 그래프와 꼭짓점이 같고 위로 볼록한 이차함수의 그래프가 y축과 만나는 점의 좌표가 $(0, -2)$라고 할 때, 이 이차함수의 식을 구하시오. [5점]

III 이차함수

대단원 모의고사

20 오른쪽 그림은 이차함수 $y=-x^2+ax+b$의 그래프이다. 이 그래프의 꼭짓점의 좌표를 구하시오. (단, a, b는 상수) [5점]

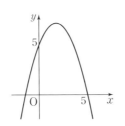

21 이차함수 $y=x^2+bx+c$의 그래프가 세 점 $(2, 0)$, $(4, 0)$, $(3, k)$를 지난다고 할 때, b, c, k의 값을 구하시오. (단, b, c는 상수) [5점]

서술형

22 이차함수 $y=ax^2+bx+c$의 그래프가 오른쪽 그림과 같을 때, 상수 a, b, c의 값을 구하고 그 과정을 서술하시오. [5점]

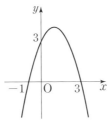

23 오른쪽 그림은 이차함수 $y=-x^2+5$의 그래프이다. 점 C의 좌표가 $(k, 0)$이고, □ABCD가 직사각형일 때, 다음 물음에 답하시오. [5점]

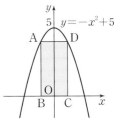

(1) □ABCD의 둘레의 길이를 k에 대한 식으로 나타내시오.

(2) □ABCD의 둘레의 길이가 12일 때 점 C의 좌표를 구하시오.

24 이차함수 $y=x^2+4x$의 그래프의 꼭짓점을 A라 하고, $y=x^2+4x$의 그래프와 직선 $y=5$의 교점을 B, C라고 할 때, △ABC의 넓이를 구하시오. [5점]

25 오른쪽 그림과 같이 두 점 A, B는 이차함수 $y=\frac{1}{2}x^2$의 그래프 위에 있고, 점 C는 y축 위에 있다. □AOBC가 정사각형일 때, □AOBC의 넓이를 구하시오. [5점]

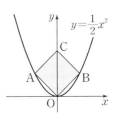

나만의 학습 **노**하우,
수학에 자신감을 갖는 학습 비법!

나만의 노하우

나노

나만의 노하우

중학 **수학** 3-1

정답 및 해설

알기 쉬운 내용 정리와 **다양한** 문제 풀이로 완성하는
나만의 학습 노하우 나노!!

개념편

정답 및 해설

I 실수와 그 계산

1. 제곱근과 실수

01 제곱근과 그 성질

1 (2) $5^2=25$, $(-5)^2=25$이므로 25의 제곱근은 5, -5이다.
답 (1) 9, 9, 3, -3 (2) 5, -5 (3) 4, 2, -2

1-1 (1) $81=9^2=(-9)^2$이므로 81의 제곱근은 ±9이다.

(2) $\dfrac{9}{49}=\left(\dfrac{3}{7}\right)^2=\left(-\dfrac{3}{7}\right)^2$이므로 $\dfrac{9}{49}$의 제곱근은

$\pm\dfrac{3}{7}$이다.

(3) $4^2=16$이고, $16=4^2=(-4)^2$이므로 4^2의 제곱근은
±4이다.

(4) $(-6)^2=36$이고, $36=6^2=(-6)^2$이므로 $(-6)^2$의
제곱근은 ±6이다.

답 (1) ±9 (2) $\pm\dfrac{3}{7}$ (3) ±4 (4) ±6

2 음수의 제곱근은 없다
답 ⑤

2-1 ① $a=0$이면 제곱근을 1개 가진다.
답 ①

3 **답** (1) $\pm\sqrt{11}$ (2) $-\sqrt{7}$ (3) $\sqrt{\dfrac{1}{3}}$ (4) $\sqrt{0.3}$

3-1 ② 제곱근 3은 제곱하여 3이 되는 양수를 뜻하므로 $\sqrt{3}$이다.

참고 (제곱근 a)=(루트 a)=(양의 제곱근 a)=$\sqrt{a}$
a의 제곱근=$\pm\sqrt{a}$

답 ②

4 (1) 2

(2) '25^2의 제곱근'은 제곱하여 25^2이 되는 수를 뜻하므로
±25이다.

(3) $\dfrac{1}{49}=\left(\dfrac{1}{7}\right)^2$이므로 $\sqrt{\dfrac{1}{49}}=\dfrac{1}{7}$이다.

(4) $0.01=(0.1)^2$이므로 0.01의 음의 제곱근은 -0.1
이다.

답 풀이 참조

4-1 ① $\sqrt{0.\dot{4}}=\sqrt{\dfrac{4}{9}}=\sqrt{\left(\dfrac{2}{3}\right)^2}=\dfrac{2}{3}$

② $\sqrt{(-2)^2}=2$

④ $\sqrt{\dfrac{4}{49}}=\sqrt{\left(\dfrac{2}{7}\right)^2}=\dfrac{2}{7}$

답 ③, ⑤

5 **답** (1) 2 (2) 5 (3) 4 (4) 7 (5) $-\dfrac{2}{3}$ (6) -3

5-1 (1) $\sqrt{36}+\sqrt{25}=\sqrt{6^2}+\sqrt{5^2}=6+5=11$

(2) $\sqrt{13^2}-(-\sqrt{9})^2=13-9=4$

(3) $\sqrt{4}\times\sqrt{64}=\sqrt{2^2}\times\sqrt{8^2}=2\times8=16$

(4) $\sqrt{49}\div(-\sqrt{7^2})=7\div(-7)=-1$

답 (1) 11 (2) 4 (3) 16 (4) -1

6 (1) $a-2$ $\boxed{\geq}$ 0이므로 $\sqrt{(a-2)^2}=\boxed{a-2}$이다.

(2) $a-2<0$이므로 $\sqrt{(a-2)^2}=-(\boxed{a-2})=\boxed{-a+2}$
이다.

답 (1) $\geq$, $a-2$ (2) $a-2$, $-a+2$

6-1 주어진 식에 $a=-1$을 대입하면
$\sqrt{(a-1)^2}-\sqrt{(a+2)^2}=\sqrt{(-2)^2}-\sqrt{1^2}=2-1=1$

답 1

7 (1) $20=2^2\times5$이므로 $\sqrt{20x}$가 자연수가 되려면 $20x$가 어떤 자연수의 제곱이어야 한다.
따라서 가장 작은 자연수 x는 5이다.

(2) $45=3^2\times5$이므로 $\sqrt{\dfrac{45}{x}}$가 자연수가 되려면 $\dfrac{45}{x}$가 어떤 자연수의 제곱이어야 한다.
따라서 가장 작은 자연수는 x는 5이다.

(3) $0.6=\dfrac{3}{5}$이므로 $\sqrt{0.6x}$가 자연수가 되려면 $0.6x$가 어떤 자연수의 제곱이어야 한다.
따라서 $x=5\times3=15$이다.

답 (1) 5 (2) 5 (3) 15

7-1 $72=2^3\times3^2$이므로 $\sqrt{\dfrac{72}{x}}$가 자연수가 되려면 $\dfrac{72}{x}$가 어떤 자연수의 제곱이어야 한다.
그러므로 x가 72의 약수이면서 $2\times$(자연수의 제곱)의 형태이어야 한다.
따라서 가능한 x는 2, 2×2^2, 2×3^2, $2\times(2\times3)^2$이므로
그 합은 $2+8+18+72=100$이다.

답 100

8 (1) $\sqrt{7-x}$가 자연수가 되려면 $7-x$는 어떤 자연수의 제곱
이어야 한다.

x는 자연수이므로 7보다 작은 자연수의 제곱인 수는 4, 1이다.

따라서 $7-x=4$, $7-x=1$이므로 가장 작은 자연수 x는 3이다.

(2) $\sqrt{x+2}$가 자연수가 되려면 $x+2$는 어떤 자연수의 제곱이어야 한다.

x는 자연수이므로 2보다 큰 자연수의 제곱인 수는 4, 9, 16, $\cdots$이다.

따라서 $x+2=4$, $x+2=9$, $x+2=16$, $\cdots$이므로 가장 작은 자연수는 x는 2이다.

답 (1) 3 (2) 2

8-1 (1) $\sqrt{18-2x}$가 자연수가 되려면 $18-2x$는 어떤 자연수의 제곱이어야 한다.

x는 자연수이므로 18보다 작은 자연수의 제곱인 수는 16, 9, 4, 1이다.

따라서 $18-2x=16$에서 $2x=2$이므로 가장 작은 자연수 x는 1이다.

(2) $\sqrt{5+x}$가 자연수가 되려면 $5+x$는 어떤 자연수의 제곱이어야 한다.

x는 자연수이므로 5보다 큰 자연수의 제곱인 수는 9, 16, 25, $\cdots$이다.

따라서 $5+x=9$이므로 가장 작은 자연수는 x는 4이다.

답 (1) 1 (2) 4

P.10

9 (1) $3=\sqrt{9}$이므로 $\sqrt{8}\boxed{<}3$이다.

(2) $4=\sqrt{16}$이므로 $4\boxed{<}\sqrt{20}$이다.

(3) $9=\sqrt{81}$이므로 $-9\boxed{=}-\sqrt{81}$이다.

(4) $0.1=\sqrt{0.01}$이므로 $0.1\boxed{<}\sqrt{0.1}$이다.

답 (1) < (2) < (3) = (4) <

9-1 $x=\sqrt{16}$이므로 $y<x<z$이다.

③ $x>y$이므로 $-x<-y$이다.

⑤ $z>x$이므로 $-z<-x$이다.

답 ⑤

10 (1) $\sqrt{x}>2$의 양변을 제곱하면 $x>4$이므로 x는 5, 6, 7, 8, 9, 10이다.

(2) $x\leq\sqrt{40}$이므로 x는 제곱하여 40보다 작은 자연수이다.

따라서 x는 1, 2, 3, 4, 5, 6이다.

답 (1) 5, 6, 7, 8, 9, 10 (2) 1, 2, 3, 4, 5, 6

10-1 $\sqrt{3x}\leq10$의 양변을 제곱하면 $3x\leq100$이므로

$x\leq\dfrac{100}{3}=33.333\cdots$이다.

따라서 부등식을 만족시키는 자연수 x의 개수는 33이다.

답 33

실력 다지기

PP.11~12

01 (1) 제곱근 (2) 2, 1 **02** ② **03** ② **04** ④

05 $\sqrt{\dfrac{1}{4}}$, $\sqrt{\left(-\dfrac{1}{3}\right)^2}$, $-\dfrac{1}{5}$, $-\dfrac{1}{2}$ **06** ③

07 풀이 참조 **08** 10 **09** ⑤

10 풀이 참조

02 ② 양수의 제곱근은 양수와 음수 2개이다.

03 ② 제곱근 7은 제곱하여 7이 되는 양수를 뜻하므로 $\sqrt{7}$이다.

04 ① $\sqrt{(-4)^2}=\sqrt{16}=4$ ② $\sqrt{4^2}=4$ ③ $-\sqrt{4^2}=-2$

⑤ $\left\{-\sqrt{(-4)^2}\right\}^2=(-4)^2=16$

05 $\sqrt{\left(-\dfrac{1}{3}\right)^2}=\dfrac{1}{3}$, $\sqrt{\dfrac{1}{4}}=\sqrt{\left(\dfrac{1}{2}\right)^2}=\dfrac{1}{2}$, $-\sqrt{\left(\dfrac{1}{5}\right)^2}=-\dfrac{1}{5}$

이므로 큰 수부터 차례로 나열하면

$\sqrt{\dfrac{1}{4}}$, $\sqrt{\left(-\dfrac{1}{3}\right)^2}$, $-\sqrt{\left(\dfrac{1}{5}\right)^2}$, $-\dfrac{1}{2}$이다.

06 ① $a-1<0$이므로 $\sqrt{(a-1)^2}=-(a-1)=1-a$이다.

② $b-2>0$이므로 $\sqrt{(b-2)^2}=b-2$이다.

③ $1-a>0$이므로 $\sqrt{(1-a)^2}=1-a$이다.

④ $2-b<0$이므로

$-\sqrt{(2-b)^2}=-\{-(2-b)\}=2-b$이다.

⑤ $a-1<0$이므로 $a-3<0$이고

$\sqrt{(a-3)^2}=-(a-3)=3-a$이다.

07 $a<6$이므로 $a-6<0$, $6-a>0$이다. $\cdots\cdots$ ❶

따라서

$\sqrt{(a-6)^2}+\sqrt{(6-a)^2}=-(a-6)+(6-a)$

$=-a+6+6-a$

$=12-2a$ $\cdots\cdots$ ❷

단계	채점 기준	배점 비율
❶	$a-6$과 $6-a$가 0보다 큰지 작은지를 확인한다.	60 %
❷	식을 간단하게 나타낸다.	40 %

08 $\sqrt{32+a}=b$에서 a, b가 모두 자연수이므로 $32+a$는 어떤 자연수의 제곱이며, a가 한 자리의 자연수이므로 $32+a$는 33 이상 41 이하이다.

이 중 자연수의 제곱은 36뿐이므로 $32+a=36$이다.

따라서 $a=4$, $b=\sqrt{36}=6$이므로
$a+b=4+6=10$이다.

09 $\sqrt{x}<4$의 양변을 제곱하면 $x<16$이다.
따라서 부등식을 만족시키는 자연수 x의 개수는 15이다.

10 주어진 부등식의 양변을 각각 제곱하면
$x+1<9$, $y-1\le16$에서 $x<8$, $y\le17$이다. ...... ❶
이때 x, y가 모두 자연수이므로 x의 최댓값은 7, y의 최댓값은 17이다. ...... ❷
따라서 $x+y$의 최댓값은 $7+17=24$이다. ...... ❸

단계	채점 기준	배점 비율
❶	부등식의 양변을 제곱하여 x, y의 값의 범위를 구한다.	40 %
❷	x, y가 자연수임을 이용하여 x, y의 최댓값을 구한다.	40 %
❸	$x+y$의 최댓값을 구한다.	20 %

02 무리수와 실수

P.13

1 ㄴ. $-\sqrt{49}=-\sqrt{7^2}=-7$
ㅁ. $-0.12\dot{3}$는 순환소수이므로 유리수이다.
따라서 무리수는 ㄱ, ㄷ, ㄹ이다.

답 ㄱ, ㄷ, ㄹ

1-1 무리수가 아닌 수는 유리수이다.
3, -9.1은 모두 유한소수이므로 유리수이고,
$-\sqrt{\dfrac{1}{4}}=-\dfrac{1}{2}$이므로 유리수이다.
따라서 유리수가 아닌 것의 개수는 3이다.

답 ④

2 ② 무한소수 중에서 순환소수는 유리수이다.
④ 유리수를 소수로 나타내면 유한소수 또는 순환소수이다.

답 ②, ④

2-1 ㄴ. 무한소수 중 순환소수는 유리수이다.
ㄹ. 순환소수는 유리수이지만 유한소수가 아니다.

답 ㄱ, ㄷ

P.14

3 ③ 1과 2 사이에는 자연수가 존재하지 않는다.

답 ③

3-1 ① 1과 2 사이에는 정수가 존재하지 않는다.
②, ③ 수직선에는 유리수와 무리수가 모두 있으므로 어느 하나만으로는 수직선을 완전히 메울 수 없다.
④, ⑤ 서로 다른 두 실수 사이에는 무수히 많은 유리수와 무수히 많은 무리수가 있다.

답 ④, ⑤

4 $\overline{AB}$는 직각을 이루는 두 변의 길이가 각각 1, 2인 직각삼각형의 빗변이므로 그 길이는 $\sqrt{1^2+2^2}=\sqrt{5}$이다.
이때 $\overline{AB}=\overline{AQ}$이므로 점 Q에 대응하는 수는 $0+\sqrt{5}=\sqrt{5}$이다.

답 $\sqrt{5}$

4-1 $\overline{AB}$는 직각을 이루는 두 변의 길이가 각각 2, 3인 직각삼각형의 빗변이므로 그 길이는 $\sqrt{2^2+3^2}=\sqrt{13}$이다.
이때 점 A에 대응하는 수가 5이고 $\overline{AB}=\overline{AP}$이므로 점 P에 대응하는 수는 $5-\sqrt{13}$이다.

답 ④

P.15

5 (1) $(3-\sqrt{2})-(\sqrt{8}-2)=3-\sqrt{2}-2\sqrt{2}+2=5-3\sqrt{2}$
$=\sqrt{25}-\sqrt{18}>0$
이므로 $3-\sqrt{2}>\sqrt{8}-2$이다.
(2) $-2+\sqrt{3}-0=\sqrt{3}-\sqrt{4}<0$
이므로 $-2+\sqrt{3}<0$이다.
(3) $(7-\sqrt{41})-(\sqrt{50}-\sqrt{41})=7-\sqrt{41}-\sqrt{50}+\sqrt{41}$
$=\sqrt{49}-\sqrt{50}<0$
이므로 $7-\sqrt{41}<\sqrt{50}-\sqrt{41}$이다.
(4) $-\sqrt{\dfrac{1}{3}}-\left(-\dfrac{1}{3}\right)=-\sqrt{\dfrac{1}{3}}+\dfrac{1}{3}=\sqrt{\dfrac{1}{9}}-\sqrt{\dfrac{1}{3}}<0$
이므로 $-\sqrt{\dfrac{1}{3}}<-\dfrac{1}{3}$이다.

답 (1) > (2) < (3) < (4) <

5-1 ① $(2+\sqrt{2})-3=-1+\sqrt{2}=-\sqrt{1}+\sqrt{2}>0$이므로
$2+\sqrt{2}>3$이다.
② $-\sqrt{5}-(-2)=-\sqrt{5}+2=-\sqrt{5}+\sqrt{4}<0$이므로
$-\sqrt{5}<-2$이다.
③ $(-2-\sqrt{3})-(-3)=1-\sqrt{3}=\sqrt{1}-\sqrt{3}<0$이므로
$-2-\sqrt{3}<-3$이다.
④ $3-(\sqrt{15}-1)=4-\sqrt{15}=\sqrt{16}-\sqrt{15}>0$이므로
$3>\sqrt{15}-1$이다.
⑤ $\left(\sqrt{\dfrac{1}{2}}-1\right)-\left(\sqrt{\dfrac{2}{3}}-1\right)=\sqrt{\dfrac{1}{2}}-\sqrt{\dfrac{2}{3}}<0$이므로
$\sqrt{\dfrac{1}{2}}-1<\sqrt{\dfrac{2}{3}}-1$이다.

답 ②, ④

6 ① $(\sqrt{6}-2)-1=\sqrt{6}-3=\sqrt{6}-\sqrt{9}<0$이므로
  $\sqrt{6}-2<1$이다.
② $\sqrt{3}>\sqrt{1}=1$
③ $(3-\sqrt{2})-1=2-\sqrt{2}=\sqrt{4}-\sqrt{2}>0$이므로
  $3-\sqrt{2}>1$이다.
④ $(\sqrt{3}-1)-1=\sqrt{3}-2=\sqrt{3}-\sqrt{4}<0$이므로
  $\sqrt{3}-1<1$이다.
⑤ $(-1+\sqrt{6})-1=\sqrt{6}-2=\sqrt{6}-\sqrt{4}>0$이므로
  $-1+\sqrt{6}>1$이다.

답 ①, ④

6-1 ① $a>25$이므로 $\sqrt{a}>\sqrt{25}=5$이다.
② $a>25$이므로 $a+11>25+11=36$이다.
  따라서 $\sqrt{a+11}>\sqrt{36}=6$이다.
③ $a>25$이므로 $a-1>25-1=24$이다.
  따라서 $\sqrt{a-1}>\sqrt{24}$이다.
④ $a>25$이므로 $\dfrac{a}{5}>\dfrac{25}{5}=5$이다.
  따라서 $\sqrt{\dfrac{a}{5}}>\sqrt{5}$이고, $-\sqrt{\dfrac{a}{5}}<-\sqrt{5}$이다.
⑤ $a>25$이므로 $4a>4\times25=100$이다.
  따라서 $\sqrt{4a}>\sqrt{100}=10$이고, $-\sqrt{4a}<-10$이다.

답 ④

PP.16~17

01 ①	**02** ②, ⑤	**03** ③	**04** ㄱ	**05** ①
06 $1+\sqrt{10}$		**07** 풀이 참조		**08** ②
09 ②	**10** 풀이 참조			

01 $\sqrt{0.\dot{4}}=\sqrt{\dfrac{4}{9}}=\sqrt{\left(\dfrac{2}{3}\right)^2}=\dfrac{2}{3}$이므로 유리수이다.
3.141592는 유한소수이므로 유리수이다.
$\sqrt{25}=\sqrt{5^2}=5$이므로 유리수이다.
$1.\dot{8}\dot{6}$은 순환소수이므로 유리수이다.
$\sqrt{\dfrac{16}{9}}=\sqrt{\left(\dfrac{4}{3}\right)^2}=\dfrac{4}{3}$이므로 유리수이다.
따라서 주어진 수들은 모두 유리수이므로 무리수의 개수는 0이다.

02 무리수가 아닌 실수는 유리수이다.
① π는 무리수이다.
② $-\sqrt{1.96}=-\sqrt{(1.4)^2}=-1.4$이므로 유리수이다.
③ $18=2\times3^2$은 자연수의 제곱이 아니므로 $\sqrt{18}$은 무리수이다.
④ $\dfrac{1}{3}$은 유리수의 제곱이 아니므로 $-\sqrt{\dfrac{1}{3}}$은 무리수이다.

⑤ $\sqrt{\left(-\dfrac{1}{2}\right)^2}=\dfrac{1}{2}$은 유리수이다.
따라서 무리수가 아닌 실수, 즉 유리수는 ②, ⑤이다.

03 순환하지 않는 무한소수는 무리수이다.
① $\dfrac{1}{9}$, ④ 0은 모두 유리수이다.
② $-\sqrt{\dfrac{1}{4}}=-\sqrt{\left(\dfrac{1}{2}\right)^2}=-\dfrac{1}{2}$이므로 유리수이다.
⑤ $\sqrt{\left(-\dfrac{2}{3}\right)^2}=\dfrac{2}{3}$이므로 유리수이다.

04 ㄱ. 무한소수 중 순환소수는 유리수이다.
ㄴ. 근호를 사용하여 나타낸 수 중 $\sqrt{4}=2$, $\sqrt{9}=3$과 같은 수는 무리수가 아니다.
ㄷ. 유한소수로 나타낼 수 없는 수 중 순환소수는 유리수이다.
ㄹ. 유리수를 소수로 나타내면 유한소수 또는 순환소수이다.

05 ① 0과 1 사이에는 정수가 존재하지 않는다.

06 $\overline{CD}=3$, $\overline{AD}=1$이므로 $\overline{AC}=\sqrt{3^2+1^2}=\sqrt{10}$이다.
따라서 점 P에 대응하는 수는 $1+\sqrt{10}$이다.

07 색칠된 정사각형의 한 변은 직각을 이루는 두 변의 길이가 각각 1, 2인 직각삼각형의 빗변이므로 그 길이는
$\sqrt{1^2+2^2}=\sqrt{5}$이다. …… ❶
따라서 점 P에 대응하는 수는 $3-\sqrt{5}$, 점 Q에 대응하는 수는 $3+\sqrt{5}$이다. …… ❷

단계	채점 기준	배점 비율
❶	색칠된 정사각형의 한 변의 길이를 구한다.	40 %
❷	두 점 P, Q에 대응하는 수를 구한다.	60 %

08 ① $(3-\sqrt{3})-2=1-\sqrt{3}<0$이므로 $3-\sqrt{3}<2$이다.
② $(4-\sqrt{8})-1=3-\sqrt{8}=\sqrt{9}-\sqrt{8}>0$이므로 $4-\sqrt{8}>1$이다.
③ $\sqrt{22}-5=\sqrt{22}-\sqrt{25}<0$이므로 $\sqrt{22}<5$이다.
④ $(1+\sqrt{7})-(1+\sqrt{8})=\sqrt{7}-\sqrt{8}<0$이므로 $1+\sqrt{7}<1+\sqrt{8}$이다.
⑤ $6-(\sqrt{5}+3)=3-\sqrt{5}=\sqrt{9}-\sqrt{5}>0$이므로 $6>\sqrt{5}+3$이다.

09 ① $\sqrt{2}+\dfrac{1}{10}=1.414+0.1=1.514$
② $1.\dot{3}=1.333\cdots$
③ $\sqrt{3}-0.1=1.732-0.1=1.632$
⑤ $2<\dfrac{5}{2}<3$이므로 $\sqrt{2}<\sqrt{\dfrac{5}{2}}<\sqrt{3}$이다.
따라서 $\sqrt{2}$와 $\sqrt{3}$ 사이에 있는 수가 아닌 것은 ② $1.\dot{3}$이다.

10 $f(x)$=($\sqrt{x}$보다 크거나 같은 최소의 자연수)이고,
$1=\sqrt{1}$, $2=\sqrt{4}$, $3=\sqrt{9}$, $\cdots$이므로
$f(1)=1$, $f(2)=f(3)=f(4)=2$,
$f(5)=f(6)=\cdots=f(9)=3$, $f(10)=4$이다. $\cdots\cdots$ ❶
따라서
$f(1)+f(2)+f(3)+\cdots+f(10)$
$=1\times1+2\times3+3\times5+4\times1=26$이다. $\cdots\cdots$ ❷

단계	채점 기준	배점 비율
❶	$f(1)$, $f(2)$, $f(3)$, $\cdots$, $f(10)$의 값을 구한다.	70 %
❷	$f(1)+f(2)+f(3)+\cdots+f(10)$의 값을 구한다.	30 %

03 근호를 포함한 식의 계산

P.18

1 (1) $\sqrt{5}\sqrt{6}=\sqrt{5\times6}=\sqrt{30}$

(2) $-\sqrt{2}\sqrt{7}=-\sqrt{2\times7}=-\sqrt{14}$

(3) $\sqrt{\dfrac{8}{15}}\sqrt{\dfrac{21}{16}}=\sqrt{\dfrac{8}{15}\times\dfrac{21}{16}}=\sqrt{\dfrac{7}{10}}$

(4) $\sqrt{2}\sqrt{3}\sqrt{6}=\sqrt{2\times3\times6}=\sqrt{36}=6$

(5) $3\sqrt{5}\times\sqrt{\dfrac{7}{5}}=3\sqrt{5\times\dfrac{7}{5}}=3\sqrt{7}$

(6) $-2\sqrt{7}\times2\sqrt{3}=-2\times2\times\sqrt{7\times3}=-4\sqrt{21}$

답 (1) $\sqrt{30}$ (2) $-\sqrt{14}$ (3) $\sqrt{\dfrac{7}{10}}$ (4) 6 (5) $3\sqrt{7}$ (6) $-4\sqrt{21}$

1-1 답 (1) 2, 2 (2) 10, 10 (3) 3, 54 (4) 5, 125

2 (1) $\sqrt{45}=\sqrt{3^2\times5}=3\sqrt{5}$

(2) $\sqrt{56}=\sqrt{2^2\times14}=2\sqrt{14}$

(3) $-\sqrt{72}=-\sqrt{2^3\times3^2}=-\sqrt{6^2\times2}=-6\sqrt{2}$

(4) $-\sqrt{120}=-\sqrt{2^3\times3\times5}=-\sqrt{2^2\times30}=-2\sqrt{30}$

답 (1) $3\sqrt{5}$ (2) $2\sqrt{14}$ (3) $-6\sqrt{2}$ (4) $-2\sqrt{30}$

2-1 ① $\sqrt{32}=\sqrt{4^2\times2}=4\sqrt{2}$

② $\sqrt{2^2\times7}=2\sqrt{7}$

③ $-4\sqrt{3}=-\sqrt{4^2\times3}=-\sqrt{48}$

④ $\sqrt{(-3)^2\times5}=\sqrt{45}=\sqrt{3^2\times5}=3\sqrt{5}$

⑤ $-\sqrt{(-4)^2\times5}=-\sqrt{4^2\times5}=-4\sqrt{5}$

답 ④

P.19

3 (1) $\dfrac{\sqrt{15}}{\sqrt{3}}=\sqrt{\dfrac{15}{3}}=\sqrt{5}$

(2) $-\dfrac{\sqrt{51}}{\sqrt{17}}=-\sqrt{\dfrac{51}{17}}=-\sqrt{3}$

(3) $\sqrt{18}\div(-\sqrt{2})=-\dfrac{\sqrt{18}}{\sqrt{2}}=-\sqrt{\dfrac{18}{2}}=-\sqrt{9}=-3$

(4) $\sqrt{\dfrac{14}{15}}\div\sqrt{\dfrac{21}{20}}=\sqrt{\dfrac{14}{15}}\times\sqrt{\dfrac{20}{21}}=\sqrt{\dfrac{14}{15}\times\dfrac{20}{21}}=\sqrt{\dfrac{8}{9}}$

$=\dfrac{\sqrt{8}}{\sqrt{9}}=\dfrac{2\sqrt{2}}{3}$

(5) $\sqrt{30}\div3\sqrt{5}=\dfrac{\sqrt{30}}{3\sqrt{5}}=\dfrac{1}{3}\sqrt{\dfrac{30}{5}}=\dfrac{\sqrt{6}}{3}$

(6) $6\sqrt{21}\div2\sqrt{7}=\dfrac{6\sqrt{21}}{2\sqrt{7}}=3\sqrt{\dfrac{21}{7}}=3\sqrt{3}$

답 (1) $\sqrt{5}$ (2) $-\sqrt{3}$ (3) -3 (4) $\dfrac{2\sqrt{2}}{3}$ (5) $\dfrac{\sqrt{6}}{3}$ (6) $3\sqrt{3}$

3-1 답 (1) $\dfrac{1}{7}$ (2) $\dfrac{6}{121}$ (3) 27, 16, $\dfrac{3}{4}$

4 ① 4 ② 2 ③ 3 ④ 1 ⑤ 8

답 ④

4-1 ① $\dfrac{\sqrt{15}}{\sqrt{5}}=\sqrt{\dfrac{15}{5}}=\sqrt{3}$

② $10\div\sqrt{10}=\sqrt{10^2}\div\sqrt{10}=\sqrt{10}$

③ $6\sqrt{10}\div2\sqrt{2}=(6\div2)\times(\sqrt{10}\div\sqrt{2})=3\sqrt{5}$

④ $3\sqrt{48}\div\sqrt{3}=3\times(\sqrt{48}\div\sqrt{3})=3\times\sqrt{16}=3\times4=12$

⑤ $-6\sqrt{14}\div2\sqrt{7}=(-6\div2)\times(\sqrt{14}\div\sqrt{7})=-3\sqrt{2}$

답 ②

P.20

5 (1) $\sqrt{6}\times\sqrt{7}\div\sqrt{2}=\sqrt{6\times7\div2}=\sqrt{21}$

(2) $\sqrt{18}\times\sqrt{15}\div3=\sqrt{18\times15\div3^2}=\sqrt{30}$

답 (1) $\sqrt{21}$ (2) $\sqrt{30}$

5-1 (1) $\sqrt{\dfrac{3}{4}}\times\sqrt{\dfrac{4}{27}}\div\sqrt{2}=\sqrt{\dfrac{3}{4}\times\dfrac{4}{27}}\div\sqrt{2}=\sqrt{\dfrac{1}{9}}\div\sqrt{2}$

$=\sqrt{\dfrac{1}{9}}\times\sqrt{\dfrac{1}{2}}=\sqrt{\dfrac{1}{9}\times\dfrac{1}{2}}=\dfrac{1}{\sqrt{18}}$

(2) $\sqrt{6}\times\dfrac{\sqrt{10}}{\sqrt{3}}\div\dfrac{\sqrt{20}}{\sqrt{21}}$

$=\sqrt{6}\times\sqrt{\dfrac{10}{3}}\div\sqrt{\dfrac{20}{21}}=\sqrt{6\times\dfrac{10}{3}}\div\sqrt{\dfrac{20}{21}}$

$=\sqrt{20}\div\sqrt{\dfrac{20}{21}}=\sqrt{20}\times\sqrt{\dfrac{21}{20}}$

$=\sqrt{20\times\dfrac{21}{20}}=\sqrt{21}$

답 (1) $\dfrac{1}{\sqrt{18}}$ (2) $\sqrt{21}$

6 (1) $2\sqrt{15}\div\sqrt{6}\times\sqrt{10}=2\times\sqrt{15\div6\times10}=2\times\sqrt{25}=10$

(2) $\sqrt{72} \div \sqrt{6} \div \sqrt{3} = \sqrt{72 \div 6 \div 3} = \sqrt{4} = 2$

답 (1) 10 (2) 2

6-1 (1) $\dfrac{\sqrt{6}}{\sqrt{7}} \div \dfrac{\sqrt{21}}{\sqrt{35}} \times \sqrt{7} = \sqrt{\dfrac{6}{7}} \times \sqrt{\dfrac{35}{21}} \times \sqrt{7}$

$= \sqrt{\dfrac{6}{7} \times \dfrac{35}{21} \times 7} = \sqrt{10}$

(2) $\sqrt{24} \div \dfrac{\sqrt{6}}{\sqrt{5}} \div \dfrac{\sqrt{20}}{\sqrt{3}} = \sqrt{24} \times \sqrt{\dfrac{5}{6}} \times \sqrt{\dfrac{3}{20}}$

$= \sqrt{24 \times \dfrac{5}{6} \times \dfrac{3}{20}} = \sqrt{3}$

답 (1) $\sqrt{10}$ (2) $\sqrt{3}$

P.21

7 (3) $\dfrac{6}{\sqrt{3}} = \dfrac{6 \times \boxed{\sqrt{3}}}{\sqrt{5} \times \boxed{\sqrt{3}}} = \dfrac{6\sqrt{3}}{3} = \boxed{2\sqrt{3}}$

(4) $\dfrac{4}{\sqrt{8}} = \dfrac{4}{\sqrt{2^3}} = \dfrac{4}{2\boxed{\sqrt{2}}} = \dfrac{4 \times \boxed{\sqrt{2}}}{2\boxed{\sqrt{2}} \times \boxed{\sqrt{2}}} = \dfrac{4\sqrt{2}}{4} = \boxed{\sqrt{2}}$

답 (1) $\sqrt{5}$, $\sqrt{5}$, $\dfrac{\sqrt{5}}{5}$ (2) $\sqrt{2}$, $\sqrt{2}$, $\dfrac{\sqrt{6}}{6}$

(3) $\sqrt{3}$, $\sqrt{3}$, $2\sqrt{3}$ (4) $\sqrt{2}$, $\sqrt{2}$, $\sqrt{2}$, $\sqrt{2}$, $\sqrt{2}$

7-1 (1) $\dfrac{\sqrt{3}}{\sqrt{5}} = \dfrac{\sqrt{3} \times \sqrt{5}}{\sqrt{5} \times \sqrt{5}} = \dfrac{\sqrt{15}}{5}$

(2) $\dfrac{3\sqrt{2}}{\sqrt{7}} = \dfrac{3\sqrt{2} \times \sqrt{7}}{\sqrt{7} \times \sqrt{7}} = \dfrac{3\sqrt{14}}{7}$

(3) $\dfrac{4}{\sqrt{3}} = \dfrac{4 \times \sqrt{3}}{\sqrt{3} \times \sqrt{3}} = \dfrac{4\sqrt{3}}{3}$

(4) $-\dfrac{2\sqrt{5}}{\sqrt{12}} = -\dfrac{2\sqrt{5}}{2\sqrt{3}} = -\dfrac{\sqrt{5}}{\sqrt{3}} = -\dfrac{\sqrt{5} \times \sqrt{3}}{\sqrt{3} \times \sqrt{3}} = -\dfrac{\sqrt{15}}{3}$

답 (1) $\dfrac{\sqrt{15}}{5}$ (2) $\dfrac{3\sqrt{14}}{7}$ (3) $\dfrac{4\sqrt{3}}{3}$ (4) $-\dfrac{\sqrt{15}}{3}$

7-2 ③ $-\dfrac{\sqrt{3}}{3\sqrt{2}} = -\dfrac{\sqrt{3} \times \sqrt{2}}{3\sqrt{2} \times \sqrt{2}} = -\dfrac{\sqrt{6}}{6}$

답 ③

7-3 $\dfrac{b}{a} + \dfrac{a}{b} = \dfrac{\sqrt{5}}{\sqrt{2}} + \dfrac{\sqrt{2}}{\sqrt{5}} = \dfrac{\sqrt{5} \times \sqrt{2}}{\sqrt{2} \times \sqrt{2}} + \dfrac{\sqrt{2} \times \sqrt{5}}{\sqrt{5} \times \sqrt{5}}$

$= \dfrac{\sqrt{10}}{2} + \dfrac{\sqrt{10}}{5} = \dfrac{5\sqrt{10}}{10} + \dfrac{2\sqrt{10}}{10}$

$= \dfrac{7\sqrt{10}}{10}$

답 $\dfrac{7\sqrt{10}}{10}$

다른 풀이

$\dfrac{b}{a} + \dfrac{a}{b} = \dfrac{a^2 + b^2}{ab}$

$= \dfrac{(\sqrt{2})^2 + (\sqrt{5})^2}{\sqrt{2} \times \sqrt{5}} = \dfrac{7}{\sqrt{10}} = \dfrac{7 \times \sqrt{10}}{\sqrt{10} \times \sqrt{10}} = \dfrac{7\sqrt{10}}{10}$

P.22

8 (1) 3.2의 가로줄과 2의 세로줄이 만나는 곳의 수를 읽으면 1.794이다.

(2) 3.4의 가로줄과 0의 세로줄이 만나는 곳의 수를 읽으면 1.844이다.

답 (1) 1.794 (2) 1.844

8-1 $x = 1.817$, $y = 1.803$이므로

$x - y = 1.817 - 1.803 = 0.014$이다.

답 0.014

9 5.138은 26의 가로줄과 4의 세로줄이 만나는 곳의 수이므로 $a = 26.4$이다.

또 5.301은 28의 가로줄과 1의 세로줄이 만나는 곳의 수이므로 $b = 28.1$이다.

답 $a = 26.4$, $b = 28.1$

9-1 $x = 28.4$, $y = 5.215$이므로

$1000y - 100x = 5215 - 2840 = 2375$이다.

답 2375

P.23

10 $\sqrt{3} + \sqrt{27} - \sqrt{12} = \sqrt{3} + 3\sqrt{3} - 2\sqrt{3} = (1 + 3 - 2)\sqrt{3}$

$= 2\sqrt{3}$

답 ①

10-1 (1) $\sqrt{50} - 2\sqrt{32} + \sqrt{8}$

$= 5\sqrt{2} - 2 \times 4\sqrt{2} + 2\sqrt{2}$

$= 5\sqrt{2} - 8\sqrt{2} + 2\sqrt{2}$

$= (5 - 8 + 2)\sqrt{2} = -\sqrt{2}$

(2) $2\sqrt{12} + \sqrt{20} - \sqrt{27} - 3\sqrt{45}$

$= 2 \times 2\sqrt{3} + 2\sqrt{5} - 3\sqrt{3} - 3 \times 3\sqrt{5}$

$= 4\sqrt{3} + 2\sqrt{5} - 3\sqrt{3} - 9\sqrt{5}$

$= \sqrt{3} - 7\sqrt{5}$

답 (1) $-\sqrt{2}$ (2) $\sqrt{3} - 7\sqrt{5}$

11 $\sqrt{A} = 4\sqrt{3} - \sqrt{12} + \sqrt{27}$

$= 4\sqrt{3} - 2\sqrt{3} + 3\sqrt{3}$

$= 5\sqrt{3} = \sqrt{75}$

따라서 $A = 75$이다.

답 75

11-1 $6\sqrt{6} - \sqrt{54} + 2\sqrt{24} = 6\sqrt{6} - 3\sqrt{6} + 4\sqrt{6} = 7\sqrt{6} = A\sqrt{6}$

따라서 $A = 7$이다.

답 7

P.24

12 (1) $\sqrt{2}(\sqrt{6}+\sqrt{12})=\sqrt{2}(\sqrt{6}+2\sqrt{3})=\sqrt{12}+2\sqrt{6}$
$=2\sqrt{3}+2\sqrt{6}$

(2) $\sqrt{3}(\sqrt{18}-\sqrt{27})+\sqrt{96}=\sqrt{3}(3\sqrt{2}-3\sqrt{3})+4\sqrt{6}$
$=3\sqrt{6}-9+4\sqrt{6}$
$=-9+7\sqrt{6}$

답 (1) $2\sqrt{3}+2\sqrt{6}$ (2) $-9+7\sqrt{6}$

12-1 $\sqrt{7}(\sqrt{14}-\sqrt{5})=\sqrt{98}-\sqrt{35}=7\sqrt{2}-\sqrt{35}$

답 ④

13 $\dfrac{\sqrt{2}}{\sqrt{3}}+\sqrt{48}=\dfrac{\sqrt{6}}{3}+4\sqrt{3}=a\sqrt{6}+4\sqrt{b}$

따라서 $a=\dfrac{1}{3}$, $b=3$이므로 $ab=\dfrac{1}{3}\times3=1$이다.

답 ③

13-1 $2\sqrt{3}(\sqrt{3}+\sqrt{8})+\dfrac{2\sqrt{3}-\sqrt{18}}{\sqrt{2}}$

$=2\sqrt{3}\times\sqrt{3}+2\sqrt{3}\times2\sqrt{2}+\dfrac{2\sqrt{3}}{\sqrt{2}}-\dfrac{3\sqrt{2}}{\sqrt{2}}$

$=6+4\sqrt{6}+\sqrt{6}-3=3+5\sqrt{6}$

답 ④

실력 다지기 PP.25~26

01 ③ **02** ④ **03** ① **04** (1) $\dfrac{\sqrt{42}}{6}$ (2) $\sqrt{10}$

05 ⑤ **06** $5\sqrt{5}$ **07** $m=4$, $n=\dfrac{4}{3}$

08 풀이 참조

01 ③ $-2\sqrt{2}\times(-3\sqrt{7})=\{(-2)\times(-3)\}\times(\sqrt{2}\times\sqrt{7})$
$=6\sqrt{14}$

02 $\dfrac{\sqrt{42}}{\sqrt{6}}\div\dfrac{\sqrt{7}}{\sqrt{18}}=\dfrac{\sqrt{42}}{\sqrt{6}}\times\dfrac{\sqrt{18}}{\sqrt{7}}=\sqrt{\dfrac{42\times18}{6\times7}}=\sqrt{18}=3\sqrt{2}$

03 $\sqrt{20}\times\sqrt{72}\div\sqrt{24}=\sqrt{20\times72\div24}=\sqrt{60}$
$=2\sqrt{15}=2\sqrt{x}$

따라서 $x=15$이다.

04 (1) $\dfrac{\sqrt{7}}{\sqrt{2}\sqrt{3}}=\dfrac{\sqrt{7}}{\sqrt{6}}=\dfrac{\sqrt{7}\times\sqrt{6}}{\sqrt{6}\times\sqrt{6}}=\dfrac{\sqrt{42}}{6}$

(2) $\dfrac{10}{\sqrt{2}\sqrt{5}}=\dfrac{10}{\sqrt{10}}=\dfrac{10\times\sqrt{10}}{\sqrt{10}\times\sqrt{10}}=\dfrac{10\sqrt{10}}{10}=\sqrt{10}$

05 ⑤ $\dfrac{\sqrt{5}}{5\sqrt{13}}=\dfrac{\sqrt{5}\times\sqrt{13}}{5\sqrt{13}\times\sqrt{13}}=\dfrac{\sqrt{65}}{65}$

06 $3(a+2b)-2(a+2b)=3a+6b-2a-4b=a+2b$
$=(\sqrt{5}+2\sqrt{3})+2(2\sqrt{5}-\sqrt{3})$
$=\sqrt{5}+2\sqrt{3}+4\sqrt{5}-2\sqrt{3}$
$=5\sqrt{5}$

07 $\dfrac{2}{\sqrt{3}}(3-\sqrt{2})+\sqrt{8}\left(\sqrt{3}+\dfrac{\sqrt{3}}{\sqrt{2}}\right)$

$=\dfrac{2\sqrt{3}}{3}(3-\sqrt{2})+2\sqrt{2}\left(\sqrt{3}+\dfrac{\sqrt{6}}{2}\right)$

$=2\sqrt{3}-\dfrac{2\sqrt{6}}{3}+2\sqrt{6}+2\sqrt{3}$

$=4\sqrt{3}+\dfrac{4\sqrt{6}}{3}=m\sqrt{3}+n\sqrt{6}$

따라서 $m=4$, $n=\dfrac{4}{3}$이다.

08 $a=\sqrt{150}+\sqrt{98}-\dfrac{1}{\sqrt{3}}(\sqrt{6}+6\sqrt{2})$

$=5\sqrt{6}+7\sqrt{2}-\dfrac{\sqrt{3}}{3}(\sqrt{6}+6\sqrt{2})$

$=5\sqrt{6}+7\sqrt{2}-\dfrac{\sqrt{18}}{3}-2\sqrt{6}$

$=6\sqrt{2}+3\sqrt{6}$ ...... ❶

따라서 $\sqrt{2}a=\sqrt{2}(6\sqrt{2}+3\sqrt{6})=12+3\sqrt{12}$
$=12+6\sqrt{3}$ ...... ❷

단계	채점 기준	배점 비율
❶	a를 간단히 나타낸다	70 %
❷	$\sqrt{2}a$의 값을 구한다.	30 %

중단원 마무리 PP.27~30

01 ⑤ **02** ② **03** ② **04** ① **05** ①
06 ⑤ **07** ③ **08** 10 **09** ② **10** ③
11 ③ **12** ③, ⑤ **13** ㄴ, ㄹ, ㄷ, ㄱ **14** ④
15 ① **16** ④ **17** ⑤ **18** ① **19** ③
20 4 **21** $\dfrac{1}{12}$, $\dfrac{2}{3}$ **22** $3\sqrt{2}+\sqrt{5}$
23 $(3\sqrt{3}+\sqrt{6})$ cm **24** ⑤ **25~28** 풀이 참조

01 x가 a의 제곱근$(x=\pm\sqrt{a})$이므로 x를 제곱하면 a이다.
따라서 $x^2=a$이다.

02 ① 0의 제곱근은 0이다.
② 1의 제곱근은 $\pm\sqrt{1}$, 즉 -1과 1로 2개이다.
③ 2의 제곱근은 $\pm\sqrt{2}$이다.

④ 제곱근 4는 $\sqrt{4}=2$이므로 유리수이다.

⑤ $-\sqrt{5}$는 5의 음의 제곱근이다.

03 $\sqrt{256}=16$이므로 $a=\sqrt{16}=4$, $b=\sqrt{16}=4$이다.
따라서 $a+b=8$이다.

04 ① $-(-\sqrt{3})^2=-3$, ②~④ 모두 3이다.

05 ① $-(-\sqrt{5})^2=-5$

06 $\sqrt{4a^2}=\sqrt{(2a)^2}=|2a|$, $\sqrt{(-3a)^2}=|-3a|$
이때 $a<0$이므로 $2a<0$, $-3a>0$이다.
따라서
$\sqrt{4a^2}+\sqrt{(-3a)^2}=|2a|+|-3a|$
$=-2a+(-3a)=-5a$

07 ㄴ. $\sqrt{(-a)^2}=\sqrt{a^2}=a$

08 $-\sqrt{\dfrac{40}{x}}$이 정수이므로 $\sqrt{\dfrac{40}{x}}$도 정수이다.

따라서 $\dfrac{40}{x}$은 어떤 자연수의 제곱이 되어야 한다.

이때 $40=2^3\times5$이므로 x는 40의 약수이면서
$2\times5\times$(자연수의 제곱)이면 된다.
따라서 조건을 만족시키는 가장 작은 자연수 x는
$2\times5\times1^2=10$이다.

09 ① $\dfrac{3}{4}<\dfrac{4}{5}$이므로 $\sqrt{\dfrac{3}{4}}<\sqrt{\dfrac{4}{5}}$이다.

② $\dfrac{1}{4}<\dfrac{1}{3}$이므로 $\dfrac{1}{2}<\sqrt{\dfrac{1}{3}}$이다.

③ $0.1=\sqrt{0.01}$

④ $3<\sqrt{10}$이므로 $-3>-\sqrt{10}$이다.

⑤ $\sqrt{\dfrac{1}{5}}>0$이므로 $-\sqrt{\dfrac{1}{5}}<0$이다.

10 $-\sqrt{\dfrac{1}{4}}=-\dfrac{1}{2}$이므로 유리수, $\sqrt{9}=3$이므로 유리수이다.
따라서 무리수는 $\sqrt{12}$, π, $\sqrt{5}-2$이므로 그 개수는 3이다.

11 ③ $2=\sqrt{4}$이므로 $\sqrt{5}$는 2보다 크다.

12 ① $\sqrt{3}$은 무리수이므로 $\dfrac{b}{a}$(단, a, b는 정수이고 $a\neq0$)의
꼴로 나타낼 수 없다.

② $\sqrt{2}$, $-\sqrt{2}$는 모두 무리수이지만 두 수의 합은
$\sqrt{2}+(-\sqrt{2})=0$으로 유리수이다.

④ -2와 2 사이에는 무수히 많은 유리수가 있다.

13 (음수)$<0<$(양수)이고
$(-\sqrt{3}+1)-(-\sqrt{3}+\sqrt{2})=1-\sqrt{2}=\sqrt{1}-\sqrt{2}<0$
이므로 $-\sqrt{3}+1<-\sqrt{3}+\sqrt{2}$이다.
$(2+\sqrt{2})-(\sqrt{2}+\sqrt{3})=2-\sqrt{3}=\sqrt{4}-\sqrt{3}>0$이므로
$2+\sqrt{2}>\sqrt{2}+\sqrt{3}$이다.
따라서 크기가 작은 것부터 차례로 나열하면
ㄴ, ㄹ, ㄷ, ㄱ이다.

14 ① $-3\sqrt{2}=-\sqrt{3^2\times2}=-\sqrt{18}$

② $\dfrac{\sqrt{12}}{2}=\dfrac{\sqrt{2^2\times3}}{2}=\dfrac{2\sqrt{3}}{2}=\sqrt{3}$

③ $\sqrt{15}\div\sqrt{3}=\dfrac{\sqrt{15}}{\sqrt{3}}=\sqrt{\dfrac{15}{3}}=\sqrt{5}$

④ $\sqrt{8}\times\sqrt{12}=2\sqrt{2}\times2\sqrt{3}=4\sqrt{6}$

⑤ $\sqrt{12}\div\sqrt{\dfrac{3}{4}}=\sqrt{12}\times\sqrt{\dfrac{4}{3}}=\sqrt{12\times\dfrac{4}{3}}=\sqrt{4^2}=4$

15 $3\sqrt{24}=3\times\sqrt{2^2\times6}=3\times2\sqrt{6}=6\sqrt{6}=a\sqrt{6}$

$\sqrt{\dfrac{135}{3}}=\sqrt{45}=\sqrt{3^2\times5}=3\sqrt{5}=b\sqrt{5}$

따라서 $a=6$, $b=3$이므로 $\sqrt{\dfrac{b}{a}}=\sqrt{\dfrac{3}{6}}=\sqrt{2}$이다.

16 $\sqrt{20}=\sqrt{2^2\times5}=(\sqrt{2})^2\times\sqrt{5}=a^2b$

17 $\dfrac{\sqrt{72}}{3}\div\sqrt{\dfrac{1}{4}}\times\left(-\dfrac{3\sqrt{2}}{5}\right)=\dfrac{6\sqrt{2}}{3}\times2\times\left(-\dfrac{3\sqrt{2}}{5}\right)$

$=-\dfrac{6\sqrt{2}\times2\times3\sqrt{2}}{3\times5}=-\dfrac{24}{5}$

18 (높이)$=12\div\sqrt{6}\div\sqrt{3}=12\times\dfrac{1}{\sqrt{6}}\times\dfrac{1}{\sqrt{3}}=\dfrac{12}{\sqrt{18}}=\dfrac{12}{3\sqrt{2}}$

$=\dfrac{4}{\sqrt{2}}=\dfrac{4\sqrt{2}}{2}=2\sqrt{2}$ (cm)

19 $\dfrac{\sqrt{27}}{6\sqrt{2}}=\dfrac{3\sqrt{3}}{6\sqrt{2}}=\dfrac{\sqrt{3}}{2\sqrt{2}}=\dfrac{\sqrt{3}\times\sqrt{2}}{2\sqrt{2}\times\sqrt{2}}=\dfrac{\sqrt{6}}{4}$

20 $\dfrac{a}{\sqrt{72}}=\dfrac{a}{6\sqrt{2}}=\dfrac{a\times\sqrt{2}}{6\sqrt{2}\times\sqrt{2}}=\dfrac{a\sqrt{2}}{12}=\dfrac{\sqrt{2}}{3}$

따라서 $\dfrac{a}{12}=\dfrac{1}{3}$이므로 $a=4$이다.

21 $\dfrac{\sqrt{3}+2\sqrt{6}}{4}-\dfrac{\sqrt{3}-\sqrt{6}}{6}=\left(\dfrac{\sqrt{3}}{4}+\dfrac{2\sqrt{6}}{4}\right)-\left(\dfrac{\sqrt{3}}{6}-\dfrac{\sqrt{6}}{6}\right)$

$=\left(\dfrac{1}{4}-\dfrac{1}{6}\right)\sqrt{3}+\left(\dfrac{1}{2}+\dfrac{1}{6}\right)\sqrt{6}$

$=\dfrac{\sqrt{3}}{12}+\dfrac{4\sqrt{6}}{6}=\dfrac{\sqrt{3}}{12}+\dfrac{2\sqrt{6}}{3}$

22 $(a+2b)-3b=a-b=(3\sqrt{2}-\sqrt{5})-(-2\sqrt{5})$
$\qquad\qquad =3\sqrt{2}-\sqrt{5}+2\sqrt{5}=3\sqrt{2}+\sqrt{5}$

23 세 정사각형 A, B, C의 한 변의 길이는 각각 $\sqrt{12}$ cm, $\sqrt{6}$ cm, $\sqrt{3}$ cm이므로 구하는 밑변의 길이는
$\sqrt{12}+\sqrt{6}+\sqrt{3}=2\sqrt{3}+\sqrt{6}+\sqrt{3}=(3\sqrt{3}+\sqrt{6})$ (cm)이다.

24 $\square\text{ABCD}=\dfrac{1}{2}\times\{\sqrt{48}+(\sqrt{12}+\sqrt{24})\}\times\sqrt{50}$
$\qquad\qquad =\dfrac{1}{2}\times(4\sqrt{3}+2\sqrt{3}+2\sqrt{6})\times 5\sqrt{2}$
$\qquad\qquad =\dfrac{1}{2}\times(6\sqrt{3}+2\sqrt{6})\times 5\sqrt{2}$
$\qquad\qquad =15\sqrt{6}+5\sqrt{12}=10\sqrt{3}+15\sqrt{6}$

25 정사각형 ABCD의 넓이가 6이므로 정사각형의 한 변의 길이는 $\sqrt{6}$이다. $\qquad$ ······ **❶**
따라서 점 P에 대응하는 수는 $-2-\sqrt{6}$, 점 Q에 대응하는 수는 $-2+\sqrt{6}$이다. $\qquad$ ······ **❷**

단계	채점 기준	배점 비율
❶	정사각형의 한 변의 길이를 구한다.	40 %
❷	두 점 P, Q에 대응하는 수를 구한다.	60 %

26 (1) $A=\dfrac{11}{25}-\dfrac{3}{4}\div\dfrac{3}{12}\times\left(-\dfrac{1}{3}\right)$
$\qquad\quad =\dfrac{11}{25}-\dfrac{3}{4}\times 4\times\left(-\dfrac{1}{3}\right)=\dfrac{11}{25}+1=\dfrac{36}{25}$ ······ **❶**
$\quad$ (2) 따라서 제곱근 A는 $\sqrt{\dfrac{36}{25}}=\dfrac{6}{5}$이다. $\qquad$ ······ **❷**

단계	채점 기준	배점 비율
❶	(1) A의 값을 구한다.	70 %
❷	(2) 제곱근 A의 값을 구한다.	30 %

27 $\overline{\text{AB}}=\sqrt{20}=2\sqrt{5}$, $\overline{\text{AC}}=\sqrt{12}=2\sqrt{3}$ $\quad$ ······ **❶**
따라서 $\triangle\text{ABC}=\dfrac{1}{2}\times 2\sqrt{5}\times 2\sqrt{3}=2\sqrt{15}$이다. ······ **❷**

단계	채점 기준	배점 비율
❶	$\overline{\text{AB}}$, $\overline{\text{AC}}$의 길이를 구한다.	60 %
❷	$\triangle\text{ABC}$의 넓이를 구한다.	40 %

28 (1) $a=\sqrt{75}-\sqrt{72}-\sqrt{12}+\sqrt{50}$
$\qquad\qquad =5\sqrt{3}-6\sqrt{2}-2\sqrt{3}+5\sqrt{2}=3\sqrt{3}-\sqrt{2}$ ······ **❶**
$\quad$ (2) $\dfrac{a}{\sqrt{6}}=\dfrac{3\sqrt{3}-\sqrt{2}}{\sqrt{6}}=\dfrac{3\sqrt{18}-\sqrt{12}}{6}=\dfrac{9\sqrt{2}-2\sqrt{3}}{6}$ ······ **❷**

단계	채점 기준	배점 비율
❶	(1) a의 값을 구한다.	50 %
❷	(2) $\dfrac{a}{\sqrt{6}}$의 값을 구한다.	50 %

Ⅱ 인수분해와 이차방정식

1. 다항식의 곱셈과 인수분해

01 다항식의 곱셈

P.32

1 (1) $(x+3)(x+6)=x\times x+x\times 6+3\times x+3\times 6$
$\qquad\qquad\qquad\quad =x^2+6x+3x+18$
$\qquad\qquad\qquad\quad =x^2+9x+18$
$\quad$ (2) $(x-2)(3y+4)$
$\qquad =x\times 3y+x\times 4+(-2)\times 3y+(-2)\times 4$
$\qquad =3xy+4x-6y-8$
$\qquad\qquad$ **답** (1) $x^2+9x+18$ (2) $3xy+4x-6y-8$

1-1 (1) $(a-2)(b-4)$
$\qquad\quad =a\times b+a\times(-4)+(-2)\times b+(-2)\times(-4)$
$\qquad\quad =ab-4a-2b+8$
$\quad$ (2) $(a-b)(2a+b)$
$\qquad\quad =a\times 2a+a\times b+(-b)\times 2a+(-b)\times b$
$\qquad\quad =2a^2+ab-2ab-b^2$
$\qquad\quad =2a^2-ab-b^2$
$\quad$ (3) $(x-6)(3x+2)$
$\qquad\quad =x\times 3x+x\times 2+(-6)\times 3x+(-6)\times 2$
$\qquad\quad =3x^2+2x-18x-12$
$\qquad\quad =3x^2-16x-12$
$\quad$ (4) $(3x+2y)(2x-y)$
$\qquad\quad =3x\times 2x+3x\times(-y)+2y\times 2x+2y\times(-y)$
$\qquad\quad =6x^2-3xy+4xy-2y^2$
$\qquad\quad =6x^2+xy-2y^2$
$\qquad\qquad$ **답** (1) $ab-4a-2b+8$ (2) $2a^2-ab-b^2$
$\qquad\qquad\qquad$ (3) $3x^2-16x-12$ (4) $6x^2+xy-2y^2$

2 (1) $(a-b+1)(a+b)=a^2+ab-ab-b^2+a+b$
$\qquad\qquad\qquad\qquad\quad =a^2-b^2+a+b$
$\quad$ (2) $(3x-y)(x+2y-3)$
$\qquad\quad =3x^2+6xy-9x-xy-2y^2+3y$
$\qquad\quad =3x^2+5xy-9x-2y^2+3y$
$\qquad\qquad$ **답** (1) a^2-b^2+a+b (2) $3x^2+5xy-9x-2y^2+3y$

2-1 $(2x-3y+1)(3x+y-4)$
$\qquad =6x^2+2xy-8x-9xy-3y^2+12y+3x+y-4$
$\qquad =6x^2-7xy-5x-3y^2+13y-4$
따라서 xy의 계수는 -7이다.
$\qquad\qquad\qquad\qquad\qquad\qquad\qquad$ **답** -7

다른 풀이

xy의 계수를 구하는 문제이므로 주어진 식을 모두 전개하지 않고 xy항이 나오는 것만 전개한다.

$(2x-3y+1)$의 $2x$와 $(3x+y-4)$의 y, 즉

$2x \times y = 2xy$

또 $(2x-3y+1)$의 $-3y$와 $(3x+y-4)$의 $3x$, 즉

$(-3y) \times 3x = -9xy$

따라서 $2xy + (-9xy) = -7xy$이므로 xy의 계수는 -7이다.

3 (1) $(a+5)^2 = a^2 + 2 \times a \times 5 + 5^2 = a^2 + 10a + 25$

(2) $(x-3)^2 = x^2 - 2 \times x \times 3 + 3^2 = x^2 - 6x + 9$

(3) $(3y+2)^2 = (3y)^2 + 2 \times 3y \times 2 + 2^2 = 9y^2 + 12y + 4$

(4) $(-2a+b)^2 = (-2a)^2 + 2 \times (-2a) \times b + b^2$
$= 4a^2 - 4ab + b^2$

답 (1) $a^2 + 10a + 25$ (2) $x^2 - 6x + 9$
(3) $9y^2 + 12y + 4$ (4) $4a^2 - 4ab + b^2$

3-1 (1) $(b+4)^2 = b^2 + 2 \times b \times 4 + 4^2 = b^2 + 8b + 16$

(2) $\left(x - \dfrac{1}{2}\right)^2 = x^2 - 2 \times x \times \dfrac{1}{2} + \left(\dfrac{1}{2}\right)^2 = x^2 - x + \dfrac{1}{4}$

(3) $(2a-5b)^2 = (2a)^2 - 2 \times 2a \times 5b + (5b)^2$
$= 4a^2 - 20ab + 25b^2$

(4) $(-x-6y)^2 = (-x)^2 - 2 \times (-x) \times 6y + (6y)^2$
$= x^2 + 12xy + 36y^2$

답 (1) $b^2 + 8b + 16$ (2) $x^2 - x + \dfrac{1}{4}$
(3) $4a^2 - 20ab + 25b^2$ (4) $x^2 + 12xy + 36y^2$

4 (1) $(a+6)^2 = a^2 + 2 \times a \times 6 + 6^2$
$= a^2 + \boxed{12}\,a + \boxed{36}$

(2) $(4x-7)^2 = (4x)^2 - 2 \times 4x \times 7 + 7^2$
$= \boxed{16}\,x^2 - \boxed{56}\,x + \boxed{49}$

답 (1) 12, 36 (2) 16, 56, 49

4-1 (1) $(x+A)^2 = x^2 + 2 \times x \times A + A^2 = x^2 + 2Ax + A^2$
$x^2 + 2Ax + A^2 = x^2 + Bx + 16$이므로 $A^2 = 16$
A는 양수이므로 $A = 4$,
x의 계수가 서로 같아야 하므로 $2A = B$에서 $B = 8$

(2) $(2y-A)^2 = (2y)^2 - 2 \times 2y \times A + A^2$
$= 4y^2 - 4Ay + A^2$
$4y^2 - 4Ay + A^2 = 4y^2 - 6y + B$이므로
$-4A = -6$, $A = \dfrac{3}{2}$
$A^2 = B$이므로 $B = \left(\dfrac{3}{2}\right)^2 = \dfrac{9}{4}$

답 (1) $A = 4$, $B = 8$ (2) $A = \dfrac{3}{2}$, $B = \dfrac{9}{4}$

5 (1) $(x+6)(x-6) = x^2 - 6^2 = x^2 - 36$

(2) $(5a-1)(5a+1) = (5a)^2 - 1^2 = 25a^2 - 1$

(3) $\left(2a - \dfrac{1}{2}b\right)\left(2a + \dfrac{1}{2}b\right) = (2a)^2 - \left(\dfrac{1}{2}b\right)^2 = 4a^2 - \dfrac{1}{4}b^2$

(4) $(-x+3y)(x+3y) = (3y-x)(3y+x)$
$= (3y)^2 - x^2 = 9y^2 - x^2$
$= -x^2 + 9y^2$

답 (1) $x^2 - 36$ (2) $25a^2 - 1$ (3) $4a^2 - \dfrac{1}{4}b^2$ (4) $-x^2 + 9y^2$

5-1 (1) $(a-4)(a+4) = a^2 - 4^2 = a^2 - 16$

(2) $(-3b-4a)(4a-3b) = (-3b-4a)(-3b+4a)$
$= (-3b)^2 - (4a)^2$
$= 9b^2 - 16a^2 = -16a^2 + 9b^2$

(3) $(-2x+3y)(-2x-3y) = (-2x)^2 - (3y)^2$
$= 4x^2 - 9y^2$

(4) $\left(\dfrac{1}{2}x - \dfrac{2}{3}\right)\left(\dfrac{1}{2}x + \dfrac{2}{3}\right) = \left(\dfrac{1}{2}x\right)^2 - \left(\dfrac{2}{3}\right)^2 = \dfrac{1}{4}x^2 - \dfrac{4}{9}$

답 (1) $a^2 - 16$ (2) $-16a^2 + 9b^2$
(3) $4x^2 - 9y^2$ (4) $\dfrac{1}{4}x^2 - \dfrac{4}{9}$

6 $(x^2-1)(x^2+1) = (x^2)^2 - 1^2 = x^4 - 1$이고
$(x^4-1)(x^4+1) = (x^4)^2 - 1^2 = x^8 - 1$이므로
$(x-1)(x+1)(x^2+1)(x^4+1)$
$= (x^{\boxed{2}} - 1)(x^2+1)(x^4+1)$
$= (x^{\boxed{4}} - 1)(x^4+1)$
$= x^{\boxed{8}} - 1$

답 2, 4, 8

6-1 (1) $(x-3y)(x+3y)(x^2+9y^2)$
$= \{x^2 - (3y)^2\}(x^2+9y^2) = (x^2-9y^2)(x^2+9y^2)$
$= (x^2)^2 - (9y^2)^2 = x^4 - 81y^4$

(2) $(2-x)(2+x)(4+x^2)(16+x^4)$
$= (4-x^2)(4+x^2)(16+x^4)$
$= (16-x^4)(16+x^4) = 256 - x^8$

답 (1) $x^4 - 81y^4$ (2) $256 - x^8$

7 (1) $(x+4)(x-7) = x^2 + (4-7)x + 4 \times (-7)$
$= x^2 - 3x - 28$

(2) $(x-3y)(x-6y)$
$= x^2 + (-3-6)xy + \{(-3) \times (-6)\}y^2$
$= x^2 - 9xy + 18y^2$

(3) $(2x+3)(3x-4)$
$= (2 \times 3)x^2 + \{2 \times (-4) + 3 \times 3\}x + 3 \times (-4)$
$= 6x^2 + x - 12$

(4) $(x-7y)(5x+y)$
$=(1\times5)x^2+\{1\times1+(-7)\times5\}xy+\{(-7)\times1\}y^2$
$=5x^2-34xy-7y^2$

답 (1) $x^2-3x-28$ (2) $x^2-9xy+18y^2$
(3) $6x^2+x-12$ (4) $5x^2-34xy-7y^2$

7-1 (1) $(x+6)(x+2)=x^2+(6+2)x+6\times2$
$=x^2+8x+12$

(2) $\left(x-\dfrac{1}{2}y\right)\left(x+\dfrac{1}{3}y\right)$
$=x^2+\left(-\dfrac{1}{2}+\dfrac{1}{3}\right)xy+\left\{\left(-\dfrac{1}{2}\right)\times\dfrac{1}{3}\right\}y^2$
$=x^2-\dfrac{1}{6}xy-\dfrac{1}{6}y^2$

(3) $(-4x+3)(x-5)$
$=\{(-4)\times1\}x^2+\{(-4)\times(-5)+3\times1\}x$
$\qquad\qquad\qquad\qquad+3\times(-5)$
$=-4x^2+23x-15$

(4) $(3x+5y)(2x-4y)$
$=(3\times2)x^2+\{3\times(-4)+5\times2\}xy+\{5\times(-4)\}y^2$
$=6x^2-2xy-20y^2$

답 (1) $x^2+8x+12$ (2) $x^2-\dfrac{1}{6}xy-\dfrac{1}{6}y^2$
(3) $-4x^2+23x-15$ (4) $6x^2-2xy-20y^2$

8 (1) $(x+4)(x+A)=x^2+(4+A)x+4A$
$x^2+(4+A)x+4A=x^2+Bx-12$이므로
$4A=-12$에서 $A=-3$,
$B=4+A=4+(-3)=1$이다.

(2) $(-2x+5)(Ax+1)=-2Ax^2+(-2+5A)x+5$
$-2Ax^2+(-2+5A)x+5=-6x^2+13x+B$
이므로 $-2A=-6$에서 $A=3$, $B=5$이다.

답 (1) $A=-3, B=1$ (2) $A=3, B=5$

8-1 (1) $(x+A)(x+2)=x^2+(A+2)x+2A$
$x^2+(A+2)x+2A=x^2+Bx-6$이므로
$2A=-6$에서 $A=-3$,
$B=A+2=(-3)+2=-1$이다.

(2) $(2x-3)(4x+A)=8x^2+(2A-12)x-3A$
$8x^2+(2A-12)x-3A=8x^2-2x+B$이므로
$2A-12=-2$, $2A=10$에서 $A=5$,
$B=-3A=-3\times5=-15$이다.

답 (1) $A=-3, B=-1$ (2) $A=5, B=-15$

P.36

9 (1) $102^2=(100+\boxed{2})^2=\boxed{100}^2+2\times\boxed{100}\times\boxed{2}+\boxed{2}^2$
$=10000+\boxed{400}+4=\boxed{10404}$

(2) $203\times197=(200+\boxed{3})(200-\boxed{3})$
$=200^2-\boxed{3}^2=40000-\boxed{9}=\boxed{39991}$

(3) $87\times92=(90-\boxed{3})(90+\boxed{2})$
$=90^2+(-3+2)\times90+(-3)\times\boxed{2}$
$=8100-90-\boxed{6}=\boxed{8004}$

답 (1) 2, 100, 100, 2, 2, 400, 10404
(2) 3, 3, 3, 9, 39991 (3) 3, 2, 2, 6, 8004

9-1 (1) $199^2=(200-1)^2=200^2-2\times200\times1+1^2$
$=40000-400+1=39601$

(2) $48\times52=(50-2)(50+2)=50^2-2^2$
$=2500-4=2496$

(3) 298×295
$=(300-2)(300-5)$
$=300^2+(-2-5)\times300+(-2)\times(-5)$
$=90000-2100+10=87910$

답 (1) 39601 (2) 2496 (3) 87910

9-2 (1) $1004^2=(1000+4)^2$이므로
$(a+b)^2=a^2+2ab+b^2$이 가장 편리하다.

(2) $3.99\times4.01=(4-0.01)(4+0.01)$이므로
$(a+b)(a-b)=a^2-b^2$이 가장 편리하다.

(3) $9.98^2=(10-0.02)^2$이므로
$(a-b)^2=a^2-2ab+b^2$이 가장 편리하다.

(4) $503\times505=(500+3)(500+5)$이므로
$(x+a)(x+b)=x^2+(a+b)x+ab$가 가장 편리하다.

답 (1) ㄱ (2) ㄷ (3) ㄴ (4) ㄹ

9-3 $53^2-49\times51=(50+3)^2-(50-1)(50+1)$
$=(50^2+2\times50\times3+3^2)-(50^2-1^2)$
$=50^2+6\times50+9-50^2+1$
$=300+9+1=310$

답 310

P.37

10 (1) $\dfrac{1}{\sqrt{2}+1}=\dfrac{\sqrt{2}-1}{(\sqrt{2}+1)(\sqrt{2}-1)}=\dfrac{\sqrt{2}-1}{(\sqrt{2})^2-1^2}$
$=\dfrac{\sqrt{2}-1}{2-1}=\sqrt{2}-1$

(2) $\dfrac{6}{3-\sqrt{3}}=\dfrac{6(3+\sqrt{3})}{(3-\sqrt{3})(3+\sqrt{3})}=\dfrac{6(3+\sqrt{3})}{3^2-(\sqrt{3})^2}$
$=\dfrac{6(3+\sqrt{3})}{9-3}=3+\sqrt{3}$

답 (1) $\sqrt{2}-1$ (2) $3+\sqrt{3}$

10-1 (1) $\dfrac{1}{\sqrt{5}+2}=\dfrac{\sqrt{5}-2}{(\sqrt{5}+2)(\sqrt{5}-2)}=\dfrac{\sqrt{5}-2}{(\sqrt{5})^2-2^2}$

$\qquad\qquad =\dfrac{\sqrt{5}-2}{5-4}=\sqrt{5}-2$

(2) $\dfrac{2}{\sqrt{6}-2}=\dfrac{2(\sqrt{6}+2)}{(\sqrt{6}-2)(\sqrt{6}+2)}=\dfrac{2(\sqrt{6}+2)}{(\sqrt{6})^2-2^2}$

$\qquad\qquad =\dfrac{2(\sqrt{6}+2)}{6-4}=\sqrt{6}+2$

(3) $\dfrac{1}{2\sqrt{2}-3}=\dfrac{2\sqrt{2}+3}{(2\sqrt{2}-3)(2\sqrt{2}+3)}=\dfrac{2\sqrt{2}+3}{(2\sqrt{2})^2-3^2}$

$\qquad\qquad =\dfrac{2\sqrt{2}+3}{8-9}=-2\sqrt{2}-3$

(4) $\dfrac{2}{3-\sqrt{13}}=\dfrac{2(3+\sqrt{13})}{(3-\sqrt{13})(3+\sqrt{13})}=\dfrac{2(3+\sqrt{13})}{3^2-(\sqrt{13})^2}$

$\qquad\qquad =\dfrac{2(3+\sqrt{13})}{9-13}=-\dfrac{1}{2}(3+\sqrt{13})$

$\qquad\qquad =-\dfrac{3}{2}-\dfrac{\sqrt{13}}{2}$

답 (1) $\sqrt{5}-2$ (2) $\sqrt{6}+2$ (3) $-2\sqrt{2}-3$ (4) $-\dfrac{3}{2}-\dfrac{\sqrt{13}}{2}$

11 $\dfrac{\sqrt{5}+\sqrt{3}}{\sqrt{5}-\sqrt{3}}=\dfrac{(\sqrt{5}+\sqrt{3})^2}{(\sqrt{5}-\sqrt{3})(\sqrt{5}+\sqrt{3})}$

$\qquad =\dfrac{5+2\sqrt{15}+3}{(\sqrt{5})^2-(\sqrt{3})^2}=\dfrac{8+2\sqrt{15}}{2}$

$\qquad =4+\sqrt{15}$

따라서 $a=4$, $b=1$이다.

답 $a=4$, $b=1$

11-1 $\dfrac{\sqrt{15}-\sqrt{5}}{\sqrt{15}+\sqrt{5}}=\dfrac{(\sqrt{15}-\sqrt{5})^2}{(\sqrt{15}+\sqrt{5})(\sqrt{15}-\sqrt{5})}$

$\qquad =\dfrac{15-2\sqrt{75}+5}{(\sqrt{15})^2-(\sqrt{5})^2}=\dfrac{20-10\sqrt{3}}{10}$

$\qquad =2-\sqrt{3}$

따라서 $a=2$, $b=-1$이므로 $a+b=1$이다.

답 1

PP.38~39

01 ③	**02** (1) x^2+4x+4 (2) $9y^2-3y+\dfrac{1}{4}$

(3) $81-x^2$ (4) $x^2-2x-80$ (5) $-12x^2+20x-3$

(6) $36x^2-2xy-\dfrac{1}{12}y^2$ **03** ②

04 (1) ㄴ (2) ㄷ   **05** ⑤   **06** 풀이 참조

07 16   **08** $a=8$, $b=-1$ **09** 풀이 참조

10 ④

01 $(a+b)(x-y)=ax-ay+bx-by$

02 (1) $(x+2)^2=x^2+2\times x\times 2+2^2=x^2+4x+4$

(2) $\left(3y-\dfrac{1}{2}\right)^2=(3y)^2-2\times 3y\times\dfrac{1}{2}+\left(\dfrac{1}{2}\right)^2$

$\qquad\qquad =9y^2-3y+\dfrac{1}{4}$

(3) $(9-x)(9+x)=9^2-x^2=81-x^2$

(4) $(x+8)(x-10)=x^2+(8-10)x+8\times(-10)$

$\qquad\qquad =x^2-2x-80$

(5) $(-6x+1)(2x-3)$

$\qquad =\{(-6)\times 2\}x^2+\{(-6)\times(-3)+1\times 2\}x$

$\qquad\qquad\qquad +1\times(-3)$

$\qquad =-12x^2+20x-3$

(6) $\left(4x-\dfrac{1}{3}y\right)\left(9x+\dfrac{1}{4}y\right)$

$\qquad =(4\times 9)x^2+\left\{4\times\dfrac{1}{4}+\left(-\dfrac{1}{3}\right)\times 9\right\}xy$

$\qquad\qquad\qquad +\left\{\left(-\dfrac{1}{3}\right)\times\dfrac{1}{4}\right\}y^2$

$\qquad =36x^2-2xy-\dfrac{1}{12}y^2$

03 ① $(2a+3)^2=4a^2+12a+9$

③ $(x+2)(x-6)=x^2-4x-12$

④ $(3x+2)(5x+2)=15x^2+16x+4$

⑤ $(x-2y)(x+5y)=x^2+3xy-10y^2$

04 (1) 색칠한 직사각형의 가로의 길이는 $a+b$, 세로의 길이는 $a-b$이므로

(색칠한 직사각형의 넓이)

$\qquad =$ (가로의 길이) $\times$ (세로의 길이)

$\qquad =(a+b)(a-b)=a^2-b^2$

(2) 색칠한 직사각형의 가로의 길이는 $2a-b$, 세로의 길이는 $a+b$이므로

(색칠한 직사각형의 넓이)

$\qquad =$ (가로의 길이) $\times$ (세로의 길이)

$\qquad =(2a-b)(a+b)=2a^2+ab-b^2$

05 ① $106^2=(100+6)^2$이므로 $(a+b)^2$을 이용하면 편리하다.

② $98^2=(100-2)^2$이므로 $(a-b)^2$을 이용하면 편리하다.

③ $501\times 499=(500+1)(500-1)$이므로 $(a+b)(a-b)$를 이용하면 편리하다.

④ $3.03\times 2.99=(3+0.03)(3-0.01)$이므로 $(x+a)(x+b)$를 이용하면 편리하다.

⑤ $99.87\times 100.13=(100-0.13)(100+0.13)$이므로 $(a+b)(a-b)$를 이용하면 편리하다.

06 $(3x-2y-4)(3x+2y-4)$에서

$3x-4=A$로 놓으면   ⋯⋯⋯ **❶**

$(3x-2y-4)(3x+2y-4)$
$=(A-2y)(A+2y)=A^2-4y^2$
$=(3x-4)^2-4y^2=9x^2-24x+16-4y^2$ ...... ❷
x^2의 계수는 9, x의 계수는 -24, y^2의 계수 -4, 상수항은 16이므로 이를 모두 더하면 ...... ❸
$9+(-24)+(-4)+16=-3$이다. ...... ❹

단계	채점 기준	배점 비율
❶	$3x-4$를 A로 놓는다.	25 %
❷	주어진 식을 전개한다.	25 %
❸	각 항의 계수와 상수항을 구한다.	25 %
❹	각 항의 계수와 상수항의 합을 구한다.	25 %

07 $x+\dfrac{1}{x}=3$의 양변을 제곱하면
$\left(x+\dfrac{1}{x}\right)^2=3^2$, $x^2+2\times x\times\dfrac{1}{x}+\left(\dfrac{1}{x}\right)^2=9$
$x^2+2+\dfrac{1}{x^2}=9$, $x^2+\dfrac{1}{x^2}=7$
$x^2+3x+\dfrac{3}{x}+\dfrac{1}{x^2}=x^2+\dfrac{1}{x^2}+3x+\dfrac{3}{x}$
$\qquad\qquad=x^2+\dfrac{1}{x^2}+3\left(x+\dfrac{1}{x}\right)$
$\qquad\qquad=7+3\times3=7+9=16$

08 $(2+1)(2^2+1)(2^4+1)$
$=(2-1)(2+1)(2^2+1)(2^4+1)$
$=(2^2-1)(2^2+1)(2^4+1)$
$=(2^4-1)(2^4+1)=2^8-1$
$2^8-1=2^a+b$이므로 $a=8$, $b=-1$이다.

09 $\dfrac{1999}{2000\times1998-1999^2}$
$=\dfrac{1999}{(1999+1)(1999-1)-1999^2}$ ...... ❶
$=\dfrac{1999}{1999^2-1-1999^2}$ ...... ❷
$=\dfrac{1999}{-1}=-1999$ ...... ❸

단계	채점 기준	배점 비율
❶	2000, 1998을 1999를 이용하여 나타낸다.	40 %
❷	곱셈 공식 $(a+b)(a-b)=a^2-b^2$을 이용한다.	40 %
❸	답을 구한다.	20 %

10 $\dfrac{2}{\sqrt{3}+\sqrt{2}}=\dfrac{2(\sqrt{3}-\sqrt{2})}{(\sqrt{3}+\sqrt{2})(\sqrt{3}-\sqrt{2})}=\dfrac{2(\sqrt{3}-\sqrt{2})}{(\sqrt{3})^2-(\sqrt{2})^2}$
$\qquad\qquad=2\sqrt{3}-2\sqrt{2}$
따라서 $a=2$, $b=-2$이므로 $a-b=2-(-2)=4$이다.

02 다항식의 인수분해

P.40

1 (1) $ac+bc=c(a+b)$
(2) $-3a^2+2ab=-a(3a-2b)$
(3) $-2x^2y-8xy^2+6xy=-2xy(x+4y-3)$
(4) $x(y-a)+2(a-y)=x(y-a)-2(y-a)$
$\qquad\qquad\qquad\qquad=(y-a)(x-2)$
답 (1) $c(a+b)$ (2) $-a(3a-2b)$
(3) $-2xy(x+4y-3)$ (4) $(y-a)(x-2)$

1-1 (1) $2x^2-4x=2x(x-2)$
(2) $8ab^2-6ab+4a=2a(4b^2-3b+2)$
(3) $a(x+3y)-b(x+3y)=(x+3y)(a-b)$
(4) $2x(2a-b)+y(b-2a)=2x(2a-b)-y(2a-b)$
$\qquad\qquad\qquad\qquad=(2a-b)(2x-y)$
답 (1) $2x(x-2)$ (2) $2a(4b^2-3b+2)$
(3) $(x+3y)(a-b)$ (4) $(2a-b)(2x-y)$

2 (1) $(x+1)(x-4)$의 인수는
$x+1$, $x-4$, $(x+1)(x-4)$
(2) $xy-y=y(x-1)$로 인수분해되므로 인수는
y, $x-1$, $y(x-1)$
(3) $a(b+2)-(b+2)=(b+2)(a-1)$로 인수분해되므로 인수는 $b+2$, $a-1$, $(b+2)(a-1)$
(4) $x^3+x=x(x^2+1)$로 인수분해되므로 인수는
x, x^2+1, $x(x^2+1)$
답 (1) $x+1$, $x-4$, $(x+1)(x-4)$
(2) y, $x-1$, $y(x-1)$
(3) $b+2$, $a-1$, $(b+2)(a-1)$
(4) x, x^2+1, $x(x^2+1)$

2-1 (1) $A=(x-1)(x+3)$의 인수는
$x-1$, $x+3$, $(x-1)(x+3)$,
$B=x^2+3x=x(x+3)$이므로 인수는
x, $x+3$, $x(x+3)$이다.
(2) 두 식 A, B의 공통인 인수는 $x+3$이다.
답 (1) A의 인수: $x-1$, $x+3$, $(x-1)(x+3)$,
B의 인수: x, $x+3$, $x(x+3)$
(2) $x+3$

P.41

3 (1) $x^2+6x+9=x^2+2\times x\times3+3^2=(x+3)^2$
(2) $x^2+x+\dfrac{1}{4}=x^2+2\times x\times\dfrac{1}{2}+\left(\dfrac{1}{2}\right)^2=\left(x+\dfrac{1}{2}\right)^2$
(3) $9a^2+6ab+b^2=(3a)^2+2\times3a\times b+b^2=(3a+b)^2$

(4) $4x^2+20xy+25y^2=(2x)^2+2\times2x\times5y+(5y)^2$
$=(2x+5y)^2$

답 (1) $(x+3)^2$ (2) $\left(x+\dfrac{1}{2}\right)^2$ (3) $(3a+b)^2$ (4) $(2x+5y)^2$

3-1 (1) $x^2+12x+36=x^2+2\times x\times6+6^2=(x+6)^2$

(2) $4x^2+2x+\dfrac{1}{4}=(2x)^2+2\times2x\times\dfrac{1}{2}+\left(\dfrac{1}{2}\right)^2$
$=\left(2x+\dfrac{1}{2}\right)^2$

(3) $5a^2+20a+20=5(a^2+4a+4)=5(a+2)^2$

(4) $ax^2+10ax+25a=a(x^2+10x+25)=a(x+5)^2$

답 (1) $(x+6)^2$ (2) $\left(2x+\dfrac{1}{2}\right)^2$ (3) $5(a+2)^2$ (4) $a(x+5)^2$

4 (1) $x^2-6x+9=x^2-2\times x\times3+3^2=(x-3)^2$

(2) $x^2-3x+\dfrac{9}{4}=x^2-2\times x\times\dfrac{3}{2}+\left(\dfrac{3}{2}\right)^2=\left(x-\dfrac{3}{2}\right)^2$

(3) $4a^2-12ab+9b^2=(2a)^2-2\times2a\times3b+(3b)^2$
$=(2a-3b)^2$

(4) $16a^2-40ab+25b^2=(4a)^2-2\times4a\times5b+(5b)^2$
$=(4a-5b)^2$

답 (1) $(x-3)^2$ (2) $\left(x-\dfrac{3}{2}\right)^2$ (3) $(2a-3b)^2$ (4) $(4a-5b)^2$

4-1 (1) $x^2-12x+36=x^2-2\times x\times6+6^2=(x-6)^2$

(2) $16a^2-8ab+b^2=(4a)^2-2\times4a\times b+b^2=(4a-b)^2$

(3) $8x^2-8xy+2y^2=2(4x^2-4xy+y^2)=2(2x-y)^2$

(4) $5ax^2-5ax+\dfrac{5}{4}a=5a\left(x^2-x+\dfrac{1}{4}\right)=5a\left(x-\dfrac{1}{2}\right)^2$

답 (1) $(x-6)^2$ (2) $(4a-b)^2$
(3) $2(2x-y)^2$ (4) $5a\left(x-\dfrac{1}{2}\right)^2$

P.42

5 완전제곱식은 다항식의 제곱으로 된 식 또는 다항식의 제곱에 상수를 곱한 식이다.

(1) $(2x+3)^2$은 완전제곱식이다.

(2) $(2x+1)(2x-1)$은 $2x+1$과 $2x-1$이 서로 다르므로 완전제곱식이 아니다.

(3) $2(x-1)^2$은 완전제곱식이다.

(4) $7x^2+7=7(x^2+1)$은 완전제곱식이 아니다.

답 (1), (3)

5-1 ㄱ. $x^2-6x+9=(x-3)^2$이므로 완전제곱식으로 나타낼 수 있다.

ㄴ. $-16x^3-x=-x(16x^2+1)$은 완전제곱식으로 나타낼 수 없다.

ㄷ. $(x+1)^2-4(x+1)^2=-3(x+1)^2$이므로 완전제곱식으로 나타낼 수 있다.

답 ㄱ, ㄷ

6 (1) $x^2+12x+\square=x^2+2\times x\times6+6^2$이므로
$\square=6^2=36$이다.

(2) $16x^2-24xy+\square=(4x)^2-2\times4x\times3y+(3y)^2$
이므로 $\square=(3y)^2=9y^2$이다.

(3) $a^2+\square a+25=a^2+2\times a\times(\pm5)+(\pm5)^2$이므로
$\square=2\times(\pm5)=\pm10$이다.

(4) $4a^2+\square ab+49b^2$
$=(2a)^2+2\times2a\times(\pm7b)+(\pm7b)^2$
이므로 $\square=2\times2\times(\pm7)=\pm28$이다.

답 (1) 36 (2) $9y^2$ (3) ±10 (4) ±28

6-1 (1) $9a^2+12ab+\square=(3a)^2+2\times3a\times2b+(2b)^2$이므로
$\square=(2b)^2=4b^2$이다.

(2) $a^2-a+\square=a^2-2\times a\times\dfrac{1}{2}+\left(\dfrac{1}{2}\right)^2$이므로
$\square=\left(\dfrac{1}{2}\right)^2=\dfrac{1}{4}$이다.

(3) $x^2+\square x+64=x^2+2\times x\times(\pm8)+(\pm8)^2$이므로
$\square=2\times(\pm8)=\pm16$이다.

(4) $25x^2+\square xy+9y^2$
$=(5x)^2+2\times5x\times(\pm3y)+(\pm3y)^2$
이므로 $\square=2\times5\times(\pm3)=\pm30$이다.

답 (1) $4b^2$ (2) $\dfrac{1}{4}$ (3) ±16 (4) ±30

P.43

7 (1) $a^2-9=a^2-3^2=(a+3)(a-3)$

(2) $16a^2-b^2=(4a)^2-b^2=(4a+b)(4a-b)$

(3) $9x^2-4y^2=(3x)^2-(2y)^2=(3x+2y)(3x-2y)$

(4) $-x^2+64=-(x^2-64)=-(x^2-8^2)$
$=-(x+8)(x-8)$

답 (1) $(a+3)(a-3)$ (2) $(4a+b)(4a-b)$
(3) $(3x+2y)(3x-2y)$ (4) $-(x+8)(x-8)$

7-1 (1) $a^2-81=a^2-9^2=(a+9)(a-9)$

(2) $4x^2-y^2=(2x)^2-y^2=(2x+y)(2x-y)$

(3) $a^2-49b^2=a^2-(7b)^2=(a+7b)(a-7b)$

(4) $-9x^2+16y^2=-(9x^2-16y^2)=-\{(3x)^2-(4y)^2\}$
$=-(3x+4y)(3x-4y)$

답 (1) $(a+9)(a-9)$ (2) $(2x+y)(2x-y)$
(3) $(a+7b)(a-7b)$ (4) $-(3x+4y)(3x-4y)$

8 (1) $4a^2-100=4(a^2-25)=4(a^2-5^2)$
$=4(a+5)(a-5)$

(2) $6x^2-24y^2=6(x^2-4y^2)=6\{x^2-(2y)^2\}$
$=6(x+2y)(x-2y)$

(3) $x^3-xy^2=x(x^2-y^2)=x(x+y)(x-y)$

(4) $a^4-b^4=(a^2)^2-(b^2)^2=(a^2+b^2)(a^2-b^2)$

$$=(a^2+b^2)(a+b)(a-b)$$

답 (1) $4(a+5)(a-5)$ (2) $6(x+2y)(x-2y)$

(3) $x(x+y)(x-y)$ (4) $(a^2+b^2)(a+b)(a-b)$

8-1 (1) $-9a^2+36=-9(a^2-4)=-9(a^2-2^2)$
$$=-9(a+2)(a-2)$$

(2) $27ax^2-12ay^2=3a(9x^2-4y^2)$
$$=3a\{(3x)^2-(2y)^2\}$$
$$=3a(3x+2y)(3x-2y)$$

(3) $-a^3+a=-a(a^2-1)=-a(a^2-1^2)$
$$=-a(a+1)(a-1)$$

(4) $x^4-16=(x^2)^2-4^2=(x^2+4)(x^2-4)$
$$=(x^2+4)(x^2-2^2)$$
$$=(x^2+4)(x+2)(x-2)$$

답 (1) $-9(a+2)(a-2)$ (2) $3a(3x+2y)(3x-2y)$

(3) $-a(a+1)(a-1)$ (4) $(x^2+4)(x+2)(x-2)$

P.44

9 (1) 합이 5, 곱이 -6인 두 정수를 찾으면 -1, 6이므로
$$a^2+5a-6=(a-1)(a+6)$$

(2) 합이 -6, 곱이 5인 두 정수를 찾으면 -1, -5이므로
$$a^2-6a+5=(a-1)(a-5)$$

(3) 합이 -7, 곱이 6인 두 정수를 찾으면 -1, -6이므로
$$x^2-7xy+6y^2=(x-y)(x-6y)$$

(4) 합이 4, 곱이 -12인 두 정수를 찾으면 6, -2이므로
$$x^2+4xy-12y^2=(x+6y)(x-2y)$$

답 (1) $(a-1)(a+6)$ (2) $(a-1)(a-5)$

(3) $(x-y)(x-6y)$ (4) $(x+6y)(x-2y)$

9-1 (1) $x^2-x-20=(x+4)(x-5)$

(2) $x^2+16x+15=(x+1)(x+15)$

(3) $x^2-7xy+12y^2=(x-3y)(x-4y)$

(4) $x^2+7xy-30y^2=(x+10y)(x-3y)$

답 (1) $(x+4)(x-5)$ (2) $(x+1)(x+15)$

(3) $(x-3y)(x-4y)$ (4) $(x+10y)(x-3y)$

9-2 (1) $x^2-x-30=(x+5)(x-6)$

이때 $a>b$이므로 $a=5$, $b=-6$이다.

따라서 $a-b=5-(-6)=11$이다.

(2) $x^2-14x+24=(x-2)(x-12)$

이때 $a>b$이므로 $a=-2$, $b=-12$이다.

따라서 $a-b=-2-(-12)=10$이다.

답 (1) 11 (2) 10

9-3 $x^2+kx-8=(x-4)(x+a)=x^2+(a-4)x-4a$

이므로 $-4a=-8$에서 $a=2$이다.

따라서 $k=a-4=2-4=-2$이다.

답 -2

P.45

10 (1) $3x^2-x-2$에서

$$3x^2-x-2=(3x+2)(x-1)$$

(2) $2x^2+11x+12$에서

$$2x^2+11x+12=(2x+3)(x+4)$$

(3) $4x^2-8xy+3y^2$에서

$$4x^2-8xy+3y^2=(2x-y)(2x-3y)$$

(4) $6x^2-7xy-3y^2$에서

$$6x^2-7xy-3y^2=(2x-3y)(3x+y)$$

답 (1) $(3x+2)(x-1)$ (2) $(2x+3)(x+4)$

(3) $(2x-y)(2x-3y)$ (4) $(2x-3y)(3x+y)$

10-1 (1) $2x^2-5x+2$에서

$$2x^2-5x+2=(x-2)(2x-1)$$

(2) $5a^2-4a-12$에서

$$5a^2-4a-12=(a-2)(5a+6)$$

(3) $3a^2+11ab+6b^2$에서

$$3a^2+11ab+6b^2=(a+3b)(3a+2b)$$

(4) $8x^2-6xy-5y^2$에서

$$8x^2-6xy-5y^2=(2x+y)(4x-5y)$$

답 (1) $(x-2)(2x-1)$ (2) $(a-2)(5a+6)$

(3) $(a+3b)(3a+2b)$ (4) $(2x+y)(4x-5y)$

10-2 (1) $6x^2+5x+1$에서

$$2x \diagup 1 \rightarrow 3x$$
$$3x \diagdown 1 \rightarrow \underline{+)\ 2x}$$
$$ 5x$$

$6x^2+5x+1=(2x+1)(3x+1)$

따라서 일차식인 인수는 $2x+1$, $3x+1$이다.

(2) $8x^3-3x^2y-5xy^2=x(8x^2-3xy-5y^2)$이고

$8x^2-3xy-5y^2$에서

$$x \diagup -y \rightarrow -8xy$$
$$8x \diagdown 5y \rightarrow \underline{+)\ 5xy}$$
$$ -3xy$$

$8x^3-3x^2y-5xy^2=x(x-y)(8x+5y)$

따라서 일차식인 인수는 x, $x-y$, $8x+5y$이다.

답 (1) $2x+1$, $3x+1$ (2) x, $x-y$, $8x+5y$

10-3 (1) □를 차례대로 A, B라고 하면

$$3x^2-8x+A=(x-B)(3x-2)$$
$$=3x^2+(-2-3B)x+2B$$

$-2-3B=-8$에서 $3B=6$이므로 $B=2$,

$A=2B=2\times2=4$이다.

따라서 차례대로 4, 2이다.

(2) □를 차례대로 A, B라고 하면

$$6x^2-Ax+5=(2x-5)(3x-B)$$
$$=6x^2+(-2B-15)x+5B$$

$5B=5$에서 $B=1$, $-A=-2B-15$에서

$A=2B+15=2+15=17$이다.

따라서 차례대로 17, 1이다.

답 (1) 4, 2 (2) 17, 1

P.46

11 (1) $13\times96+13\times4=13(96+4)=13\times100=1300$

(2) $55^2-45^2=(55+45)(55-45)=100\times10=1000$

(3) $\sqrt{29^2-20^2}=\sqrt{(29+20)(29-20)}=\sqrt{49\times9}$
$$=\sqrt{7^2\times3^2}=7\times3=21$$

답 (1) 1300 (2) 1000 (3) 21

11-1 (1) $15\times36^2-15\times34^2=15(36^2-34^2)$
$$=15(36+34)(36-34)$$
$$=15\times70\times2=2100$$

(2) $97^2-9=97^2-3^2=(97+3)(97-3)$
$$=100\times94=9400$$

(3) $\sqrt{52^2-48^2}=\sqrt{(52+48)(52-48)}=\sqrt{100\times4}$
$$=\sqrt{10^2\times2^2}=10\times2=20$$

답 (1) 2100 (2) 9400 (3) 20

12 (1) $x^2+6x+9=(x+3)^2=(97+3)^2=100^2=10000$

(2) a^2-b^2
$$=(a+b)(a-b)$$
$$=\{(\sqrt{3}+1)+(\sqrt{3}-1)\}\{(\sqrt{3}+1)-(\sqrt{3}-1)\}$$
$$=2\sqrt{3}\times2=4\sqrt{3}$$

답 (1) 10000 (2) $4\sqrt{3}$

12-1 (1) $a^2-8a+16=(a-4)^2=(4+\sqrt{3}-4)^2=(\sqrt{3})^2=3$

(2) $x=\dfrac{1}{2-\sqrt{3}}=\dfrac{2+\sqrt{3}}{(2-\sqrt{3})(2+\sqrt{3})}=\dfrac{2+\sqrt{3}}{4-3}=2+\sqrt{3}$

$y=\dfrac{1}{2+\sqrt{3}}=\dfrac{2-\sqrt{3}}{(2+\sqrt{3})(2-\sqrt{3})}=\dfrac{2-\sqrt{3}}{4-3}=2-\sqrt{3}$

$x^2-y^2=(x+y)(x-y)$
$$=\{(2+\sqrt{3})+(2-\sqrt{3})\}\{(2+\sqrt{3})-(2-\sqrt{3})\}$$
$$=4\times2\sqrt{3}=8\sqrt{3}$$

답 (1) 3 (2) $8\sqrt{3}$

실력 다지기

PP.47~48

01 ④ **02** ② **03** ④ **04** ③

05 풀이 참조 **06** (1) $a=-18$, $b=-6$

(2) $a=3$, $b=1$ **07** ③ **08** ④ **09** ①

10 풀이 참조

01 $3ax-12ax^2=3ax(1-4x)$이므로 인수가 아닌 것은
④ $3a(x-4)$이다.

02 $4x^2-12x+a=(2x)^2-2\times2x\times3+3^2=(2x-3)^2$
$$=(2x+b)^2$$

이므로 $a=3^2=9$, $b=-3$이다.

따라서 $a+b=9+(-3)=6$이다.

03 $\dfrac{1}{4}x^2+axy+16y^2$

$$=\left(\dfrac{1}{2}x\right)^2+2\times\dfrac{1}{2}x\times(\pm4y)+(\pm4y)^2=\left(\dfrac{1}{2}x\pm4y\right)^2$$

이므로 $axy=\pm4xy$이다.

따라서 $a=\pm4$이다.

04 $4x^2-64y^2=4(x^2-16y^2)=4(x+4y)(x-4y)$

05 $(x-2)^2-x=x^2-4x+4-x=x^2-5x+4$
$$=(x-1)(x-4) \qquad\qquad \cdots\cdots ❶$$

따라서 두 일차식은 $x-1$, $x-4$이므로 $\cdots\cdots ❷$

두 일차식의 합은 $(x-1)+(x-4)=2x-5$이다.

$\cdots\cdots ❸$

단계	채점 기준	배점 비율
❶	주어진 식을 인수분해한다.	50 %
❷	두 일차식을 구한다.	40 %
❸	두 일차식의 합을 구한다.	10 %

06 (1) $x^2-3x+a=(x+3)(x+b)$
$\qquad\qquad =x^2+(b+3)x+3b$
따라서 $b+3=-3$에서 $b=-6$,
$a=3b=3\times(-6)=-18$이다.
(2) $2x^2+7x+a=(x+3)(2x+b)$
$\qquad\qquad\quad =2x^2+(b+6)x+3b$
따라서 $b+6=7$에서 $b=1$, $a=3b=3\times1=3$이다.

07 $\sqrt{25^2-24^2}=\sqrt{(25+24)(25-24)}=\sqrt{49\times1}=7$
이므로 가장 편리하게 이용할 수 있는 인수분해 공식은
$a^2-b^2=(a+b)(a-b)$이다.

08 $x-4=A$로 치환하면
$(x-4)^2+2(x-4)+1=A^2+2A+1=(A+1)^2$
$\qquad\qquad\qquad\qquad\quad =(x-4+1)^2=(x-3)^2$
$\qquad\qquad\qquad\qquad\quad =(3-\sqrt7-3)^2=(-\sqrt7)^2$
$\qquad\qquad\qquad\qquad\quad =7$

09 은지가 잘못 본 것은 x의 계수이므로 옳게 본 것은 상수항이다.
즉, $(x+1)(x-14)=x^2-13x-14$이므로 처음 이차식의 상수항은 -14이다.
또 남주가 잘못 본 것은 상수항이므로 옳게 본 것은 x의 계수이다.
즉, $(x+3)(x-8)=x^2-5x-24$이므로 처음 이차식의 x의 계수는 -5이다.
따라서 처음 이차식은 $x^2-5x-14$이고 이것을 인수분해하면 $x^2-5x-14=(x+2)(x-7)$이다.

10 타일은 넓이가 x^2인 것이 1개, x인 것이 6개, 1인 것이 8개 있으므로 큰 직사각형의 넓이는
$x^2+6x+8=(x+2)(x+4)$이다. $\qquad$ ······ ❶
큰 직사각형의 가로, 세로의 길이는 각각
$x+2$, $x+4$ 또는 $x+4$, $x+2$이다. $\qquad$ ······ ❷
따라서 큰 직사각형의 둘레의 길이는
$2\{(x+2)+(x+4)\}=2(2x+6)=4x+12$이다.
$\qquad\qquad\qquad\qquad\qquad\qquad$ ······ ❸

단계	채점 기준	배점 비율
❶	큰 직사각형의 넓이를 구한다.	50 %
❷	큰 직사각형의 가로, 세로의 길이를 구한다.	40 %
❸	큰 직사각형의 둘레의 길이를 구한다.	10 %

중단원 마무리
PP.49~52

01 ② **02** ⑤ **03** ③ **04** ③ **05** ⑤
06 ① **07** ① **08** -1 **09** ③ **10** ③
11 ⑤ **12** 1 **13** ④ **14** ① **15** ④
16 ② **17** ④ **18** ① **19** ④ **20** ⑤
21 ③ **22** ④ **23** ⑤ **24** ③
25~30 풀이 참조

01 $(ax+2y)(3x-2y+6)$
$=3ax^2-2axy+6ax+6xy-4y^2+12y$
$=3ax^2+(6-2a)xy-4y^2+6ax+12y$
xy의 계수가 10이므로 $6-2a=10$, $-2a=4$이다.
따라서 $a=-2$이다.

02 $(x+a)(x+4)=x^2+(a+4)x+4a$
$x^2+(a+4)x+4a=x^2+bx-8$이므로
$4a=-8$에서 $a=-2$,
$b=a+4=(-2)+4=2$이다.
$(ax+by)^2=(-2x+2y)^2=4x^2-8xy+4y^2$

03 색칠한 부분의 가로의 길이는 $2a+3b$, 세로의 길이는 $3a-2b$이므로
(색칠한 부분의 넓이)$=$(가로의 길이)$\times$(세로의 길이)
$\qquad\qquad\qquad\qquad =(2a+3b)(3a-2b)$
$\qquad\qquad\qquad\qquad =6a^2+5ab-6b^2$

04 $\left(a+\dfrac{1}{a}\right)\left(a-\dfrac{1}{a}\right)\left(a^2+\dfrac{1}{a^2}\right)=\left(a^2-\dfrac{1}{a^2}\right)\left(a^2+\dfrac{1}{a^2}\right)$
$\qquad\qquad\qquad\qquad\qquad\qquad =(a^2)^2-\left(\dfrac{1}{a^2}\right)^2=a^4-\dfrac{1}{a^4}$

05 ⑤ $46\times54=(50-4)(50+4)=50^2-4^2$
$\qquad\qquad\qquad\qquad\quad =2500-16=2484$
따라서 $(a+b)(a-b)=a^2-b^2$을 이용하여야 한다.

06 $(x+1)(x-3)=x^2+(1-3)x+1\times(-3)$
$\qquad\qquad\qquad =x^2-2x-3=x^2+ax-3$
따라서 $a=-2$이다.

07 $(2x+3y)(x-2y)$
$=(2\times1)x^2+(-4+3)xy-6y^2$
$=2x^2-xy-6y^2=Ax^2+Bxy+Cy^2$
따라서 $A=2$, $B=-1$, $C=-6$이므로
$A+B+C=2+(-1)+(-6)=-5$이다.

08 $(ax+1)(2x-3)-(3x-2)(2x+1)$
$=\{2ax^2+(2-3a)x-3\}-(6x^2-x-2)$
$=(2a-6)x^2+(3-3a)x-1$
x^2의 계수와 x의 계수의 합이 -2이므로
$(2a-6)+(3-3a)=-2$이다.
따라서 $-a-3=-2$에서 $a=-1$이다.

09 $(777-1)(777+1)(777^2+1)=(777^2-1)(777^2+1)$
$=(777^2)^2-1^2$
$=777^4-1$
따라서 $a=4$, $b=-1$이므로 $a+b=4+(-1)=3$이다.

10 $101\times102=(100+1)(100+2)$
$=100^2+(1+2)\times100+1\times2$
$=100^2+\boxed{3}\times100+2$

11 $(\sqrt{20}-\sqrt{18})x=\sqrt{3}$에서
$x=\dfrac{\sqrt{3}}{\sqrt{20}-\sqrt{18}}=\dfrac{\sqrt{3}}{2\sqrt{5}-3\sqrt{2}}$
$=\dfrac{\sqrt{3}(2\sqrt{5}+3\sqrt{2})}{(2\sqrt{5}-3\sqrt{2})(2\sqrt{5}+3\sqrt{2})}$
$=\dfrac{2\sqrt{15}-3\sqrt{6}}{(2\sqrt{5})^2-(3\sqrt{2})^2}=\dfrac{2\sqrt{15}-3\sqrt{6}}{2}$

12 $A=\dfrac{2}{\sqrt{3}+1}=\dfrac{2(\sqrt{3}-1)}{(\sqrt{3}+1)(\sqrt{3}-1)}$
$=\dfrac{2(\sqrt{3}-1)}{(\sqrt{3})^2-1^2}=\sqrt{3}-1$
$B=\dfrac{1}{2+\sqrt{3}}=\dfrac{2-\sqrt{3}}{(2+\sqrt{3})(2-\sqrt{3})}$
$=\dfrac{2-\sqrt{3}}{2^2-(\sqrt{3})^2}=2-\sqrt{3}$
따라서 $A+B=(\sqrt{3}-1)+(2-\sqrt{3})=1$이다.

13 $a^2b-ab^2=ab(a-b)$, $3a-3b=3(a-b)$이므로
두 다항식의 공통인 인수는 $a-b$이다.

14 $x^3-x=x(x^2-1)=x(x+1)(x-1)$
② $x^2+x=x(x+1)$, ③ x^2-1, ④ $x^2-x=x(x-1)$,
⑤ $x+1$은 인수이지만 ① x^3은 인수가 아니다.

15 ① $a^2+2a+\square=a^2+2\times a\times1+1^2$이므로
$\square=1^2=1$이다.
② $\square x^2-4x+1=(2x)^2-2\times2x\times1+1^2$이므로
$\square=2^2=4$이다.
③ $a^2+\square ab+\dfrac{1}{4}b^2=a^2+2\times a\times\dfrac{1}{2}b+\left(\dfrac{1}{2}b\right)^2$이므로
$\square=2\times\dfrac{1}{2}=1$이다.

④ $9x^2+\square x+1=(3x)^2+2\times3x\times1+1^2$이므로
$\square=2\times3=6$이다.
⑤ $4x^2+\square x+\dfrac{1}{4}=(2x)^2+2\times2x\times\dfrac{1}{2}+\left(\dfrac{1}{2}\right)^2$이므로
$\square=2\times2\times\dfrac{1}{2}=2$이다.

16 $(x-3)(x-7)+k=x^2-10x+21+k$
$=x^2-2\times x\times5+5^2$
따라서 $21+k=5^2$이므로 $21+k=25$에서 $k=4$이다.

17 $-121y^2+9x^2=9x^2-121y^2=(3x)^2-(11y)^2$
$=(3x+11y)(3x-11y)$

18 $(2x+7)(3x-4)-5x(x+2)$
$=6x^2+13x-28-5x^2-10x$
$=x^2+3x-28$
$=(x+7)(x-4)$
따라서 두 일차식이 $x+7$과 $x-4$이므로 두 일차식의 합
은 $(x+7)+(x-4)=2x+3$이다.

19 $x^2+9x+k=(x+a)(x+b)=x^2+(a+b)x+ab$
$a+b=9$이므로 이것을 만족시키는 두 자연수의 순서쌍
(a,b)는 $(1,8)$, $(2,7)$, $(3,6)$, $(4,5)$, $(5,4)$,
$(6,3)$, $(7,2)$, $(8,1)$이다.
그런데 $k=ab$이므로 $k=8$ 또는 $k=14$ 또는 $k=18$ 또는
$k=20$이다.
따라서 k의 값 중 가장 큰 값은 20이다.

20 $x^2+(4a-2)x-16=(x-2)(x+b)$
$=x^2+(b-2)x-2b$
$-2b=-16$에서 $b=8$이다.
$4a-2=b-2$에서 $4a=b=8$이므로 $a=2$이다.
따라서 $a+b=10$이다.

21 $2x^2-13x+6=(x-6)(2x-1)$
$6x^2+3x-3=3(2x^2+x-1)=3(x+1)(2x-1)$
따라서 두 다항식의 공통인 인수는 $2x-1$이다.

22 ㄱ. $2x^2-4x+2=2(x^2-2x+1)=2(x-1)^2$
ㄴ. $3x^2-3=3(x^2-1)=3(x+1)(x-1)$
ㄷ. $x^2+3x-4=(x+4)(x-1)$
ㄹ. $3x^2-4x-7=(x+1)(3x-7)$
따라서 $x+1$을 인수로 가지는 것은 ㄴ, ㄹ이다.

23 $(\text{사다리꼴의 넓이})=\dfrac{1}{2}\times\{(a+3)+(a+7)\}\times(\text{높이})$

$\qquad\qquad\qquad\quad=\dfrac{1}{2}\times(2a+10)\times(\text{높이})$

$\qquad\qquad\qquad\quad=(a+5)\times(\text{높이})$

$2a^2+13a+15=(a+5)(2a+3)$이므로

사다리꼴의 높이는 $2a+3$이다.

24 $999\times991+16$

$=(991+8)\times991+4^2=991^2+8\times991+4^2$

$=991^2+2\times991\times4+4^2=(991+4)^2=995^2$

25 $\left(\dfrac{a}{5}-\dfrac{b}{2}\right)\left(\dfrac{a}{5}+\dfrac{b}{2}\right)=\left(\dfrac{a}{5}\right)^2-\left(\dfrac{b}{2}\right)^2=\dfrac{a^2}{25}-\dfrac{b^2}{4}$ ...... ❶

$a^2=25$, $b^2=16$이므로 위의 식에 대입하면

$\dfrac{a^2}{25}-\dfrac{b^2}{4}=\dfrac{25}{25}-\dfrac{16}{4}=1-4=-3$이다. ...... ❷

단계	채점 기준	배점 비율
❶	주어진 식을 전개한다.	60 %
❷	a^2과 b^2을 대입하여 식의 값을 구한다.	40 %

26 $A=\dfrac{9876^2-1}{9875}=\dfrac{(9876+1)(9876-1)}{9875}$

$\qquad=9876+1=9877$ ...... ❶

$B=\dfrac{9876^2-1}{9877}=\dfrac{(9876+1)(9876-1)}{9877}$

$\qquad=9876-1=9875$ ...... ❷

따라서 $A-B=9877-9875=2$이다. ...... ❸

단계	채점 기준	배점 비율
❶	A의 값을 구한다.	40 %
❷	B의 값을 구한다.	40 %
❸	$A-B$의 값을 구한다.	20 %

27 $\left(1-\dfrac{1}{2^2}\right)\left(1-\dfrac{1}{3^2}\right)\left(1-\dfrac{1}{4^2}\right)\cdots\left(1-\dfrac{1}{9^2}\right)$

$=\dfrac{2^2-1}{2^2}\times\dfrac{3^2-1}{3^2}\times\dfrac{4^2-1}{4^2}\times\cdots\times\dfrac{9^2-1}{9^2}$

$=\dfrac{(2-1)(2+1)}{2^2}\times\dfrac{(3-1)(3+1)}{3^2}$

$\quad\times\dfrac{(4-1)(4+1)}{4^2}\times\cdots\times\dfrac{(9-1)(9+1)}{9^2}$ ...... ❶

$=\dfrac{1\times3}{2^2}\times\dfrac{2\times4}{3^2}\times\dfrac{3\times5}{4^2}\times\cdots\times\dfrac{8\times10}{9^2}$

$=\dfrac{1}{2}\times\dfrac{3}{2}\times\dfrac{2}{3}\times\dfrac{4}{3}\times\dfrac{3}{4}\times\dfrac{5}{4}\times\cdots\times\dfrac{8}{9}\times\dfrac{10}{9}$ ...... ❷

$=\dfrac{1}{2}\times\dfrac{10}{9}=\dfrac{5}{9}$ ...... ❸

단계	채점 기준	배점 비율
❶	곱셈 공식 $a^2-b^2=(a+b)(a-b)$를 이용한다.	40 %
❷	주어진 식을 간단히 한다.	40 %
❸	값을 구한다.	20 %

28 $a=\dfrac{2}{2-\sqrt{2}}=\dfrac{2(2+\sqrt{2})}{(2-\sqrt{2})(2+\sqrt{2})}$

$\quad=\dfrac{2(2+\sqrt{2})}{2}=2+\sqrt{2}$ ...... ❶

$b=\dfrac{2}{2+\sqrt{2}}=\dfrac{2(2-\sqrt{2})}{(2+\sqrt{2})(2-\sqrt{2})}$

$\quad=\dfrac{2(2-\sqrt{2})}{2}=2-\sqrt{2}$ ...... ❷

따라서 $a^2-2ab+b^2=(a-b)^2$

$\qquad\qquad\qquad=\{(2+\sqrt{2})-(2-\sqrt{2})\}$

$\qquad\qquad\qquad=(2\sqrt{2})^2=8$ ...... ❸

단계	채점 기준	배점 비율
❶	a의 값을 구한다.	40 %
❷	b의 값을 구한다.	40 %
❸	$a^2-2ab+b^2$의 값을 구한다.	20 %

29 $(\text{도형 A의 넓이})=(2x+7)^2-6^2$

$\qquad\qquad\qquad=\{(2x+7)+6\}\{(2x+7)-6\}$

$\qquad\qquad\qquad=(2x+13)(2x+1)$ ...... ❶

$(\text{도형 B의 넓이})=(\text{가로의 길이})\times(2x+1)$ ...... ❷

따라서 도형 B의 가로의 길이는 $2x+13$이다. ...... ❸

단계	채점 기준	배점 비율
❶	도형 A의 넓이를 인수분해하여 나타낸다.	50 %
❷	도형 B의 넓이를 식으로 나타낸다.	30 %
❸	도형 B의 가로의 길이를 구한다.	20 %

30 $A=4x^2-1=(2x+1)(2x-1)$ ...... ❶

$B=6x+3=3(2x+1)$ ...... ❷

$\dfrac{A}{B}=\dfrac{(2x+1)(2x-1)}{3(2x+1)}=\dfrac{2x-1}{3}$

$\quad=\dfrac{2}{3}x-\dfrac{1}{3}=ax+b$

이므로 $a=\dfrac{2}{3}$, $b=-\dfrac{1}{3}$이다. ...... ❸

따라서 $ab=\dfrac{2}{3}\times\left(-\dfrac{1}{3}\right)=-\dfrac{2}{9}$이다. ...... ❹

단계	채점 기준	배점 비율
❶	A를 인수분해한다.	20 %
❷	B를 인수분해한다.	20 %
❸	a, b의 값을 구한다.	40 %
❹	ab의 값을 구한다.	20 %

2. 이차방정식

01 인수분해를 이용한 이차방정식의 풀이

P.53

1 ① 일차방정식이다.

② $(2-x)x=0$에서 $x^2-2x=0$이므로 이차방정식이다.

③ $5x=2x^2$에서 $2x^2-5x=0$이므로 이차방정식이다.

④ 이차식이다.

⑤ $3+x^2=-x+x^2$에서 $x+3=0$이므로 일차방정식이다.

답 ②, ③

1-1 ① 이차방정식이다.

② $3x(x-1)=2x^2$에서 $3x^2-3x=2x^2$, $x^2-3x=0$이므로 이차방정식이다.

③ $6=\dfrac{x^2}{5}$에서 $30=x^2$, $x^2-30=0$이므로 이차방정식이다.

④ $(5+x^2)x=x^3-2x^2$에서 $5x+x^3=x^3-2x^2$, $2x^2+5x=0$이므로 이차방정식이다.

⑤ $(x-1)(x+1)=x^2+x$에서 $x^2-1=x^2+x$, $x+1=0$이므로 일차방정식이다.

답 ⑤

2 (1) $x^2-8x+7=0$에서 $x^2+(-8)\times x+7=0$이므로 $a=1$, $b=-8$, $c=7$이다.

(2) $2x^2=3x+1$에서 $2x^2-3x-1=0$, $2x^2+(-3)\times x+(-1)=0$이므로 $a=2$, $b=-3$, $c=-1$이다.

(3) $3(x^2+x)=5x+1$에서 $3x^2+3x-5x-1=0$, $3x^2+(-2)\times x+(-1)=0$이므로 $a=3$, $b=-2$, $c=-1$이다.

(4) $(x-4)^2=3(x-1)^2$에서 $x^2-8x+16=3(x^2-2x+1)$, $2x^2+2x+(-13)=0$이므로 $a=2$, $b=2$, $c=-13$이다.

답 풀이 참조

2-1 $-(x+2)^2+6=3x(x+1)$에서 $-x^2-4x-4+6=3x^2+3x$이므로 $-4x^2-7x+2=0$ 그런데 $ax^2+bx-2=0$이므로 $-4x^2-7x+2=0$에서 $4x^2+7x-2=0$이다.

따라서 $a=4$, $b=7$이므로 $a+b=11$이다.

답 11

P.54

3 $x=2$를 각 이차방정식에 대입하여 본다.

ㄱ. $2x^2-6=2\times 2^2-6=8-6=2\neq 0$

ㄴ. $x^2-4x+5=2^2-4\times 2+5=1\neq 0$

ㄷ. $3x^2-5x-2=3\times 2^2-5\times 2-2=0$

ㄹ. $-x^2+3x-2=-2^2+3\times 2-2=-4+6-2=0$

따라서 $x=2$가 해가 되는 이차방정식은 ㄷ, ㄹ이다.

답 ㄷ, ㄹ

3-1 [ ] 안의 수를 각 이차방정식에 대입하여 본다.

① $x^2+4x=(-4)^2+4\times(-4)=16-16=0$

② $x^2-x+6=2^2-2+6=4-2+6=8\neq 0$

③ $x^2+2x+1=1^2+2\times 1+1=1+2+1=4\neq 0$

④ $(x-2)^2-1=(3-2)^2-1=1-1=0$

⑤ $-x^2-6x+7=-(-1)^2-6\times(-1)+7$
$=-1+6+7=12\neq 0$

따라서 [ ] 안의 수가 주어진 이차방정식의 해인 것은 ①, ④이다.

답 ①, ④

4 이차방정식 $x^2-x-2=0$의 x에 -1, 0, 1, 2를 대입하여 본다.

$x=-1$일 때, $(-1)^2-(-1)-2=1+1-2=0$

$x=0$일 때, $0^2-0-2=0-0-2=-2\neq 0$

$x=1$일 때, $1^2-1-2=1-1-2=-2\neq 0$

$x=2$일 때, $2^2-2-2=4-2-2=0$

x	-1	0	1	2
x^2-x-2	0	-2	-2	0

따라서 주어진 이차방정식의 해는 $x=-1$ 또는 $x=2$이다.

답 $x=-1$ 또는 $x=2$

4-1 이차방정식 $x(x+2)=0$의 x에 -2, -1, 0, 1, 2를 대입하여 본다.

$x=-2$일 때, $(-2)\times\{(-2)+2\}=(-2)\times 0=0$

$x=-1$일 때, $(-1)\times\{(-1)+2\}=(-1)\times 1=-1$
$\neq 0$

$x=0$일 때, $0\times(0+2)=0\times 2=0$

$x=1$일 때, $1\times(1+2)=1\times 3=3\neq 0$

$x=2$일 때, $2\times(2+2)=2\times 4=8\neq 0$

따라서 주어진 이차방정식의 해는 $x=-2$ 또는 $x=0$이다.

답 $x=-2$ 또는 $x=0$

P.55

5 (1) $x=0$ 또는 $x+3=0$이므로 $x=0$ 또는 $x=-3$이다.

(2) $x-1=0$ 또는 $x+6=0$이므로 $x=1$ 또는 $x=-6$이다.

(3) $x-5=0$ 또는 $2x+1=0$이므로 $x=5$ 또는 $x=-\dfrac{1}{2}$이다.

(4) $3x-4=0$ 또는 $5x+2=0$이므로

$x=\dfrac{4}{3}$ 또는 $x=-\dfrac{2}{5}$이다.

답 (1) $x=0$ 또는 $x=-3$ (2) $x=1$ 또는 $x=-6$

(3) $x=5$ 또는 $x=-\dfrac{1}{2}$ (4) $x=\dfrac{4}{3}$ 또는 $x=-\dfrac{2}{5}$

5-1 $(x+4)(2x-3)=0$에서 $x+4=0$ 또는 $2x-3=0$

이므로 $x=-4$ 또는 $x=\dfrac{3}{2}$이다.

$(3x-2)(x+4)=0$에서 $3x-2=0$ 또는 $x+4=0$

이므로 $x=\dfrac{2}{3}$ 또는 $x=-4$이다.

따라서 두 이차방정식의 공통인 해는 $x=-4$이다.

답 $x=-4$

6 (1) $x^2+x-30=0$에서 $(x+6)(x-5)=0$이므로

$x=-6$ 또는 $x=5$이다.

(2) $x^2-8x+12=0$에서 $(x-2)(x-6)=0$이므로

$x=2$ 또는 $x=6$이다.

(3) $5x^2-14x-3=0$에서 $(5x+1)(x-3)=0$이므로

$x=-\dfrac{1}{5}$ 또는 $x=3$이다.

(4) $6x^2-7x-3=0$에서 $(3x+1)(2x-3)=0$이므로

$x=-\dfrac{1}{3}$ 또는 $x=\dfrac{3}{2}$이다.

답 (1) $x=-6$ 또는 $x=5$ (2) $x=2$ 또는 $x=6$

(3) $x=-\dfrac{1}{5}$ 또는 $x=3$ (4) $x=-\dfrac{1}{3}$ 또는 $x=\dfrac{3}{2}$

6-1 (1) $3x^2+6x=0$에서 $3x(x+2)=0$이므로

$x=0$ 또는 $x=-2$이다.

(2) $x(x-2)=3$에서 $x^2-2x-3=0$,

$(x+1)(x-3)=0$이므로 $x=-1$ 또는 $x=3$이다.

(3) $x^2+x=-2x+10$에서 $x^2+3x-10=0$,

$(x+5)(x-2)=0$이므로 $x=-5$ 또는 $x=2$이다.

(4) $2x^2-10=(x+1)(x-1)$에서 $2x^2-10=x^2-1$,

$x^2-9=0$, $(x+3)(x-3)=0$이므로

$x=-3$ 또는 $x=3$이다.

답 (1) $x=0$ 또는 $x=-2$ (2) $x=-1$ 또는 $x=3$

(3) $x=-5$ 또는 $x=2$ (4) $x=-3$ 또는 $x=3$

P.56

7 (1) $x^2+6x+9=0$에서 $(x+3)^2=0$이므로

$x=-3$이다.

(2) $4x^2-4x+1=0$에서 $(2x-1)^2=0$이므로

$x=\dfrac{1}{2}$이다.

(3) $2x^2-20x+50=0$에서 $2(x^2-10x+25)=0$,

$2(x-5)^2=0$이므로 $x=5$이다.

(4) $6-x^2=2(5-2x)$에서 $6-x^2=10-4x$,

$-x^2+4x-4=0$, $x^2-4x+4=0$,

$(x-2)^2=0$이므로 $x=2$이다.

답 (1) $x=-3$ (2) $x=\dfrac{1}{2}$ (3) $x=5$ (4) $x=2$

7-1 ① $x^2-25=0$에서 $(x+5)(x-5)=0$이므로

$x=-5$ 또는 $x=5$이다.

② $x^2-x=2$에서 $x^2-x-2=0$, $(x+1)(x-2)=0$

이므로 $x=-1$ 또는 $x=2$이다.

③ $4x^2-12x+9=0$에서 $(2x-3)^2=0$이므로

$x=\dfrac{3}{2}$이다.

④ $x^2-3x-10=0$에서 $(x+2)(x-5)=0$이므로

$x=-2$ 또는 $x=5$이다.

⑤ $9x^2-1=0$에서 $(3x+1)(3x-1)=0$이므로

$x=-\dfrac{1}{3}$ 또는 $x=\dfrac{1}{3}$이다.

답 ③

8 (1) $a=\left(\dfrac{-2}{2}\right)^2=(-1)^2=1$이다.

(2) $a+9=\left(\dfrac{8}{2}\right)^2=4^2=16$이므로 $a=7$이다.

답 (1) 1 (2) 7

8-1 (1) $4-k=\left(\dfrac{-6}{2}\right)^2=(-3)^2=9$이므로 $k=-5$이다.

(2) 이차방정식의 양변을 9로 나누면 $x^2+\dfrac{2}{3}x+\dfrac{k}{9}=0$에서

$\dfrac{k}{9}=\left(\dfrac{1}{3}\right)^2=\dfrac{1}{9}$이므로 $k=1$이다.

답 (1) -5 (2) 1

실력 다지기
PP.57~58

01 ④ **02** 풀이 참조 **03** ②, ④

04 ④ **05** (1) -12 (2) -1 **06** $x=-\dfrac{1}{3}$

07 (1) $x=-3$ 또는 $x=-1$

(2) $x=-\dfrac{1}{4}$ 또는 $x=\dfrac{1}{4}$ (3) $x=6$ (4) $x=-\dfrac{1}{2}$

(5) $x=-2$ 또는 $x=7$ (6) $x=-\dfrac{11}{3}$ 또는 $x=1$

08 $x=-1$ 또는 $x=\dfrac{2}{5}$ **09** ⑤

10 풀이 참조

01 ① $x^2=5$에서 $x^2-5=0$이므로 이차방정식이다.

② $2(x^2-1)=x^2+1$에서 $2x^2-2=x^2+1$, $x^2-3=0$

이므로 이차방정식이다.

④ $3x^2-3(x-1)^2=0$에서 $3x^2-3(x^2-2x+1)=0$,
$3x^2-3x^2+6x-3=0$, $6x-3=0$이므로 일차방정식
이다.

⑤ $x^2=3(x+1)$에서 $x^2=3x+3$, $x^2-3x-3=0$이므로
이차방정식이다.

02 $ax^2+6x-2=3x^2-bx+c$,
$ax^2+6x-2-3x^2+bx-c=0$,
$(a-3)x^2+(6+b)x+(-2-c)=0$ ······ ❶
따라서 이차방정식이 되려면 (x^2의 계수)$\neq0$이므로
$a-3\neq0$에서 $a\neq3$이다. ······ ❷

단계	채점 기준	배점 비율
❶	주어진 식을 정리한다.	60 %
❷	주어진 식이 이차방정식이 될 조건을 구한다.	40 %

03 ① $(x-1)^2=(-1-1)^2=(-2)^2=4\neq0$
② $(x+3)^2=(-1+3)^2=2^2=4$
③ $x^2-x=(-1)^2-(-1)=1+1=2\neq0$
④ $x^2-5x-6=(-1)^2-5\times(-1)-6=1+5-6=0$
⑤ $2x^2+5x+2=2\times(-1)^2+5\times(-1)+2$
$\qquad\qquad\qquad=2-5+2=-1\neq0$
따라서 $x=-1$을 해로 가지는 이차방정식은 ②, ④이다.

04 이차방정식 $x^2+3x-4=0$의 x에 -2, -1, 0, 1, 2를
대입하여 본다.
① $x=-2$일 때, $4-6-4=-6\neq0$
② $x=-1$일 때, $1-3-4=-6\neq0$
③ $x=0$일 때, $-4\neq0$
④ $x=1$일 때, $1+3-4=0$
⑤ $x=2$일 때, $4+6-4=6\neq0$
따라서 주어진 이차방정식의 해는 ④ $x=1$이다.

05 (1) $x=-2$를 $x^2-4x+a=0$에 대입하면
$(-2)^2-4\times(-2)+a=0$, $4+8+a=0$이므로
$a=-12$이다.

(2) $x=p$를 $x^2+3x+1=0$에 대입하면 $p^2+3p+1=0$
이므로 $p^2+3p=-1$이다.

06 $(3x+1)(x-6)=0$에서 $3x+1=0$ 또는 $x-6=0$
이므로 $x=-\dfrac{1}{3}$ 또는 $x=6$이다.

$(x+6)(3x+1)=0$에서 $x+6=0$ 또는 $3x+1=0$
이므로 $x=-6$ 또는 $x=-\dfrac{1}{3}$이다.

따라서 구하는 공통인 근은 $x=-\dfrac{1}{3}$이다.

07 (1) $x^2+4x+3=0$에서 $(x+3)(x+1)=0$이므로
$x=-3$ 또는 $x=-1$이다.

(2) $16x^2-1=0$에서 $(4x+1)(4x-1)=0$이므로
$x=-\dfrac{1}{4}$ 또는 $x=\dfrac{1}{4}$이다.

(3) $x^2-12x+36=0$에서 $(x-6)^2=0$이므로
$x=6$이다.

(4) $8x^2+8x+2=0$에서 $2(4x^2+4x+1)=0$,
$2(2x+1)^2=0$이므로 $x=-\dfrac{1}{2}$이다.

(5) $x^2=5x+14$에서 $x^2-5x-14=0$,
$(x+2)(x-7)=0$이므로 $x=-2$ 또는 $x=7$이다.

(6) $(x-3)(x-5)=4x^2+4$에서
$x^2-8x+15=4x^2+4$, $3x^2+8x-11=0$,
$(3x+11)(x-1)=0$이므로
$x=-\dfrac{11}{3}$ 또는 $x=1$이다.

08 $x^2-8x+15=0$에서 $(x-3)(x-5)=0$이므로
$x=3$ 또는 $x=5$이다.
이때 $a>b$이므로 $a=5$, $b=3$이다.
따라서 $5x^2+3x-2=0$에서 $(x+1)(5x-2)=0$
이므로 $x=-1$ 또는 $x=\dfrac{2}{5}$이다.

09 이차방정식이 하나의 근을 가진다는 것은 중근을 가진다는
의미이다.
$2(x-2)^2+5-k=0$에서 $2x^2-8x+13-k=0$,
$x^2-4x+\dfrac{13-k}{2}=0$이므로
$\dfrac{13-k}{2}=\left(\dfrac{-4}{2}\right)^2=4$, $13-k=8$이다.
따라서 $k=5$이다.

다른 풀이
이차방정식 $2(x-2)^2=k-5$가 하나의 근을 가지므로 중
근을 가진다.
따라서 (완전제곱식)$=0$의 꼴이어야 하므로 $k-5=0$에서
$k=5$이다.

10 이차방정식 $x^2-8x+4-2m=0$이 중근을 가지므로
$4-2m=\left(\dfrac{-8}{2}\right)^2=16$이므로 $-2m=12$이다.
따라서 $m=-6$이다. ······ ❶
$m=-6$을 $x^2-8x+4-2m=0$에 대입하면
$x^2-8x+16=0$, $(x-4)^2=0$이다.
따라서 $x=4$이다. ······ ❷

단계	채점 기준	배점 비율
❶	m의 값을 구한다.	50 %
❷	주어진 이차방정식의 중근을 구한다.	50 %

02 근의 공식을 이용한 이차방정식의 풀이

P.59

1 (1) $x^2-64=0$에서 $x^2=64$이므로 $x=\pm8$이다.

(2) $2x^2=14$에서 $x^2=7$이므로 $x=\pm\sqrt{7}$이다.

(3) $9x^2-4=0$에서 $9x^2=4$, $x^2=\dfrac{4}{9}$이므로

$x=\pm\sqrt{\dfrac{4}{9}}=\pm\dfrac{2}{3}$이다.

(4) $-3x^2+15=0$에서 $x^2=5$이므로 $x=\pm\sqrt{5}$이다.

답 (1) $x=\pm8$ (2) $x=\pm\sqrt{7}$ (3) $x=\pm\dfrac{2}{3}$ (4) $x=\pm\sqrt{5}$

1-1 (1) $x^2-\dfrac{5}{4}=0$에서 $x^2=\dfrac{5}{4}$이므로 $x=\pm\dfrac{\sqrt{5}}{2}$이다.

(2) $2x^2-12=0$에서 $x^2=6$이므로 $x=\pm\sqrt{6}$이다.

(3) $12-x^2=0$에서 $x^2=12$이므로

$x=\pm\sqrt{12}=\pm2\sqrt{3}$이다.

(4) $20-4x^2=x^2+5$에서 $x^2=3$이므로 $x=\pm\sqrt{3}$이다.

답 (1) $x=\pm\dfrac{\sqrt{5}}{2}$ (2) $x=\pm\sqrt{6}$

(3) $x=\pm2\sqrt{3}$ (4) $x=\pm\sqrt{3}$

2 (1) $(x+2)^2=2$에서 $x+2=\pm\sqrt{2}$이므로

$x=-2\pm\sqrt{2}$이다.

(2) $(x-5)^2=3$에서 $x-5=\pm\sqrt{3}$이므로

$x=5\pm\sqrt{3}$이다.

(3) $-(x-1)^2=-4$에서 $(x-1)^2=4$, $x-1=\pm2$,

$x=1\pm2$이므로 $x=-1$ 또는 $x=3$이다.

(4) $9(x+3)^2-12=0$에서 $9(x+3)^2=12$,

$(x+3)^2=\dfrac{4}{3}$, $x+3=\pm\sqrt{\dfrac{4}{3}}=\pm\dfrac{2\sqrt{3}}{3}$이므로

$x=-3\pm\dfrac{2\sqrt{3}}{3}=\dfrac{-9\pm2\sqrt{3}}{3}$이다.

답 (1) $x=-2\pm\sqrt{2}$ (2) $x=5\pm\sqrt{3}$

(3) $x=-1$ 또는 $x=3$ (4) $x=\dfrac{-9\pm2\sqrt{3}}{3}$

2-1 (1) $(x+5)^2-6=0$에서 $(x+5)^2=6$,

$x+5=\pm\sqrt{6}$이므로 $x=-5\pm\sqrt{6}$이다.

(2) $(2x-3)^2=9$에서 $2x-3=\pm3$, $2x=3\pm3$이므로

$x=0$ 또는 $x=3$이다.

(3) $2(x-6)^2-14=0$에서 $2(x-6)^2=14$,

$(x-6)^2=7$, $x-6=\pm\sqrt{7}$이므로 $x=6\pm\sqrt{7}$이다.

(4) $\dfrac{1}{2}(x+1)^2=5$에서 $(x+1)^2=10$,

$x+1=\pm\sqrt{10}$이므로 $x=-1\pm\sqrt{10}$이다.

답 (1) $x=-5\pm\sqrt{6}$ (2) $x=0$ 또는 $x=3$

(3) $x=6\pm\sqrt{7}$ (4) $x=-1\pm\sqrt{10}$

P.60

3 (1) $x^2-6x+4=0$

➡ $x^2-6x=\boxed{-4}$

➡ $x^2-6x+\boxed{9}=-4+\boxed{9}$

➡ $(x-\boxed{3})^2=\boxed{5}$

➡ $x-3=\pm\sqrt{5}$

따라서 $x=\boxed{3\pm\sqrt{5}}$이다.

(2) $2x^2+4x+1=0$

➡ $x^2+2x+\boxed{\dfrac{1}{2}}=0$

➡ $x^2+2x=\boxed{-\dfrac{1}{2}}$

➡ $x^2+2x+\boxed{1}=-\dfrac{1}{2}+\boxed{1}$

➡ $(x+\boxed{1})^2=\boxed{\dfrac{1}{2}}$

➡ $x+1=\pm\sqrt{\dfrac{1}{2}}$

따라서 $x=-1\pm\dfrac{\sqrt{2}}{2}=\boxed{\dfrac{-2\pm\sqrt{2}}{2}}$이다.

답 (1) -4, 9, 9, 3, 5, $3\pm\sqrt{5}$

(2) $\dfrac{1}{2}$, $-\dfrac{1}{2}$, 1, 1, 1, $\dfrac{1}{2}$, $\dfrac{-2\pm\sqrt{2}}{2}$

3-1 (1) $x^2-4x-3=0$에서 $x^2-4x=3$, $x^2-4x+4=3+4$,

$(x-2)^2=7$, $x-2=\pm\sqrt{7}$이므로

$x=2\pm\sqrt{7}$이다.

(2) $3x^2+6x=3$에서 $x^2+2x=1$, $x^2+2x+1=1+1$,

$(x+1)^2=2$, $x+1=\pm\sqrt{2}$이므로

$x=-1\pm\sqrt{2}$이다.

(3) $3x^2+12x+7=0$에서 $x^2+4x+\dfrac{7}{3}=0$,

$x^2+4x=-\dfrac{7}{3}$, $x^2+4x+4=-\dfrac{7}{3}+4$,

$(x+2)^2=\dfrac{5}{3}$, $x+2=\pm\sqrt{\dfrac{5}{3}}$이므로

$x=-2\pm\dfrac{\sqrt{15}}{3}=\dfrac{-6\pm\sqrt{15}}{3}$이다.

(4) $3(x+1)^2=x(x-4)$에서 $3x^2+6x+3=x^2-4x$,

$2x^2+10x+3=0$, $x^2+5x+\dfrac{3}{2}=0$, $x^2+5x=-\dfrac{3}{2}$,

$x^2+5x+\dfrac{25}{4}=-\dfrac{3}{2}+\dfrac{25}{4}$, $\left(x+\dfrac{5}{2}\right)^2=\dfrac{19}{4}$,

$x+\dfrac{5}{2}=\pm\dfrac{\sqrt{19}}{2}$이므로

$x=-\dfrac{5}{2}\pm\dfrac{\sqrt{19}}{2}=\dfrac{-5\pm\sqrt{19}}{2}$이다.

답 (1) $x=2\pm\sqrt{7}$ (2) $x=-1\pm\sqrt{2}$

(3) $x=\dfrac{-6\pm\sqrt{15}}{3}$ (4) $x=\dfrac{-5\pm\sqrt{19}}{2}$

3-2 (1) $x^2-x-1=0$에서 $x^2-x=1$, $x^2-x+\dfrac{1}{4}=1+\dfrac{1}{4}$,

$\left(x-\dfrac{1}{2}\right)^2=\dfrac{5}{4}$

따라서 $p=\dfrac{1}{2}$, $q=\dfrac{5}{4}$이다.

(2) $2x^2-4x-3=4x+1$에서 $2x^2-8x=4$, $x^2-4x=2$,

$x^2-4x+4=2+4$, $(x-2)^2=6$

따라서 $p=2$, $q=6$이다.

$\boxed{답}$ (1) $p=\dfrac{1}{2}$, $q=\dfrac{5}{4}$ (2) $p=2$, $q=6$

P.61

4 $ax^2+bx+c=0$에서

양변을 x^2의 계수 a로 나누면

$x^2+\dfrac{b}{a}x+\boxed{\dfrac{c}{a}}=0$이고,

상수항을 우변으로 이항하면

$x^2+\dfrac{b}{a}x=-\boxed{\dfrac{c}{a}}$이다.

양변에 x의 계수의 $\dfrac{1}{2}$의 제곱인 $\boxed{\left(\dfrac{b}{2a}\right)^2}$을 더하면

$x^2+\dfrac{b}{a}x+\boxed{\left(\dfrac{b}{2a}\right)^2}=-\dfrac{c}{a}+\boxed{\left(\dfrac{b}{2a}\right)^2}$이다.

좌변을 완전제곱식으로 고치고 우변을 정리하면

$\left(x+\boxed{\dfrac{b}{2a}}\right)^2=\dfrac{b^2-4ac}{4a^2}$이다.

제곱근을 구하면

$x+\dfrac{b}{2a}=\pm\dfrac{\sqrt{b^2-4ac}}{2a}$이다.

따라서 $x=-\dfrac{b}{2a}\pm\dfrac{\sqrt{b^2-4ac}}{2a}=\boxed{\dfrac{-b\pm\sqrt{b^2-4ac}}{2a}}$이다.

$\boxed{답}$ $\dfrac{c}{a}$, $\dfrac{c}{a}$, $\left(\dfrac{b}{2a}\right)^2$, $\left(\dfrac{b}{2a}\right)^2$, $\dfrac{c}{a}$, $\left(\dfrac{b}{2a}\right)^2$, $\dfrac{b}{2a}$, $\dfrac{-b\pm\sqrt{b^2-4ac}}{2a}$

4-1 (1) $x^2-3x-2=0$에서 $a=1$, $b=-3$, $c=-2$이므로

$x=\dfrac{-(-3)\pm\sqrt{(-3)^2-4\times1\times(-2)}}{2\times1}$

$=\dfrac{3\pm\sqrt{9+8}}{2}=\dfrac{3\pm\sqrt{17}}{2}$

(2) $3x^2+5x+1=0$에서 $a=3$, $b=5$, $c=1$이므로

$x=\dfrac{-5\pm\sqrt{5^2-4\times3\times1}}{2\times3}=\dfrac{-5\pm\sqrt{25-12}}{6}$

$=\dfrac{-5\pm\sqrt{13}}{6}$

(3) $5x^2-6x-4=0$에서 $a=5$, $b=-6$, $c=-4$이므로

$x=\dfrac{-(-6)\pm\sqrt{(-6)^2-4\times5\times(-4)}}{2\times5}$

$=\dfrac{6\pm\sqrt{36+80}}{10}=\dfrac{6\pm\sqrt{116}}{10}$

$=\dfrac{6\pm2\sqrt{29}}{10}=\dfrac{3\pm\sqrt{29}}{5}$

$\boxed{답}$ (1) $x=\dfrac{3\pm\sqrt{17}}{2}$ (2) $x=\dfrac{-5\pm\sqrt{13}}{6}$ (3) $x=\dfrac{3\pm\sqrt{29}}{5}$

4-2 $x^2+5x-4=0$에서 $a=1$, $b=5$, $c=-4$이므로

$x=\dfrac{-5\pm\sqrt{5^2-4\times1\times(-4)}}{2\times1}=\dfrac{-5\pm\sqrt{25+16}}{2}$

$=\dfrac{-5\pm\sqrt{41}}{2}=\dfrac{A\pm\sqrt{B}}{2}$

따라서 $A=-5$, $B=41$이다.

$\boxed{답}$ $A=-5$, $B=41$

P.62

5 (1) 양변에 10을 곱하면

$4x^2-5x+1=0$, $(4x-1)(x-1)=0$이므로

$x=\dfrac{1}{4}$ 또는 $x=1$이다.

(2) 양변에 4를 곱하면 $2x^2-6x+1=0$이므로

$x=\dfrac{-(-6)\pm\sqrt{(-6)^2-4\times2\times1}}{2\times2}=\dfrac{6\pm\sqrt{28}}{4}$

$=\dfrac{6\pm2\sqrt{7}}{4}=\dfrac{3\pm\sqrt{7}}{2}$

(3) 괄호를 풀어 정리하면

$4x^2-1=3x^2$, $x^2-1=0$, $(x+1)(x-1)=0$이므로

$x=-1$ 또는 $x=1$이다.

$\boxed{답}$ (1) $x=\dfrac{1}{4}$ 또는 $x=1$ (2) $x=\dfrac{3\pm\sqrt{7}}{2}$

(3) $x=-1$ 또는 $x=1$

5-1 (1) 양변에 10을 곱하면

$2x(x+4)=10(x+1)$, $2x^2+8x=10x+10$,

$2x^2-2x-10=0$, $x^2-x-5=0$이므로

$x=\dfrac{-(-1)\pm\sqrt{(-1)^2-4\times1\times(-5)}}{2\times1}=\dfrac{1\pm\sqrt{21}}{2}$

(2) 양변에 6을 곱하면

$6x-2(x^2+x)=3(3x+1)$, $6x-2x^2-2x=9x+3$,

$2x^2+5x+3=0$, $(2x+3)(x+1)=0$이므로

$x=-\dfrac{3}{2}$ 또는 $x=-1$이다.

(3) 괄호를 풀어 정리하면

$6x^2-6x-(x^2+6x+9)=0$,

$6x^2-6x-x^2-6x-9=0$,

$5x^2-12x-9=0$, $(5x+3)(x-3)=0$이므로

$x=-\dfrac{3}{5}$ 또는 $x=3$이다.

$\boxed{답}$ (1) $x=\dfrac{1\pm\sqrt{21}}{2}$ (2) $x=-\dfrac{3}{2}$ 또는 $x=-1$

(3) $x=-\dfrac{3}{5}$ 또는 $x=3$

6 $x-2=A$로 치환하면

$A^2-6A=-8$, $A^2-6A+8=0$, $(A-2)(A-4)=0$

이므로 $A=2$ 또는 $A=4$이다.

따라서 $x-2=2$ 또는 $x-2=4$이므로 $x=4$ 또는 $x=6$

이다.

답 $x=4$ 또는 $x=6$

[다른 풀이]

괄호를 풀어 정리하면

$x^2-4x+4-6x+12+8=0$

$x^2-10x+24=0$, $(x-4)(x-6)=0$

따라서 $x=4$ 또는 $x=6$이다.

6-1 (1) $x-1=A$로 치환하면 $A^2+4A+4=0$,

$(A+2)^2=0$이므로 $A=-2$이다.

따라서 $x-1=-2$이므로 $x=-1$이다.

(2) $x+2=A$로 치환하면 $\dfrac{1}{2}A^2+\dfrac{1}{3}A-\dfrac{1}{6}=0$

양변에 6을 곱하면 $3A^2+2A-1=0$

즉, $(A+1)(3A-1)=0$이므로

$A=-1$ 또는 $A=\dfrac{1}{3}$이다.

따라서 $x+2=-1$ 또는 $x+2=\dfrac{1}{3}$이므로

$x=-3$ 또는 $x=-\dfrac{5}{3}$이다.

답 (1) $x=-1$ (2) $x=-3$ 또는 $x=-\dfrac{5}{3}$

P.63

7 (1) $x=1$을 $x^2+4x+a-2=0$에 대입하면

$1^2+4\times1+a-2=0$이므로 $a=-3$이다.

(2) $a=-3$을 $x^2+4x+a-2=0$에 대입하면

$x^2+4x-5=0$, $(x+5)(x-1)=0$이므로

$x=-5$ 또는 $x=1$이다.

따라서 다른 한 근은 -5이다.

답 (1) -3 (2) -5

7-1 $x=-2$를 $5x^2+ax-6=0$에 대입하면

$5\times(-2)^2+a\times(-2)-6=0$, $2a=14$이므로

$a=7$이고, $a=7$을 $5x^2+ax-6=0$에 대입하면

$5x^2+7x-6=0$, $(x+2)(5x-3)=0$이므로

$x=-2$ 또는 $x=\dfrac{3}{5}$이다.

따라서 다른 한 근은 $\dfrac{3}{5}$이다.

답 $\dfrac{3}{5}$

8 $x=2-\sqrt{3}$을 $x^2-4x+k=0$에 대입하면

$(2-\sqrt{3})^2-4(2-\sqrt{3})+k=0$,

$4-4\sqrt{3}+3-8+4\sqrt{3}+k=0$이므로 $k=1$이다.

답 1

8-1 $x=1+2\sqrt{3}$을 $x^2-2x-k+2=0$에 대입하면

$(1+2\sqrt{3})^2-2(1+2\sqrt{3})-k+2=0$,

$1+4\sqrt{3}+12-2-4\sqrt{3}-k+2=0$이므로 $k=13$이다.

답 13

P.64

9 연년생은 한 살 차이를 말하므로 연호의 나이를 x살이라고

하면 준호의 나이는 $(x+1)$살로 놓을 수 있다.

형제의 나이를 곱하면 240이므로

$x(x+1)=240$, $x^2+x-240=0$, $(x-15)(x+16)=0$

에서 $x=15$ 또는 $x=-16$이다.

그런데 $x>0$이므로 $x=15$이다.

따라서 연호의 나이는 15살, 준호의 나이는 16살이다.

답 연호: 15살, 준호: 16살

9-1 친구의 수를 x라고 하면 한 사람에게 돌아가는 자두맛 사

탕의 개수는 친구의 수보다 3만큼 크므로 한 사람에게 돌

아가는 자두맛 사탕의 개수는 $(x+3)$이다.

$x(x+3)=54$, $x^2+3x-54=0$, $(x-6)(x+9)=0$

에서 $x=6$ 또는 $x=-9$이다.

그런데 $x>0$이므로 $x=6$이다.

따라서 친구의 수는 6이다.

답 ④

10 공의 높이가 60 m이므로

$60=40t-5t^2$, $5t^2-40t+60=0$, $t^2-8t+12=0$,

$(t-2)(t-6)=0$이고 $t=2$ 또는 $t=6$이다.

따라서 쏘아 올린지 2초 후 또는 6초 후에 공의 높이가

60 m가 된다.

답 2초 후 또는 6초 후

10-1 땅에 떨어진다는 말은 높이가 0 m라는 뜻이므로

$0=-5t^2+30t+35$, $5t^2-30t-35=0$, $t^2-6t-7=0$,

$(t+1)(t-7)=0$이고 $t=-1$ 또는 $t=7$이다.

그런데 $t>0$이므로 $t=7$이다.

따라서 이 물체가 땅에 떨어지는 것은 7초 후이다.

답 ③

11 늘어난 가로의 길이를 x cm라고 하면
$(12+x)(8+x)=2\times(12\times8)$, $96+20x+x^2=192$,
$x^2+20x-96=0$, $(x+24)(x-4)=0$이므로
$x=-24$ 또는 $x=4$이다.
그런데 $x>0$이므로 $x=4$이다.
따라서 늘어난 가로의 길이는 4 cm이다.

답 4 cm

11-1 $(6+x)(6-x)=6^2-4$, $36-x^2=32$, $x^2=4$이므로
$x=\pm2$이다.
그런데 $x>0$이므로 $x=2$이다.

답 ③

12

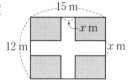
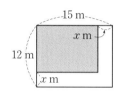

길의 폭을 x m라고 하면 위의 그림에서 색칠한 부분의
넓이가 같으므로
$(15-x)(12-x)=108$, $180-27x+x^2=108$,
$x^2-27x+72=0$, $(x-3)(x-24)=0$이고,
$x=3$ 또는 $x=24$이다.
그런데 x가 0보다 크고 12보다 작으므로 $x=3$이다.
따라서 길의 폭은 3 m이다.

[다른 풀이]
길의 폭을 x m라고 하면
$15\times12-15x-12x+x^2=108$, $180-27x+x^2=108$,
$x^2-27x+72=0$, $(x-3)(x-24)=0$이므로
$x=3$ 또는 $x=24$이다.
그런데 x가 0보다 크고 12보다 작으므로 $x=3$이다.
따라서 길의 폭은 3 m이다.

답 3 m

12-1 처음 직사각형 모양의 종이의 세로의 길이를 x cm라고 하
면 가로의 길이는 $(x+3)$ cm이다.
직육면체 모양의 상자의 밑면의 가로의 길이는
$(x+3)-4=(x-1)$ cm, 세로의 길이는 $(x-4)$ cm,
높이는 2 cm이고, 상자의 부피가 176 cm³이므로
$2(x-1)(x-4)=176$, $x^2-5x+4=88$,
$x^2-5x-84=0$, $(x+7)(x-12)=0$에서
$x=-7$ 또는 $x=12$이다.
그런데 $x>4$이므로 $x=12$이다.
따라서 처음 직사각형 모양의 종이의 세로의 길이는
12 cm이다.

답 ②

---

01 ③	**02** ②	**03** 3	**04** ③	**05** ④
06 ①	**07** 풀이 참조		**08** ④	

09~10 풀이 참조

01 ① 일차방정식이다.
② $0=1$이므로 등식이다.
③ $4x^2-4x+1=2x^2$에서 $2x^2-4x+1=0$이므로 이차
방정식이다.
④ $x^3-2x^2+x=0$이므로 이차방정식이 아니다.
⑤ $x^2-5x=x^2+5x$, $10x=0$이므로 일차방정식이다.

02 $x=-2$를 $x^2-3x+a=0$에 대입하면
$(-2)^2-3\times(-2)+a=0$, $4+6+a=0$이다.
따라서 $a=-10$이다.

03 $x^2-x=2$에서 $x^2-x-2=0$, $(x+1)(x-2)=0$이므로
$x=-1$ 또는 $x=2$이다.
두 근 중에서 작은 근이 $x=-1$이므로 $x=-1$을
$x^2+ax-a+5=0$에 대입하면
$1-a-a+5=0$, $2a=6$이다.
따라서 $a=3$이다.

04 ① $x^2-4x+4=0$, $(x-2)^2=0$이므로 $x=2$이다.
② $x=-6$이다.
③ $x^2-16=0$, $(x+4)(x-4)=0$이므로
$x=-4$ 또는 $x=4$이다.
④ $x^2-6x+9=0$, $(x-3)^2=0$이므로 $x=3$이다.
⑤ $x^2-8x+16=0$, $(x-4)^2=0$이므로 $x=4$이다.

05 $3(x-2)^2=9$에서 $(x-2)^2=3$, $x-2=\pm\sqrt{3}$이므로
$x=2\pm\sqrt{3}$이다.
한편 $p=2+\sqrt{3}$, $q=2-\sqrt{3}$ $(p>q)$이므로
$\dfrac{1}{p}+\dfrac{1}{q}=\dfrac{1}{2+\sqrt{3}}+\dfrac{1}{2-\sqrt{3}}=(2-\sqrt{3})+(2+\sqrt{3})=4$
이다.

06 주어진 이차방정식을 정리하면
$3(x^2-3x+2)=x+4$, $3x^2-10x+2=0$이므로
$x=\dfrac{-(-10)\pm\sqrt{(-10)^2-4\times3\times2}}{2\times3}$

$=\dfrac{10\pm\sqrt{100-24}}{6}=\dfrac{10\pm\sqrt{76}}{6}$

$=\dfrac{10\pm2\sqrt{19}}{6}=\dfrac{5\pm\sqrt{19}}{3}$

07 $(x+4)^2=3x(x-2)$에서 $x^2+8x+16=3x^2-6x$,
$2x^2-14x-16=0$, $x^2-7x-8=0$,
$(x+1)(x-8)=0$이므로
$x=-1$ 또는 $x=8$이다. ······ ❶
이차방정식 $(x+4)^2=3x(x-2)$의 두 근이 a, b이고
$a>b$이므로 $a=8$, $b=-1$이다. ······ ❷
따라서 $x^2+ax+b=x^2+8x-1=0$이므로 해를 구하면
$x=\dfrac{-8\pm\sqrt{8^2-4\times1\times(-1)}}{2\times1}=\dfrac{-8\pm\sqrt{64+4}}{2}$
$=\dfrac{-8\pm\sqrt{68}}{2}=\dfrac{-8\pm2\sqrt{17}}{2}=-4\pm\sqrt{17}$ ······ ❸

단계	채점 기준	배점 비율
❶	$(x+4)^2=3x(x-2)$의 해를 구한다.	40 %
❷	a, b의 값을 구한다.	20 %
❸	$x^2+ax+b=0$의 해를 구한다.	40 %

08 차가 3이고 작은 수가 x이므로 큰 수는 $x+3$이다.
두 수의 제곱의 합이 187이므로 식을 세우면
$x^2+(x+3)^2=187$이다.

09 늘어난 원의 반지름의 길이는 $(4+x)$ cm이므로
$\pi(4+x)^2=4\times(\pi\times4^2)$ ······ ❶
$(4+x)^2=64$, $16+8x+x^2=64$, $x^2+8x-48=0$,
$(x+12)(x-4)=0$이고
$x=-12$ 또는 $x=4$이다. ······ ❷
그런데 $x>0$이므로 $x=4$이다. ······ ❸

단계	채점 기준	배점 비율
❶	이차방정식을 세운다.	40 %
❷	이차방정식의 해를 구한다.	40 %
❸	x의 값을 구한다.	20 %

10 초롱: $(x-1)(x-8)=0$에서 $x^2-9x+8=0$이므로
$b=8$이다. ······ ❶
하영: $(x-1)(x-5)=0$에서 $x^2-6x+5=0$이므로
$a=-6$이다. ······ ❷
처음 이차방정식은 $x^2-6x+8=0$이므로 ······ ❸
$(x-2)(x-4)=0$이다.
따라서 $x=2$ 또는 $x=4$이다. ······ ❹

단계	채점 기준	배점 비율
❶	초롱이가 푼 이차방정식에서 b의 값을 구한다.	30 %
❷	하영이가 푼 이차방정식에서 a의 값을 구한다.	30 %
❸	처음 이차방정식을 구한다.	30 %
❹	처음 이차방정식의 해를 구한다.	10 %

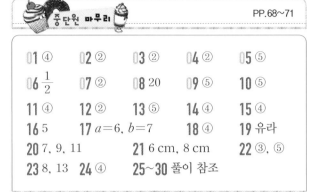

PP.68~71

01 ④	**02** ②	**03** ②	**04** ②	**05** ⑤
06 $\dfrac{1}{2}$	**07** ②	**08** 20	**09** ⑤	**10** ⑤
11 ④	**12** ②	**13** ⑤	**14** ④	**15** ④
16 5	**17** $a=6$, $b=7$		**18** ④	**19** 유라
20 7, 9, 11		**21** 6 cm, 8 cm		**22** ③, ⑤
23 8, 13	**24** ④	**25~30** 풀이 참조		

01 ㄱ. 이차식이다.
ㄴ. $x^3-x^2=x^3$에서 $-x^2=0$이므로 이차방정식이다.
ㄷ. $-x+3=0$이므로 일차방정식이다.
ㄹ. $\dfrac{1}{2}x^2+\dfrac{1}{2}x=0$이므로 이차방정식이다.
따라서 이차방정식인 것은 ㄴ, ㄹ이다.

02 등식 $2x(ax-a)=6x^2-4$를 정리하면
$2ax^2-2ax=6x^2-4$, $(2a-6)x^2-2ax+4=0$
이므로 이차방정식이 되기 위한 조건은
$2a-6\neq0$, 즉 $a\neq3$이다.

03 이차방정식 $x^2+5x-1=3x^2-2x+4$를 정리하면
$-2x^2+7x-5=0$, $2x^2-7x+5=0$이다.
따라서 $a=-7$, $b=5$이므로 $a+b=-2$이다.

04 ① $(-2)^2-2=4-2=2\neq0$
② $-2\times(-2)^2-4\times(-2)=-8+8=0$
③ $(-2)^2+2\times(-2)+2=4-4+2=2\neq0$
④ $(-2)^2-3\times(-2)+2=4+6+2=12\neq0$
⑤ $3\times(-2)^2+6\times(-2)+2=12-12+2=2\neq0$
따라서 $x=-2$를 해로 가지는 이차방정식은 ②이다.

05 $x=1$을 각 이차방정식에 대입하여 확인한다.
ㄱ. $1+2+4=7\neq0$
ㄴ. $1+2-4=-1\neq0$
ㄷ. $1-2=-1\neq1$
ㄹ. $(1+1)^2-4=0$
ㅁ. $(1-1)(1+3)=0$
따라서 $x=1$을 해로 가지는 것은 ㄹ, ㅁ이다.

06 $x=-1$을 $2x^2+(2a+1)x+a-3=0$에 대입하면
$2-(2a+1)+a-3=0$, $-a-2=0$이므로
$a=-2$이다.
$a=-2$를 $2x^2+(2a+1)x+a-3=0$에 대입하면
$2x^2-3x-5=0$, $(x+1)(2x-5)=0$이므로

$x=-1$ 또는 $x=\dfrac{5}{2}$이다.

이때 다른 한 근이 $x=\dfrac{5}{2}$이므로 $b=\dfrac{5}{2}$이다.

따라서 $a+b=(-2)+\dfrac{5}{2}=\dfrac{1}{2}$이다.

07 $x^2+2x-1=0$의 한 근이 p이므로 $x=p$를 대입하면 등식이 성립한다.

따라서 $p^2+2p-1=0$이므로 $p^2+2p=1$이다.

같은 방법으로 $x^2-3x+1=0$의 한 근이 q이므로

$q^2-3q+1=0$에서 $q^2-3q=-1$이다. 따라서

$(2p^2+4p)(3q^2-9q+2)$

$=\{2(p^2+2p)\}\{3(q^2-3q)+2\}$

$=2(-3+2)=-2$

08 $(x-2)+5+x^2=4+5+2x$에서

$x^2-x-6=0$, $(x+2)(x-3)=0$

이므로 $x=-2$ 또는 $x=3$이다.

그런데 x는 자연수이므로 $x=3$이다.

따라서 $8+3+7+2=20$이다.

8	1	6
3	5	7
4	9	2

09 $x^2-7x+10=0$, $(x-2)(x-5)=0$이므로

$x=2$ 또는 $x=5$이다.

그런데 두 이차방정식의 해가 2, 3, 5이므로

3은 $2x^2-10x+a=0$의 해이다.

$x=3$을 $2x^2-10x+a=0$에 대입하면

$2\times3^2-10\times3+a=0$, $18-30+a=0$이므로

$a=12$이다.

10 ㄱ. $x^2=4$이므로 $x=\pm2$이다.

ㄴ. $6(x+3)^2=0$이므로 $x=-3$이다.

ㄷ. $2x^2+4x+2=0$, $2(x^2+2x+1)=0$, $2(x+1)^2=0$

이므로 $x=-1$이다.

ㄹ. $x^2-x+\dfrac{1}{4}=0$, $\left(x-\dfrac{1}{2}\right)^2=0$이므로 $x=\dfrac{1}{2}$이다.

따라서 중근을 가지는 이차방정식은 ㄴ, ㄷ, ㄹ이다.

11 이차방정식 $x^2-8x-3a+1=0$이 중근을 가지므로

$(\text{상수항})=\left\{\dfrac{(x\text{의 계수})}{2}\right\}^2$이다.

$-3a+1=\left(\dfrac{-8}{2}\right)^2$, $-3a+1=16$, $-3a=15$이고,

$a=-5$이다.

$a=-5$를 $x^2-8x-3a+1=0$에 대입하면

$x^2-8x+16=0$, $(x-4)^2=0$이므로

$x=4$이고 $b=4$이다.

따라서 $b-a=4-(-5)=9$이다.

12 $2(x-1)^2=14$, $(x-1)^2=7$, $x-1=\pm\sqrt{7}$이므로

$x=1\pm\sqrt{7}$이다.

따라서 $p=1+\sqrt{7}$, $q=1-\sqrt{7}$이므로

$p-q=(1+\sqrt{7})-(1-\sqrt{7})=2\sqrt{7}$이다.

13 $(x+a)^2=b$, $x+a=\pm\sqrt{b}$이므로

$x=-a\pm\sqrt{b}=-2\pm\sqrt{5}$이다.

따라서 $a=2$, $b=5$이므로 $a+b=7$이다.

14 ① $k=-2$이면 $(x+2)^2=4$, $x+2=\pm2$이므로

$x=-4$ 또는 $x=0$이다.

따라서 정수인 두 근을 가진다. (참)

② $k=-1$이면 $(x+2)^2=3$, $x+2=\pm\sqrt{3}$

$x=-2+\sqrt{3}$ 또는 $x=-2-\sqrt{3}$이다.

따라서 음수인 두 근을 가진다. (참)

③ $k=0$이면 $(x+2)^2=2$, $x+2=\pm\sqrt{2}$이므로

$x=-2\pm\sqrt{2}$이다.

따라서 근이 2개이다. (참)

④ $k=1$이면 $(x+2)^2=1$, $x+2=\pm1$이므로

$x=-3$ 또는 $x=-1$이다.

따라서 정수인 두 근을 가진다. (거짓)

⑤ $k=2$이면 $(x+2)^2=0$이므로 $x=-2$이다.

따라서 중근을 가진다. (참)

15 $x^2-3x+1=0$, $x^2-3x=-1$

$x^2-3x+\boxed{\dfrac{9}{4}}=-1+\boxed{\dfrac{9}{4}}$

$\left(x-\boxed{\dfrac{3}{2}}\right)^2=\boxed{\dfrac{5}{4}}$

$x-\boxed{\dfrac{3}{2}}=\pm\sqrt{\dfrac{5}{4}}=\boxed{\dfrac{\pm\sqrt{5}}{2}}$

따라서 $x=\dfrac{3}{2}\pm\dfrac{\sqrt{5}}{2}=\boxed{\dfrac{3\pm\sqrt{5}}{2}}$이다.

16 $3x^2+12x-9=0$, $x^2+4x-3=0$, $x^2+4x=3$,

$x^2+4x+4=3+4$이므로 $(x+2)^2=7$이다.

따라서 $a=2$, $b=7$이므로 $b-a=5$이다.

17 $2x^2=ax-1$에서 $2x^2-ax+1=0$이므로

$x=\dfrac{-(-a)\pm\sqrt{(-a)^2-4\times2\times1}}{2\times2}$

$=\dfrac{a\pm\sqrt{a^2-8}}{4}$ ...... ㉠

$x=\dfrac{3\pm\sqrt{b}}{2}=\dfrac{6\pm2\sqrt{b}}{4}=\dfrac{6\pm\sqrt{4b}}{4}$ ...... ㉡

㉠, ㉡에서 $a=6$, $4b=a^2-8=28$에서 $b=7$이다.

18 $1.2x^2-x=1.2$의 양변에 10을 곱하면
$12x^2-10x=12$, $12x^2-10x-12=0$,
$6x^2-5x-6=0$, $(3x+2)(2x-3)=0$이므로
$x=-\dfrac{2}{3}$ 또는 $x=\dfrac{3}{2}$이다.

$\dfrac{2}{3}x^2-2x+\dfrac{3}{2}=0$의 양변에 6을 곱하면

$4x^2-12x+9=0$, $(2x-3)^2=0$이므로 $x=\dfrac{3}{2}$이다.

따라서 두 이차방정식의 공통인 근은 $x=\dfrac{3}{2}$이다.

19 $x^2-4x=0$에서 $x(x-4)=0$이므로
$x=0$ 또는 $x=4$이다.
따라서 옳지 않게 말한 사람은 유라이다.

참고 $a=b$일 때 $\dfrac{a}{c}=\dfrac{b}{c}$이려면 $c\neq0$이어야 한다.

20 연속하는 세 홀수를 $x-2$, x, $x+2$라고 하면
$(x+2)^2=\{(x-2)^2+x^2\}-9$,
$x^2+4x+4=x^2-4x+4+x^2-9$, $x^2-8x-9=0$,
$(x+1)(x-9)=0$이므로 $x=-1$ 또는 $x=9$이다.
그런데 $x>2$이므로 $x=9$이다.
따라서 세 홀수는 7, 9, 11이다.

21 직사각형의 가로의 길이를 x cm라고 하면 세로의 길이는
$(14-x)$ cm이므로
$x(14-x)=48$, $14x-x^2-48=0$,
$x^2-14x+48=0$, $(x-6)(x-8)=0$이고
$x=6$ 또는 $x=8$이다.
따라서 이 직사각형의 서로 다른 두 변의 길이는 6 cm,
8 cm이다.

22 어떤 자연수를 x라고 하면
$(x-4)^2=2(x-4)$, $x^2-8x+16=2x-8$,
$x^2-10x+24=0$, $(x-4)(x-6)=0$이므로
$x=4$ 또는 $x=6$이다.
따라서 어떤 자연수는 4 또는 6이다.

23 차가 5인 두 자연수를 x, $x+5$라고 하면
$x(x+5)=104$, $x^2+5x-104=0$,
$(x+13)(x-8)=0$이므로 $x=-13$ 또는 $x=8$이다.
그런데 x는 자연수이므로 $x=8$이다.
따라서 구하는 두 자연수는 8, 13이다.

24 연속하는 두 자연수를 x, $x+1$이라고 하면
$x(x+1)=x^2+(x+1)^2-91$,
$x^2+x=x^2+x^2+2x+1-91$, $x^2+x-90=0$,
$(x+10)(x-9)=0$이므로 $x=-10$ 또는 $x=9$이다.
그런데 x는 자연수이므로 $x=9$이다.
따라서 두 수 중에서 작은 수는 9이다.

25 (1) 주어진 이차방정식이 중근을 가지므로

$3a+28=\left(\dfrac{2a}{2}\right)^2$에서 ...... ❶

$3a+28=a^2$, $a^2-3a-28=0$, $(a+4)(a-7)=0$
이므로 $a=-4$ 또는 $a=7$이다. ...... ❷

(2) (i) $a=-4$일 때, 주어진 이차방정식은
$x^2-8x+16=0$, $(x-4)^2=0$이므로
$x=4$이다.
(ii) $a=7$일 때, 주어진 이차방정식은
$x^2+14x+49=0$, $(x+7)^2=0$이므로
$x=-7$이다. ...... ❸

단계	채점 기준	배점 비율
❶	(1) 이차방정식이 중근을 가질 조건을 안다.	20 %
❷	a의 값을 구한다.	30 %
❸	(2) a의 값에 대한 각각의 중근을 구한다.	50 %

26 (1) $x=\dfrac{-(-4)\pm\sqrt{(-4)^2-4\times2\times(-1)}}{2\times2}$

$=\dfrac{4\pm\sqrt{16+8}}{4}=\dfrac{4\pm\sqrt{24}}{4}$

$=\dfrac{4\pm2\sqrt{6}}{4}=\dfrac{2\pm\sqrt{6}}{2}$ ...... ❶

(2) $\dfrac{2\pm\sqrt{6}}{2}=\dfrac{A\pm\sqrt{B}}{2}$이므로 $A=2$, $B=6$이다. ...... ❷

(3) $A-B=2-6=-4$ ...... ❸

단계	채점 기준	배점 비율
❶	(1) $2x^2-4x-1=0$의 해를 구한다.	40 %
❷	(2) A, B의 값을 구한다.	40 %
❸	(3) $A-B$의 값을 구한다.	20 %

27 $2(x+1)(x-1)+(x-3)^2=5$,
$2(x^2-1)+(x^2-6x+9)=5$,
$2x^2-2+x^2-6x+9=5$이므로
$3x^2-6x+2=0$이다. ...... ❶

$x=\dfrac{-(-6)\pm\sqrt{(-6)^2-4\times3\times2}}{2\times3}$

$=\dfrac{6\pm\sqrt{36-24}}{6}=\dfrac{6\pm\sqrt{12}}{6}$

$=\dfrac{6\pm2\sqrt{3}}{6}=\dfrac{3\pm\sqrt{3}}{3}$ ...... ❷

따라서 $p-q=\dfrac{3+\sqrt{3}}{3}-\dfrac{3-\sqrt{3}}{3}=\dfrac{2\sqrt{3}}{3}$이다. ...... ❸

단계	채점 기준	배점 비율
❶	주어진 이차방정식을 $ax^2+bx+c=0$의 꼴로 나타낸다.	40 %
❷	이차방정식의 해를 구한다.	40 %
❸	$p-q$의 값을 구한다.	20 %

28 (1) 큰 정사각형의 한 변의 길이가 x cm이므로 작은 정사각형의 한 변의 길이는 $(8-x)$ cm이다.

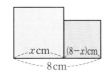

　　　　　　　…… ❶

(2) 두 정사각형의 넓이가 각각 x^2, $(8-x)^2$이므로

$x^2+(x-8)^2=34$, $2x^2-16x+30=0$,

$x^2-8x+15=0$　　　…… ❷

(3) $x^2-8x+15=0$에서 $(x-3)(x-5)=0$이므로

$x=3$ 또는 $x=5$이다.

이때 $x>8-x$, 즉 $x>4$이므로 $x=5$이다.

따라서 큰 정사각형의 한 변의 길이는 5 cm이다.

　　　　　　　…… ❸

단계	채점 기준	배점 비율
❶	(1) 작은 정사각형의 한 변의 길이를 x에 대한 식으로 나타낸다.	30 %
❷	(2) 두 정사각형의 넓이의 합을 이용하여 식을 세운다.	30 %
❸	(3) 큰 정사각형의 한 변의 길이를 구한다.	40 %

29 닭장의 세로의 길이가 x m이므로 가로의 길이는 $(20-2x)$ m이다.　　　…… ❶

$x(20-2x)=50$, $20x-2x^2-50=0$,　…… ❷

$2x^2-20x+50=0$, $x^2-10x+25=0$, $(x-5)^2=0$

따라서 $x=5$이다.　　　…… ❸

단계	채점 기준	배점 비율
❶	닭장의 가로의 길이를 x에 대한 식으로 나타낸다.	30 %
❷	이차방정식을 세운다.	40 %
❸	x의 값을 구한다.	30 %

30 $\dfrac{(n+1)(n+2)}{2}=55$, $(n+1)(n+2)=110$, …… ❶

$n^2+3n+2=110$, $n^2+3n-108=0$,

$(n+12)(n-9)=0$이므로

$n=-12$ 또는 $n=9$이다.　　　…… ❷

그런데 $n>0$이므로 $n=9$이다.

따라서 9번째 삼각형이다.　　　…… ❸

단계	채점 기준	배점 비율
❶	이차방정식을 세운다.	40 %
❷	이차방정식의 해를 구한다.	40 %
❸	몇 번째 삼각형인지 구한다.	20 %

Ⅲ 이차함수

1. 이차함수

01 이차함수와 그 그래프

P.74

1 이차함수는 $y=ax^2+bx+c$(a, b, c는 상수, $a\neq0$)의 꼴이다.

(1) $y=2x-1$은 일차함수이다.

(2) $y=x(2+x)=x^2+2x$이므로 이차함수이다.

(3) $y=-\dfrac{1}{x^2}$은 분모에 미지수가 있으므로 이차함수가 아니다.

(4) $y=-3x^2-1$은 이차함수이다.

답 (1) × (2) ○ (3) × (4) ○

1-1 이차함수는 $y=ax^2+bx+c$(a, b, c는 상수, $a\neq0$)의 꼴이다.

(1) $y=\dfrac{1}{x}$은 분모에 미지수가 있으므로 이차함수가 아니다.

(2) $y=-x^2-\dfrac{1}{2}x$는 이차함수이다.

(3) $y=x^2-x(x+2)=x^2-x^2-2x=-2x$

(4) $y=3(x^2-2x)=3x^2-6x$이므로 이차함수이다.

답 (1) × (2) ○ (3) × (4) ○

2 (1) $y=2x^2$, 이차함수이다.

(2) $y=2\pi x$, 이차함수가 아니다.

(3) $y=\dfrac{4}{3}\pi x^3$, 이차함수가 아니다.

(4) $y=(x-1)^2$, 이차함수이다.

답 풀이 참조

3 $f(-2)=(-2)^2-2\times(-2)-3=5$

$f(0)=-3$

$f(1)=1^2-2\times1-3=-4$

답 $f(-2)=5$, $f(0)=-3$, $f(1)=-4$

P.75

4 **답** (1) 차례로 9, 4, 1, 0, 1, 4, 9

(2) 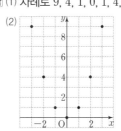　(3)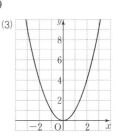

(4) 감소, 증가, 아래, x, y

4-1 답 증가, 감소, 위, x, y

P.76

5 (1) $y=ax^2$에서 $a>0$이면 아래로 볼록, $a<0$이면 위로 볼록하므로 아래로 볼록한 포물선은 ㄱ, ㄴ, ㄹ이다.
(2) $y=ax^2$에서 a의 절댓값이 작을수록 폭이 넓어지므로 폭이 넓은 것부터 차례로 쓰면 ㅁ, ㄴ, ㄹ, ㄱ, ㄷ이다.

답 (1) ㄱ, ㄴ, ㄹ (2) ㅁ, ㄴ, ㄹ, ㄱ, ㄷ

5-1 답 $(0, 0)$, y, 감소, 아래

6 (1) 이차함수 $y=2x^2$의 그래프는 이차함수 $y=x^2$의 그래프의 각 점의 y좌표를 2배로 하는 점을 잡아서 그린다.
(2) 이차함수 $y=\dfrac{1}{2}x^2$의 그래프는 이차함수 $y=x^2$의 그래프의 각 점의 y좌표를 $\dfrac{1}{2}$배로 하는 점을 잡아서 그린다.

x	...	-2	-1	0	1	2	...
x^2	...	4	1	0	1	4	...
$2x^2$	...	8	2	0	2	8	...
$\dfrac{1}{2}x^2$	...	2	$\dfrac{1}{2}$	0	$\dfrac{1}{2}$	2	...

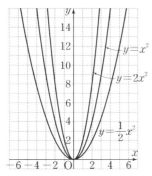

답 풀이 참조

실력 다지기   PP.77~78

01 ①, ⑤ 02 ④ 03 ② 04 ③ 05 ⑤
06 풀이 참조 07 ③ 08 풀이 참조
09 ③ 10 ③

01 ① $y=x(x-1)=x^2-x$이므로 이차함수이다.
② $y=\dfrac{1}{x^2}+3$은 분모에 미지수가 있으므로 이차함수가 아니다.
③ $y=x^2-\dfrac{1}{2}x(2x-1)=x^2-x^2+\dfrac{1}{2}x=\dfrac{1}{2}x$이므로 일차함수이다.
④ $y=x^3-2x^2+3$은 이차함수가 아니다.

⑤ $y=\dfrac{x^2+4}{3}=\dfrac{1}{3}x^2+\dfrac{4}{3}$이므로 이차함수이다.

02 ㄱ. $y=4x$ ㄴ. $y=\pi x^2$
ㄷ. $y=5x$ ㄹ. $y=\pi x^2\times\dfrac{120}{360}=\dfrac{1}{3}\pi x^2$
따라서 이차함수인 것은 ㄴ, ㄹ이다.

03 $f(-1)=2+a+1=4$이므로 $a=1$이다.
즉, $f(x)=2x^2-x+1$이므로
$f(1)=2-1+1=b$에서 $b=2$이다.
따라서 $a-b=1-2=-1$이다.

04 ③ 축의 방정식은 $x=0$이다.

05 $x=2$, $y=8$을 $y=ax^2$에 대입하면 $8=4a$이므로 $a=2$이다.

06 $x=1$, $y=4$를 $y=ax^2$에 대입하면 $4=a$이므로 ...... ❶
주어진 이차함수의 그래프의 식은 $y=4x^2$이다.
$x=-2$, $y=b$를 $y=4x^2$에 대입하면
$b=4\times(-2)^2=16$이다. ...... ❷
따라서 $a+b=4+16=20$이다. ...... ❸

단계	채점 기준	배점 비율
❶	a의 값을 구한다.	40 %
❷	b의 값을 구한다.	40 %
❸	$a+b$의 값을 구한다.	20 %

07 점선으로 나타낸 그래프의 식을 $y=ax^2$이라고 하면 $\dfrac{1}{4}<a<1$이어야 하므로 ③ $y=\dfrac{2}{3}x^2$이다.

08 $x=a$, $y=-5$를 $y=-x^2+4$에 대입하면
$-5=-a^2+4$, ... ❶
$a^2=9$이므로 $a=-3$ 또는 $a=3$이다. ...... ❷
따라서 모든 상수 a의 절댓값의 합은
$|-3|+|3|=3+3=6$이다. ...... ❸

단계	채점 기준	배점 비율
❶	$x=a$, $y=-5$를 $y=-x^2+4$에 대입한다.	40 %
❷	a의 값을 구한다.	40 %
❸	모든 상수 a의 절댓값의 합을 구한다.	20 %

09 $y=ax^2$에서 a의 절댓값이 클수록 그래프의 폭이 좁아진다.
따라서 a의 값의 범위는 $\dfrac{1}{5}<a<4$이다.

10 점 A의 y좌표가 16이므로 $y=16$을 $y=x^2$에 대입하면
$16=x^2$, 즉 $x=-4$ 또는 $x=4$이다.
따라서 A$(-4, 16)$, B$(4, 16)$이다.
그러므로 이차함수 $y=ax^2$의 그래프는 두 점 $(-2, 16)$, $(2, 16)$을 지나므로 $16=a\times(-2)^2$, $16=a\times 2^2$이다.
따라서 $a=4$이다.

02 이차함수 $y=ax^2+bx+c$의 그래프

1 🔲 y, 3, $(0, 3)$, y, 위, 1, 감소

1-1 이차함수 $y=ax^2$의 그래프를 y축의 방향으로 q만큼 평행이동한 그래프의 식은 $y=ax^2+q$이다.
🔲 (1) $y=4x^2+1$ (2) $y=-\dfrac{1}{5}x^2-2$
(3) $y=-2x^2+\dfrac{3}{4}$ (4) $y=3x^2-\dfrac{1}{3}$

2 🔲 (1) $y=3x^2-2$ (2) $0, -2$ (3) 좁다

2-1 이차함수 $y=ax^2+q$의 그래프의 꼭짓점의 좌표는 $(0, q)$이고, 축의 방정식은 $x=0$이다.
🔲 (1) $(0, -3)$, $x=0$ (2) $(0, 2)$, $x=0$
(3) $(0, -5)$, $x=0$ (4) $\left(0, \dfrac{1}{2}\right)$, $x=0$

3 🔲 x, 3, $(3, 0)$, 3, 위, -8, 3

3-1 이차함수 $y=ax^2$의 그래프를 x축의 방향으로 p만큼 평행이동한 그래프의 식은 $y=a(x-p)^2$이다.
🔲 (1) $y=2(x-2)^2$ (2) $y=-\dfrac{1}{3}(x+5)^2$
(3) $y=-\left(x+\dfrac{1}{3}\right)^2$ (4) $y=\dfrac{1}{2}\left(x-\dfrac{1}{2}\right)^2$

4 🔲 (1) $y=\dfrac{1}{2}(x+3)^2$ (2) $x=-3$, -3, 0 (3) -3

4-1 이차함수 $y=a(x-p)^2$의 그래프의 꼭짓점의 좌표는 $(p, 0)$이고, 축의 방정식은 $x=p$이다.
🔲 (1) $(3, 0)$, $x=3$ (2) $(-4, 0)$, $x=-4$
(3) $(10, 0)$, $x=10$ (4) $\left(\dfrac{1}{2}, 0\right)$, $x=\dfrac{1}{2}$

5 🔲 3, 1, $(3, 1)$, 3, 위, -7, 3

5-1 이차함수 $y=ax^2$의 그래프를 x축의 방향으로 p만큼, y축의 방향으로 q만큼 평행이동한 그래프의 식은 $y=a(x-p)^2+q$이다.
🔲 (1) $y=\dfrac{4}{3}(x-1)^2-1$ (2) $y=\dfrac{3}{7}(x-2)^2+4$
(3) $y=-2(x+4)^2-2$ (4) $y=-\dfrac{2}{5}(x+3)^2+2$

6 🔲 (1) $y=\dfrac{1}{3}(x+3)^2-1$ (2) $x=-3$, -3, -1
(3) $2, 1, 2, 3$

6-1 이차함수 $y=a(x-p)^2+q$의 그래프의 꼭짓점의 좌표는 (p, q)이고, 축의 방정식은 $x=p$이다.
🔲 (1) $(3, 2)$, $x=3$ (2) $(-4, -3)$, $x=-4$
(3) $\left(\dfrac{1}{2}, -4\right)$, $x=\dfrac{1}{2}$ (4) $\left(-1, \dfrac{1}{3}\right)$, $x=-1$

7

이차함수	$y=3x^2-12x+2$
변형 과정 쓰기	$y=3x^2-12x+2$ $=3(x^2-4x+4-4)+2$ $=3(x-2)^2-12+2$
$y=a(x-p)^2+q$	$y=3(x-2)^2-10$
꼭짓점의 좌표	$(2, -10)$
축의 방정식	$x=2$

🔲 풀이 참조

7-1

이차함수	$y=2x^2-4x+4$
변형 과정 쓰기	$y=2x^2-4x+4$ $=2(x^2-2x+1-1)+4$ $=2(x-1)^2-2+4$
$y=a(x-p)^2+q$	$y=2(x-1)^2+2$
꼭짓점의 좌표	$(1, 2)$
축의 방정식	$x=1$

🔲 풀이 참조

8 $y=-x^2-x+3$
$=-\left\{x^2+x+\left(\dfrac{1}{2}\right)^2-\left(\dfrac{1}{2}\right)^2\right\}+3$
$=-\left(x+\dfrac{1}{2}\right)^2+\dfrac{1}{4}+3$
$=-\left(x+\dfrac{1}{2}\right)^2+\dfrac{13}{4}$
🔲 꼭짓점의 좌표: $\left(-\dfrac{1}{2}, \dfrac{13}{4}\right)$, 축의 방정식: $x=-\dfrac{1}{2}$

Ⅲ. 이차함수 | 33

8-1 $y=-2x^2-3x-1$

$\quad =-2\left(x^2+\dfrac{3}{2}x+\dfrac{9}{16}-\dfrac{9}{16}\right)-1$

$\quad =-2\left(x+\dfrac{3}{4}\right)^2+\dfrac{9}{8}-1$

$\quad =-2\left(x+\dfrac{3}{4}\right)+\dfrac{1}{8}$

답 꼭짓점의 좌표: $\left(-\dfrac{3}{4},\ \dfrac{1}{8}\right)$, 축의 방정식: $x=-\dfrac{3}{4}$

P.83

9 $x-4x+3=0$에서 $(x-1)(x-3)=0$이므로

$x=1$ 또는 $x=3$이다.

따라서 □ 안에 알맞은 수는

$1,\ 3,\ 1,\ 3,\ 3$ 또는 $3,\ 1,\ 3,\ 1,\ 3$이다.

답 $1,\ 3,\ 1,\ 3,\ 3$ 또는 $3,\ 1,\ 3,\ 1,\ 3$

9-1 (1) $x^2-4x+4=0$, $(x-2)^2=0$에서 $x=2$이므로 이차함수의 그래프와 x축과의 교점의 좌표는 $(2,\ 0)$이다.

또 $x=0$일 때, $y=4$이므로 이차함수의 그래프와 y축과의 교점의 좌표는 $(0,\ 4)$이다.

(2) $2x^2-6x=0$, $2x(x-3)=0$에서 $x=0$ 또는 $x=3$이므로 이차함수의 그래프와 x축과의 교점의 좌표는 $(0,\ 0)$, $(3,\ 0)$이다.

또 $x=0$일 때, $y=0$이므로 이차함수의 그래프와 y축과의 교점의 좌표는 $(0,\ 0)$이다.

(3) $-3x^2-2x+5=0$, $(3x+5)(x-1)=0$에서

$x=-\dfrac{5}{3}$ 또는 $x=1$이므로 이차함수의 그래프와 x축과의 교점의 좌표는 $\left(-\dfrac{5}{3},\ 0\right)$, $(1,\ 0)$이다.

또 $x=0$일 때, $y=5$이므로 이차함수의 그래프와 y축과의 교점의 좌표는 $(0,\ 5)$이다.

답 풀이 참조

10 두 점 A, C는 이차함수의 그래프와 x축과의 교점, 점 B는 이차함수의 그래프와 y축과의 교점이므로

$x^2-4=0$, $(x-2)(x+2)=0$에서

$A(-2,\ 0)$, $C(2,\ 0)$, $B(0,\ -4)$이다.

따라서 △ABC의 넓이는 $\dfrac{1}{2}\times4\times4=8$이다.

답 8

10-1 $-x^2+6x-5=0$에서

$x^2-6x+5=0$, $(x-1)(x-5)=0$이므로

$x=1$ 또는 $x=5$이다.

따라서 $p=1$, $q=5$이다.

또 $x=0$일 때, $y=-5$이므로 $r=-5$이다.

따라서 $p+q+r=1+5+(-5)=1$이다.

답 1

P.84

11 꼭짓점의 좌표가 $(1,\ 3)$이므로 구하는 이차함수의 그래프의 식을 $y=a(x-\boxed{1})^2+\boxed{3}$으로 놓는다.

이차함수의 그래프가 점 $(2,\ 4)$를 지나므로 $x=\boxed{2}$,

$y=\boxed{4}$를 대입하면 $4=a+3$이므로 $a=\boxed{1}$이다.

따라서 구하는 이차함수의 그래프의 식은

$\boxed{y=(x-1)^2+3}$이다.

답 $1,\ 3,\ 2,\ 4,\ 1,\ y=(x+1)^2+3$

11-1 구하는 이차함수의 그래프의 식을 $y=a(x-1)^2+2$라고 하면 이차함수의 그래프가 점 $(3,\ 10)$을 지나므로

$10=4a+2$, $4a=8$에서 $a=2$이다.

따라서 구하는 이차함수의 그래프의 식은

$y=2(x-1)^2+2$이다.

답 $y=2(x-1)^2+2$

12 답 $-2,\ -3,\ 4a+2b-2,\ 2,\ -3,\ y=2x^2-3x-2$

12-1 구하는 이차함수의 그래프의 식을

$y=ax^2+bx+c$라고 하면 이차함수의 그래프가

점 $(0,\ 2)$를 지나므로 $c=2$이다.

이차함수의 그래프가 두 점 $(-1,\ -2)$, $(2,\ 4)$를 지나므로

$-2=a-b+2$에서 $a-b=-4$ ······ ㉠

$4=4a+2b+2$에서 $4a+2b=2$ ······ ㉡

㉠, ㉡을 연립하여 풀면 $a=-1$, $b=3$이다.

따라서 구하는 이차함수의 그래프의 식은

$y=-x^2+3x+2$이다.

답 $y=-x^2+3x+2$

P.85

13 답 $2,\ -20,\ 16,\ -5,\ -1,\ -4,\ y=-(x+2)^2-4$

13-1 구하는 이차함수의 그래프의 식을

$y=a(x-3)^2+q$라고 하면 이차함수의 그래프가 두 점

$(1,\ 6)$, $(2,\ 3)$을 지나므로

$6=a(1-3)^2+q$에서 $6=4a+q$ ······ ㉠

$3=a(2-3)^2+q$에서 $3=a+q$ ······ ㉡

㉠, ㉡을 연립하여 풀면 $a=1$, $q=2$이다.

따라서 구하는 이차함수의 그래프의 식은

$y=(x-3)^2+2$이다.

답 $y=(x-3)^2+2$

14 이차함수의 그래프가 두 점 $(-1,\ 0)$, $(3,\ 0)$을 지나므로 구하는 이차함수의 식을 $y=a(\boxed{x+1})(\boxed{x-3})$으로 놓는다.

이차함수의 그래프가 점 $(2,\ -12)$를 지나므로

$-12=-3a$에서 $a=\boxed{4}$이다.

따라서 이차함수의 그래프의 식은

$\boxed{y=4(x+1)(x-3)}$이다.

답 $x+1$, $x-3$, 4, $y=4(x+1)(x-3)$ 또는
$x-3$, $x+1$, 4, $y=4(x-3)(x+1)$

14-1 구하는 이차함수의 그래프의 식을 $y=a(x+2)(x-1)$로 놓으면 이차함수의 그래프가 점 $(-3, -8)$을 지나므로
$-8=4a$에서 $a=-2$이다.
따라서 구하는 이차함수의 그래프의 식은
$y=-2(x+2)(x-1)$이다.

답 $y=-2(x+2)(x-1)$

P.86

15 **답** 아래, $>$, 오른쪽, $<$, 아래쪽, $<$

15-1 **답** 위, $<$, 왼쪽, $<$, 아래쪽, $<$

16 (1) 그래프가 위로 볼록하므로 $a<0$이다.
(2) 그래프의 축이 y축의 왼쪽에 있으므로 $b<0$이다.
(3) 그래프와 y축과의 교점이 원점의 위쪽에 있으므로 $c>0$이다.

답 (1) $a<0$ (2) $b<0$ (3) $c>0$

16-1 (1) $x=1$일 때의 함숫값이 0보다 크므로
$a+b+c>0$이다.
(2) $x=-1$일 때의 함숫값이 0보다 크므로
$a-b+c>0$이다.
(3) $a<0$, $b<0$이므로 $ab>0$이다.

답 (1) $a+b+c>0$ (2) $a-b+c>0$ (3) $ab>0$

PP.87~88

01 ③　　02 ④　　03 ④　　04 풀이 참조
05 ①　　06 풀이 참조　　07 ③　　08 -7
09 ③　　10 $a<0$, $p>0$, $q>0$

01 이차함수 $y=-\dfrac{1}{3}x^2+4$의 그래프의 꼭짓점의 좌표는
$(0, 4)$이고 위로 볼록하다.

02 이차함수 $y=\dfrac{1}{2}x^2-3$의 그래프를 y축의 방향으로 k만큼
평행이동한 그래프의 식은 $y=\dfrac{1}{2}x^2-3+k$이다.
따라서 $-3+k=1$이므로 $k=4$이다.

03 ④ $x>-5$일 때, x의 값이 증가하면 y의 값도 증가한다.

04 이차함수 $y=2(x-4)^2+7$의 그래프의 꼭짓점의 좌표가
$(4, 7)$이고, …… ❶
축의 방정식이 $x=4$이므로 …… ❷
$a=4$, $b=7$, $c=4$이다.
따라서 $a+b+c=4+7+4=15$이다. …… ❸

단계	채점 기준	배점 비율
❶	꼭짓점의 좌표를 구한다.	40 %
❷	축의 방정식을 구한다.	40 %
❸	$a+b+c$의 값을 구한다.	20 %

05 이차함수
$y=-\dfrac{1}{4}(x+3)^2-2$의 그래프가 오른쪽 그림과 같으므로 그래프가 지나지 않는 사분면은 제1, 2사분면이다.

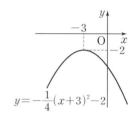

06 $y=-2x^2-4x+1$
$\quad=-2(x^2+2x+1-1)+1$
$\quad=-2(x+1)^2+3$
따라서 꼭짓점의 좌표는 $(-1, 3)$이고, …… ❶
축의 방정식은 $x=-1$이므로 …… ❷
$p=-1$, $q=3$, $r=-1$이다.
따라서 $p+q+r=-1+3+(-1)=1$이다. …… ❸

단계	채점 기준	배점 비율
❶	주어진 이차함수를 $y=a(x-p)^2+q$의 꼴로 나타낸다.	50 %
❷	p, q, r의 값을 구한다.	30 %
❸	$p+q+r$의 값을 구한다.	20 %

07 꼭짓점의 좌표가 $(2, -1)$이므로 구하는 이차함수의 그래프의 식을 $y=a(x-2)^2-1$이라고 하자.
이차함수의 그래프가 y축과 만나는 점의 좌표가 $(0, 7)$이므로 $7=4a-1$에서 $a=2$이다.
따라서 구하는 이차함수의 그래프의 식은
$y=2(x-2)^2-1=2x^2-8x+7$이다.

08 x^2의 계수가 1이고 x축과 두 점 $(-1, 0)$, $(4, 0)$에서 만나므로 이차함수의 그래프의 식은
$y=(x+1)(x-4)=x^2-3x-4=x^2+ax+b$
따라서 $a=-3$, $b=-4$이므로
$a+b=-3+(-4)=-7$이다.

09 $a>0$이므로 그래프가 아래로 볼록하고 $ab>0$에서 a, b는 같은 부호이므로 축이 y축의 왼쪽에 있다.
또 $c<0$이므로 그래프와 y축과의 교점이 원점의 아래쪽에 있다.
따라서 주어진 조건을 모두 만족시키는 그래프는 ③이다.

10 그래프가 위로 볼록하므로 $a<0$이다.
꼭짓점의 좌표가 $(-p, q)$이고 꼭짓점이 제2사분면 위에 있으므로 $-p<0$, $q>0$이다.
따라서 $p>0$, $q>0$이다.

중단원 마무리   PP. 89~93

01 ⑤	**02** ③, ⑤	**03** ④	**04** ③	**05** -1
06 ②	**07** ④	**08** -6	**09** ②	**10** ⑤
11 ①	**12** $9:8$	**13** 9	**14** ⑤	**15** ④
16 (1) A$(1, 0)$, B$(3, 0)$ (2) C$(0, 3)$ (3) 3				
17 ④	**18** ①	**19** ①	**20** ⑤	**21** 2
22~25 풀이 참조				

01 이차함수 $y=3x^2$의 그래프를 y축의 방향으로 3만큼 평행이동한 그래프의 식은 $y=3x^2+3$이다.
따라서 평행이동한 그래프가 점 $(-1, k)$를 지나므로 $k=3\times(-1)^2+3=6$이다.

02 ① 꼭짓점의 좌표는 $(-2, -1)$이다.
② y축과의 교점의 좌표는 $(0, -13)$이다.
④ 축의 방정식은 $x=-2$이다.

03 이차함수 $y=-2x^2$의 그래프를 x축의 방향으로 3만큼 평행이동한 그래프의 식은 $y=-2(x-3)^2$이다.
따라서 평행이동한 그래프가 점 $(1, m)$을 지나므로 $m=(-2)\times(1-3)^2=-8$이다.

04 ① 이차함수 $y=2(x-1)^2$의 그래프는 점 $(2, 7)$을 지나지 않는다.
② 축의 방정식은 각각 $x=0$, $x=1$로 다르다.
③ x^2의 계수가 같으므로 그래프의 폭이 같다.
④ 꼭짓점의 좌표는 각각 $(0, -1)$, $(1, 0)$으로 다르다.
⑤ 이차함수 $y=2x^2$의 그래프를 평행이동한 것이다.

05 평행이동한 그래프의 식은 $y=2(x-2)^2-3$이고, 이 그래프가 점 $(3, a)$를 지나므로 $a=2(3-2)^2-3=-1$이다.

06 $y=x^2-4x+5=(x^2-4x+4)+1=(x-2)^2+1$
이므로
① 아래로 볼록한 그래프이다.
③ 꼭짓점의 좌표는 $(2, 1)$이다.
④ y축과 점 $(0, 5)$에서 만난다.
⑤ $x>2$일 때, x의 값이 증가하면 y의 값도 증가한다.

07 $y=x^2-4x+k-2=(x-2)^2+k-6$이므로 꼭짓점의 좌표는 $(2, k-6)$이다.
그런데 그래프의 꼭짓점이 제4사분면 위에 있으므로 $k-6<0$이다.
따라서 $k<6$이다.

08 $y=x^2+2ax+6=(x+a)^2-a^2+6$이므로 꼭짓점의 좌표는 $(-a, -a^2+6)$이다.
따라서 $-a=3$에서 $a=-3$,
$b=-(-3)^2+6=-3$이다.
따라서 $a+b=-3+(-3)=-6$이다.

09 $y=-\dfrac{1}{2}x^2-4x-5$
$=-\dfrac{1}{2}(x^2+8x+16-16)-5$
$=-\dfrac{1}{2}(x+4)^2+3$
따라서 $y=-\dfrac{1}{2}x^2$의 그래프를 x축의 방향으로 -4만큼, y축의 방향으로 3만큼 평행이동한 것이므로 $p=-4$, $q=3$이다.
따라서 $p+q=-4+3=-1$이다.

10 평행이동하여 완전히 포갤 수 있는 이차함수의 그래프는 x^2의 계수가 같은 그래프이다.

11 $y=0$일 때, $x^2+2x-3=0$, $(x+3)(x-1)=0$이므로 $x=-3$ 또는 $x=1$이다.
따라서 A$(-3, 0)$, B$(1, 0)$이다.
또 $x=0$일 때, $y=-3$이므로 C$(0, -3)$이다.
따라서 $\overline{AB}=4$, $\overline{OC}=3$이므로
$\triangle ACB=\dfrac{1}{2}\times4\times3=6$이다.

12 $-\dfrac{1}{2}x^2-x+4=0$에서 $x^2+2x-8=0$,
$(x+4)(x-2)=0$이므로 $x=-4$ 또는 $x=2$이다.
따라서 A$(-4, 0)$, B$(2, 0)$이다.
$y=-\dfrac{1}{2}x^2-x+4=-\dfrac{1}{2}(x+1)^2+\dfrac{9}{2}$이므로
C$\left(-1, \dfrac{9}{2}\right)$이다.

$x=0$일 때, $y=4$이므로 D$(0, 4)$이다.

$\triangle$ABC와 $\triangle$ABD는 밑변의 길이가 같으므로 구하는 넓이의 비는 높이의 비와 같다.

따라서 $\triangle$ABC : $\triangle$ABD$=\dfrac{9}{2}$: $4=9$: 8이다.

13 이차함수 $y=ax^2+bx+c$의 그래프가 점 $(0, 8)$을 지나므로 $c=8$이다.

또 이 그래프가 두 점 $(-2, 0)$, $(4, 0)$을 지나므로

$0=4a-2b+8$에서 $2a-b=-4$ …… ㉠

$0=16a+4b+8$에서 $4a+b=-2$ …… ㉡

㉠, ㉡을 연립하여 풀면 $a=-1$, $b=2$이다.

따라서 $a+b+c=-1+2+8=9$이다.

[다른 풀이]

이차함수 $y=ax^2+bx+c$의 그래프가 두 점 $(-2, 0)$, $(4, 0)$을 지나므로 $y=a(x+2)(x-4)$이다.

또 이 그래프가 점 $(0, 8)$을 지나므로

$8=a(0+2)(0-4)$에서 $a=-1$이다.

따라서 이차함수의 식은

$y=-(x+2)(x-4)=-x^2+2x+8$이므로

$a+b+c=-1+2+8=9$이다.

14 이차함수 $y=ax^2+bx+c$의 그래프가 위로 볼록하므로 $a<0$이고 축이 y축의 오른쪽에 있으므로 $b>0$이다.

또 그래프가 원점을 지나므로 $c=0$이다.

따라서 $y=bx^2+cx+a=bx^2+a$의 그래프는 꼭짓점이 y축 위에 있고 $a<0$, $b>0$이므로 오른쪽 그림과 같이 모든 사분면을 지난다.

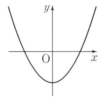

15 ① 그래프의 모양이 위로 볼록하므로 $a<0$이다.

② 그래프와 y축과의 교점이 원점의 위쪽에 있으므로 $c>0$이다.

③ $x=1$일 때, 그래프 위의 점이 제1사분면 위에 있으므로 $a+b+c>0$이다.

④ 그래프가 점 $(-1, 0)$을 지나므로 $a-b+c=0$이다.

⑤ 그래프가 점 $(3, 0)$을 지나므로 $9a+3b+c=0$이다.

16 (1) $y=x^2-4x+3$에 $y=0$을 대입하면

$x^2-4x+3=0$, $(x-1)(x-3)=0$이므로

$x=1$ 또는 $x=3$이다.

따라서 A$(1, 0)$, B$(3, 0)$이다.

(2) $y=x^2-4x+3$에 $x=0$을 대입하면 $y=3$이므로

C$(0, 3)$이다.

(3) $\overline{\text{AB}}=2$, $\overline{\text{CO}}=3$이므로 $\triangle$ABC$=\dfrac{1}{2}\times 2\times 3=3$이다.

17 A$(0, 0)$, B$(0, 4)$, C$(5, 4)$이므로

$\triangle$ABC$=\dfrac{1}{2}\times\overline{\text{AB}}\times\overline{\text{BC}}=\dfrac{1}{2}\times 4\times 5=10$이다.

18 두 이차함수의 그래프의 꼭짓점의 좌표는 모두 $(2, 0)$이다. 점 A의 x좌표에서 꼭짓점까지의 거리를 $k(k>0)$라고 하면 $\overline{\text{AD}}=2k$이고 A$\left(2-k, \dfrac{1}{2}k^2\right)$, B$(2-k, -k^2)$이므로 $\overline{\text{AB}}=\dfrac{3}{2}k^2$이다.

그런데 $\overline{\text{AB}}=\overline{\text{AD}}$이므로 $\dfrac{3}{2}k^2=2k$이다.

$3k^2-4k=0$, $k(3k-4)=0$에서 $k=\dfrac{4}{3}$이다.

따라서 점 A의 x좌표는 $2-\dfrac{4}{3}=\dfrac{2}{3}$이다.

19 축의 방정식이 $x=2$이므로 구하는 이차함수의 그래프의 식을 $y=(x-2)^2+q$라고 하자.

이 그래프가 점 $(1, 5)$를 지나므로

$5=1+q$에서 $q=4$이다.

따라서 $y=(x-2)^2+4=x^2-4x+8$이므로

$b=-4$, $c=8$이다.

따라서 $b-c=-4-8=-12$이다.

20 구하는 이차함수의 그래프의 식을 $y=ax^2+bx+c$라고 하면 이 그래프가 점 $(0, 7)$을 지나므로 $c=7$이다.

또 이 그래프가 두 점 $(2, 7)$, $(3, 16)$을 지나므로

$7=4a+2b+7$에서 $2a+b=0$ …… ㉠

$16=9a+3b+7$에서 $3a+b=3$ …… ㉡

㉠, ㉡을 연립하여 풀면 $a=3$, $b=-6$이다.

따라서 $y=3x^2-6x+7=3(x-1)^2+4$이므로 꼭짓점의 좌표는 $(1, 4)$이다.

[다른 풀이]

이차함수의 그래프가 두 점 $(0, 7)$, $(2, 7)$을 지나므로 축의 방정식이 $x=1$이다.

구하는 이차함수의 그래프의 식을 $y=a(x-1)^2+q$라고 하면 이 그래프가 두 점 $(2, 7)$, $(3, 16)$을 지나므로

$a+q=7$, $4a+q=16$이다.

두 식을 연립하여 풀면 $a=3$, $q=4$이다.

따라서 $y=3(x-1)^2+4$이므로 꼭짓점의 좌표는 $(1, 4)$이다.

21 $y=-x^2+4x+5=-(x-2)^2+9$

이므로 꼭짓점의 좌표는 $(2, 9)$이다.

이때 일차함수 $y=ax+5$의 그래프가 점 $(2, 9)$를 지나므로 $9=2a+5$, $2a=4$이다.

따라서 $a=2$이다.

22 $y=-x^2-2x+3=-(x+1)^2+4$
이므로 A$(-1, 4)$이다. ...... ❶
$y=-x^2-2x+3$에 $y=0$을 대입하면 $-x^2-2x+3=0$,
$x^2+2x-3=0$, $(x+3)(x-1)=0$이므로
$x=-3$ 또는 $x=1$이다. 즉, B$(-3, 0)$이다. ...... ❷
$y=-x^2-2x+3$에 $x=0$을 대입
하면 $y=3$이다.
즉, C$(0, 3)$이다. ...... ❸
따라서 △ABC의 넓이는 오른쪽
그림의 직사각형 DBOE의 넓이에
서 삼각형 3개의 넓이의 합을 빼면
된다. 따라서
△ABC

$=3\times4-\left(\dfrac{1}{2}\times2\times4+\dfrac{1}{2}\times1\times1+\dfrac{1}{2}\times3\times3\right)$
$=12-9=3$ ...... ❹

단계	채점 기준	배점 비율
❶	점 A의 좌표를 구한다.	20 %
❷	점 B의 좌표를 구한다.	20 %
❸	점 C의 좌표를 구한다.	20 %
❹	△ABC의 넓이를 구한다.	40 %

23 (1) 꼭짓점의 좌표가 $(1, 9)$이므로 구하는 이차함수의 그래
프의 식을 $y=a(x-1)^2+9$라고 하자.
이 그래프가 점 $(3, 1)$을 지나므로
$1=4a+9$, $4a=-8$, $a=-2$이다.
따라서 주어진 조건을 만족시키는 이차함수의 그래프의
식은 $y=-2(x-1)^2+9$이다. ...... ❶
(2) $y=-2(x-1)^2+9$에 $x=0$을 대입하면
$y=-2+9=7$이다.
따라서 이 그래프가 y축과 만나는 점의 좌표는
$(0, 7)$이다. ...... ❷

단계	채점 기준	배점 비율
❶	(1) 주어진 조건을 만족시키는 이차함수의 그래프의 식을 구한다.	50 %
❷	(2) 이 그래프가 y축과 만나는 점의 좌표를 구한다.	50 %

24 주어진 이차함수의 그래프의 축이 y축이므로 점 $(0, 4)$가
이 그래프의 꼭짓점이 된다. ...... ❶
이차함수의 그래프의 식을 $y=ax^2+4$라고 하면 이 그래프
가 점 $(2, 0)$을 지나므로 $0=4a+4$, $a=-1$이다.
따라서 $y=-x^2+4$이다. ...... ❷
이때 이 그래프가 점 $(4, k)$를 지나므로
$k=-16+4=-12$이다. ...... ❸

단계	채점 기준	배점 비율
❶	꼭짓점의 좌표를 구한다.	40 %
❷	이차함수의 그래프의 식을 구한다.	40 %
❸	k의 값을 구한다.	20 %

다른 풀이

주어진 이차함수의 그래프의 축이 y축이므로 x축과 만나는
두 교점의 좌표는 $(-2, 0)$, $(2, 0)$이다. ...... ❶
이차함수의 그래프의 식을 $y=a(x+2)(x-2)$라고 하면
이 그래프가 점 $(0, 4)$를 지나므로
$4=-4a$, $a=-1$이다.
따라서 $y=-(x+2)(x-2)$이다. ...... ❷
이때 이 그래프가 점 $(4, k)$를 지나므로
$k=(-6)\times2=-12$이다. ...... ❸

단계	채점 기준	배점 비율
❶	그래프가 x축과 만나는 두 교점의 좌표를 구한다.	40 %
❷	이차함수의 그래프의 식을 구한다.	40 %
❸	k의 값을 구한다.	20 %

25 이차함수의 그래프에서 x^2의 계수의 절댓값이 클수록 그래
프의 폭이 좁아지므로 $3a<2$, 즉 $a<\dfrac{2}{3}$이다. ...... ❶
또 이차함수 $y=3ax^2$의 그래프가 아래로 볼록하므로
$3a>0$, 즉 $a>0$이다. ...... ❷
따라서 상수 a의 값의 범위는 $0<a<\dfrac{2}{3}$이다. ...... ❸

단계	채점 기준	배점 비율
❶	이차함수의 그래프에서 x^2의 계수의 절댓값이 클수록 그래프의 폭이 좁아짐을 안다.	40 %
❷	이차함수의 그래프가 아래로 볼록하면 x^2의 계수가 양수임을 안다.	40 %
❸	a의 값의 범위를 구한다.	20 %

유형편

정답 및 해설

I 실수와 그 계산

1. 제곱근과 실수

 01 제곱근과 그 성질

① 제곱근의 뜻과 표현
P.2

01 답 (1) 제곱근 (2) 2, 0

02 양수의 제곱근은 2개, 0의 제곱근은 1개, 음수의 제곱근은 0개이다.

답 0.8, $\dfrac{1}{4}$, 50: 2, 0: 1, -2, -100: 0

03 x가 17의 제곱근이므로 $x^2=17$,
y가 21의 제곱근이므로 $y^2=21$이다.
따라서 $x^2-y^2=17-21=-4$이다.

답 ①

04 9의 제곱근이 a이므로 $a^2=9$,
5의 제곱근이 b이므로 $b^2=5$이다.
$c=a^2-b^2=9-5=4$이므로 4의 제곱근은 ±2이다.

답 ③

05 ② $\sqrt{25}=5$이므로 5의 양의 제곱근은 $\sqrt{5}$이다.
③ $\sqrt{(-2)^2}=2$
④ 0의 제곱근은 0이다.
⑤ $(-\sqrt{9})^2=9$이므로 9의 제곱근은 ±3이다.

답 ①

06 ① $1.\dot{7}=\dfrac{16}{9}$이므로 $\pm\sqrt{1.\dot{7}}=\pm\dfrac{4}{3}$이다.
② $\pm\sqrt{6.25}=\pm2.5$
③ $\pm\sqrt{\dfrac{121}{25}}=\pm\dfrac{11}{5}$
④ $\sqrt{81}=9$이므로 $\pm\sqrt{9}=\pm3$이다.
⑤ $\pm\sqrt{3.6}$

답 ⑤

② 제곱근의 성질
P.3

01 답 (1) 3 (2) -2 (3) 2.4 (4) $-\dfrac{4}{3}$

02 ①, ② $(\sqrt{a})^2=\sqrt{(-a)^2}=a$
③, ④ $-\sqrt{(-a)^2}=-\sqrt{a^2}=-a$

답 ⑤

03 $a<0$이므로
$2a<0$이므로 $\sqrt{(2a)^2}=\boxed{-2a}$이고
$-3a>0$이므로 $\sqrt{(-3a)^2}=\boxed{-3a}$이다.
따라서
$\sqrt{(2a)^2}+\sqrt{(-3a)^2}=(\boxed{-2a})+(\boxed{-3a})$
$\qquad\qquad\qquad\qquad=\boxed{-5a}$
이다.

답 $<,\ -2a,\ >,\ -3a,\ -2a,\ -3a,\ -5a$

04 $a^2-2b^2=(-\sqrt{6})^2-2\times(-\sqrt{3})^2=6-2\times3=0$

답 ③

05 $\sqrt{(-81)^2}=81$이므로 $A=\sqrt{81}=9$,
$(-\sqrt{36})^2=36$이므로 $B=-\sqrt{36}=-6$이다.
따라서 $A+B=9+(-6)=3$이다.

답 3

06 $a>0$이므로 $-2a<0$, $a+2>0$, $9a^2=(3a)^2$에서 $3a>0$이다.
$\sqrt{(-2a)^2}+\sqrt{(a+2)^2}-\sqrt{9a^2}$
$=-(-2a)+(a+2)-3a$
$=2a+a+2-3a=2$

답 ④

07 $a>0$, $b<0$이므로 $2a>0$, $b<0$, $-3b>0$이다.
$\sqrt{(2a)^2}+\sqrt{b^2}-\sqrt{(-3b)^2}=2a+(-b)-(-3b)$
$\qquad\qquad\qquad\qquad\qquad=2a-b+3b=2a+2b$

답 ④

③ $\sqrt{A}$의 꼴을 자연수로 나타내기
P.4

01 답 (1) 16, 16, 1 (2) 9, 9, 6

02 $\sqrt{18x}$가 자연수가 되기 위해서는 $18x$가 어떤 자연수의 제곱이 되어야 한다.
$18=2\times3^2$이므로 x는 $2\times$(자연수의 제곱)의 꼴이면 된다.
이를 만족시키는 가장 작은 자연수는 2이므로 구하는 자연수는 2이다.

답 2

03 $\sqrt{\dfrac{84}{x}}$가 자연수가 되기 위해서는 $\dfrac{84}{x}$가 어떤 자연수의 제곱이 되어야 한다.

$84=2^2\times21$이므로 x는 84의 약수이면서 $21\times$(자연수의 제곱)의 꼴이면 된다.

이를 만족시키는 가장 작은 자연수는 21이므로 구하는 자연수는 21이다.

답 21

04 $20+x=25,\ 36,\ 49,\ \cdots$에서 $x=5,\ 16,\ 29,\ \cdots$이므로 가장 작은 두 자리의 자연수 x는 16이다.

답 ①

05 $\sqrt{26-x}$가 자연수가 되기 위해서는 $26-x$가 어떤 자연수의 제곱이면 된다.

이때 $26-x$는 26보다 작은 자연수이므로 $26-x=1,\ 4,\ 9,\ 16,\ 25$이다.

따라서 $x=25,\ 22,\ 17,\ 10,\ 1$이므로 그 합은 $25+22+17+10+1=75$이다.

답 ⑤

06 $\sqrt{135x}=\sqrt{3^3\times5\times x}$이므로 x의 값 중에서 가장 작은 값은 15이다.

따라서 그때의 y의 값이 $3^2\times5=45$이므로 $x+y$의 값 중에서 가장 작은 값은 $15+45=60$이다.

답 ⑤

④ 제곱근의 대소 관계　　　　　　　P.5

01 (1) $5<6$이므로 $\sqrt{5}<\sqrt{6}$이다.

(2) $0.25=\dfrac{1}{4}>\dfrac{1}{5}$이므로 $\sqrt{0.25}>\sqrt{\dfrac{1}{5}}$이다.

(3) $2=\sqrt{4}$이므로 $2>\sqrt{3}$이다.

(4) $\dfrac{1}{2}=\sqrt{\dfrac{1}{4}}$이므로 $\sqrt{\dfrac{1}{5}}<\dfrac{1}{2}$이다.

　　따라서 $-\sqrt{\dfrac{1}{5}}>-\dfrac{1}{2}$이다.

답 (1) $<$　(2) $>$　(3) $>$　(4) $>$

02 ④ $2=\sqrt{2^2}=\sqrt{4}$이므로 $2>\sqrt{2}$이다.

따라서 $-2<-\sqrt{2}$이다.

답 ④

03 ① $\left(-\sqrt{\dfrac{1}{7}}\right)^2=\dfrac{1}{7}$　　② $\sqrt{\left(\dfrac{1}{6}\right)^2}=\dfrac{1}{6}$

③ $\sqrt{\dfrac{1}{4}}=\sqrt{\left(\dfrac{1}{2}\right)^2}=\dfrac{1}{2}$　　④ $\sqrt{\left(-\dfrac{1}{3}\right)^2}=\dfrac{1}{3}$

⑤ $\left(\dfrac{1}{2}\right)^2=\dfrac{1}{4}$

답 ③

04 $a=\sqrt{2},\ b=\sqrt{\dfrac{2}{3}}$이다. $2>\dfrac{2}{3}$이므로 ① $a>b$이다.

따라서 ② $\sqrt{a}>\sqrt{b}$, ③ $a^2>b^2$이 성립한다.

또한 $a^2=2,\ b^2=\dfrac{2}{3}$이므로 ④ $a^2=3b^2$이다.

⑤ $a>b$이므로 $\sqrt{(a-b)^2}=a-b$이다.

답 ⑤

05 $4=\sqrt{4^2}=\sqrt{16},\ -2=-\sqrt{2^2}=-\sqrt{4}$이므로 큰 수부터 차례로 나열하면 $\sqrt{18},\ 4,\ \sqrt{13},\ 0,\ -\sqrt{3},\ -2,\ -\sqrt{6}$이다.

답 $\sqrt{18},\ 4,\ \sqrt{13},\ 0,\ -\sqrt{3},\ -2,\ -\sqrt{6}$

06 $2-\sqrt{2}>0,\ 1-\sqrt{2}<0$이다.

따라서

$\sqrt{(2-\sqrt{2})^2}+\sqrt{(1-\sqrt{2})^2}=(2-\sqrt{2})-(1-\sqrt{2})=1$

답 1

07 $f(x)=(\sqrt{x}$ 이하의 자연수의 개수)이므로

$f(72)=(\sqrt{72}$ 이하의 자연수의 개수),

$f(20)=(\sqrt{20}$ 이하의 자연수의 개수)이다.

$\sqrt{72}$ 이하의 자연수는 $1,\ 2,\ 3,\ \cdots,\ 8$로 개수는 8,

$\sqrt{20}$ 이하의 자연수는 $1,\ 2,\ 3,\ 4$로 개수는 4이다.

따라서 $f(72)-f(20)=8-4=4$이다.

답 ⑤

0**2** 무리수와 실수

① 무리수와 실수　　　　　　　P.6

01 (2) $\sqrt{25}=5$이므로 $\sqrt{25}$는 유리수이다.

답 (1) ○　(2) ×　(3) ○　(4) ○

02 ② 순환소수는 무한소수이지만 유리수이다.

④ 유리수를 소수로 나타내면 유한소수 또는 순환소수이다.

답 ②, ④

03 ㄱ. 순환소수는 무한소수이지만 무리수가 아니다.

ㄴ. 1의 제곱근은 ±1이지만 무리수가 아니다.

ㄷ. 유리수인 동시에 무리수인 수는 없다.

따라서 옳은 것은 ㄷ이다.

답 ③

04 3.14는 유한소수이므로 유리수이다. (3.14는 π가 아니다.)

$-\sqrt{16}=-\sqrt{4^2}=-4$이므로 유리수이다.

$\sqrt{0.\dot{1}}=\sqrt{\dfrac{1}{9}}=\dfrac{1}{3}$이므로 유리수이다.

따라서 무리수의 개수는 $\sqrt{2}-1$, $\sqrt{0.1}$의 2이다.

답 ③

05 유리수가 아닌 실수는 무리수이다.

① $\sqrt{49}=\sqrt{7^2}=7$이므로 유리수이다.

② $0.7\dot{3}\dot{1}$은 순환소수로 유리수이다.

④ $\dfrac{1}{5}$은 유리수이다.

답 ③, ⑤

06 어떤 수를 소수로 나타내었을 때, 순환하지 않는 무한소수가 되는 것은 무리수이다.

③ $\sqrt{\dfrac{25}{16}}=\sqrt{\left(\dfrac{5}{4}\right)^2}=\dfrac{5}{4}$이므로 유리수이다.

④ $-\sqrt{25}=-\sqrt{5^2}=-5$이므로 유리수이다.

⑤ $0.\dot{0}\dot{1}$은 순환소수이다.

답 ①, ②

② 실수와 수직선 P.7

01 ① $\sqrt{2}$와 $\sqrt{3}$ 사이에는 무수히 많은 무리수가 있다.

⑤ 두 유리수 $\dfrac{1}{3}$과 $\dfrac{1}{2}$ 사이에는 정수가 없다.

답 ①, ⑤

02 ① 자연수 1이 있다.

② 0, 1로 정수가 2개 있다.

③ 무수히 많은 유리수가 있다.

④ 무수히 많은 무리수가 있다.

답 ⑤

03 (1) $\overline{AB}$는 한 변의 길이가 1인 정사각형의 대각선이므로 피타고라스 정리에 의하여 $\sqrt{1^2+1^2}=\sqrt{2}$이다.

(2) $\overline{AD}=\overline{AP}=\sqrt{2}$, $\overline{AB}=\overline{AQ}=\sqrt{2}$이므로 두 점 P, Q에 대응하는 수는 $-\sqrt{2}$, $\sqrt{2}$이다.

답 (1) $\sqrt{2}$ (2) $-\sqrt{2}$, $\sqrt{2}$

04 $\overline{RS}=\overline{RQ}=\sqrt{1^2+2^2}=\sqrt{5}$이다.

또 $\overline{R'S'}=\overline{R'Q'}=\sqrt{1^2+1^2}=\sqrt{2}$이다.

$\overline{RS}=\overline{RA}=\overline{RB}=\sqrt{5}$, $\overline{R'S'}=\overline{R'C}=\overline{R'D}=\sqrt{2}$이므로

네 점 A, B, C, D에 대응하는 수는 $-2-\sqrt{5}$, $-2+\sqrt{5}$, $2-\sqrt{2}$, $2+\sqrt{2}$이다.

답 $-2-\sqrt{5}$, $-2+\sqrt{5}$, $2-\sqrt{2}$, $2+\sqrt{2}$

05 $\overline{QS}=\sqrt{1^2+1^2}=\sqrt{2}$, $\overline{AQ}=\overline{QS}$이고 점 Q에 대응하는 수가 4이므로 점 A에 대응하는 수는 $4-\sqrt{2}$이다.

답 ③

06 ③ $\overline{PQ}=\overline{AQ}+\overline{BP}-\overline{AB}=\sqrt{2}+\sqrt{2}-1=2\sqrt{2}-1$

④ $\overline{BD}=\sqrt{2}$이므로 $\overline{BO}=\dfrac{1}{2}\overline{BD}=\dfrac{\sqrt{2}}{2}$이다.

답 ③, ④

③ 실수의 대소 관계 P.8

01 (1) $(1-\sqrt{3})-(-1)=2-\sqrt{3}>0$이므로 $1-\sqrt{3}>-1$이다.

(2) $(3+\sqrt{5})-(\sqrt{5}+\sqrt{8})=3-\sqrt{8}>0$이므로 $3+\sqrt{5}>\sqrt{5}+\sqrt{8}$이다.

(3) $\left(\sqrt{\dfrac{2}{3}}+1\right)-\left(\sqrt{\dfrac{1}{2}}+1\right)=\sqrt{\dfrac{2}{3}}-\sqrt{\dfrac{1}{2}}>0$이므로 $\sqrt{\dfrac{2}{3}}+1>\sqrt{\dfrac{1}{2}}+1$이다.

(4) $(\sqrt{7}-\sqrt{6})-(-\sqrt{5}+\sqrt{7})=-\sqrt{6}+\sqrt{5}<0$이므로 $\sqrt{7}-\sqrt{6}<-\sqrt{5}+\sqrt{7}$이다.

(5) $(\sqrt{5}+1)-3=\sqrt{5}-2>0$이므로 $\sqrt{5}+1>3$이다.

답 (1) $>$ (2) $>$ (3) $>$ (4) $<$ (5) $>$

02 ① $(\sqrt{18}+1)-(\sqrt{20}+1)=\sqrt{18}-\sqrt{20}<0$이므로 $\sqrt{18}+1<\sqrt{20}+1$이다.

② $(\sqrt{12}-2)-(\sqrt{27}-2)=\sqrt{12}-\sqrt{27}<0$이므로 $\sqrt{12}-2<\sqrt{27}-2$이다.

③ $(3-\sqrt{5})-(\sqrt{8}-\sqrt{5})=3-\sqrt{8}>0$이므로 $3-\sqrt{5}>\sqrt{8}-\sqrt{5}$이다.

④ $(\sqrt{12}-1)-3=\sqrt{12}-4<0$이므로 $\sqrt{12}-1<3$이다.

⑤ $1-(\sqrt{3}-1)=2-\sqrt{3}>0$이므로 $1>\sqrt{3}-1$이다.

답 ②

03 ①, ③, ④, ⑤: $<$, ②: $>$

답 ②

04 ① $a>b$이므로 $a-b>0$이다.

② $a>b$에서 $\sqrt{a}>\sqrt{b}$이므로 $\sqrt{a}-\sqrt{b}>0$이다.

③ $a>b$에서 $b-a<0$이므로 $\sqrt{(b-a)^2}=-(b-a)=a-b$이다.

④ $a>b$에서 $b-a<0$이므로
$|b-a|=-(b-a)=a-b$이다.
⑤ $a>b$이므로 $\sqrt{a}>\sqrt{b}$이다.

답 ④

05 $(4+\sqrt{2})-(\sqrt{3}+4)=\sqrt{2}-\sqrt{3}<0$이므로
$4+\sqrt{2}<\sqrt{3}+4$이다.

답 $4+\sqrt{2}<\sqrt{3}+4$

06 ㄱ. $\boxed{>}$
ㄴ. $(2-\sqrt{10})-(-1)=3-\sqrt{10}<0$이므로 $\boxed{<}$이다.
ㄷ. $\left(\sqrt{\dfrac{1}{3}}-\sqrt{2}\right)-\left(-\sqrt{2}+\dfrac{1}{2}\right)=\sqrt{\dfrac{1}{3}}-\dfrac{1}{2}>0$이므로
$\boxed{>}$이다.

답 ③

07 큰 수일수록 수직선 위에 나타낼 때 오른쪽에 위치하므로
가장 오른쪽에 위치하는 수는 가장 큰 수이다.
음수는 0보다 작고, 양수는 0보다 크므로 가장 큰 수는 양
수 중에 있다.
따라서 양수인 $-2+\sqrt{15}$와 2의 대소를 비교하면
$(-2+\sqrt{15})-2=-4+\sqrt{15}<0$이므로 $-2+\sqrt{15}<2$
에서 가장 큰 수는 2이다.

답 ③

03 근호를 포함한 식의 계산

① 제곱근의 곱셈

P.9

01 답 (1) $\sqrt{21}$ (2) $\sqrt{10}$ (3) $\sqrt{\dfrac{5}{2}}$ (4) $\sqrt{6}$

02 (1) $\sqrt{18}=\sqrt{3^2\times2}=3\sqrt{2}$
(2) $\sqrt{98}=\sqrt{7^2\times2}=7\sqrt{2}$
(3) $-2\sqrt{32}=-2\times\sqrt{4^2\times2}=-2\times4\sqrt{2}=-8\sqrt{2}$
(4) $2\sqrt{45}=2\times\sqrt{3^2\times5}=2\times3\sqrt{5}=6\sqrt{5}$

답 (1) $3\sqrt{2}$ (2) $7\sqrt{2}$ (3) $-8\sqrt{2}$ (4) $6\sqrt{5}$

03 (1) $2\sqrt{7}=\sqrt{2^2\times7}=\sqrt{28}$
(2) $3\sqrt{5}=\sqrt{3^2\times5}=\sqrt{45}$
(3) $6\sqrt{3}=\sqrt{6^2\times3}=\sqrt{108}$
(4) $-2\sqrt{6}=-\sqrt{2^2\times6}=-\sqrt{24}$

(5) $\dfrac{\sqrt{11}}{2}=\sqrt{\left(\dfrac{1}{2}\right)^2\times11}=\sqrt{\dfrac{11}{4}}$

답 (1) $\sqrt{28}$ (2) $\sqrt{45}$ (3) $\sqrt{108}$ (4) $-\sqrt{24}$ (5) $\sqrt{\dfrac{11}{4}}$

04 ② $-2\sqrt{3}\times(-3\sqrt{2})=6\sqrt{6}$

답 ②

05 $\sqrt{18}\times\sqrt{20}\times\sqrt{15}=\sqrt{18\times20\times15}$
$=\sqrt{3^2\times2\times2^2\times5\times3\times5}$
$=\sqrt{(2\times3\times5)^2\times6}$
$=30\sqrt{6}$

답 30

06 $2\sqrt{3}=\sqrt{12}$이므로 $a=12$이다.
$\sqrt{288}=\sqrt{12^2\times2}=12\sqrt{2}$이므로 $b=12$이다.
$5\sqrt{c}=\sqrt{25c}=\sqrt{150}$이므로 $25c=150$에서 $c=6$이다.
따라서 $\sqrt{\dfrac{ab}{c}}=\sqrt{\dfrac{12\times12}{6}}=\sqrt{24}=2\sqrt{6}$이다.

답 ⑤

07 $a\sqrt{\dfrac{8b}{a}}-b\sqrt{\dfrac{2a}{b}}=a\times\dfrac{\sqrt{8ab}}{a}-b\times\dfrac{\sqrt{2ab}}{b}$
$=\sqrt{8ab}-\sqrt{2ab}=2\sqrt{2ab}-\sqrt{2ab}$
$=\sqrt{2ab}=\sqrt{2\times27}$
$=\sqrt{54}=3\sqrt{6}$

답 ④

② 제곱근의 나눗셈

P.10

01 답 (1) $\sqrt{10}$ (2) $-\sqrt{21}$ (3) $\sqrt{17}$ (4) $2\sqrt{3}$

02 (1) $\sqrt{\dfrac{7}{4}}=\dfrac{\sqrt{7}}{\sqrt{4}}=\dfrac{\sqrt{7}}{2}$
(2) $\sqrt{\dfrac{11}{25}}=\dfrac{\sqrt{11}}{\sqrt{25}}=\dfrac{\sqrt{11}}{5}$
(3) $\sqrt{0.72}=\sqrt{\dfrac{18}{25}}=\dfrac{\sqrt{18}}{\sqrt{25}}=\dfrac{3\sqrt{2}}{5}$

답 (1) $\dfrac{\sqrt{7}}{2}$ (2) $\dfrac{\sqrt{11}}{5}$ (3) $\dfrac{3\sqrt{2}}{5}$

03 (1) $\dfrac{\sqrt{3}}{2}=\sqrt{\dfrac{3}{2^2}}=\sqrt{\dfrac{3}{4}}$
(2) $-\dfrac{\sqrt{2}}{4}=-\sqrt{\dfrac{2}{4^2}}=-\sqrt{\dfrac{2}{16}}=-\sqrt{\dfrac{1}{8}}$
(3) $-\dfrac{\sqrt{5}}{10}=-\sqrt{\dfrac{5}{10^2}}=-\sqrt{\dfrac{5}{100}}=-\sqrt{\dfrac{1}{20}}$

(4) $\sqrt{\dfrac{10}{5}} = \sqrt{\dfrac{10}{5^2}} = \sqrt{\dfrac{10}{25}} = \sqrt{\dfrac{2}{5}}$

답 (1) $\sqrt{\dfrac{3}{4}}$ (2) $-\sqrt{\dfrac{1}{8}}$ (3) $-\sqrt{\dfrac{1}{20}}$ (4) $\sqrt{\dfrac{2}{5}}$

04 $\dfrac{\sqrt{24}}{\sqrt{4}} \div \dfrac{\sqrt{6}}{\sqrt{14}} = \dfrac{2\sqrt{6}}{2} \times \dfrac{\sqrt{14}}{\sqrt{6}} = \sqrt{14}$

답 ④

05 ① $\sqrt{12} \div \sqrt{6} = \sqrt{\dfrac{12}{6}} = \sqrt{2}$

② $6\sqrt{55} \div 3\sqrt{11} = 2\sqrt{5}$

④ $\dfrac{12}{\sqrt{8}} \div \dfrac{3}{\sqrt{24}} = \dfrac{12}{2\sqrt{2}} \times \dfrac{2\sqrt{6}}{3} = 4\sqrt{3}$

답 ③, ⑤

06 $4\sqrt{5} \div \dfrac{2}{\sqrt{5}} = 4\sqrt{5} \times \dfrac{\sqrt{5}}{2} = 10$이므로 $4x$는 $\dfrac{2}{x}$의 10배
이다.

답 ③

07 ③ $\sqrt{\dfrac{25}{27}} = \dfrac{5}{3\sqrt{3}} = \dfrac{y^2}{x^3}$

④ $\sqrt{75} = 5\sqrt{3} = xy^2$

⑤ $\sqrt{\dfrac{9}{125}} = \dfrac{3}{5\sqrt{5}} = \dfrac{x^2}{y^3}$

답 ⑤

③ 제곱근의 곱셈과 나눗셈의 혼합 계산   P.11

01 답 (1) 3, 10, 6, 3, 10, $\dfrac{1}{6}$, 5

(2) $\dfrac{2}{5}$, $\dfrac{15}{8}$, 24, $\dfrac{2}{5}$, $\dfrac{15}{8}$, $\dfrac{1}{24}$, $\dfrac{1}{32}$

02 답 (1) 45, 2, 15, 45, 2, $\dfrac{1}{15}$, 6 (2) 8, $\dfrac{1}{20}$, $\dfrac{5}{2}$, 1, 1

03 $2\sqrt{5} \times \sqrt{6} \div \sqrt{10} = 2\sqrt{5} \times \sqrt{6} \times \sqrt{\dfrac{1}{10}}$
$= 2 \times \sqrt{\dfrac{5 \times 6}{10}} = 2\sqrt{3}$

답 ③

04 $4\sqrt{6} \div \sqrt{7} \times \sqrt{21} = 4\sqrt{6} \times \dfrac{1}{\sqrt{7}} \times \sqrt{21}$
$= 4\sqrt{6} \times \sqrt{3}$
$= 4\sqrt{18} = 12\sqrt{2}$
이므로 $a = 12$이다.

답 ⑤

05 $a = \sqrt{84} \times \sqrt{3} \times \dfrac{1}{\sqrt{21}} = \sqrt{12} = 2\sqrt{3}$에서

$\sqrt{20} \times \dfrac{1}{\sqrt{m}} \times \sqrt{3} = 2\sqrt{3}$, $\sqrt{\dfrac{60}{m}} = \sqrt{12}$이므로

$m = 5$이다.

답 ③

06 $\dfrac{2\sqrt{6}}{\sqrt{5}} \div \dfrac{4\sqrt{3}}{\sqrt{30}} \div \sqrt{\dfrac{1}{11}} = \dfrac{2\sqrt{6}}{\sqrt{5}} \times \dfrac{\sqrt{30}}{4\sqrt{3}} \times \sqrt{11} = \sqrt{33}$

답 ④

07 직육면체의 높이를 x cm라고 하면
(직육면체의 부피)$= \sqrt{15} \times \sqrt{12} \times x = 12\sqrt{10}$이므로
$x = \dfrac{12\sqrt{10}}{\sqrt{15} \times \sqrt{12}} = \sqrt{\dfrac{12^2 \times 10}{15 \times 12}} = \sqrt{8} = 2\sqrt{2}$이다.

답 $2\sqrt{2}$ cm

④ 분모의 유리화   P.12

01 (1) $\dfrac{3}{\sqrt{8}} = \dfrac{3}{\boxed{2}\sqrt{2}} = \dfrac{3 \times \boxed{\sqrt{2}}}{\boxed{2}\sqrt{2} \times \boxed{\sqrt{2}}} = \dfrac{\boxed{3\sqrt{2}}}{\boxed{4}}$

(2) $\dfrac{4}{\sqrt{27}} = \dfrac{4}{\boxed{3}\sqrt{3}} = \dfrac{4 \times \boxed{\sqrt{3}}}{\boxed{3}\sqrt{3} \times \boxed{\sqrt{3}}} = \dfrac{\boxed{4\sqrt{3}}}{\boxed{9}}$

(3) $\dfrac{\sqrt{2}}{\sqrt{75}} = \dfrac{\sqrt{2}}{\boxed{5}\sqrt{3}} = \dfrac{\sqrt{2} \times \boxed{\sqrt{3}}}{\boxed{5}\sqrt{3} \times \boxed{\sqrt{3}}} = \dfrac{\boxed{\sqrt{6}}}{\boxed{15}}$

답 풀이 참조

02 (1) $\dfrac{2}{\sqrt{20}} = \dfrac{2}{2\sqrt{5}} = \dfrac{1}{\sqrt{5}} = \dfrac{1 \times \sqrt{5}}{\sqrt{5} \times \sqrt{5}} = \dfrac{\sqrt{5}}{5}$

(2) $\dfrac{\sqrt{3}}{\sqrt{8}} = \dfrac{\sqrt{3}}{2\sqrt{2}} = \dfrac{\sqrt{3} \times \sqrt{2}}{2\sqrt{2} \times \sqrt{2}} = \dfrac{\sqrt{6}}{4}$

(3) $-\dfrac{4}{2\sqrt{2}} = -\dfrac{4 \times \sqrt{2}}{2\sqrt{2} \times \sqrt{2}} = -\dfrac{4\sqrt{2}}{4} = -\sqrt{2}$

답 (1) $\dfrac{\sqrt{5}}{5}$ (2) $\dfrac{\sqrt{6}}{4}$ (3) $-\sqrt{2}$

03 ③ $\sqrt{\dfrac{a}{b}} = \dfrac{\sqrt{a}}{\sqrt{b}} = \dfrac{\sqrt{a} \times \sqrt{b}}{\sqrt{b} \times \sqrt{b}} = \dfrac{\sqrt{ab}}{b}$

답 ③

04 ① $\dfrac{\sqrt{5}}{\sqrt{12}} = \dfrac{\sqrt{5}}{2\sqrt{3}} = \dfrac{\sqrt{15}}{6}$

② $\dfrac{5}{\sqrt{10}} = \dfrac{5\sqrt{10}}{10} = \dfrac{\sqrt{10}}{2}$

④ $\dfrac{\sqrt{14}}{\sqrt{6}} = \sqrt{\dfrac{84}{6}} = \dfrac{2\sqrt{21}}{6} = \dfrac{\sqrt{21}}{3}$

⑤ $\dfrac{\sqrt{18}}{2\sqrt{3}} = \dfrac{3\sqrt{2}}{2\sqrt{3}} = \dfrac{3\sqrt{6}}{6} = \dfrac{\sqrt{6}}{2}$

답 ④

05
$$x+\frac{2}{x}=2\sqrt5+\frac{2}{2\sqrt5}=2\sqrt5+\frac{1}{\sqrt5}$$
$$=2\sqrt5+\frac{\sqrt5}{5}=\frac{11\sqrt5}{5}$$

답 ①

06
$$\frac{2\sqrt7}{\sqrt3}=\frac{2\sqrt{21}}{3}=a\sqrt{21}$$
$$\frac{6}{\sqrt{75}}=\frac{6}{5\sqrt3}=\frac{6\sqrt3}{15}=\frac{2\sqrt3}{5}=\frac{\sqrt{12}}{5}=\frac{1}{5}\sqrt b$$
따라서 $a=\frac{2}{3}$, $b=12$이므로 $ab=\frac{2}{3}\times12=8$이다.

답 8

07
$$\frac{\sqrt8}{\sqrt{54}}=\frac{2\sqrt2}{3\sqrt6}=\frac{2\sqrt{12}}{18}=\frac{4\sqrt3}{18}=\frac{2\sqrt3}{9}$$
따라서 $a=2$, $b=3$, $c=\frac{2}{9}$이므로
$$abc=2\times3\times\frac{2}{9}=\frac{4}{3}$$이다.

답 ③

⑤ 제곱근을 어림한 값
P.13

01 제곱근표에서 왼쪽의 수(소수점 아래 첫째 자리까지의 수)와 표 상단의 수(소수점 아래 둘째 자리의 수)가 만나는 곳의 수를 읽으면 된다.

답 (1) 2.470 (2) 2.456 (3) 2.538 (4) 2.557

02 (1) $\sqrt{64.1}$의 값은 64에 해당하는 가로줄과 1에 해당하는 세로줄이 만나는 곳의 수를 읽으면 되므로 8.006이다.
(2) 7.778은 60에 해당하는 가로줄과 5에 해당하는 세로줄이 만나는 곳에 있으므로 $\sqrt{60.5}$의 값이다.

답 (1) 8.006 (2) 60.5

03 $\sqrt{6.31}$의 값은 6.3에 해당하는 가로줄과 1에 해당하는 세로줄이 만나는 곳의 수를 읽으면 되므로 2.512,
$\sqrt{6.45}$의 값은 6.4에 해당하는 가로줄과 5에 해당하는 세로줄이 만나는 곳의 수를 읽으면 되므로 2.540이다.
따라서 $a=2.512$, $b=2.540$에서
$$1000(b-a)=1000\times(2.540-2.512)$$
$$=1000\times0.028=28$$

답 ⑤

04 제곱근표에서 $8.093=\sqrt{65.5}$, $7.823=\sqrt{61.2}$이므로 $x=65.5$, $y=61.2$이다.
따라서 $x+y=65.5+61.2=126.7$이다.

답 ④

05 $a=\sqrt{22.3}=4.722$, $b=2\sqrt5=\sqrt{20}=4.472$
따라서 $a-b=4.722-4.472=0.25$이다.

답 ①

06 $\sqrt5=\sqrt{\frac{20}{4}}=\frac{\sqrt{20}}{\sqrt4}=\frac{\sqrt{20}}{2}$이다.
주어진 제곱근표에서 $\sqrt{20}$의 값을 구할 수 있으므로 $\sqrt5$의 근삿값을 구할 수 있다.

답 ③

⑥ 제곱근의 덧셈과 뺄셈
P.14

01 (1) $3\sqrt2+2\sqrt2=(3+2)\sqrt2=5\sqrt2$
(2) $\sqrt3+6\sqrt3=(1+6)\sqrt3=7\sqrt3$
(3) $3\sqrt5+7\sqrt5-6\sqrt5=(3+7-6)\sqrt5=4\sqrt5$
(4) $6-2\sqrt3-2\sqrt6+4\sqrt3=(1-2)\sqrt6+(-2+4)\sqrt3$
$$=-\sqrt6+2\sqrt3$$

답 (1) $5\sqrt2$ (2) $7\sqrt3$ (3) $4\sqrt5$ (4) $-\sqrt6+2\sqrt3$

02 ① $3\sqrt2+2\sqrt3$은 더 이상 간단히 할 수 없다.
② $\sqrt{50}-\sqrt8=5\sqrt2-2\sqrt2=3\sqrt2$
③ $\sqrt9-\sqrt6\ne\sqrt3$ $(\sqrt a-\sqrt b\ne\sqrt{a-b})$
④ $2\sqrt3-4\sqrt3=(2-4)\sqrt3=-2\sqrt3$
⑤ $\sqrt3+\sqrt4\ne\sqrt3+2$ $(\sqrt a+\sqrt b\ne\sqrt{a+b})$

답 ②

03
$$5\sqrt5+3\sqrt{20}-\sqrt{45}=5\sqrt5+3\times2\sqrt5-3\sqrt5$$
$$=(5+6-3)\sqrt5=8\sqrt5$$
따라서 $A=8$이다.

답 8

04
$$\sqrt8-\sqrt{18}+\frac{3}{\sqrt2}=2\sqrt2-3\sqrt2+\frac{3\sqrt2}{2}$$
$$=\left(2-3+\frac{3}{2}\right)\sqrt2=\frac{\sqrt2}{2}$$

답 ③

05
$$\sqrt2-\sqrt8+\sqrt{48}-\sqrt{108}=\sqrt2-2\sqrt2+4\sqrt3-6\sqrt3$$
$$=(1-2)\sqrt2+(4-6)\sqrt3$$
$$=-\sqrt2-2\sqrt3$$
따라서 $a=-1$, $b=-2$이므로
$$a+b=(-1)+(-2)=-3$$이다.

답 ④

06 $A=(2+5-4)\sqrt7=3\sqrt7$, $B=(3-2+5)\sqrt3=6\sqrt3$
따라서 $AB=3\sqrt7\times6\sqrt3=18\sqrt{21}$이다.

답 ⑤

07 $x+y=(\sqrt{5}+\sqrt{3})+(\sqrt{5}-\sqrt{3})=2\sqrt{5}$,
$x-y=(\sqrt{5}+\sqrt{3})-(\sqrt{5}-\sqrt{3})=2\sqrt{3}$이므로
$(x+y)(x-y)=2\sqrt{5}\times2\sqrt{3}=4\sqrt{15}$이다.

답 ④

⑦ **복잡한 식의 덧셈과 뺄셈**   P.15

01 (3) $-\sqrt{5}(2+\sqrt{10})=-2\sqrt{5}-\sqrt{50}=-2\sqrt{5}-5\sqrt{2}$
   (4) $\sqrt{2}(3-\sqrt{8})=3\sqrt{2}-\sqrt{16}=3\sqrt{2}-4$
   (5) $\sqrt{2}(\sqrt{6}+\sqrt{10})=\sqrt{12}+\sqrt{20}=2\sqrt{3}+2\sqrt{5}$
   (6) $\sqrt{3}(\sqrt{6}-2\sqrt{3})=\sqrt{18}-6=3\sqrt{2}-6$

답 (1) $\sqrt{6}+\sqrt{10}$ (2) $\sqrt{35}-\sqrt{21}$
             (3) $-2\sqrt{5}-5\sqrt{2}$ (4) $3\sqrt{2}-4$
             (5) $2\sqrt{3}+2\sqrt{5}$ (6) $3\sqrt{2}-6$

02 $\sqrt{5}\left(\dfrac{3\sqrt{3}}{5}-\dfrac{1}{\sqrt{5}}\right)+\sqrt{3}\left(\dfrac{1}{\sqrt{3}}+\dfrac{1}{\sqrt{5}}\right)$
$=\dfrac{3\sqrt{15}}{5}-1+1+\dfrac{\sqrt{3}}{\sqrt{5}}$
$=\dfrac{3\sqrt{15}}{5}+\dfrac{\sqrt{15}}{5}=\dfrac{4\sqrt{15}}{5}$

답 ②

03 ㄱ. $\sqrt{192}-\sqrt{12}=8\sqrt{3}-2\sqrt{3}=6\sqrt{3}$
   ㄴ. $\sqrt{300}-\sqrt{0.03}=10\sqrt{3}-\dfrac{\sqrt{3}}{10}=\dfrac{99\sqrt{3}}{10}$
   ㄷ. $\sqrt{3}+2\sqrt{50}-3\sqrt{12}-5\sqrt{8}$
      $=\sqrt{3}+10\sqrt{2}-6\sqrt{3}-10\sqrt{2}=-5\sqrt{3}$
따라서 옳은 것은 ㄴ, ㄷ이다.

답 ㄴ, ㄷ

04 $7\sqrt{3}+2a-8-5a\sqrt{3}=(2a-8)+(7-5a)\sqrt{3}$
이 수가 유리수가 되려면 $7-5a=0$이어야 한다.
따라서 $a=\dfrac{7}{5}$이다.

답 ②

05 $\dfrac{y}{x}+\dfrac{x}{y}=\dfrac{\sqrt{3}}{\sqrt{7}}+\dfrac{\sqrt{7}}{\sqrt{3}}=\dfrac{\sqrt{21}}{7}+\dfrac{\sqrt{21}}{3}$
         $=\left(\dfrac{1}{7}+\dfrac{1}{3}\right)\sqrt{21}=\dfrac{10\sqrt{21}}{21}$

답 ⑤

다른 풀이

$\dfrac{y}{x}+\dfrac{x}{y}=\dfrac{x^2+y^2}{xy}=\dfrac{7+3}{\sqrt{7}\sqrt{3}}=\dfrac{10}{\sqrt{21}}=\dfrac{10\sqrt{21}}{21}$

중단원 실전 마무리   PP.16~20

01 ③	**02** ④	**03** ①	**04** ①	**05** ③
06 ②	**07** ②	**08** ④	**09** ③	**10** ⑤
11 ④	**12** ⑤	**13** ③	**14** $X>Y$	
15 ③, ⑤	**16** ②	**17** ④, ⑤	**18** ②	**19** ⑤
20 ⑤	**21** 15	**22** ⑤	**23** 44	
24 ②, ④	**25** ①	**26** ③	**27** $-\dfrac{3}{2}$	**28** ④
29~32 풀이 참조				

01 ① $\sqrt{0.81}=0.9$이므로 0.9의 양의 제곱근은 $\sqrt{0.9}$이다.
   ② 제곱근 16은 $\sqrt{16}=4$이다.
   ③ $(-5)^2=25$이므로 25의 제곱근은 ±5이다.
   ④ $\sqrt{\dfrac{9}{16}}=\sqrt{\left(\dfrac{3}{4}\right)^2}=\dfrac{3}{4}$이다.
   ⑤ 0.1의 제곱근은 $\pm\sqrt{0.1}$이다.

02 ① 제곱근 4: 제곱하여 4가 되는 양수이므로 $\sqrt{4}=2$
   ② 제곱근 $\sqrt{\dfrac{81}{16}}$: 제곱하여 $\sqrt{\dfrac{81}{16}}=\dfrac{9}{4}$가 되는 양수이므로
     $\sqrt{\dfrac{9}{4}}=\dfrac{3}{2}$
   ③ 0의 제곱근: 0
   ④ 25의 양의 제곱근: $\sqrt{25}=5$
   ⑤ $\sqrt{81}$의 양의 제곱근: $\sqrt{81}=9$의 양의 제곱근이므로
     $\sqrt{9}=3$

03 $a=\sqrt{(-3)^2}=3$, $b=-\sqrt{\dfrac{16}{81}}=-\dfrac{4}{9}$이므로
   $ab=3\times\left(-\dfrac{4}{9}\right)=-\dfrac{4}{3}$이다.

04 $x=\sqrt{\dfrac{25}{4}}=\dfrac{5}{2}$, $y=\sqrt{(-7)^2}=7$이므로
   $2x+\dfrac{1}{2}y=2\times\dfrac{5}{2}+\dfrac{1}{2}\times7=5+\dfrac{7}{2}=\dfrac{17}{2}$이다.

05 $\sqrt{54a}=\sqrt{2\times3^3\times a}$이므로 $a=2\times3=6$일 때, b의 값이
가장 작고 그때의 b의 값은 $2\times3^2=18$이다.

06 $\sqrt{36-x}$가 정수가 되려면 $36-x$가 0 또는 자연수의 제곱
이 되어야 한다.
이때 $36-x$는 36보다 작은 정수이므로
$36-x=0, 1, 4, 9, 16, 25$이다.
따라서 $x=36, 35, 32, 27, 20, 11$의 6개이다.

07 ① $3=\sqrt{9}<\sqrt{12}$
   ② $4=\sqrt{16}>\sqrt{8}$

③ $\frac{1}{2}=\sqrt{\frac{1}{4}}$이므로 $\sqrt{\frac{1}{3}}>\frac{1}{2}$

④ $2=\sqrt{4}<\sqrt{5}$이므로 $-2>-\sqrt{5}$

⑤ $0.1=\sqrt{0.01}$이므로 $\sqrt{0.1}>0.1$

08 ① $\sqrt{\frac{1}{a}}=\sqrt{4}=2$　　② $\frac{1}{a}=4$　　③ $a=\sqrt{\frac{1}{4}}=\frac{1}{2}$

④ $a^2=\left(\frac{1}{4}\right)^2=\frac{1}{16}$　　⑤ $a=\frac{1}{4}$

09 $\sqrt{0.\dot{4}}=\sqrt{\frac{4}{9}}=\frac{2}{3}$, $-\sqrt{16}=-4$

따라서 무리수의 개수는 $\frac{\sqrt{2}}{3}$, π, $\sqrt{\frac{3}{16}}$, $\sqrt{3}-1$의 4이다.

10 순환하지 않는 무한소수는 무리수이다.

① $2-3=-1$: 유리수　　② 유리수

③ $-\frac{1}{4}$: 유리수　　　　④ $\sqrt{81}=9$: 유리수

⑤ $\sqrt{25}=5$이므로 $\sqrt{5}$: 무리수

11 색칠한 작은 정사각형과 색칠한 큰 정사각형의 한 변의 길이는 각각 $\sqrt{2}$, $\sqrt{5}$이다.

① $a=-1-\sqrt{2}$

② $b=2-\sqrt{5}$이므로
　$(2-\sqrt{5})-(2-\sqrt{3})=-\sqrt{5}+\sqrt{3}<0$에서
　$b<2-\sqrt{3}$이다.

③ $c=-1+\sqrt{2}$

⑤ $d=2+\sqrt{5}$이므로 $(2+\sqrt{5})-5=-3+\sqrt{5}<0$에서
　$d<5$이다.

12 ⑤ 유리수와 무리수, 즉 실수로 수직선은 완전히 메워진다.

13 ① $3-(\sqrt{3}+1)=2-\sqrt{3}>0$이므로 $3>\sqrt{3}+1$이다.

② $(\sqrt{24}-1)-4=\sqrt{24}-5<0$이므로 $\sqrt{24}-1<4$이다.

④ $(4-\sqrt{2})-(\sqrt{15}-\sqrt{2})=4-\sqrt{15}>0$이므로
　$4-\sqrt{2}>\sqrt{15}-\sqrt{2}$이다.

⑤ $(-2-\sqrt{6})-(-2-\sqrt{7})=\sqrt{7}-\sqrt{6}>0$이므로
　$-2-\sqrt{6}>-2-\sqrt{7}$이다.

14 $X-Y=(\sqrt{10}-\sqrt{(-2)^2})-(\sqrt{10}-\sqrt{5})$
　　　$=-2+\sqrt{5}>0$

따라서 $X>Y$이다.

15 ① $-\sqrt{2}\sqrt{8}=-\sqrt{16}=-4$

② $2\sqrt{6}\sqrt{3}=2\sqrt{18}=6\sqrt{2}$

③ $\sqrt{\frac{3}{8}}\times\sqrt{\frac{16}{3}}=\sqrt{\frac{3}{8}\times\frac{16}{3}}=\sqrt{2}$

④ $-\sqrt{3}\times\sqrt{6}\times\sqrt{8}=-\sqrt{144}=-12$

⑤ $-5\sqrt{3}=-\sqrt{75}$

16 $\sqrt{175}=\sqrt{5^2\times7}=5\sqrt{7}=(\sqrt{5})^2\times\sqrt{7}=a^2b$

17 ① $\frac{\sqrt{20}}{\sqrt{5}}=\sqrt{4}=2$

② $\sqrt{24}\div\sqrt{3}=\sqrt{8}=2\sqrt{2}$

③ $\frac{\sqrt{60}}{\sqrt{5}}\div\frac{\sqrt{6}}{\sqrt{27}}=\sqrt{\frac{60}{5}\times\frac{27}{6}}=\sqrt{54}=3\sqrt{6}$

④ $2\sqrt{18}\div\sqrt{6}=2\sqrt{3}$

⑤ $\sqrt{12}\div4\sqrt{3}=\frac{2\sqrt{3}}{4\sqrt{3}}=\frac{1}{2}$

18 $\frac{\sqrt{3}}{3\sqrt{2}}=\frac{\sqrt{6}}{6}=a\sqrt{6}$이므로 $a=\frac{1}{6}$이다.

$\frac{\sqrt{5}}{\sqrt{12}}=\frac{\sqrt{5}}{2\sqrt{3}}=\frac{\sqrt{15}}{6}=b\sqrt{15}$이므로 $b=\frac{1}{6}$이다.

따라서 $a+b=\frac{1}{6}+\frac{1}{6}=\frac{1}{3}$이다.

19 $\frac{2\sqrt{6}}{\sqrt{5}}\div\sqrt{\frac{1}{7}}\times\frac{4\sqrt{3}}{\sqrt{30}}=\frac{2\sqrt{6}}{\sqrt{5}}\times\sqrt{7}\times\frac{4\sqrt{3}}{\sqrt{30}}$

$=\frac{2\sqrt{6}\times\sqrt{7}\times4\sqrt{3}}{\sqrt{5}\times\sqrt{30}}=\frac{8\sqrt{21}}{5}$

따라서 $a=5$, $b=8$이므로 $a+b=5+8=13$이다.

20 삼각기둥의 높이를 x cm라고 하면

$\left(\frac{1}{2}\times\sqrt{2}\times\sqrt{6}\right)\times x=3\sqrt{5}$, $\left(\frac{1}{2}\times2\sqrt{3}\right)\times x=3\sqrt{5}$,

$\sqrt{3}x=3\sqrt{5}$이므로 $x=\frac{3\sqrt{5}}{\sqrt{3}}=\sqrt{15}$이다.

따라서 색칠한 면의 넓이는
$\sqrt{6}\times\sqrt{15}=\sqrt{90}=3\sqrt{10}$ (cm²)이다.

21 $\frac{\sqrt{x}}{\sqrt{52}}=\frac{\sqrt{x}}{2\sqrt{13}}=\frac{\sqrt{x}\times\sqrt{13}}{2\sqrt{13}\times\sqrt{13}}=\frac{\sqrt{13x}}{26}=\frac{\sqrt{195}}{26}$

따라서 $13x=195$이므로 $x=15$이다.

22 $\frac{3}{\sqrt{32}}=\frac{3}{4\sqrt{2}}=\frac{3\sqrt{2}}{8}=a\sqrt{2}$이므로 $a=\frac{3}{8}$이다.

$\sqrt{\frac{1}{27}}=\frac{1}{\sqrt{27}}=\frac{1}{3\sqrt{3}}=\frac{\sqrt{3}}{9}=b\sqrt{3}$이므로 $b=\frac{1}{9}$이다.

따라서

$\sqrt{a}\div\sqrt{b}=\sqrt{\frac{3}{8}}\div\sqrt{\frac{1}{9}}=\sqrt{\frac{3}{8}\div\frac{1}{9}}=\sqrt{\frac{3}{8}\times9}$

$=\frac{\sqrt{27}}{\sqrt{8}}=\frac{3\sqrt{3}}{2\sqrt{2}}=\frac{3\sqrt{6}}{4}$

23 주어진 제곱근표에서
$\sqrt{4.92}=2.218$, $\sqrt{4.76}=2.182$이다.
따라서 $x=2.218$, $y=2.182$이므로
$10(x+y)=10\times(2.218+2.182)=10\times4.4=44$이다.

24 ① 주어진 제곱근표에서 $4.087=\sqrt{16.7}$이므로
   $4.087^2=16.7$이다.
③ 3.937은 15.5의 제곱근이다.
④ 주어진 제곱근표에서 $\sqrt{17.8}=4.219$이므로
   $17.8=4.219^2$, 즉 17.8의 제곱근은 ±4.219이다.
⑤ 주어진 제곱근표에서는 $\sqrt{1.65}$의 값을 알 수 없다.

25 $\dfrac{\sqrt{3}}{2}-\dfrac{\sqrt{5}}{3}-\dfrac{\sqrt{5}}{3}+\dfrac{\sqrt{5}}{6}$

$=\left(\dfrac{1}{2}-\dfrac{1}{5}\right)\sqrt{3}+\left(-\dfrac{1}{3}+\dfrac{1}{6}\right)\sqrt{5}$

$=\dfrac{3\sqrt{3}}{10}-\dfrac{\sqrt{5}}{6}$

이므로 $a=\dfrac{3}{10}$, $b=-\dfrac{1}{6}$이다.

따라서 $a+b=\dfrac{3}{10}+\left(-\dfrac{1}{6}\right)=\dfrac{4}{30}=\dfrac{2}{15}$이다.

26 $\sqrt{48}+2\sqrt{7}-\sqrt{63}-\sqrt{3}=4\sqrt{3}+2\sqrt{7}-3\sqrt{7}-\sqrt{3}$
$\qquad\qquad\qquad\qquad\quad =(4-1)\sqrt{3}+(2-3)\sqrt{7}$
$\qquad\qquad\qquad\qquad\quad =3\sqrt{3}-\sqrt{7}$

27 $\dfrac{\sqrt{12}}{2}(a-\sqrt{3})+3\left(\dfrac{\sqrt{27}}{6}-a\right)$

$=\sqrt{3}(a-\sqrt{3})+3\left(\dfrac{\sqrt{3}}{2}-a\right)$

$=-3-3a+\left(a+\dfrac{3}{2}\right)\sqrt{3}$

이므로 $a+\dfrac{3}{2}=0$에서 $a=-\dfrac{3}{2}$이다.

28 $\sqrt{6}\left(\sqrt{\dfrac{1}{18}}+\dfrac{\sqrt{10}}{\sqrt{3}}\right)-\dfrac{1-\sqrt{15}}{\sqrt{5}}$

$=\dfrac{1}{\sqrt{3}}+\sqrt{20}-\dfrac{\sqrt{5}}{5}+\sqrt{3}$

$=\dfrac{\sqrt{3}}{3}+2\sqrt{5}-\dfrac{\sqrt{5}}{5}+\sqrt{3}$

$=\dfrac{4\sqrt{3}}{3}+\dfrac{9\sqrt{5}}{5}$

이므로 $a=\dfrac{4}{3}$, $b=\dfrac{9}{5}$이다.

따라서 $ab=\dfrac{4}{3}\times\dfrac{9}{5}=\dfrac{12}{5}$이다.

29 정사각형 모양의 종이의 한 변의 길이는
$\sqrt{200}=10\sqrt{2}$ (cm)이므로 ⋯⋯ ❶
피자의 반지름의 길이는 $5\sqrt{2}$ cm이다. ⋯⋯ ❷
따라서 피자의 넓이는 $\pi\times(5\sqrt{2})^2=50\pi$ (cm²)이다.
⋯⋯ ❸

단계	채점 기준	배점 비율
❶	정사각형 모양의 종이의 한 변의 길이를 구한다.	50 %
❷	피자의 반지름의 길이를 구한다.	20 %
❸	피자의 넓이를 구한다.	30 %

30 $\sqrt{\dfrac{504}{k}}=\sqrt{\dfrac{2^3\times3^2\times7}{k}}$이 정수가 되려면 k가 504의 약수
이면서 $2\times7\times$(자연수의 제곱)이어야 한다. ⋯⋯ ❶
이때 k는 100 이하의 자연수이므로
$k=2\times7\times1^2$, $2\times7\times2^2$에서 $k=14$, 56이다. ⋯⋯ ❷
따라서 구하는 합은 $14+56=70$이다. ⋯⋯ ❸

단계	채점 기준	배점 비율
❶	$\sqrt{\dfrac{504}{k}}$가 정수가 되는 조건을 찾는다.	40 %
❷	조건을 만족하는 k의 값을 구한다.	40 %
❸	k의 값의 합을 구한다.	20 %

31 $\sqrt{72x}=y$에서 y가 가장 작은 자연수가 되어야 하므로 $72x$
는 자연수의 제곱이 되어야 한다.
이때 $72=2^3\times3^2$이므로 x는 $2\times$(자연수의 제곱)이다.
즉, $x=2$이다. ⋯⋯ ❶
$x=2$이므로 $y=\sqrt{72\times2}=\sqrt{144}=12$이다. ⋯⋯ ❷
$\sqrt{x}\left(\dfrac{3}{\sqrt{2}}+1\right)+\sqrt{y}\sqrt{\dfrac{2}{3}}=\sqrt{2}\left(\dfrac{3}{\sqrt{2}}+1\right)+\sqrt{12}\sqrt{\dfrac{2}{3}}$
$\qquad\qquad\qquad\qquad\qquad =3+\sqrt{2}+2\sqrt{2}=3+3\sqrt{2}$
⋯⋯ ❸

단계	채점 기준	배점 비율
❶	x의 값을 구한다.	30 %
❷	y의 값을 구한다.	30 %
❸	주어진 식의 값을 구한다.	40 %

32 세 정사각형의 한 변의 길이는 각각
$\sqrt{3}$ cm, $\sqrt{12}=2\sqrt{3}$ (cm), $\sqrt{27}=3\sqrt{3}$ (cm)이다.
⋯⋯ ❶
따라서 구하는 둘레의 길이는
$2(\sqrt{3}+2\sqrt{3}+3\sqrt{3})+2\times3\sqrt{3}$
$=12\sqrt{3}+6\sqrt{3}=18\sqrt{3}$ (cm) ⋯⋯ ❷

단계	채점 기준	배점 비율
❶	세 정사각형의 한 변의 길이를 구한다.	60 %
❷	3개의 색종이로 이루어진 도형의 둘레의 길이를 구한다.	40 %

II 인수분해와 이차방정식

1. 다항식의 곱셈과 인수분해

 01 다항식의 곱셈

① 다항식의 곱셈 원리와 곱셈 공식 (1)　　　P.22

01 답 a, a, 3, 3, ab, $2a$, $3b$, 6

02 (1) $(2a+1)(3a-1)=6a^2-2a+3a-1$
$\qquad\qquad\qquad\qquad =6a^2+a-1$
(2) $(-x+4y)(3x-2y)=-3x^2+2xy+12xy-8y^2$
$\qquad\qquad\qquad\qquad\qquad =-3x^2+14xy-8y^2$
답 (1) $6a^2+a-1$　(2) $-3x^2+14xy-8y^2$

03 $(2a-b)(3c+d)=6ac+2ad-3bc-bd$이므로
$p=6$, $q=-1$이다.
따라서 $p+q=6+(-1)=5$이다.
답 5

04 $(7x-2y)(-x+2y-5)$
$=-7x^2+14xy-35x+2xy-4y^2+10y$
$=-7x^2+16xy-35x-4y^2+10y$
따라서 xy의 계수는 16이다.
답 ③

05 $(ax+2y-3)(x-3y+b)$
$=ax^2-3axy+abx+2xy-6y^2+2by-3x+9y-3b$
$=ax^2+(-3a+2)xy+(ab-3)x-6y^2+(2b+9)y$
$\qquad\qquad\qquad\qquad\qquad\qquad\qquad\qquad -3b$
상수항이 6이므로 $-3b=6$, $b=-2$이다.
xy의 계수가 -4이므로
$-3a+2=-4$, $-3a=-6$, $a=2$이다.
따라서 x의 계수는 $ab-3=2\times(-2)-3=-7$이다.
답 ①

06 답 (1) x, 7, 7, $x^2+14x+49$
(2) $3a$, $2b$, $2b$, $9a^2-12ab+4b^2$

07 (1) $(a+10)^2=a^2+2\times a\times 10+10^2$
$\qquad\qquad\quad =a^2+20a+100$
(2) $\left(-x+\dfrac{1}{2}\right)^2=(-x)^2+2\times(-x)\times\dfrac{1}{2}+\left(\dfrac{1}{2}\right)^2$
$\qquad\qquad\qquad =x^2-x+\dfrac{1}{4}$
답 (1) $a^2+20a+100$　(2) $x^2-x+\dfrac{1}{4}$

08 $(2x+a)^2=4x^2+4ax+a^2=4x^2-12x+b$이므로
$4a=-12$에서 $a=-3$, $b=a^2=(-3)^2=9$이다.
답 $a=-3$, $b=9$

09 (P의 넓이)$=(3x-y)(3x-y)=(3x-y)^2$
(Q의 넓이)$=y\times y=y^2$
(P와 Q의 넓이의 합)$=(3x-y)^2+y^2$
$\qquad\qquad\qquad\qquad =9x^2-6xy+y^2+y^2$
$\qquad\qquad\qquad\qquad =9x^2-6xy+2y^2$
답 ⑤

[다른 풀이]
(P와 Q의 넓이의 합)$=3x\times 3x-y\times(3x-y)\times 2$
$\qquad\qquad\qquad\qquad =9x^2-2y(3x-y)$
$\qquad\qquad\qquad\qquad =9x^2-6xy+2y^2$

② 곱셈 공식 (2)　　　P.23

01 답 (1) 2, 9　(2) $3x$, $9x^2-4$　(3) $\dfrac{1}{2}y$, $\dfrac{1}{4}y^2$

02 (1) $(x+10)(x-10)=x^2-100$
(2) $(6+a)(-6+a)=(a+6)(a-6)=a^2-36$
(3) $(-2x-7)(-2x+7)=(-2x)^2-7^2=4x^2-49$
(4) $\left(-\dfrac{1}{3}a-\dfrac{1}{2}b\right)\left(\dfrac{1}{3}a-\dfrac{1}{2}b\right)$
$\quad =\left(-\dfrac{1}{2}b-\dfrac{1}{3}a\right)\left(-\dfrac{1}{2}b+\dfrac{1}{3}a\right)$
$\quad =\left(-\dfrac{1}{2}b\right)^2-\left(\dfrac{1}{3}a\right)^2=\dfrac{1}{4}b^2-\dfrac{1}{9}a^2$
$\quad =-\dfrac{1}{9}a^2+\dfrac{1}{4}b^2$
답 (1) x^2-100　(2) a^2-36　(3) $4x^2-49$　(4) $-\dfrac{1}{9}a^2+\dfrac{1}{4}b^2$

03 답 2, 2, 4, 4, 8, 8

04 $(2x+a)(2x-a)=(2x)^2-a^2=4x^2-a^2=4x^2-\dfrac{9}{16}$
이므로 $a^2=\dfrac{9}{16}$이다.
따라서 $a=\pm\sqrt{\dfrac{9}{16}}$이므로 $a=\dfrac{3}{4}$ 또는 $a=-\dfrac{3}{4}$이다.
답 ②, ④

05 $\left(-4x+\dfrac{1}{3}y\right)\left(-4x-\dfrac{1}{3}y\right)$
$=\left\{-\left(4x-\dfrac{1}{3}y\right)\right\}\left\{-\left(4x+\dfrac{1}{3}y\right)\right\}$

$$=\left(4x-\frac{1}{3}y\right)\left(4x+\frac{1}{3}y\right)$$
$$=(4x)^2-\left(\frac{1}{3}y\right)^2=16x^2-\frac{1}{9}y^2$$

답 ③

06 $\left(\frac{1}{4}a-\frac{2}{3}b\right)\left(\frac{1}{4}a+\frac{2}{3}b\right)=\left(\frac{1}{4}a\right)^2-\left(\frac{2}{3}b\right)^2$
$$=\frac{1}{16}a^2-\frac{4}{9}b^2$$
위의 식에 $a^2=16$, $b^2=36$을 대입하면
$$\frac{1}{16}a^2-\frac{4}{9}b^2=\frac{1}{16}\times16-\frac{4}{9}\times36=1-16=-15$$

답 -15

07 $(1-a)(1+a)(1+a^2)=(1-a^2)(1+a^2)=1-a^4$
따라서 □$=4$이다.

답 ③

08 $(1-x)(1+x)(1+x^2)(1+x^4)$
$$=(1-x^2)(1+x^2)(1+x^4)=(1-x^4)(1+x^4)$$
$$=1-x^8=a-x^b$$
따라서 $a=1$, $b=8$이다.

답 $a=1$, $b=8$

③ 곱셈 공식 (3)

P.24

01 (1) $(x+6)(x-1)=x^2+(6-1)x+6\times(-1)$
$$=x^2+5x-6$$
(2) $(x-2y)(x-5y)$
$$=x^2+(-2-5)xy+(-2)\times(-5)y^2$$
$$=x^2-7xy+10y^2$$

답 (1) x^2+5x-6 (2) $x^2-7xy+10y^2$

02 (1) $(3x-4)(4x+1)$
$$=(3\times4)x^2+\{3\times1+(-4)\times4\}x+(-4)\times1$$
$$=12x^2-13x-4$$
(2) $(2x+3y)(-5x+2y)$
$$=\{2\times(-5)\}x^2+\{2\times2+3\times(-5)\}xy$$
$$+(3\times2)y^2$$
$$=-10x^2-11xy+6y^2$$

답 (1) $12x^2-13x-4$ (2) $-10x^2-11xy+6y^2$

03 (1) □를 차례로 A, B라고 하면
$(x+\boxed{A})(x+4)=x^2+\boxed{B}x+8$
$(x+\boxed{A})(x+4)=x^2+(\boxed{A}+4)x+\boxed{A}\times4$
$$=x^2+\boxed{B}x+8$$

이므로 $\boxed{A}\times4=8$, $\boxed{A}=2$,
$\boxed{B}=\boxed{A}+4=2+4=6$이다.
(2) □를 차례로 A, B, C라고 하면
$(4x+1)(\boxed{A}x-3)=12x^2+(\boxed{B})x+(\boxed{C})$
$(4x+1)(\boxed{A}x-3)$
$$=(4\times\boxed{A})x^2+\{4\times(-3)+1\times\boxed{A}\}x+1\times(-3)$$
$$=(4\times\boxed{A})x^2+(-12+\boxed{A})x-3$$
$$=12x^2+(\boxed{B})x+(\boxed{C})$$
이므로 $4\times\boxed{A}=12$, $\boxed{A}=3$,
$\boxed{B}=-12+\boxed{A}=-12+3=-9$,
$\boxed{C}=-3$이다.

답 (1) 2, 6 (2) 3, -9, -3

04 (1) $(x+4)(x-5)+(2x+1)(2x-3)$
$$=(x^2-x-20)+(4x^2-4x-3)$$
$$=5x^2-5x-23$$
(2) $(3x-5y)(-2x+4y)-(x+y)(x+9y)$
$$=(-6x^2+22xy-20y^2)-(x^2+10xy+9y^2)$$
$$=-6x^2+22xy-20y^2-x^2-10xy-9y^2$$
$$=-7x^2+12xy-29y^2$$

답 (1) $5x^2-5x-23$ (2) $-7x^2+12xy-29y^2$

05 $(x+3)(x+A)=x^2+(3+A)x+3A$
x의 계수가 -4이므로 $3+A=-4$, $A=-7$,
상수항이 $3A$이므로 $3A=3\times(-7)=-21$이다.

답 ①

06 $(x+a)(x+b)=x^2+(a+b)x+ab=x^2+cx-10$이
므로 a, b는 $ab=-10$을 만족시키는 두 정수이고 c는
$c=a+b$를 만족시키는 정수이다.
$ab=-10$을 만족시키는 두 정수의 순서쌍 (a, b)를 찾으면
$(1, -10)$, $(2, -5)$, $(5, -2)$, $(10, -1)$,
$(-1, 10)$, $(-2, 5)$, $(-5, 2)$, $(-10, 1)$이고
$c=a+b$이므로 c의 값이 될 수 있는 것은 -9, -3, 3, 9
이다.

답 ④

07 $(Ax+3)(2x-B)=2Ax^2+(-AB+6)x-3B$
$$=6x^2+Cx-9$$
이므로 $2A=6$, $-AB+6=C$, $-3B=-9$이다.
따라서 $A=3$, $B=3$, $C=-3$이므로
$A+B+C=3+3+(-3)=3$이다.

답 ③

08 $(5x-2)(2x+3)-(x+3)(x-6)$
$$=(10x^2+11x-6)-(x^2-3x-18)$$
$$=10x^2+11x-6-x^2+3x+18$$

$=9x^2+14x+12=Ax^2+Bx+C$이므로

$A=9$, $B=14$, $C=12$이다.

따라서 $A-B+C=9-14+12=7$이다.

답 ①

09

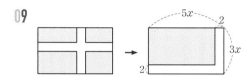

색칠한 네 부분의 정원을 한 곳으로 모으면 위의 오른쪽 그림과 같다.

따라서 색칠한 직사각형의 가로의 길이는 $5x-2$,

세로의 길이는 $3x-2$이므로 길을 제외한 정원의 넓이는

$(5x-2)(3x-2)=15x^2-16x+4$이다.

답 $15x^2-16x+4$

---

④ 곱셈 공식을 이용한 수의 계산　　P.25

01 (1) $201^2=(200+1)^2=200^2+2\times200\times1+1^2$
$\qquad\qquad=40000+400+1=40401$

(2) $1005^2=(1000+5)^2=1000^2+2\times1000\times5+5^2$
$\qquad\qquad=1000000+10000+25=1010025$

답 (1) 40401　(2) 1010025

02 (1) $99^2=(100-1)^2=100^2-2\times100\times1+1^2$
$\qquad\qquad=10000-200+1=9801$

(2) $997^2=(1000-3)^2=1000^2-2\times1000\times3+3^2$
$\qquad\qquad=1000000-6000+9=994009$

답 (1) 9801　(2) 994009

03 (1) $503\times497=(500+3)(500-3)=500^2-3^2$
$\qquad\qquad\qquad\quad=250000-9=249991$

(2) $9.8\times10.2=(10-0.2)(10+0.2)=10^2-0.2^2$
$\qquad\qquad\qquad=100-0.04=99.96$

답 (1) 249991　(2) 99.96

04 (1) $291\times307=(300-9)(300+7)$
$\qquad\qquad\qquad\quad=300^2+(-9+7)\times300+(-9)\times7$
$\qquad\qquad\qquad\quad=90000-600-63=89337$

(2) 99.7×99.9
$\qquad=(100-0.3)(100-0.1)$
$\qquad=100^2+(-0.3-0.1)\times100+(-0.3)\times(-0.1)$
$\qquad=10000-40+0.03=9960.03$

답 (1) 89337　(2) 9960.03

05 $75\times65=(70+5)(70-5)=70^2-25$
$\qquad\qquad\qquad=4900-25=4875$

따라서 $\square=70$이다.

답 ⑤

06 ① $404^2=(400+4)^2$이므로
$\qquad(a+b)^2$을 이용하면 편리하다.

② $19.9^2=(20-0.1)^2$이므로
$\qquad(a-b)^2$을 이용하면 편리하다.

③ $64\times56=(60+4)(60-4)$이므로
$\qquad(a+b)(a-b)$를 이용하면 편리하다.

④ $102\times105=(100+2)(100+5)$이므로
$\qquad(x+a)(x+b)$를 이용하면 편리하다.

⑤ $8.99\times9.01=(9-0.01)(9+0.01)$이므로
$\qquad(a+b)(a-b)$를 이용하면 편리하다.

답 ③

07 $101\times99-98\times97$
$=(100+1)(100-1)-(100-2)(100-3)$
$=(100^2-1)-(100^2-5\times100+6)$
$=100^2-1-100^2+5\times100-6$
$=5\times100-7=500-7=493$

답 493

08 $\dfrac{1009\times1012+2}{1010}=\dfrac{(1010-1)(1010+2)+2}{1010}$

$=\dfrac{1010^2+1010-2+2}{1010}=\dfrac{1010^2+1010}{1010}$

$=\dfrac{1010^2}{1010}+\dfrac{1010}{1010}=1010+1=1011$

답 ③

09 $4=5-1$이므로 $(a+b)(a-b)=a^2-b^2$을 이용하면
$4(5+1)(5^2+1)(5^4+1)(5^8+1)$
$=(5-1)(5+1)(5^2+1)(5^4+1)(5^8+1)$
$=(5^2-1)(5^2+1)(5^4+1)(5^8+1)$
$=(5^4-1)(5^4+1)(5^8+1)$
$=(5^8-1)(5^8+1)$
$=5^{16}-1=5^a+b$이므로 $a=16$, $b=-1$이다.

따라서 $a+b=16+(-1)=15$이다.

답 15

---

⑤ 곱셈 공식을 이용한 분모의 유리화　　P.26

01 답 (1) $2+\sqrt{3}$, $2+\sqrt{3}$, $2+\sqrt{3}$, 3, $2+\sqrt{3}$

(2) $\sqrt{2}-\sqrt{5}$, $\sqrt{2}-\sqrt{5}$, $\sqrt{2}-\sqrt{5}$, 2, $\sqrt{5}-\sqrt{2}$

02 (1) $\dfrac{11}{4-\sqrt{5}}=\dfrac{11\times(4+\sqrt{5})}{(4-\sqrt{5})(4+\sqrt{5})}=\dfrac{11\times(4+\sqrt{5})}{16-5}$

$\qquad\qquad =4+\sqrt{5}$

(2) $\dfrac{3}{\sqrt{7}+2}=\dfrac{3\times(\sqrt{7}-2)}{(\sqrt{7}+2)(\sqrt{7}-2)}=\dfrac{3\times(\sqrt{7}-2)}{7-4}$

$\qquad\qquad =\sqrt{7}-2$

$\qquad\qquad$ 답 (1) $4+\sqrt{5}$ (2) $\sqrt{7}-2$

03 (1) $\dfrac{1}{\sqrt{2}+1}+\dfrac{1}{\sqrt{2}-1}$

$\qquad =\dfrac{\sqrt{2}-1}{(\sqrt{2}+1)(\sqrt{2}-1)}+\dfrac{\sqrt{2}+1}{(\sqrt{2}-1)(\sqrt{2}+1)}$

$\qquad =(\sqrt{2}-1)+(\sqrt{2}+1)=2\sqrt{2}$

(2) $\dfrac{2}{3-\sqrt{7}}-\dfrac{2}{3+\sqrt{7}}$

$\qquad =\dfrac{2\times(3+\sqrt{7})}{(3-\sqrt{7})(3+\sqrt{7})}+\dfrac{2\times(3-\sqrt{7})}{(3+\sqrt{7})(3-\sqrt{7})}$

$\qquad =\dfrac{2\times(3+\sqrt{7})}{9-7}+\dfrac{2\times(3-\sqrt{7})}{9-7}$

$\qquad =(3+\sqrt{7})+(3-\sqrt{7})=6$

$\qquad\qquad$ 답 (1) $2\sqrt{2}$ (2) 6

04 $\dfrac{6}{\sqrt{12}-3}=\dfrac{6}{2\sqrt{3}-3}=\dfrac{6\times(2\sqrt{3}+3)}{(2\sqrt{3}-3)(2\sqrt{3}+3)}$

$\qquad =\dfrac{6\times(2\sqrt{3}+3)}{12-9}=2(2\sqrt{3}+3)$

$\qquad =6+4\sqrt{3}=a+b\sqrt{3}$

따라서 a, b가 유리수이므로 $a=6$, $b=4$이다.

$\qquad\qquad$ 답 $a=6$, $b=4$

05 $x=\dfrac{1}{\sqrt{2}-1}=\dfrac{\sqrt{2}+1}{(\sqrt{2}-1)(\sqrt{2}+1)}=\sqrt{2}+1$

이므로 $x-1=\sqrt{2}$이다.

따라서 양변을 제곱하면 $x^2-2x+1=2$이다.

$\qquad\qquad$ 답 ④

06 $x=\dfrac{2+\sqrt{3}}{2-\sqrt{3}}$이므로 $\dfrac{1}{x}=\dfrac{2-\sqrt{3}}{2+\sqrt{3}}$이다.

$x-\dfrac{1}{x}=\dfrac{2+\sqrt{3}}{2-\sqrt{3}}-\dfrac{2-\sqrt{3}}{2+\sqrt{3}}$

$\qquad =\dfrac{(2+\sqrt{3})^2}{(2-\sqrt{3})(2+\sqrt{3})}-\dfrac{(2-\sqrt{3})^2}{(2+\sqrt{3})(2-\sqrt{3})}$

$\qquad =(2+\sqrt{3})^2-(2-\sqrt{3})^2$

$\qquad =(4+4\sqrt{3}+3)-(4-4\sqrt{3}+3)$

$\qquad =(7+4\sqrt{3})-(7-4\sqrt{3})=8\sqrt{3}$

$\qquad\qquad$ 답 ⑤

[다른 풀이]

$x-\dfrac{1}{x}=\dfrac{2+\sqrt{3}}{2-\sqrt{3}}-\dfrac{2-\sqrt{3}}{2+\sqrt{3}}=\dfrac{(2+\sqrt{3})^2-(2-\sqrt{3})^2}{(2-\sqrt{3})(2+\sqrt{3})}$

$\qquad =\dfrac{(4+4\sqrt{3}+3)-(4-4\sqrt{3}+3)}{4-3}=8\sqrt{3}$

07 $\dfrac{\sqrt{6}}{x}+\dfrac{\sqrt{3}}{y}=\dfrac{\sqrt{6}}{3-2\sqrt{2}}+\dfrac{\sqrt{3}}{1-\sqrt{2}}$

$\qquad =\dfrac{\sqrt{6}(3+2\sqrt{2})}{(3-2\sqrt{2})(3+2\sqrt{2})}+\dfrac{\sqrt{3}(1+\sqrt{2})}{(1-\sqrt{2})(1+\sqrt{2})}$

$\qquad =\dfrac{3\sqrt{6}+4\sqrt{3}}{9-8}+\dfrac{\sqrt{3}+\sqrt{6}}{1-2}$

$\qquad =(3\sqrt{6}+4\sqrt{3})-(\sqrt{3}+\sqrt{6})=2\sqrt{6}+3\sqrt{3}$

$\qquad\qquad$ 답 ③

08 $x=\dfrac{\sqrt{3}-\sqrt{2}}{\sqrt{3}+\sqrt{2}}=\dfrac{(\sqrt{3}-\sqrt{2})^2}{(\sqrt{3}+\sqrt{2})(\sqrt{3}-\sqrt{2})}$

$\qquad =\dfrac{3-2\sqrt{6}+2}{3-2}=5-2\sqrt{6}$

$y=\dfrac{\sqrt{3}+\sqrt{2}}{\sqrt{3}-\sqrt{2}}=\dfrac{(\sqrt{3}+\sqrt{2})^2}{(\sqrt{3}-\sqrt{2})(\sqrt{3}+\sqrt{2})}$

$\qquad =\dfrac{3+2\sqrt{6}+2}{3-2}=5+2\sqrt{6}$

이므로 $x-y=(5-2\sqrt{6})-(5+2\sqrt{6})=-4\sqrt{6}$이다.

$\qquad\qquad$ 답 $-4\sqrt{6}$

---

02 다항식의 인수분해

① 인수분해
P.27

01 답 (1) a, b, a, b (2) x, $-6y$, x, $6y$

(3) c, d (4) $2a$, 1

02 (1) $5xy^2-3xy=xy(5y-3)$

(2) $-ax+ay-2a=-a(x-y+2)$

(3) $a(2b-c)+4(2b-c)=(2b-c)(a+4)$

(4) $(x-y)(y-1)-(x-2)(x-y)$

$\quad =(x-y)\{(y-1)-(x-2)\}$

$\quad =(x-y)(y-x+1)$

$\qquad$ 답 (1) $xy(5y-3)$ (2) $-a(x-y+2)$

$\qquad\qquad$ (3) $(2b-c)(a+4)$ (4) $(x-y)(y-x+1)$

03 (1) $xy-x+y-1=x(y-1)+(y-1)$

$\qquad\qquad\qquad\quad =(y-1)(x+1)$

따라서 1이 아닌 인수는

$y-1$, $x+1$, $(x+1)(y-1)$이다.

(2) $xy+y-2x-2=y(x+1)-2(x+1)$

$\qquad\qquad\qquad\quad =(x+1)(y-2)$

따라서 1이 아닌 인수는

$x+1$, $y-2$, $(x+1)(y-2)$이다.

$\qquad$ 답 (1) $y-1$, $x+1$, $(x+1)(y-1)$

$\qquad\qquad$ (2) $x+1$, $y-2$, $(x+1)(y-2)$

04 ③ $-3x-6x^2=-3x(1+2x)$

답 ③

05 $x(y-1)+(1-y)=x(y-1)-(y-1)$
$\qquad\qquad\qquad =(y-1)(x-1)$

답 ①

06 $(a-1)(a+2)-2(a-1)=(a-1)\{(a+2)-2\}$
$\qquad\qquad\qquad\qquad\qquad =a(a-1)$
이므로 두 일차식의 합은 $a+(a-1)=2a-1$이다.

답 $2a-1$

07 $-x^2+2xy=x(-x+2y)$이므로 인수가 아닌 것은
③, ④이다.

답 ③, ④

08 (1) $xy-y-2x+2=y(x-1)-2(x-1)$
$\qquad\qquad\qquad\qquad =(x-1)(y-2)$
(2) $ac+ad-2bc-2bd=a(c+d)-2b(c+d)$
$\qquad\qquad\qquad\qquad\qquad =(c+d)(a-2b)$

답 (1) $(x-1)(y-2)$ (2) $(c+d)(a-2b)$

[다른 풀이]
(1) $xy-y-2x+2=xy-2x-y+2$
$\qquad\qquad\qquad =x(y-2)-(y-2)$
$\qquad\qquad\qquad =(y-2)(x-1)$
(2) $ac+ad-2bc-2bd=ac-2bc+ad-2bd$
$\qquad\qquad\qquad\qquad\qquad =c(a-2b)+d(a-2b)$
$\qquad\qquad\qquad\qquad\qquad =(a-2b)(c+d)$

② **인수분해 공식 (1)**   P.28

01 답 (1) $1, 1, x+1$ (2) $\dfrac{3}{2}, \dfrac{3}{2}, a+\dfrac{3}{2}$
(3) $3y, 3y, x+3y$ (4) $3b, 3b, 2a+3b$

02 답 (1) $2, 2, x-2$ (2) $\dfrac{1}{2}, \dfrac{1}{2}, a-\dfrac{1}{2}$
(3) $6y, 6y, x-6y$ (4) $b, b, 7a-b$

03 (1) $a^2+10a+25=a^2+2\times a\times5+5^2=(a+5)^2$
(2) $9x^2+3xy+\dfrac{1}{4}y^2=(3x)^2+2\times3x\times\dfrac{1}{2}y+\left(\dfrac{1}{2}y\right)^2$
$\qquad\qquad\qquad\qquad =\left(3x+\dfrac{1}{2}y\right)^2$
(3) $4a^2-12a+9=(2a)^2-2\times2a\times3+3^2=(2a-3)^2$

---

(4) $\dfrac{9}{16}x^2-\dfrac{3}{2}xy+y^2=\left(\dfrac{3}{4}x\right)^2-2\times\dfrac{3}{4}x\times y+y^2$
$\qquad\qquad\qquad\qquad =\left(\dfrac{3}{4}x-y\right)^2$

답 (1) $(a+5)^2$ (2) $\left(3x+\dfrac{1}{2}y\right)^2$
(3) $(2a-3)^2$ (4) $\left(\dfrac{3}{4}x-y\right)^2$

04 $x^2-18x+81=(x-9)^2$,
$9y^2+24y+16=(3y+4)^2$
이므로 $A=-9$, $B=4$이다.

답 $A=-9$, $B=4$

05 $4x^2+2xy+\dfrac{1}{4}y^2=(2x)^2+2\times2x\times\dfrac{1}{2}y+\left(\dfrac{1}{2}y\right)^2$
$\qquad\qquad\qquad\qquad =\left(2x+\dfrac{1}{2}y\right)^2$
이므로 $A=\dfrac{1}{2}$이다.

답 ④

06 $8x^2+8x+2=2(4x^2+4x+1)$
$\qquad\qquad\quad =2\{(2x)^2+2\times2x\times1+1^2\}$
$\qquad\qquad\quad =2(2x+1)^2$

답 $2(2x+1)^2$

07 $-ax^2+4ax-4a=-a(x^2-4x+4)=-a(x-2)^2$

답 ①

08 $\dfrac{4}{3}x\left(\dfrac{1}{3}x-2y\right)+4y^2=\dfrac{4}{9}x^2-\dfrac{8}{3}xy+4y^2$
$\qquad\qquad\qquad\qquad =\left(\dfrac{2}{3}x\right)^2-2\times\dfrac{2}{3}x\times2y+(2y)^2$
$\qquad\qquad\qquad\qquad =\left(\dfrac{2}{3}x-2y\right)^2=(ax+by)^2$
따라서 $a=\dfrac{2}{3}$, $b=-2$이므로
$a+b=\dfrac{2}{3}+(-2)=-\dfrac{4}{3}$이다.

답 $-\dfrac{4}{3}$

③ **완전제곱식**   P.29

01 (2) $x^2-4x+4=(x-2)^2$이므로 완전제곱식이다.
(4) $-2x^2+20x-50=-2(x^2-10x+25)$
$\qquad\qquad\qquad\qquad =-2(x-5)^2$

이므로 완전제곱식으로 나타낼 수 있다.

답 (1) × (2) ○ (3) × (4) ○

02 (1) $a^2-8a+\square=a^2-2\times a\times 4+4^2$

따라서 $\square=4^2=16$이다.

(2) $x^2+\dfrac{2}{3}x+\square=x^2+2\times x\times\dfrac{1}{3}+\left(\dfrac{1}{3}\right)^2$

따라서 $\square=\left(\dfrac{1}{3}\right)^2=\dfrac{1}{9}$이다.

(3) $2x^2+4xy+\square=2\left(x^2+2xy+\dfrac{\square}{2}\right)$

$\qquad\qquad\qquad\qquad =2(x^2+2\times x\times y+y^2)$

따라서 $\dfrac{\square}{2}=y^2$이므로 $\square=2y^2$이다.

(4) $9a^2-30ab+\square=(3a)^2-2\times 3a\times 5b+(5b)^2$

따라서 $\square=(5b)^2=25b^2$이다.

답 (1) 16 (2) $\dfrac{1}{9}$ (3) $2y^2$ (4) $25b^2$

03 (1) $x^2+\square+36=x^2+2\times x\times(\pm 6)+(\pm 6)^2$

따라서 $\square=2\times x\times(\pm 6)=\pm 12x$이다.

(2) $a^2+\square+\dfrac{1}{4}=a^2+2\times a\times\left(\pm\dfrac{1}{2}\right)+\left(\pm\dfrac{1}{2}\right)^2$

따라서 $\square=2\times a\times\left(\pm\dfrac{1}{2}\right)=\pm a$이다.

(3) $49x^2+\square+y^2=(7x)^2+2\times 7x\times(\pm y)+(\pm y)^2$

따라서 $\square=2\times 7x\times(\pm y)=\pm 14xy$이다.

(4) $12a^2+\square+27b^2$

$\quad =3\left(4a^2+\dfrac{\square}{3}+9b^2\right)$

$\quad =3\{(2a)^2+2\times 2a\times(\pm 3b)+(\pm 3b)^2\}$

따라서 $\dfrac{\square}{3}=2\times 2a\times(\pm 3b)=\pm 12ab$이므로

$\square=\pm 36ab$이다.

답 (1) $\pm 12x$ (2) $\pm a$ (3) $\pm 14xy$ (4) $\pm 36ab$

04 ② $x^2-16x+64=(x-8)^2$

③ $2x^2+4x+2=2(x^2+2x+1)=2(x+1)^2$

⑤ $5x^2-20xy+20y^2=5(x^2-4xy+4y^2)=5(x-2y)^2$

답 ①, ④

05 $\dfrac{1}{9}x^2+kx+25=\left(\dfrac{1}{3}x\right)^2+2\times\dfrac{1}{3}x\times(\pm 5)+(\pm 5)^2$

이므로 $k=2\times\dfrac{1}{3}\times(\pm 5)=\pm\dfrac{10}{3}$이다.

답 ①, ④

06 $(x+2)(x-6)+k=x^2-4x-12+k$

$\qquad\qquad\qquad\qquad =x^2-2\times x\times 2+2^2$

따라서 $-12+k=2^2=4$이므로 $k=16$이다.

답 ③

07 $16x^2+2(k+1)x+9=(4x)^2+2\times 4x\times(\pm 3)+(\pm 3)^2$

따라서 $2(k+1)=2\times 4\times(\pm 3)=\pm 24$이므로

$k+1=\pm 12$에서 $k=-13$ 또는 $k=11$이다.

답 -13, 11

08 □ 안에 들어갈 알맞은 수를 차례로 A, B라고 하자.

① $A=\pm 6$이면

$\quad 9x^2\pm 6xy+By^2$

$\quad =(3x)^2+2\times 3x\times(\pm y)+(\pm y)^2$

이므로 $B=(\pm 1)^2=1$이어야 한다.

② $A=\pm 12$이면

$\quad 9x^2\pm 12xy+By^2$

$\quad =(3x)^2+2\times 3x\times(\pm 2y)+(\pm 2y)^2$

이므로 $B=(\pm 2)^2=4$이어야 한다.

③ $A=\pm 18$이면

$\quad 9x^2\pm 18xy+By^2$

$\quad =(3x)^2+2\times 3x\times(\pm 3y)+(\pm 3y)^2$

이므로 $B=(\pm 3)^2=9$이어야 한다.

④ $A=\pm 24$이면

$\quad 9x^2\pm 24xy+By^2$

$\quad =(3x)^2+2\times 3x\times(\pm 4y)+(\pm 4y)^2$

이므로 $B=(\pm 4)^2=16$이어야 한다.

⑤ $A=\pm 30$이면

$\quad 9x^2\pm 30xy+By^2$

$\quad =(3x)^2+2\times 3x\times(\pm 5y)+(\pm 5y)^2$

이므로 $B=(\pm 5)^2=25$이어야 한다.

답 ③

④ 인수분해 공식 (2)　　　　P.30

01 **답** (1) 2, 2, 2 (2) $4y$, $4y$, $4y$

(3) $\dfrac{1}{2}$, $\dfrac{1}{2}$, $\dfrac{1}{2}$ (4) b, b, b

02 (1) $x^2-1=x^2-1^2=(x+1)(x-1)$

(2) $\dfrac{1}{9}a^2-25=\left(\dfrac{1}{3}a\right)^2-5^2=\left(\dfrac{1}{3}a+5\right)\left(\dfrac{1}{3}a-5\right)$

(3) $-4x^2+36y^2=-4(x^2-9y^2)=-4\{x^2-(3y)^2\}$

$\qquad\qquad\qquad =-4(x+3y)(x-3y)$

(4) $8a^2-18b^2=2(4a^2-9b^2)=2\{(2a)^2-(3b)^2\}$

$\qquad\qquad\qquad =2(2a+3b)(2a-3b)$

답 (1) $(x+1)(x-1)$ (2) $\left(\dfrac{1}{3}a+5\right)\left(\dfrac{1}{3}a-5\right)$

(3) $-4(x+3y)(x-3y)$ (4) $2(2a+3b)(2a-3b)$

03 답 x^2, 1, x^2-1, $x+1$, $x-1$

04 $9a^2-\dfrac{1}{4}b^2=(3a)^2-\left(\dfrac{1}{2}b\right)^2=\left(3a+\dfrac{1}{2}b\right)\left(3a-\dfrac{1}{2}b\right)$

따라서 두 일차식은 $3a+\dfrac{1}{2}b$, $3a-\dfrac{1}{2}b$이므로

두 일차식의 합은 $\left(3a+\dfrac{1}{2}b\right)+\left(3a-\dfrac{1}{2}b\right)=6a$이다.

답 $6a$

05 $-48x^2+27y^2=-3(16x^2-9y^2)$
$\qquad\qquad\quad=-3(4x+3y)(4x-3y)$
$\qquad\qquad\quad=3(4x+3y)(3y-4x)$

답 ④

06 $ax^2-ay^2=a(x^2-y^2)=a(x+y)(x-y)$이므로
인수가 아닌 것은 ⑤ $(x-y)^2$이다.

답 ⑤

07 $(2x+1)(x-3)+5(x-1)$
$=(2x^2-5x-3)+(5x-5)=2x^2-8$
$=2(x^2-4)=2(x+2)(x-2)$
따라서 $a=2$, $b=2$이므로 $a+b=4$이다.

답 ③

08 $(a-b)x^4+16(b-a)$
$=(a-b)x^4-16(a-b)$
$=(a-b)(x^4-16)$
$=(a-b)(x^2+4)(x^2-4)$
$=(a-b)(x^2+4)(x+2)(x-2)$

답 $(a-b)(x^2+4)(x+2)(x-2)$

⑤ 인수분해 공식 (3)   P.31

01 답 (1) 3, 3, 3   (2) -2, -2, 2
　　(3) -4, -4, 4   (4) -5, -5, 5

02 답 (1) 7, 2 또는 2, 7   (2) 3, 6
　　(3) 3, 1   (4) 8, 4

03 (1) $x^2+5x+6=x^2+(2+3)x+2\times3$
$\qquad\qquad\qquad=(x+2)(x+3)$
(2) $x^2+x-12=x^2+\{4+(-3)\}x+4\times(-3)$
$\qquad\qquad\qquad=(x+4)(x-3)$
(3) $x^2-8xy+7y^2$
$\quad=x^2+\{(-y)+(-7y)\}x+(-y)\times(-7y)$
$\quad=(x-y)(x-7y)$

(4) $x^2-xy-6y^2=x^2+\{2y+(-3y)\}x+2y\times(-3y)$
$\qquad\qquad\qquad=(x+2y)(x-3y)$

답 (1) $(x+2)(x+3)$ (2) $(x+4)(x-3)$
　　(3) $(x-y)(x-7y)$ (4) $(x+2y)(x-3y)$

04 $x^2+5x-14=(x-2)(x+7)$이므로
두 일차식의 합은 $(x-2)+(x+7)=2x+5$이다.

답 ④

05 $x^2+ax-20$의 한 인수가 $x+4$이므로
다른 인수를 $x+b$라고 하면
$x^2+ax-20=(x+4)(x+b)=x^2+(4+b)x+4b$
따라서 $4b=-20$에서 $b=-5$이므로
$a=4+b=4+(-5)=-1$이다.

답 ③

06 $x^2+Ax+18=(x+a)(x+b)=x^2+(a+b)x+ab$
이므로 $ab=18$, $A=a+b$이다.
$18=(-1)\times(-18)=(-2)\times(-9)$
$\quad=(-3)\times(-6)=1\times18=2\times9=3\times6$
따라서 A의 값이 될 수 있는 것은
-19, -11, -9, 19, 11, 9이다.

답 ③

07 $(x-1)(x+4)-6=x^2+3x-4-6=x^2+3x-10$
$\qquad\qquad\qquad\qquad=(x+5)(x-2)$
이때 $a>b$이므로 $a=5$, $b=-2$이다.
따라서 $a-b=5-(-2)=7$이다.

답 7

08 우영이가 인수분해한 식은
$(x+4)(x+8)=x^2+12x+32$
이므로 상수항 32를 바르게 보았고
선화가 인수분해한 식은
$(x-2)(x-10)=x^2-12x+20$
이므로 x의 계수 -12를 바르게 보았다.
따라서 처음 주어진 이차식은 $x^2-12x+32$이므로
이 이차식을 인수분해하면 $(x-4)(x-8)$이다.

답 $(x-4)(x-8)$

⑥ 인수분해 공식 (4)   P.32

01 (1) $2x^2+7x+6=(x+2)(\boxed{2x+3})$

$\begin{array}{ccccc} x & & 2 & \rightarrow & \boxed{4x} \\ \boxed{2x} & & 3 & \rightarrow & +)\ \boxed{3x} \\ & & & & \overline{\qquad 7x} \end{array}$

(2) $3x^2-2xy-5y^2=(x+y)(\boxed{3x-5y})$

$$\begin{array}{ccccc} x & & y & \rightarrow & \boxed{3xy} \\ \boxed{3x} & & \boxed{-5y} & \rightarrow & +)\underline{\boxed{-5xy}} \\ & & & & -2xy \end{array}$$

답 풀이 참조

02 (1) □ 안의 수를 차례로 A, B, C라고 하면
$$6x^2+11x-A=(2x+B)(Cx-2)$$
$$=2Cx^2+(-4+BC)x-2B$$
이므로 $2C=6$, $-4+BC=11$, $-A=-2B$이다.
$2C=6$에서 $C=3$,
$-4+BC=11$에서 $3B=15$이므로 $B=5$,
$A=2B=10$이다.
따라서 □ 안에 들어갈 알맞은 양수는 차례로
10, 5, 3이다.

(2) □ 안의 수를 차례로 A, B라고 하면
$$3x^2-Ax+12=(x-3)(3x-B)$$
$$=3x^2+(-B-9)x+3B$$
이므로 $-A=-B-9$, $12=3B$이다.
$3B=12$에서 $B=4$, $A=B+9=13$이다.
따라서 □ 안에 들어갈 알맞은 양수는 차례로 13, 4이다.

답 (1) 10, 5, 3 (2) 13, 4

03 (1) $2x^2-9x+4=(x-4)(2x-1)$

$$\begin{array}{ccccc} x & & -4 & \rightarrow & -8x \\ 2x & & -1 & \rightarrow & +)\underline{-x} \\ & & & & -9x \end{array}$$

(2) $3x^2-14x-5=(3x+1)(x-5)$

$$\begin{array}{ccccc} 3x & & 1 & \rightarrow & x \\ x & & -5 & \rightarrow & +)\underline{-15x} \\ & & & & -14x \end{array}$$

(3) $5x^2+xy-6y^2=(5x+6y)(x-y)$

$$\begin{array}{ccccc} 5x & & 6y & \rightarrow & 6xy \\ x & & -y & \rightarrow & +)\underline{-5xy} \\ & & & & xy \end{array}$$

(4) $8x^2+6xy+y^2=(2x+y)(4x+y)$

$$\begin{array}{ccccc} 2x & & y & \rightarrow & 4xy \\ 4x & & y & \rightarrow & +)\underline{2xy} \\ & & & & 6xy \end{array}$$

답 (1) $(x-4)(2x-1)$ (2) $(3x+1)(x-5)$
(3) $(5x+6y)(x-y)$ (4) $(2x+y)(4x+y)$

04 $4x^2+Ax-15=(2x+B)(Cx-3)$
$$=2Cx^2+(-6+BC)x-3B$$
$4=2C$에서 $C=2$, $-15=-3B$에서 $B=5$,
$A=-6+BC=-6+10=4$이다.

따라서 $A+B+C=4+5+2=11$이다.

답 ⑤

05 $6x^2+7x-3=(2x+3)(3x-1)$,
$6x^2+5x-6=(2x+3)(3x-2)$
이므로 공통인 인수는 $2x+3$이다.

답 ④

06 ㄱ. $x^2-4=(x+2)(x-2)$
ㄴ. $x^2-4x+4=(x-2)^2$
ㄷ. $x^2-x-6=(x+2)(x-3)$
ㄹ. $2x^2-x-6=(x-2)(2x+3)$
따라서 $x-2$를 인수로 가지는 다항식은 ㄱ, ㄴ, ㄹ이다.

답 ②

07 $(x-4)(x+3)+5x^2=x^2-x-12+5x^2$
$$=6x^2-x-12$$
$$=(3x+4)(2x-3)$$

답 $(3x+4)(2x-3)$

08 $12x^2+11x+2=(3x+2)(4x+1)$에서 가로의 길이가
$3x+2$이므로 세로의 길이는 $4x+1$이다.
따라서 이 직사각형의 둘레의 길이는
$2\{(3x+2)+(4x+1)\}=2(7x+3)=14x+6$이다.

답 ④

7 인수분해 공식의 활용
P.33

01 답 (1) 3.3, 20, 560 (2) 2, 100, 10000
(3) 1, 50, 2500 (4) 25, 25, 100, 50, 5000

02 (1) $99\times111-99\times11=99(111-11)=99\times100$
$$=9900$$
(2) $48^2+2\times48\times12+12^2=(48+12)^2=60^2=3600$
(3) $12.6^2-2\times12.6\times0.6+0.36$
$$=12.6^2-2\times12.6\times0.6+0.6^2$$
$$=(12.6-0.6)^2=12^2=144$$
(4) $\sqrt{45^2-36^2}=\sqrt{(45+36)(45-36)}=\sqrt{81\times9}$
$$=\sqrt{9^2\times3^2}=9\times3=27$$

답 (1) 9900 (2) 3600 (3) 144 (4) 27

03 $91^2-2\times91+1=91^2-2\times91\times1+1^2$
$$=(91-1)^2=90^2=8100$$

답 8100

04 $\dfrac{996 \times 994 + 996 \times 6}{998^2 - 4} = \dfrac{996(994+6)}{(998+2)(998-2)}$

$\qquad\qquad\qquad = \dfrac{996 \times 1000}{1000 \times 996} = 1$

답 ①

05 $\sqrt{\dfrac{97^2 - 1}{96} + \dfrac{1}{100}}$

$\quad = \sqrt{\dfrac{(97+1)(97-1)}{96} + \dfrac{1}{100}} = \sqrt{\dfrac{98 \times 96}{96} + \dfrac{1}{100}}$

$\quad = \sqrt{98 + \dfrac{1}{100}} = \sqrt{100 - 2 + \dfrac{1}{100}}$

$\quad = \sqrt{\left(10 - \dfrac{1}{10}\right)^2} = 10 - \dfrac{1}{10} = \dfrac{99}{10}$

답 ①

06 (1) $x^2 - 2x + 1 = (x-1)^2 = (\sqrt{3} + 1 - 1)^2 = (\sqrt{3})^2 = 3$

(2) $a^2 + 2ab + b^2 = (a+b)^2 = \{(2-\sqrt{2}) + (2+\sqrt{2})\}^2$

$\qquad\qquad\qquad\qquad\quad = 4^2 = 16$

(3) $x^2 - y^2 + 6x - 6y = (x+y)(x-y) + 6(x-y)$

$\qquad\qquad\qquad\quad = (x-y)(x+y+6)$

$\qquad\qquad\qquad\quad = 4(2+6) = 4 \times 8 = 32$

답 (1) 3 (2) 16 (3) 32

07 $x^2 - y^2 = (x+y)(x-y)$이므로 $\sqrt{6} = (x+y) \times \sqrt{2}$이고

$x + y = \sqrt{3}$이다. 따라서

$2x^2 + 4xy + 2y^2 - 1 = 2(x^2 + 2xy + y^2) - 1$

$\qquad\qquad\qquad\qquad = 2(x+y)^2 - 1 = 2(\sqrt{3})^2 - 1$

$\qquad\qquad\qquad\qquad = 6 - 1 = 5$

답 ②

PP.34~37

01 ④	**02** ④	**03** ④	**04** 30	**05** ①
06 ②	**07** ③	**08** ⑤	**09** ⑤	**10** ④
11 $a=5, b=1$	**12** ③	**13** ④	**14** ④	
15 ③	**16** ①	**17** ⑤	**18** ④	**19** ②
20 8	**21** $(a+2)(a-2)(a+1)(a-1)$			
22 ④	**23** ②	**24** -27	**25~30** 풀이 참조	

01 $(2x - ay + 3)(x + y - 1)$

$\quad = 2x^2 + 2xy - 2x - axy - ay^2 + ay + 3x + 3y - 3$

$\quad = 2x^2 + (2-a)xy + x - ay^2 + (a+3)y - 3$

따라서 xy의 계수 $2-a$와 상수항 -3이 같으므로

$2 - a = -3$에서 $a = 5$이다.

02 $(3x - y)^2 + (x - 6y)(2x + 5y)$

$\quad = 9x^2 - 6xy + y^2 + 2x^2 - 7xy - 30y^2$

$\quad = 11x^2 - 13xy - 29y^2$

03 $(-4a + 3b)^2 = 16a^2 - 24ab + 9b^2$

① $(-4a - 3b)^2 = 16a^2 + 24ab + 9b^2$

② $-(4a + 3b)^2 = -16a^2 - 24ab - 9b^2$

③ $(3a - 4b)^2 = 9a^2 - 24ab + 16b^2$

④ $(3b - 4a)^2 = 16a^2 - 24ab + 9b^2$

⑤ $-(3b - 4a)^2 = -16a^2 + 24ab - 9b^2$

04 $(x + a)(x + b) = x^2 + (a+b)x + ab = x^2 + 11x + c$

$a + b = 11$을 만족시키는 자연수 a, b에 대하여 순서쌍

(a, b)는 $(1, 10)$, $(2, 9)$, $(3, 8)$, $(4, 7)$, $(5, 6)$,

$(6, 5)$, $(7, 4)$, $(8, 3)$, $(9, 2)$, $(10, 1)$이고 $c = ab$이므

로 $c = 10, 18, 24, 28, 30$이 될 수 있다.

따라서 c의 최댓값은 30이다.

05 유원이가 상수항 -6을 A로 잘못 보았으므로

$(x + 2)(x + A) = x^2 + 8x - B$

$x^2 + (2 + A)x + 2A = x^2 + 8x - B$

$2 + A = 8$에서 $A = 6$,

$2A = -B$에서 $-B = 2 \times 6$, $B = -12$이다.

지은이는 x의 계수 3을 C로 잘못 보았으므로

$(x - 2)(Cx + 5) = Cx^2 + 11x - 10$

$Cx^2 + (5 - 2C)x - 10 = Cx^2 + 11x - 10$

$5 - 2C = 11$에서 $-2C = 6$, $C = -3$이다.

$(Ax + B)(Cx + 1) = (6x - 12)(-3x + 1)$

$\qquad\qquad\qquad\qquad = -18x^2 + 42x - 12$

06 ② $(2a - 1)(2a + 1) = 4a^2 - 1$

07 (색칠한 부분의 넓이) $= (3a + 4b)(4a - 3b)$

$\qquad\qquad\qquad\qquad = 12a^2 + 7ab - 12b^2$

08 $(2x + a)^2 = 4x^2 + 4ax + a^2 = 4x^2 - 12x + b$이므로

$4a = -12$, $a^2 = b$이다.

따라서 $a = -3$, $b = (-3)^2 = 9$이므로

$a + b = (-3) + 9 = 6$이다.

09 $102 \times 103 = (100 + 2)(100 + 3)$

$\qquad\qquad\quad = 100^2 + (2+3) \times 100 + 2 \times 3$

$\qquad\qquad\quad = 100^2 + \boxed{5} \times 100 + 6$

10 $(2030 - 1)(2030 + 1)(2030^2 + 1)$

$\quad = (2030^2 - 1)(2030^2 + 1)$

$\quad = (2030^2)^2 - 1 = 2030^{\boxed{4}} - 1$

11 $\dfrac{2}{\sqrt{3}+\sqrt{2}}+\dfrac{3}{\sqrt{3}-\sqrt{2}}$

$=\dfrac{2\times(\sqrt{3}-\sqrt{2})}{(\sqrt{3}+\sqrt{2})(\sqrt{3}-\sqrt{2})}+\dfrac{3\times(\sqrt{3}+\sqrt{2})}{(\sqrt{3}-\sqrt{2})(\sqrt{3}+\sqrt{2})}$

$=\dfrac{2\times(\sqrt{3}-\sqrt{2})}{3-2}+\dfrac{3\times(\sqrt{3}+\sqrt{2})}{3-2}$

$=2(\sqrt{3}-\sqrt{2})+3(\sqrt{3}+\sqrt{2})$

$=2\sqrt{3}-2\sqrt{2}+3\sqrt{3}+3\sqrt{2}$

$=5\sqrt{3}+\sqrt{2}=a\sqrt{3}+b\sqrt{2}$

따라서 a, b가 유리수이므로 $a=5$, $b=1$이다.

12 $2-\sqrt{3}$의 역수는 $\dfrac{1}{2-\sqrt{3}}$이므로

$\dfrac{1}{2-\sqrt{3}}=\dfrac{2+\sqrt{3}}{(2-\sqrt{3})(2+\sqrt{3})}=\dfrac{2+\sqrt{3}}{4-3}$

$=2+\sqrt{3}=a+b\sqrt{3}$

따라서 a, b가 유리수이므로 $a=2$, $b=1$이므로
$a+b=3$이다.

13 ④ $x^2-6x-7=(x+1)(x-7)$

14 $ax^2-20x+b=(2x+c)^2=4x^2+4cx+c^2$이므로
$a=4$, $-20=4c$, $b=c^2$에서
$a=4$, $b=25$, $c=-5$이다.
따라서 $a+b+c=4+25+(-5)=24$이다.

15 $x^2+x-n=(x+a)(x+b)$이므로
$a+b=1$, $n=-ab$이다.
① $a=-1$, $b=2$일 때, $n=-(-1)\times2=2$
② $a=-2$, $b=3$일 때, $n=-(-2)\times3=6$
④ $a=-3$, $b=4$일 때, $n=-(-3)\times4=12$
⑤ $a=-4$, $b=5$일 때, $n=-(-4)\times5=20$

16 큰 직사각형의 넓이가 $4x^2+7x+3$이므로
$4x^2+7x+3=(x+1)(4x+3)$에서
큰 직사각형의 가로와 세로의 길이의 합은
$(x+1)+(4x+3)=5x+4$이다.

17 $(x+5)(x-4)+x(3x+1)$
$=x^2+x-20+3x^2+x=4x^2+2x-20$
$=2(2x^2+x-10)=2(x-2)(2x+5)$

18 $a^3-a^2+2a^2b-2ab=a^2(a-1)+2ab(a-1)$
$=(a-1)(a^2+2ab)$
$=a(a-1)(a+2b)$

19 $111^2-2\times111\times11+11^2=(111-11)^2=100^2$
$=10000$

따라서 가장 편리하게 이용할 수 있는 인수분해 공식은
② $a^2-2ab+b^2=(a-b)^2$이다.

20 $x=\dfrac{1}{3+2\sqrt{2}}=\dfrac{3-2\sqrt{2}}{(3+2\sqrt{2})(3-2\sqrt{2})}=3-2\sqrt{2}$
이므로
$x^2-6x+9=(x-3)^2=(3-2\sqrt{2}-3)^2$
$=(-2\sqrt{2})^2=8$

21 $<a^2-4, 4-a^2>$
$=(a^2-4)^2-3(4-a^2)=(a^2-4)^2+3(a^2-4)$
$=(a^2-4)(a^2-4+3)=(a^2-4)(a^2-1)$
$=(a+2)(a-2)(a+1)(a-1)$

22 $3^{24}-1=(3^{12})^2-1$
$=(3^{12}+1)(3^{12}-1)$
$=(3^{12}+1)(3^6+1)(3^6-1)$
$=(3^{12}+1)(3^6+1)(3^3+1)(3^3-1)$

그런데 $3^3+1=27+1=28$, $3^3-1=27-1=26$
이므로 자연수 $3^{24}-1$은 26과 28로 나누어떨어진다.
따라서 이 두 자연수의 합은 $26+28=54$이다.

23 $\dfrac{\sqrt{2^{16}+4^9}}{\sqrt{4^6+2^{10}}}=\dfrac{\sqrt{2^{16}+(2^2)^9}}{\sqrt{(2^2)^6+2^{10}}}=\dfrac{\sqrt{2^{16}+2^{18}}}{\sqrt{2^{12}+2^{10}}}$

$=\dfrac{\sqrt{2^{16}(1+2^2)}}{\sqrt{2^{10}(2^2+1)}}=\sqrt{\dfrac{2^{16}}{2^{10}}}$

$=\sqrt{2^6}=2^3=8$

24 $a^2b+ab^2-2ab=ab(a+b-2)=12$에서 $ab=3$이므로
$3(a+b-2)=12$, $a+b-2=4$이고 $a+b=6$이다.
따라서 $9-2ab-a^2-b^2$
$=9-(a^2+2ab+b^2)=9-(a+b)^2$
$=9-6^2=-27$
이다.

25 (직사각형의 넓이)$=(x-a)(x+3a)$ ⋯⋯ ❶
$=x^2+2ax-3a^2$ ⋯⋯ ❷
$=x^2+bx-12$
이므로 $2a=b$, $-3a^2=-12$이다. ⋯⋯ ❸
$-3a^2=-12$에서 $a^2=4$이므로
$a=2$, $b=2\times2=4$이다.
따라서 $a=2$, $b=4$이다. ⋯⋯ ❹

단계	채점 기준	배점 비율
❶	직사각형의 넓이를 구하는 식을 세운다.	30 %
❷	식을 전개한다.	20 %
❸	전개식과 주어진 넓이의 식을 비교한다.	30 %
❹	a, b의 값을 구한다.	20 %

26 (1) $\overline{GF}=\overline{HD}=\overline{AD}-\overline{AH}=2x-y$ ······ ❶

(2) $\overline{GE}=\overline{FC}=\overline{DC}-\overline{DF}$
$=y-(2x-y)=-2x+2y$ ······ ❷

(3) 직사각형 GECF의 넓이는
$(2x-y)(-2x+2y)=-4x^2+6xy-2y^2$ ······ ❸
$=ax^2+bxy+cy^2$

이므로 $a=-4$, $b=6$, $c=-2$이다.

따라서 $a+b+c=0$이다. ······ ❹

단계	채점 기준	배점 비율
❶	(1) $\overline{GF}$의 길이를 구한다.	20 %
❷	(2) $\overline{GE}$의 길이를 구한다.	30 %
❸	(3) 직사각형의 넓이를 구한다.	20 %
❹	$a+b+c$의 값을 구한다.	30 %

27 (1) $x=\dfrac{1}{\sqrt{5}+2}=\dfrac{\sqrt{5}-2}{(\sqrt{5}+2)(\sqrt{5}-2)}$
$=\dfrac{\sqrt{5}-2}{5-4}=\sqrt{5}-2$ ······ ❶

(2) $y=\dfrac{1}{\sqrt{5}-2}=\dfrac{\sqrt{5}+2}{(\sqrt{5}-2)(\sqrt{5}+2)}$
$=\dfrac{\sqrt{5}+2}{5-4}=\sqrt{5}+2$ ······ ❷

(3) $x^3y-xy^3=xy(x^2-y^2)=xy(x+y)(x-y)$
$=(\sqrt{5}-2)(\sqrt{5}+2)(\sqrt{5}-2+\sqrt{5}+2)$
$\times(\sqrt{5}-2-\sqrt{5}-2)$
$=1\times2\sqrt{5}\times(-4)=-8\sqrt{5}$ ······ ❸

단계	채점 기준	배점 비율
❶	(1) x의 분모를 유리화한다.	20 %
❷	(2) y의 분모를 유리화한다.	20 %
❸	(3) 주어진 식의 값을 구한다.	60 %

28 $\dfrac{a^2-b^2}{ab^2-a^2b}=\dfrac{(a+b)(a-b)}{-ab(a-b)}=-\dfrac{a+b}{ab}$ ······ ❶

따라서 $a+b=2$, $ab=-1$이므로

$-\dfrac{a+b}{ab}=-\dfrac{2}{-1}=2$이다. ······ ❷

단계	채점 기준	배점 비율
❶	주어진 식을 간단히 한다.	60 %
❷	주어진 식의 값을 구한다.	40 %

29 세로의 길이를 $bx+c$라고 하면
$6x^2+ax-12=(3x+4)(bx+c)$ ······ ❶
$6x^2+ax-12=3bx^2+(3c+4b)x+4c$이므로
$6=3b$, $a=3c+4b$, $-12=4c$이다.

따라서 $b=2$, $c=-3$이므로 ······ ❷

이 직사각형의 세로의 길이는 $2x-3$이다. ······ ❸

단계	채점 기준	배점 비율
❶	세로의 길이를 $bx+c$로 놓고 직사각형의 넓이 구하는 식을 세운다.	30 %
❷	b, c의 값을 구한다.	40 %
❸	직사각형의 세로의 길이를 구한다.	30 %

30 (1) $3x^2+(p+2)x+3=3\left\{x^2+\left(\dfrac{p+2}{3}\right)x+1\right\}$
$=3\{x^2+2\times x\times(\pm1)+(\pm1)^2\}$

이므로 $\dfrac{p+2}{3}=\pm2$, $p+2=\pm6$이고

$p=-8$ 또는 $p=4$이다.

그런데 $p>0$이므로 $p=4$이다. ······ ❶

(2) $x^2-8x+q+7=x^2-2\times x\times4+4^2$이므로
$q+7=4^2=16$, $q=9$이다. ······ ❷

(3) $p=4$, $q=9$이므로 $p-q=4-9=-5$이다. ······ ❸

단계	채점 기준	배점 비율
❶	(1) p의 값을 구한다.	50 %
❷	(2) q의 값을 구한다.	30 %
❸	(3) $p-q$의 값을 구한다.	20 %

2. 이차방정식

01 인수분해를 이용한 이차방정식의 풀이

① 이차방정식의 뜻과 해(근)
P.38

01 (2) $4x^2-1$은 등식이 아니므로 이차방정식이 아니다.

(3) $x(x^2+x)-x=0$에서 $x^3+x^2-x=0$이므로 이차방정식이 아니다.

(4) $(2x+1)^2=0$에서 $4x^2+4x+1=0$이므로 이차방정식이다.

답 (1) ○ (2) × (3) × (4) ○

02 (2) $6x^2-11x=10$에서 $6x^2-11x-10=0$이므로
$a=6$, $b=-11$, $c=-10$이다.

(3) $x(3x+2)=x-4$에서 $3x^2+2x=x-4$,
$3x^2+x+4=0$이므로 $a=3$, $b=1$, $c=4$이다.

(4) $-x(x-4)=0$에서 $-x^2+4x=0$, $x^2-4x=0$
이므로 $a=1$, $b=-4$, $c=0$이다.

답 (1) $a=2$, $b=-5$, $c=7$ (2) $a=6$, $b=-11$, $c=-10$
(3) $a=3$, $b=1$, $c=4$ (4) $a=1$, $b=-4$, $c=0$

03 ① $x(x-2)=0$에서 $x^2-2x=0$이므로 이차방정식이다.

② $3x^2-6x=3x^2+2$에서 $-6x-2=0$이므로 일차방정식이다.

③ $\frac{1}{2}x(x+1)^2=0$에서 $\frac{1}{2}x(x^2+2x+1)=0$,

$\frac{1}{2}x^3+x^2+\frac{1}{2}x=0$이므로 이차방정식이 아니다.

④ $x^3+1=x(x+x^2)$에서 $x^3+1=x^2+x^3$,

$-x^2+1=0$이므로 이차방정식이다.

⑤ 분모에 미지수가 있으므로 이차방정식이 아니다.

답 ①, ④

04 $(x+2)^2=4x^2+5x$에서 $x^2+4x+4=4x^2+5x$,

$-3x^2-x+4=0$이므로 $3x^2+x-4=0$이다.

따라서 $a=3$, $b=1$, $c=-4$이므로

$a+b+c=3+1+(-4)=0$이다.

답 ③

05 [ ] 안의 수를 각 이차방정식에 대입하여 본다.

① $0\times3=0$ (참)

② $9+6-3=12\neq0$ (거짓)

③ $9-18+9=0$ (참)

④ $2-3+5=4\neq0$ (거짓)

⑤ $4+8+4=16\neq0$ (거짓)

답 ①, ③

06 $x=2$를 각 이차방정식에 대입하여 본다.

① $4+2-2=4\neq0$ (거짓)

② $4-2=2\neq0$ (거짓)

③ $8+6-14=0$ (참)

④ $4\times1=4\neq0$ (거짓)

⑤ $28+24-14=38\neq0$ (거짓)

답 ③

07 (1) $x=3$을 $x^2-ax+3=0$에 대입하면

$3^2-3a+3=0$, $-3a=-12$이므로 $a=4$이다.

(2) $x=p$를 $x^2+2x-5=0$에 대입하면

$p^2+2p-5=0$이므로 $p^2+2p=5$이다.

답 (1) 4 (2) 5

② 인수분해를 이용한 이차방정식의 풀이 P.39

01 (1) $x+5=0$ 또는 $x-7=0$이므로

$x=-5$ 또는 $x=7$이다.

(2) $2x=0$ 또는 $x+6=0$이므로

$x=0$ 또는 $x=-6$이다.

(3) $5x+6=0$ 또는 $3-x=0$이므로

$x=-\frac{6}{5}$ 또는 $x=3$이다.

(4) $3x+2=0$ 또는 $4x-9=0$이므로

$x=-\frac{2}{3}$ 또는 $x=\frac{9}{4}$이다.

답 (1) $x=-5$ 또는 $x=7$ (2) $x=0$ 또는 $x=-6$

(3) $x=-\frac{6}{5}$ 또는 $x=3$ (4) $x=-\frac{2}{3}$ 또는 $x=\frac{9}{4}$

02 답 (1) 2, -3, -2 (2) 2, 1, -2, $\frac{1}{3}$

03 (1) $x^2-11x+18=0$에서 $(x-2)(x-9)=0$이므로

$x=2$ 또는 $x=9$이다.

(2) $x^2-4x-12=0$에서 $(x+2)(x-6)=0$이므로

$x=-2$ 또는 $x=6$이다.

(3) $-2x^2+7x=0$에서 $-x(2x-7)=0$이므로

$x=0$ 또는 $x=\frac{7}{2}$이다.

(4) $15x^2+8x+1=0$에서 $(3x+1)(5x+1)=0$이므로

$x=-\frac{1}{3}$ 또는 $x=-\frac{1}{5}$이다.

답 (1) $x=2$ 또는 $x=9$ (2) $x=-2$ 또는 $x=6$

(3) $x=0$ 또는 $x=\frac{7}{2}$ (4) $x=-\frac{1}{3}$ 또는 $x=-\frac{1}{5}$

04 $x^2-10x+24=0$에서 $(x-4)(x-6)=0$이므로

$x=4$ 또는 $x=6$이다.

답 ①

05 $x^2-4x-21=0$에서 $(x+3)(x-7)=0$이므로

$x=-3$ 또는 $x=7$이다.

$2x^2-11x-21=0$에서 $(2x+3)(x-7)=0$이므로

$x=-\frac{3}{2}$ 또는 $x=7$이다.

따라서 두 이차방정식의 공통인 해는 $x=7$이다.

답 ⑤

06 $(x+2)^2=5x^2-11$에서 $x^2+4x+4=5x^2-11$,

$4x^2-4x-15=0$, $(2x+3)(2x-5)=0$이므로

$x=-\frac{3}{2}$ 또는 $x=\frac{5}{2}$이다.

따라서 $m=\frac{5}{2}$, $n=-\frac{3}{2}$이므로

$m-n=\frac{5}{2}-\left(-\frac{3}{2}\right)=\frac{8}{2}=4$이다.

답 ⑤

07 $x=1$을 $(a-2)x^2+a(a+1)x-6=0$에 대입하면
$a-2+a^2+a-6=0$, $a^2+2a-8=0$,
$(a+4)(a-2)=0$이므로 $a=-4$ 또는 $a=2$이다.
그런데 주어진 방정식이 x에 대한 이차방정식이므로
$a-2\neq0$, 즉 $a\neq2$이어야 한다.
따라서 $a=-4$이다.

답 -4

③ 이차방정식의 중근　　P.40

01 (1) $x+8=0$이므로 $x=-8$이다.
(2) $3x-1=0$이므로 $x=\dfrac{1}{3}$이다.
(3) $x-4=0$이므로 $x=4$이다.
(4) $2x+5=0$이므로 $x=-\dfrac{5}{2}$이다.

답 (1) $x=-8$ (2) $x=\dfrac{1}{3}$ (3) $x=4$ (4) $x=-\dfrac{5}{2}$

02 (1) $x^2+12x+36=0$에서 $(x+6)^2=0$이므로
$x=-6$이다.
(2) $16x^2=24x-9$에서 $16x^2-24x+9=0$,
$(4x-3)^2=0$이므로 $x=\dfrac{3}{4}$이다.
(3) $3x^2+6x+3=0$에서 $3(x^2+2x+1)=0$,
$3(x+1)^2=0$이므로 $x=-1$이다.
(4) $27x^2+36x+12=0$에서 $3(9x^2+12x+4)=0$,
$3(3x+2)^2=0$이므로 $x=-\dfrac{2}{3}$이다.

답 (1) $x=-6$ (2) $x=\dfrac{3}{4}$ (3) $x=-1$ (4) $x=-\dfrac{2}{3}$

03 (1) $x^2+4x+\square=0$에서 좌변이 완전제곱식이 되어야
하므로 $x^2+4x+\square=x^2+2\times x\times2+2^2$이고
$\square=2^2=4$이다.
(2) $4x^2+28x+\square=0$에서 좌변이 완전제곱식이 되어야
하므로 $4x^2+28x+\square=(2x)^2+2\times2x\times7+7^2$이고
$\square=7^2=49$이다.
(3) $x^2+\square\,x+16=0$에서 좌변이 완전제곱식이 되어야
하므로 $x^2+\square\,x+16=x^2+2\times x\times(\pm4)+(\pm4)^2$
이고 $\square=2\times(\pm4)=\pm8$이다.
(4) $9x^2+\square\,x+25=0$에서 좌변이 완전제곱식이 되어야
하므로
$9x^2+\square\,x+25=(3x)^2+2\times3x\times(\pm5)+(\pm5)^2$
이고 $\square=2\times3\times(\pm5)=\pm30$이다.

답 (1) 4 (2) 49 (3) ±8 (4) ±30

04 ① $x^2-25=0$에서 $(x+5)(x-5)=0$이므로
$x=\pm5$이다.
② $2x^2=x(x-3)$에서 $2x^2=x^2-3x$, $x^2+3x=0$,
$x(x+3)=0$이므로 $x=0$ 또는 $x=-3$이다.
③ $x^2=x+12$에서 $x^2-x-12=0$,
$(x+3)(x-4)=0$이므로 $x=-3$ 또는 $x=4$이다.
④ $4x^2-12x+9=0$, $(2x-3)^2=0$이므로 $x=\dfrac{3}{2}$이다.
⑤ $x^2-10x+9=0$에서 $(x-1)(x-9)=0$이므로
$x=1$ 또는 $x=9$이다.

답 ④

05 $2x^2-4x+m=0$에서 $2\left(x^2-2x+\dfrac{m}{2}\right)=0$이다.
이 이차방정식이 중근을 가지므로
$\dfrac{m}{2}=\left(\dfrac{-2}{2}\right)^2$, $\dfrac{m}{2}=1$이다.
따라서 $m=2$이다.

답 ④

06 $x^2-6x+4-m=0$이 중근을 가지므로
$4-m=\left(\dfrac{-6}{2}\right)^2$, $4-m=9$이고 $m=-5$이다.
$m=-5$를 $x^2+2mx+k+10=0$에 대입하면
$x^2-10x+k+10=0$이다.
이 이차방정식이 중근을 가지므로
따라서 $k+10=\left(\dfrac{-10}{2}\right)^2$, $k+10=25$이므로 $k=15$이다.

답 15

07 $(x+2)(x+a)=b$에서 $x^2+(a+2)x+2a-b=0$
이고 중근 $x=-4$를 가지므로 좌변이 $(x+4)^2$으로
인수분해되어야 한다.
따라서 $(x+4)^2=x^2+8x+16$
$=x^2+(a+2)x+2a-b$
이므로 $a+2=8$, $2a-b=16$에서 $a=6$,
$b=2a-16=12-16=-4$이다.
따라서 $a-b=6-(-4)=10$이다.

답 ⑤

08 $x^2+4kx+k+3=0$이 중근을 가지므로
$k+3=\left(\dfrac{4k}{2}\right)^2$, $k+3=4k^2$
$4k^2-k-3=0$, $(4k+3)(k-1)=0$이므로
$k=-\dfrac{3}{4}$ 또는 $k=1$이다.

답 $-\dfrac{3}{4}$ 또는 1

02 근의 공식을 이용한 이차방정식의 풀이

① 제곱근을 이용한 이차방정식의 풀이   P.41

01 답 (1) 4, ± 2 (2) $\pm\sqrt{2}$, $1\pm\sqrt{2}$

02 (1) $x^2=25$이므로 $x=\pm 5$이다.
  (2) $3x^2=18$에서 $x^2=6$이므로 $x=\pm\sqrt{6}$이다.
  (3) $-4x^2+12=0$에서 $-4x^2=-12$, $x^2=3$이므로
    $x=\pm\sqrt{3}$이다.
  (4) $2x^2-20=0$에서 $2x^2=20$, $x^2=10$이므로
    $x=\pm\sqrt{10}$이다.
  답 (1) $x=\pm 5$ (2) $x=\pm\sqrt{6}$ (3) $x=\pm\sqrt{3}$ (4) $x=\pm\sqrt{10}$

03 (1) $(x-4)^2-11=0$에서 $(x-4)^2=11$, $x-4=\pm\sqrt{11}$
    이므로 $x=4\pm\sqrt{11}$이다.
  (2) $2(x+2)^2=8$에서 $(x+2)^2=4$, $x+2=\pm 2$이므로
    $x=-4$ 또는 $x=0$이다.
  (3) $-(x-7)^2=-7$에서 $(x-7)^2=7$, $x-7=\pm\sqrt{7}$
    이므로 $x=7\pm\sqrt{7}$이다.
  (4) $\dfrac{1}{2}(x+1)^2-4=0$에서 $\dfrac{1}{2}(x+1)^2=4$, $(x+1)^2=8$,
    $x+1=\pm 2\sqrt{2}$이므로 $x=-1\pm 2\sqrt{2}$이다.
    답 (1) $x=4\pm\sqrt{11}$ (2) $x=-4$ 또는 $x=0$
        (3) $x=7\pm\sqrt{7}$ (4) $x=-1\pm 2\sqrt{2}$

04 $7(x-5)^2=21$에서 $(x-5)^2=3$, $x-5=\pm\sqrt{3}$이므로
  $x=5\pm\sqrt{3}$이다.
    답 ⑤

05 $3(x+2)^2=15$에서 $(x+2)^2=5$, $x+2=\pm\sqrt{5}$ 이므로
  $x=-2\pm\sqrt{5}$이고 $A=-2$, $B=5$이다.
  따라서 $B-A=5-(-2)=7$이다.
    답 ②

06 $4(x+a)^2-8=0$에서 $4(x+a)^2=8$, $(x+a)^2=2$,
  $x+a=\pm\sqrt{2}$이므로 $x=-a\pm\sqrt{2}$이다.
  이때 $-a\pm\sqrt{2}=3\pm\sqrt{b}$이므로 $a=-3$, $b=2$이다.
  따라서 $a+b=(-3)+2=-1$이다.
    답 ③

07 $2(x-a)^2=b$에서 $(x-a)^2=\dfrac{b}{2}$, $x-a=\pm\sqrt{\dfrac{b}{2}}$ 이므로
  $x=a\pm\sqrt{\dfrac{b}{2}}$이다.
  이때 $a\pm\sqrt{\dfrac{b}{2}}=2\pm\sqrt{5}$이므로 $a=2$, $\dfrac{b}{2}=5$에서 $b=10$

이다.
따라서 $ab=20$이다.
    답 ④

② 완전제곱식을 이용한 이차방정식의 풀이   P.42

01 (1) 1, 16, 16, 4, 17, 4, $\pm\sqrt{17}$, $4\pm\sqrt{17}$
  (2) 3, -3, $\dfrac{25}{4}$, $\dfrac{25}{4}$, $\dfrac{5}{2}$, $\dfrac{13}{4}$, $\dfrac{5}{2}$, $\pm\dfrac{\sqrt{13}}{2}$, $\dfrac{-5\pm\sqrt{13}}{2}$

02 (1) $x^2+6x+4=0$에서 $x^2+6x=-4$,
    $x^2+6x+9=-4+9$, $(x+3)^2=5$, $x+3=\pm\sqrt{5}$
    이므로 $x=-3\pm\sqrt{5}$이다.
  (2) $x^2-3x-1=0$에서 $x^2-3x=1$, $x^2-3x+\dfrac{9}{4}=1+\dfrac{9}{4}$,
    $\left(x-\dfrac{3}{2}\right)^2=\dfrac{13}{4}$, $x-\dfrac{3}{2}=\pm\dfrac{\sqrt{13}}{2}$이므로
    $x=\dfrac{3}{2}\pm\dfrac{\sqrt{13}}{2}=\dfrac{3\pm\sqrt{13}}{2}$이다.
  (3) $2x^2-2x-6=0$에서 $x^2-x-3=0$, $x^2-x=3$,
    $x^2-x+\dfrac{1}{4}=3+\dfrac{1}{4}$, $\left(x-\dfrac{1}{2}\right)^2=\dfrac{13}{4}$,
    $x-\dfrac{1}{2}=\pm\dfrac{\sqrt{13}}{2}$이므로
    $x=\dfrac{1}{2}\pm\dfrac{\sqrt{13}}{2}=\dfrac{1\pm\sqrt{13}}{2}$이다.
  (4) $4x^2+8x-12=0$에서 $x^2+2x-3=0$, $x^2+2x=3$,
    $x^2+2x+1=3+1$, $(x+1)^2=4$, $x+1=\pm 2$
    이므로 $x=-3$ 또는 $x=1$이다.
    답 (1) $x=-3\pm\sqrt{5}$ (2) $x=\dfrac{3\pm\sqrt{13}}{2}$
        (3) $x=\dfrac{1\pm\sqrt{13}}{2}$ (4) $x=-3$ 또는 $x=1$

03 $x^2+6x=-2$, $x^2+6x+\boxed{3}^2=-2+\boxed{3}^2$,
  $(x+\boxed{3})^2=\boxed{7}$, $x+\boxed{3}=\pm\sqrt{\boxed{7}}$
  따라서 $x=-\boxed{3}\pm\sqrt{\boxed{7}}$이다.
    답 ②

04 $(x+3)(4x-1)=-x+2$에서 $4x^2+11x-3=-x+2$,
  $4x^2+12x=5$, $x^2+3x=\dfrac{5}{4}$, $x^2+3x+\dfrac{9}{4}=\dfrac{5}{4}+\dfrac{9}{4}$
  이므로 $\left(x+\dfrac{3}{2}\right)^2=\dfrac{7}{2}$이다.
  따라서 $a=\dfrac{3}{2}$, $b=\dfrac{7}{2}$이므로
  $a-b=\dfrac{3}{2}-\dfrac{7}{2}=-\dfrac{4}{2}=-2$이다.
    답 ③

05 $x^2-6x+p=9$에서 $x^2-6x=9-p$,
$x^2-6x+9=9-p+9$, $(x-3)^2=18-p$,
$x-3=\pm\sqrt{18-p}$이므로 $x=3\pm\sqrt{18-p}$이다.
따라서 $18-p=15$이므로 $p=3$이다.

답 ④

06 $x^2+2ax-2=0$에서 $x^2+2ax=2$,
$x^2+2ax+a^2=2+a^2$, $(x+a)^2=2+a^2$,
$x+a=\pm\sqrt{2+a^2}$이므로 $x=-a\pm\sqrt{2+a^2}$이다.
따라서 $2=-a$, $b=2+a^2$이므로
$a=-2$, $b=2+(-2)^2=6$이다.

답 ②

③ 이차방정식의 근의 공식
P.43

01 답 (1) -3, -1, -3, -3, -1, 3, 17
(2) 6, 1, 6, 6, 1, 6, 24, 6, 2, 6, 3, 6

02 (1) $x^2-x-7=0$에서 $a=1$, $b=-1$, $c=-7$이므로
$$x=\frac{-(-1)\pm\sqrt{(-1)^2-4\times1\times(-7)}}{2\times1}$$
$$=\frac{1\pm\sqrt{1+28}}{2}=\frac{1\pm\sqrt{29}}{2}$$
(2) $2x^2+7x+4=0$에서 $a=2$, $b=7$, $c=4$이므로
$$x=\frac{-7\pm\sqrt{7^2-4\times2\times4}}{2\times2}=\frac{-7\pm\sqrt{49-32}}{4}$$
$$=\frac{-7\pm\sqrt{17}}{4}$$
(3) $x^2+4x+2=0$에서 $a=1$, $b=4$, $c=2$이므로
$$x=\frac{-4\pm\sqrt{4^2-4\times1\times2}}{2\times1}=\frac{-4\pm\sqrt{16-8}}{2}$$
$$=\frac{-4\pm\sqrt{8}}{2}=\frac{-4\pm2\sqrt{2}}{2}=-2\pm\sqrt{2}$$
(4) $3x^2-8x-2=0$에서 $a=3$, $b=-8$, $c=-2$이므로
$$x=\frac{-(-8)\pm\sqrt{(-8)^2-4\times3\times(-2)}}{2\times3}$$
$$=\frac{8\pm\sqrt{64+24}}{6}=\frac{8\pm\sqrt{88}}{6}$$
$$=\frac{8\pm2\sqrt{22}}{6}=\frac{4\pm\sqrt{22}}{3}$$

답 (1) $x=\dfrac{1\pm\sqrt{29}}{2}$ (2) $x=\dfrac{-7\pm\sqrt{17}}{4}$

(3) $x=-2\pm\sqrt{2}$ (4) $x=\dfrac{4\pm\sqrt{22}}{3}$

03 주어진 이차방정식을 정리하면
$x^2+x-6=7x$, $x^2-6x-6=0$이므로
$a=1$, $b=-6$, $c=-6$이다.

답 ⑤

04 $x=\dfrac{-6\pm\sqrt{6^2-4\times2\times(-1)}}{2\times2}=\dfrac{-6\pm\sqrt{44}}{4}$
$$=\frac{-6\pm2\sqrt{11}}{4}=\frac{-3\pm\sqrt{11}}{2}$$

답 ①

05 $x=\dfrac{-(-5)\pm\sqrt{(-5)^2-4\times3\times1}}{2\times3}$
$$=\frac{5\pm\sqrt{13}}{6}=\frac{5\pm\sqrt{a}}{b}$$
이므로 $a=13$, $b=6$이다.
따라서 $a+b=19$이다.

답 ④

06 $x=\dfrac{-(-10)\pm\sqrt{(-10)^2-4\times2\times A}}{2\times2}$
$$=\frac{10\pm\sqrt{100-8A}}{4}=\frac{10\pm2\sqrt{25-2A}}{4}$$
$$=\frac{5\pm\sqrt{25-2A}}{2}=\frac{B\pm\sqrt{7}}{2}$$
따라서 $25-2A=7$에서 $A=9$, $B=5$이므로
$AB=45$이다.

답 ③

07 $x^2+6x+9=0$에서 $(x+3)^2=0$이므로 $x=-3$이다.
이때 $m=-3$이므로 $2mx^2+10x+m^2-1=0$에 대입하면 $-6x^2+10x+8=0$에서 $3x^2-5x-4=0$이다.
따라서
$$x=\frac{-(-5)\pm\sqrt{(-5)^2-4\times3\times(-4)}}{2\times3}=\frac{5\pm\sqrt{73}}{6}$$

답 $\dfrac{5\pm\sqrt{73}}{6}$

④ 복잡한 이차방정식의 풀이
P.44

01 (1) 방정식의 양변에 10을 곱하면
$10x^2-7x+1=0$, $(5x-1)(2x-1)=0$이므로
$x=\dfrac{1}{5}$ 또는 $x=\dfrac{1}{2}$이다.
(2) 방정식의 양변에 100을 곱하면
$4x^2-19x+22=0$, $(x-2)(4x-11)=0$이므로
$x=2$ 또는 $x=\dfrac{11}{4}$이다.

답 (1) $x=\dfrac{1}{5}$ 또는 $x=\dfrac{1}{2}$ (2) $x=2$ 또는 $x=\dfrac{11}{4}$

02 (1) 방정식의 양변에 4를 곱하면 $2x^2-x-4=0$이므로
$$x=\frac{-(-1)\pm\sqrt{(-1)^2-4\times2\times(-4)}}{2\times2}$$

$$=\dfrac{1\pm\sqrt{33}}{4}$$

(2) 방정식의 양변에 6을 곱하면
$$3(x^2+x)=2(x+1),\ 3x^2+3x=2x+2,$$
$$3x^2+x-2=0,\ (x+1)(3x-2)=0$$이므로
$$x=-1\ \text{또는}\ x=\dfrac{2}{3}$$이다.

답 (1) $x=\dfrac{1\pm\sqrt{33}}{4}$ (2) $x=-1$ 또는 $x=\dfrac{2}{3}$

03 **답** 2, 3, -2, 3, -2, 3, -5, 0

04 방정식의 양변에 10을 곱하면
$$6x^2+4x=10,\ 3x^2+2x-5=0$$이다.
좌변을 인수분해하면 $(3x+5)(x-1)=0$이므로
$$x=-\dfrac{5}{3}\ \text{또는}\ x=1$$이다.
따라서 두 근의 곱은 $-\dfrac{5}{3}\times1=-\dfrac{5}{3}$이다.

답 ①

05 $\dfrac{1}{6}x^2-\dfrac{2}{3}x+\dfrac{1}{2}=0$의 양변에 6을 곱하면
$$x^2-4x+3=0$$이므로 $(x-1)(x-3)=0$에서
$$x=1\ \text{또는}\ x=3$$이다.
$$0.2x^2-0.3x+0.1=0$$의 양변에 10을 곱하면
$$2x^2-3x+1=0$$이므로 $(2x-1)(x-1)=0$에서
$$x=\dfrac{1}{2}\ \text{또는}\ x=1$$이다.
따라서 공통인 해는 1이다.

답 ③

06 $x+1=X$라고 하면
$$X^2+4X+3=0,\ (X+3)(X+1)=0$$이므로
$$X=-3\ \text{또는}\ X=-1$$이다.
이때 $x+1=-3$ 또는 $x+1=-1$이므로
$$x=-4\ \text{또는}\ x=-2$$이다.
따라서 두 근의 합은 $-4+(-2)=-6$이다.

답 ①

[다른 풀이]

주어진 이차방정식을 전개하면
$$x^2+2x+1+4x+4+3=0,\ x^2+6x+8=0$$
$$(x+4)(x+2)=0$$에서 $x=-4$ 또는 $x=-2$이다.
따라서 두 근의 합은 $-4+(-2)=-6$이다

07 $2x-y=A$로 치환하면
$$(A+3)(A-1)+4=0,\ A^2+2A-3+4=0,$$
$$A^2+2A+1=0,\ (A+1)^2=0$$이므로 $A=-1$이다.

따라서 $2x-y=-1$이므로
$$4x-2y=2(2x-y)=2\times(-1)=-2$$이다.

답 ②

⑤ 한 근을 알 때, 다른 한 근 구하기 P.45

01 $x=4$를 $x^2+ax=0$에 대입하면
$$4^2+4a=0,\ 4a=-16$$이므로 $a=-4$이다.
$a=-4$를 $x^2+ax=0$에 대입하면
$$x^2-4x=0,\ x(x-4)=0$$이므로
$$x=0\ \text{또는}\ x=4$$이다.
따라서 다른 한 근은 0이다.

답 $a=-4$, (다른 한 근)$=0$

02 $x=-1$을 $x^2+6x+a=0$에 대입하면
$$(-1)^2+6\times(-1)+a=0,\ a=5$$이다.
$a=5$를 $x^2+6x+a=0$에 대입하면
$$x^2+6x+5=0,\ (x+5)(x+1)=0$$이므로
$$x=-5\ \text{또는}\ x=-1$$이다.
따라서 다른 한 근은 -5이다.

답 $a=5$, (다른 한 근)$=-5$

03 $x=\dfrac{1}{3}$을 $ax^2+12x-3=0$에 대입하면
$$a\times\left(\dfrac{1}{3}\right)^2+12\times\dfrac{1}{3}-3=0,\ \dfrac{1}{9}a=-1,\ a=-9$$이다.
$a=-9$를 $ax^2+12x-3=0$에 대입하면
$$-9x^2+12x-3=0,\ -3(3x^2-4x+1)=0,$$
$$-3(3x-1)(x-1)=0$$이므로 $x=\dfrac{1}{3}$ 또는 $x=1$이다.
따라서 다른 한 근은 $x=1$이다.

답 $a=-9$, (다른 한 근)$=1$

04 $x=\sqrt{3}-1$을 $x^2+2x+k=0$에 대입하면
$$(\sqrt{3}-1)^2+2(\sqrt{3}-1)+k=0,$$
$$3-2\sqrt{3}+1+2\sqrt{3}-2+k=0$$이므로 $k=-2$이다.

답 ①

05 $x=3$을 $x^2+ax-2a-4=0$에 대입하면
$$3^2+3a-2a-4=0$$이므로 $a=-5$이다.
$a=-5$를 $x^2+ax-2a-4=0$에 대입하면
$$x^2-5x+6=0,\ (x-2)(x-3)=0$$이므로
$$x=2\ \text{또는}\ x=3$$이다.
이때 다른 한 근이 2이므로 $b=2$이다.
따라서 $a+b=(-5)+2=-3$이다.

답 ②

06 $(x+3)(x+b)=0$에서 $x=-3$ 또는 $x=-b$이고
$x=-3$을 $x^2-ax+3=0$에 대입하면
$9+3a+3=0$에서 $3a=-12$이므로 $a=-4$이다.
$a=-4$를 $x^2-ax+3=0$에 대입하면
$x^2+4x+3=0$, $(x+3)(x+1)=0$이므로
$x=-3$ 또는 $x=-1$이다.
따라서 $-b=-1$에서 $b=1$이다.
> 답 $a=-4$, $b=1$

07 $x=-2+\sqrt{5}$를 $x^2+4x+3-k=0$에 대입하면
$(-2+\sqrt{5})^2+4(-2+\sqrt{5})+3-k=0$,
$4-4\sqrt{5}+5-8+4\sqrt{5}+3-k=0$이므로 $k=4$이다.
> 답 ⑤

08 $x=a$를 $x^2-3x-1=0$에 대입하면
$a^2-3a-1=0$이다. $\qquad$ ······ ㉠
$x=0$을 $x^2-3x-1=0$에 대입하면 $-1\neq0$이므로
$a\neq0$이다.
따라서 ㉠의 양변을 a로 나누면 $a-3-\dfrac{1}{a}=0$이므로
$a-\dfrac{1}{a}=3$이다.
> 답 3

09 (1) 공통인 근인 $x=1$을 $x^2-ax+2a=0$과
$2x^2+x-b=0$에 대입하면
$1-a+2a=0$에서 $a=-1$,
$2+1-b=0$에서 $b=3$이다.
(2) $x^2-ax+2a=0$에 $a=-1$을 대입하면
$x^2+x-2=0$이므로 $(x+2)(x-1)=0$이고
$x=-2$ 또는 $x=1$이다.
따라서 다른 한 근은 $x=-2$이다.
(3) $2x^2+x-b=0$에 $b=3$을 대입하면
$2x^2+x-3=0$이므로 $(2x+3)(x-1)=0$이고
$x=-\dfrac{3}{2}$ 또는 $x=1$이다.
따라서 다른 한 근은 $x=-\dfrac{3}{2}$이다.
> 답 (1) $a=-1$, $b=3$ (2) (다른 한 근)$=-2$,
> (3) (다른 한 근)$=-\dfrac{3}{2}$

⑥ 이차방정식의 활용 P.46

01 $x^2=2\{(x-1)+\boxed{x}+(\boxed{x+1})\}$에서
$x^2=6x$, $x^2-6x=0$, $x(x-6)=0$

이므로 $x=\boxed{0}$ 또는 $x=\boxed{6}$이다.
그런데 $x>1$이므로 $x=\boxed{6}$이다.
따라서 세 자연수는 $\boxed{5}$, $\boxed{6}$, $\boxed{7}$이다.
> 답 x, $x+1$, 0, 6, 6, 5, 6, 7

02 답 120, 120, 24, 4, 6, 4, 6, 4, 6

03 늘어난 길이를 x cm라고 하면
$(7+x)(5+x)=7\times5+45$, $35+12x+x^2=80$,
$x^2+12x-45=0$, $(x+15)(x-3)=0$이므로
$x=-15$ 또는 $x=3$이다.
그런데 $x>0$이므로 $x=3$이다.
따라서 늘어난 길이는 3 cm이다.
> 답 3 cm

04 두 면의 쪽수를 x, $x+1$이라고 하면
$x(x+1)=342$, $x^2+x-342=0$, $(x+19)(x-18)=0$
이므로 $x=-19$ 또는 $x=18$이다.
그런데 x는 자연수이므로 $x=18$이다.
따라서 두 면은 18쪽, 19쪽이므로 두 면의 쪽수의 합은
$18+19=37$이다.
> 답 ③

05 다시 지면에 떨어질 때의 높이는 0 m이므로
$0=60t-5t^2$, $5t^2-60t=0$, $t^2-12t=0$, $t(t-12)=0$
이고 $t=0$ 또는 $t=12$이다.
그런데 $t>0$이므로 $t=12$이다.
따라서 이 물체가 다시 지면에 떨어지는 것은 쏘아 올린지
12초 후이다.
> 답 ③

06 가로의 길이를 x cm라고 하면 세로의 길이는
$(18-x)$ cm이므로
$x(18-x)=56$, $18x-x^2=56$, $x^2-18x+56=0$,
$(x-4)(x-14)=0$이고 $x=4$ 또는 $x=14$이다.
그런데 $x>18-x$, 즉 $2x>18$에서 $x>9$이므로 $x=14$
이다.
따라서 가로의 길이는 14 cm이다.
> 답 14 cm

07 처음 정사각형의 한 변의 길이를 x cm라고 하면
$(x+4)(x+2)=3x^2$, $x^2+6x+8=3x^2$,
$2x^2-6x-8=0$, $x^2-3x-4=0$, $(x+1)(x-4)=0$
이므로 $x=-1$ 또는 $x=4$이다.
그런데 $x>0$이므로 $x=4$이다.
따라서 처음 정사각형의 한 변의 길이는 4 cm이다.
> 답 4 cm

PP.47~50

01 ④	02 ③	03 ③	04 ⑤	05 ⑤
06 ①	07 ②	08 ⑤	09 -45	10 ①
11 ③	12 ③	13 ④	14 ③	15 ②
16 1	17 ②	18 ②	19 ⑤	20 ③
21 ①	22 3 cm	23 8명	24 ③	
25~30 풀이 참조				

01 ④ $5(x^2+4x+4)=5x^2$, $5x^2+20x+20=5x^2$에서
$20x+20=0$이므로 일차방정식이다.
⑤ $2x^2-2x^3=1-2x^3$에서 $2x^2-1=0$이므로 이차방정식이다.

02 $a^2x^2+(a-1)x-1=9x^2+x$에서
$(a^2-9)x^2+(a-2)x-1=0$이고
x^2의 계수가 0이 아니어야 x에 대한 이차방정식이 되므로
$a^2-9\neq0$, $(a+3)(a-3)\neq0$이다.
따라서 $a\neq-3$이고 $a\neq3$이다.

03 ① $(-2)\times(-4)=8\neq0$ (거짓)
② $4-8=-4\neq4$ (거짓)
③ $-1+3=2$ (참)
④ $36+3-12=27\neq0$ (거짓)
⑤ $27-6-1=20\neq0$ (거짓)

04 $x=p$를 $x^2-3x+1=0$에 대입하면 $p^2-3p+1=0$이고,
양변을 p로 나누면 $p-3+\dfrac{1}{p}=0$이므로 $p+\dfrac{1}{p}=3$이다.

05 ① $x=-3$ 또는 $x=0$
② $x=-3$ 또는 $x=1$
③ $x=-1$ 또는 $x=3$
④ $x=-1$ 또는 $x=0$
⑤ $x=1$ 또는 $x=3$
따라서 해가 $x=1$ 또는 $x=3$인 것은 ⑤이다.

06 $(2x-5)^2=9$에서 $2x-5=\pm3$, $2x=5\pm3$이므로
$x=1$ 또는 $x=4$이다.

07 $(x+1)^2=\dfrac{3}{2}$에서 $x+1=\pm\sqrt{\dfrac{3}{2}}=\pm\dfrac{\sqrt{6}}{2}$이므로
$x=-1\pm\dfrac{\sqrt{6}}{2}=\dfrac{-2\pm\sqrt{6}}{2}$이다.
따라서 $A=-2$, $B=6$이므로 $A+B=(-2)+6=4$이다.

08 $x^2+\dfrac{4}{3}x+\dfrac{4}{9}=\dfrac{1}{9}+\dfrac{4}{9}$이므로 $A=\dfrac{4}{9}$이다.
$\left(x+\dfrac{2}{3}\right)^2=\dfrac{5}{9}$이므로 $B=\dfrac{5}{9}$이다.
따라서 $A+B=1$이다.

09 $2x^2-6x-3=0$에서 $x^2-3x-\dfrac{3}{2}=0$, $x^2-3x=\dfrac{3}{2}$,
$x^2-3x+\dfrac{9}{4}=\dfrac{3}{2}+\dfrac{9}{4}$이므로 $\left(x-\dfrac{3}{2}\right)^2=\dfrac{15}{4}$이다.
따라서 $a=-\dfrac{3}{2}$, $b=\dfrac{15}{4}$이므로
$8ab=8\times\left(-\dfrac{3}{2}\right)\times\dfrac{15}{4}=-45$이다.

10 $x=\dfrac{-4\pm\sqrt{4^2-4\times3\times A}}{2\times3}=\dfrac{-4\pm\sqrt{16-12A}}{6}$
$=\dfrac{-4\pm2\sqrt{4-3A}}{6}=\dfrac{-2\pm\sqrt{4-3A}}{3}$
따라서 $4-3A=19$이므로 $-3A=15$에서 $A=-5$이다.

11 방정식의 양변에 10을 곱하면
$2x^2-10x=-5$, $2x^2-10x+5=0$이므로
$x=\dfrac{-(-10)\pm\sqrt{(-10)^2-4\times2\times5}}{2\times2}$
$=\dfrac{10\pm\sqrt{60}}{4}=\dfrac{10\pm2\sqrt{15}}{4}=\dfrac{5\pm\sqrt{15}}{2}$

12 방정식의 양변에 15를 곱하면 $3x^2-6x-5=0$이므로
$x=\dfrac{-(-6)\pm\sqrt{(-6)^2-4\times3\times(-5)}}{2\times3}=\dfrac{6\pm\sqrt{96}}{6}$
$=\dfrac{6\pm4\sqrt{6}}{6}=\dfrac{3\pm2\sqrt{6}}{3}$
따라서 $a=3$, $b=6$이므로 $b-a=3$이다.

13 $a+b=A$로 치환하면
$(A-1)(A-2)-12=0$, $A^2-3A+2-12=0$,
$A^2-3A-10=0$, $(A+2)(A-5)=0$이므로
$A=-2$ 또는 $A=5$이다.
따라서 $a+b=-2$ 또는 $a+b=5$이다.
그런데 $a+b>0$이므로 $a+b=5$이다.

14 방정식의 양변에 6을 곱하면 $4x^2+12x-3=0$이므로
$x=\dfrac{-12\pm\sqrt{12^2-4\times4\times(-3)}}{2\times4}=\dfrac{-12\pm\sqrt{192}}{8}$
$=\dfrac{-12\pm8\sqrt{3}}{8}=\dfrac{-3\pm2\sqrt{3}}{2}$
따라서 $k=\dfrac{-3+2\sqrt{3}}{2}$이므로
$2k+3=2\times\dfrac{-3+2\sqrt{3}}{2}+3=2\sqrt{3}$이다.

15 $y=mx-2$에 $x=2m-1$, $y=m^2$을 대입하면
$m^2=m(2m-1)-2$, $m^2=2m^2-m-2$,
$m^2-m-2=0$, $(m+1)(m-2)=0$이므로
$m=-1$ 또는 $m=2$이다.
그런데 m은 양수이므로 $m=2$이다.

16 $x=\dfrac{-(-4a)\pm\sqrt{(-4a)^2-4\times1\times b}}{2\times1}$

$\quad=\dfrac{4a\pm\sqrt{16a^2-4b}}{2}=\dfrac{4a\pm2\sqrt{4a^2-b}}{2}$

$\quad=2a+\sqrt{4a^2-b}=4\pm\sqrt{13}$

이므로 $2a=4$, $4a^2-b=13$이다.
이때 $2a=4$에서 $a=2$,
$4a^2-b=13$에서 $b=4a^2-13=4\times2^2-13=3$이다.
따라서 $b-a=1$이다.

17 $x=3$을 $x^2-k^2x+k-7=0$에 대입하면
$3^2-3k^2+k-7=0$, $3k^2-k-2=0$,
$(3k+2)(k-1)=0$이므로

$k=-\dfrac{2}{3}$ 또는 $k=1$이다.

그런데 $k>0$이므로 $k=1$이다.
$k=1$을 $x^2-k^2x+k-7=0$에 대입하면
$x^2-x-6=0$, $(x+2)(x-3)=0$이므로
$x=-2$ 또는 $x=3$이다.
따라서 다른 한 근은 -2이다.

18 $x=2+\sqrt{7}$을 $x^2-4x+k=0$에 대입하면
$(2+\sqrt{7})^2-4(2+\sqrt{7})+k=0$,
$4+4\sqrt{7}+7-8-4\sqrt{7}+k=0$이므로 $k=-3$이다.
$k=-3$을 $x^2-4x+k=0$에 대입하면 $x^2-4x-3=0$
이므로

$x=\dfrac{-(-4)\pm\sqrt{(-4)^2-4\times1\times(-3)}}{2\times1}$

$\quad=\dfrac{4\pm\sqrt{28}}{2}=\dfrac{4\pm2\sqrt{7}}{2}=2\pm\sqrt{7}$

따라서 다른 한 근이 $2-\sqrt{7}$이므로 상수 k와 다른 한 근의
합은 $-3+(2-\sqrt{7})=-1-\sqrt{7}$이다.

19 $\dfrac{n(n-3)}{2}=54$, $n(n-3)=108$, $n^2-3n-108=0$,
$(n+9)(n-12)=0$이므로 $n=-9$ 또는 $n=12$이다.
그런데 $n>3$이므로 $n=12$이다.
따라서 구하는 다각형은 십이각형이다.

20 연속하는 두 짝수를 x, $x+2$라고 하면
$x^2+(x+2)^2=164$, $x^2+x^2+4x+4=164$,
$2x^2+4x-160=0$, $x^2+2x-80=0$,
$(x+10)(x-8)=0$이므로 $x=-10$ 또는 $x=8$이다.

그런데 x는 자연수이므로 $x=8$이다.
따라서 두 수 중 작은 수는 8이다.

21 $450=-5t^2+90t+50$, $5t^2-90t+400=0$,
$t^2-18t+80=0$, $(t-8)(t-10)=0$이므로
$t=8$ 또는 $t=10$이다.
따라서 처음으로 폭죽의 높이가 450 m가 되는 것은 폭죽
을 쏘아 올린지 8초 후이다.

22 큰 정사각형의 한 변의 길이를 x cm라고 하면 작은 정사

각형의 한 변의 길이는 $\dfrac{20-4x}{4}=5-x$ (cm)이므로

$x^2+(5-x)^2=17$, $x^2+x^2-10x+25=17$,
$2x^2-10x+8=0$, $x^2-5x+4=0$,
$(x-1)(x-4)=0$이므로 $x=1$ 또는 $x=4$이다.
그런데 $x>5-x$, $2x>5$에서 $x>2.5$이므로 큰 정사각형
의 한 변의 길이가 4 cm, 작은 정사각형의 한 변의 길이가
$5-4=1$ (cm)이다.
따라서 두 정사각형의 한 변의 길이의 차는
$4-1=3$ (cm)이다.

23 탐험 대원 수를 x명이라고 하면
$x(x-4)=32$, $x^2-4x-32=0$, $(x+4)(x-8)=0$
이므로 $x=-4$ 또는 $x=8$이다.
그런데 $x>0$이므로 $x=8$이다.
따라서 탐험 대원 수는 8명이다.

24 잔디밭의 폭을 x m라고 하면
$\pi(x+6)^2-\pi\times6^2=28\pi$,
$\pi(x^2+12x+36)-36\pi=28\pi$, $x^2+12x-28=0$,
$(x+14)(x-2)=0$이므로 $x=-14$ 또는 $x=2$이다.
그런데 $x>0$이므로 $x=2$이다.
따라서 잔디밭의 폭은 2 m이다.

25 $\dfrac{n(n-3)}{2}=90$ $\qquad\qquad$ ······ ❶

$n^2-3n=180$, $n^2-3n-180=0$
$(n-15)(n+12)=0$이므로
$n=15$ 또는 $n=-12$이다.
그런데 n은 자연수이므로 $n=15$이다. $\quad$ ······ ❷
따라서 대각선의 개수가 90인 다각형은 십오각형이다.
$\qquad\qquad\qquad\qquad\qquad\qquad$ ······ ❸

단계	채점 기준	배점 비율
❶	대각선의 개수가 90일 때의 이차방정식을 세운다.	40 %
❷	이차방정식을 푼다.	40 %
❸	다각형을 구한다.	20 %

26 연속하는 두 자연수를 x, $x+1$로 놓고 식을 세우면 ...... ❶

$x^2+(x+1)^2=(x+x+1)^2-264$, ... ❷

$2x^2+2x+1=4x^2+4x+1-264$,

$2x^2+2x-264=0$, $x^2+x-132=0$,

$(x+12)(x-11)=0$이므로

$x=-12$ 또는 $x=11$이다.

그런데 x는 자연수이므로 $x=11$이다. ...... ❸

따라서 연속하는 두 자연수는 11, 12이다. ...... ❹

단계	채점 기준	배점 비율
❶	연속하는 두 자연수를 x, $x+1$로 놓는다.	20 %
❷	조건에 맞는 이차방정식을 세운다.	30 %
❸	x의 값을 구한다.	30 %
❹	연속하는 두 자연수를 구한다.	20 %

27 민아는 상수항을 옳게 보았으므로 처음 이차방정식의 상수항은 $(x+2)(x-3)=0$, $x^2-x-6=0$에서 -6이다. ...... ❶

또 효성이는 x의 계수를 옳게 보았으므로 처음 이차방정식의 x의 계수는 $(x-3)(x+4)=0$, $x^2+x-12=0$에서 1이다. ...... ❷

따라서 처음 이차방정식이 $x^2+x-6=0$이므로 ...... ❸

$(x+3)(x-2)=0$에서 $x=-3$ 또는 $x=2$이다. ...... ❹

단계	채점 기준	배점 비율
❶	처음 이차방정식의 상수항을 구한다.	30 %
❷	처음 이차방정식의 x의 계수를 구한다.	30 %
❸	처음 이차방정식을 구한다.	10 %
❹	처음 이차방정식의 근을 구한다.	30 %

28 직사각형 모양의 종이의 짧은 변의 길이를 x cm라고 하면 널빤지의 가로의 길이는 $6x$ cm이다.

또 직사각형 모양의 종이의 긴 변의 길이는

$\frac{1}{3}(6x-3)=2x-1$ (cm)이므로

널빤지의 세로의 길이는

$(2x-1)+x=(3x-1)$ cm이다. ...... ❶

널빤지의 넓이가 $264\ \text{cm}^2$이므로

$6x(3x-1)=264$ ...... ❷

$18x^2-6x-264=0$, $3x^2-x-44=0$,

$(3x+11)(x-4)=0$이므로

$x=-\frac{11}{3}$ 또는 $x=4$이다. ...... ❸

그런데 $2x-1>0$, $2x>1$에서 $x>\frac{1}{2}$이므로 $x=4$이다.

따라서 짧은 변의 길이가 4 cm, 긴 변의 길이가

$2\times4-1=7$ (cm)이므로 직사각형 모양의 종이 1장의 넓이는 $4\times7=28$ (cm^2)이다. ...... ❹

단계	채점 기준	배점 비율
❶	직사각형 모양의 종이의 짧은 변과 긴 변의 길이를 x로 나타낸다.	20 %
❷	이차방정식을 세운다.	30 %
❸	이차방정식을 푼다.	20 %
❹	직사각형 모양의 종이 1장의 넓이를 구한다.	30 %

29 $\text{A}(2, 0)$, $\text{B}(0, 6)$이므로

$\triangle\text{OAB}=\frac{1}{2}\times2\times6=6$이다. ...... ❶

점 P의 좌표를 (m, n)이라고 하면 $\text{Q}(m, 0)$, $\text{R}(0, n)$이므로 $\square\text{OQPR}=mn$이다.

그런데 $n=-3m+6$이므로 $\square\text{OQPR}=m(-3m+6)$이다.

$m(-3m+6)=\frac{1}{3}\times6$에서 ...... ❷

$-3m^2+6m=2$, $3m^2-6m+2=0$이므로

$m=\frac{-(-6)\pm\sqrt{(-6)^2-4\times3\times2}}{2\times3}=\frac{6\pm\sqrt{12}}{6}$

$=\frac{6\pm2\sqrt{3}}{6}=\frac{3\pm\sqrt{3}}{3}$ ...... ❸

따라서 점 P의 x좌표는 $\frac{3\pm\sqrt{3}}{3}$이다. ...... ❹

단계	채점 기준	배점 비율
❶	$\triangle\text{OAB}$의 넓이를 구한다.	20 %
❷	$\square\text{OQPR}$의 넓이를 m으로 나타내고, m에 대한 이차방정식을 세운다.	50 %
❸	m의 값을 구한다.	20 %
❹	점 P의 x좌표를 구한다.	10 %

30 ⑴ $\overline{\text{AC}}=x$ cm이면 $\overline{\text{BC}}=12-x$ (cm)이다.

따라서 x에 대한 이차방정식을 세우면

$\frac{1}{2}\times\pi\times6^2-\left\{\frac{1}{2}\times\pi\times\left(\frac{x}{2}\right)^2+\frac{1}{2}\times\pi\times\left(\frac{12-x}{2}\right)^2\right\}=8\pi$ ...... ❶

⑵ ❶을 정리하면 $18\pi-\left\{\frac{1}{8}\pi x^2+\frac{1}{8}\pi(12-x)^2\right\}=8\pi$

방정식의 양변에 $\frac{8}{\pi}$을 곱하면

$144-x^2-144+24x-x^2=64$, $2x^2-24x+64=0$,

$x^2-12x+32=0$, $(x-4)(x-8)=0$이므로

$x=4$ 또는 $x=8$이다. ...... ❷

⑶ 그런데 $\overline{\text{AC}}>\overline{\text{BC}}$에서 $x>12-x$, $2x>12$, $x>6$이므로 $x=8$이다.

따라서 $\overline{\text{AC}}$의 길이는 8 cm이다. ...... ❸

단계	채점 기준	배점 비율
❶	⑴ $\overline{\text{AC}}=x$ cm라고 할 때, x에 대한 이차방정식을 세운다.	50 %
❷	⑵ 이차방정식을 푼다.	30 %
❸	⑶ $\overline{\text{AC}}$의 길이를 구한다.	20 %

Ⅲ 이차함수

1. 이차함수

 01 이차함수와 그 그래프

① 이차함수의 뜻
P.52

01 이차함수는 $y=ax^2+bx+c$ (a, b, c는 상수, $a \neq 0$)의 꼴이다.
ㄱ. $y=(x+1)(x-2)=x^2-x-2$
ㄴ. $y=-x(x+1)=-x^2-x$
ㅂ. $y=x^2-(x-1)^2=x^2-(x^2-2x+1)=2x-1$
답 ㄱ, ㄴ

02 이차함수는 $y=ax^2+bx+c$ (a, b, c는 상수, $a \neq 0$)의 꼴이다.
③ $y=x(x-1)=x^2-x$
답 ③

03 (1) $y=x^3$, 이차함수가 아니다.
(2) $y=x(x+4)$, 이차함수이다.
답 풀이 참조

04 ① $y=x(x-1)(x+1)$ ② $y=\dfrac{x}{4}$
③ $y=\pi\left(\dfrac{x}{2}\right)^2$ ④ $y=5000-500x$
⑤ $y=4(x+1)$
답 ③

05 (1) $f(-2)=2\times4-2+3=9$
(2) $f(0)=2\times0+0+3=3$
(3) $f\left(\dfrac{3}{2}\right)=2\times\dfrac{9}{4}+\dfrac{3}{2}+3=9$
(4) $f(1)=2\times1+1+3=6$
답 (1) 9 (2) 3 (3) 9 (4) 6

06 $f(a)=1$이므로 $2a^2-3a-1=1$에서
$2a^2-3a-2=0$, $(2a+1)(a-2)=0$이다.
그런데 a는 정수이므로 $a=2$이다.
답 ④

07 $f(k)=-5$이므로 $-k^2-2k+3=-5$에서
$k^2+2k-8=0$, $(k+4)(k-2)=0$이다.
따라서 $k=-4$ 또는 $k=2$이다.
답 ①, ④

② 이차함수 $y=ax^2$의 그래프
P.53

01 **답** (1) 아래 (2) $(0, 0)$ (3) x (4) 증가

02 ② 아래로 볼록하다.
③ y축에 대하여 대칭이다.
④ $x<0$일 때 x의 값이 증가하면 y의 값은 감소하고,
  $x>0$일 때 x의 값이 증가하면 y의 값도 증가한다.
답 ①, ⑤

03 ① $-16=-(-4)^2=-16$
② $4 \neq -(-2)^2=-4$
③ $1 \neq -0^2=0$
④ $\dfrac{1}{4} \neq -\left(\dfrac{1}{2}\right)^2=-\dfrac{1}{4}$
⑤ $-\dfrac{9}{4}=-\left(\dfrac{3}{2}\right)^2=-\dfrac{9}{4}$
답 ①, ⑤

04 **답** $(0, 0)$, y, 아래, $-2x^2$

05 $y=ax^2$에 $x=-4$, $y=2$를 대입하면 $2=16a$에서 $a=\dfrac{1}{8}$이다.
$y=\dfrac{x^2}{8}$에 $x=1$, $y=b$를 대입하면 $b=\dfrac{1}{8}$이다.
따라서 $a+b=\dfrac{1}{8}+\dfrac{1}{8}=\dfrac{1}{4}$이다.
답 ①

06 이차함수 $y=-\dfrac{5}{4}x^2$의 그래프는 x^2의 계수가 음수이므로 위로 볼록하다.
또 x^2의 계수의 절댓값이 클수록 그래프의 폭이 좁아지므로 이차함수 $y=-x^2$의 그래프보다 폭이 좁다.
답 (ㄹ)

02 이차함수 $y=ax^2+bx+c$의 그래프

① 이차함수 $y=ax^2+q$의 그래프
P.54

01 **답** (1) $y=-x^2+2$, $(0, 2)$, $x=0$
(2) $y=\dfrac{2}{3}x^2-1$, $(0, -1)$, $x=0$

02 ㄱ. 꼭짓점의 좌표는 $(0, q)$이다.
ㄴ. $a<0$이면 그래프는 위로 볼록하다.
답 ⑤

03 답 (1) $y=-2x^2+2$ (2) $(0, 2)$, $x=0$ (3) 위 (4) 좁다 (5) $>$

04 ② 꼭짓점은 $\left(0, -\dfrac{1}{4}\right)$이다.

③ 점 $\left(-\dfrac{1}{2}, 0\right)$과 점 $\left(\dfrac{1}{2}, 0\right)$을 지난다.

④ 아래로 볼록한 포물선이다.

⑤ 이차함수 $y=x^2$의 그래프를 y축의 방향으로 $-\dfrac{1}{4}$만큼 평행이동시킨 것이다.

답 ①

05 이차함수 $y=3x^2+k$의 그래프가 점 $(1, 4)$를 지나므로 $4=3+k$이다.

따라서 $k=1$이다.

답 1

06 이차함수 $y=\dfrac{5}{2}x^2+k$의 그래프가 점 $(2, -3)$을 지나므로

$-3=\dfrac{5}{2}\times 4+k$, $-3=10+k$, 즉 $k=-13$이다.

따라서 $y=\dfrac{5}{2}x^2-13$이므로 구하는 꼭짓점의 좌표는 $(0, -13)$이다.

답 $(0, -13)$

② 이차함수 $y=a(x-p)^2$의 그래프   P.55

01 답 (1) $y=2(x+1)^2$, $(-1, 0)$, $x=-1$

(2) $y=-\dfrac{1}{3}(x-1)^2$, $(1, 0)$, $x=1$

02 답 (1) $y=\dfrac{2}{3}(x+2)^2$ (2) $(-2, 0)$, $x=-2$ (3) 아래

(4) 넓다   (5) $>$

03 ① 위로 볼록한 포물선이다.
② 직선 $x=2$를 축으로 한다.
③ 꼭짓점은 $(2, 0)$이다.
④ $x=2$일 때, $y=0$이다.

답 ⑤

04 이차함수 $y=-4(x-p)^2$의 그래프의 축의 방정식이 $x=2$이므로 $p=2$이다.

이차함수 $y=-4(x-2)^2$의 그래프가 점 $(4, k)$를 지나므로 $k=(-4)\times 2^2=-16$이다.

따라서 $p+k=2+(-16)=-14$이다.

답 -14

05 꼭짓점의 좌표가 $(3, 0)$이므로 $p=3$이다.

이차함수 $y=a(x-3)^2$의 그래프가 점 $(0, 5)$를 지나므로 $5=9a$이다. 즉, $a=\dfrac{5}{9}$이다.

따라서 $ap=\dfrac{5}{9}\times 3=\dfrac{5}{3}$이다.

답 ⑤

06 각 이차함수의 축의 방정식을 구하면 다음과 같다.

① $x=-1$ ② $x=7$ ③ $x=3$

④ $x=-2$ ⑤ $x=-\dfrac{3}{2}$

답 ②

③ 이차함수 $y=a(x-p)^2+q$의 그래프   P.56

01 답 (1) $y=(x-1)^2+2$, $(1, 2)$, $x=1$
(2) $y=-2(x+2)^2+4$, $(-2, 4)$, $x=-2$

02 답 (1) $y=-\dfrac{1}{2}(x-3)^2-2$ (2) $(3, -2)$, $x=3$

(3) 위   (4) 넓다   (5) $>$

03 ② 축의 방정식은 $x=-1$이다.
③ $|-1|=1<|2|=2$이므로 이차함수 $y=2x^2$의 그래프보다 폭이 넓다.
④ 꼭짓점의 좌표는 $(-1, -2)$이다.
⑤ 이차함수 $y=-x^2$의 그래프를 x축의 방향으로 -1만큼, y축의 방향으로 -2만큼 평행이동한 것이다.

답 ①

04 이차함수 $y=\dfrac{1}{4}x^2$의 그래프를 x축의 방향으로 -1만큼, y축의 방향으로 -3만큼 평행이동하면

$y=\dfrac{1}{4}(x+1)^2-3$이고 이 그래프가 점 $(a, 1)$을 지나므로

$1=\dfrac{1}{4}(a+1)^2-3$, $1=\dfrac{1}{4}a^2+\dfrac{1}{2}a-\dfrac{11}{4}$,

$a^2+2a-15=0$, $(a+5)(a-3)=0$이다.

따라서 $a=-5$ 또는 $a=3$이다.

답 -5 또는 3

05 그래프가 위로 볼록하므로 $a<0$이다.

꼭짓점 (p, q)가 제1사분면 위에 있으므로 $p>0$, $q>0$이다.

답 ③

06 이차함수 $y=2(x-1)^2-1$의 그래프는 오른쪽 그림과 같다. 따라서 이 그래프가 지나지 않는 사분면은 제 3사분면이다.

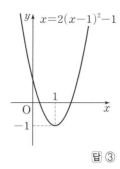

目 ③

---

④ 이차함수 $y=ax^2+bx+c$의 그래프 P.57

01 (1) $y=x^2-4x+1=(x^2-4x+4-4)+1$
　　　$=(x-2)^2-3$
　　이므로 꼭짓점의 좌표는 $(2,\,-3)$,
　　축의 방정식은 $x=2$이다.
　(2) $y=-x^2+6x=-(x^2-6x+9-9)$
　　　$=-(x-3)^2+9$
　　이므로 꼭짓점의 좌표는 $(3,\,9)$,
　　축의 방정식은 $x=3$이다.

目 풀이 참조

02 (1) $y=x^2+6x-2=(x^2+6x+9-9)-2$
　　　$=(x+3)^2-11$
　(2) $y=-2x^2-2x+3=-2\left(x^2+x+\dfrac{1}{4}-\dfrac{1}{4}\right)+3$
　　　$=-2\left(x+\dfrac{1}{2}\right)^2+\dfrac{7}{2}$
　(3) $y=\dfrac{1}{3}x^2-2x=\dfrac{1}{3}(x^2-6x+9-9)$
　　　$=\dfrac{1}{3}(x-3)^2-3$
　(4) $y=-\dfrac{1}{4}x^2+\dfrac{1}{2}x+1=-\dfrac{1}{4}(x^2-2x+1-1)+1$
　　　$=-\dfrac{1}{4}(x-1)^2+\dfrac{5}{4}$

目 풀이 참조

03 $y=\dfrac{1}{2}x^2-4x+1=\dfrac{1}{2}(x^2-8x+16-16)+1$
　　$=\dfrac{1}{2}(x-4)^2-7$
　① 아래로 볼록한 그래프이다.
　② 축의 방정식은 $x=4$이다.
　③ 꼭짓점의 좌표는 $(4,\,-7)$이다.
　④ $x<4$일 때, x의 값이 증가하면 y의 값은 감소한다.

目 ⑤

04 $y=-x^2+2x-3=-(x^2-2x+1-1)-3$
　　$=-(x-1)^2-2$

---

　① 꼭짓점의 좌표는 $(1,\,-2)$이다.
　② 직선 $x=1$을 축으로 한다.
　③ 위로 볼록한 포물선이다.
　⑤ 이차함수 $y=-x^2$의 그래프를 x축의 방향으로 1만큼,
　　y축의 방향으로 -2만큼 평행이동한 것이다.

目 ④

05 $y=x^2+4x=x^2+4x+4-4=(x+2)^2-4$이므로
　$q=-4$이다.

目 ①

06 꼭짓점의 좌표를 구하면 다음과 같다.
　① $\left(\dfrac{1}{2},\,0\right)$　　　② $(-4,\,0)$
　③ $y=-x^2-6x-9=-(x+3)^2$이므로 $(-3,\,0)$이다.
　④ $\left(-\dfrac{3}{2},\,0\right)$　　　⑤ $(0,\,9)$

目 ⑤

07 $y=-x^2+4x+3a-4=-(x^2-4x+4)+3a$
　　$=-(x-2)^2+3a$
　따라서 그래프가 x축에 접하므로 $3a=0$에서 $a=0$이다.

目 ③

08 이차함수 $y=x^2+6x+c$의 그래프가 점 $(-1,\,4)$를 지나므로 $4=1-6+c$, 즉 $c=9$이다.
　$y=x^2+6x+9=(x+3)^2$이므로 꼭짓점의 좌표는 $(-3,\,0)$이다.

目 ③

09 $y=2x^2-4x+3=2(x^2-2x+1-1)+3$
　　$=2(x-1)^2+1$
　이므로 꼭짓점의 좌표는 $(1,\,1)$이다.
　그런데 두 이차함수의 그래프의 꼭짓점의 좌표가 같으므로
　$y=-\dfrac{1}{2}(x-1)^2+1=-\dfrac{1}{2}(x^2-2x+1)+1$
　　$=-\dfrac{1}{2}x^2+x+\dfrac{1}{2}=-\dfrac{1}{2}x^2+ax+b$
　따라서 $a=1$, $b=\dfrac{1}{2}$이므로 $a-b=1-\dfrac{1}{2}=\dfrac{1}{2}$이다.

目 ③

10 축의 방정식을 구하면 다음과 같다.
　① $x=0$　② $x=1$　③ $x=4$
　④ $y=x^2+4x-1=(x^2+4x+4-4)-1$
　　$=(x+2)^2-5$
　이므로 $x=-2$이다.

⑤ $y=\dfrac{1}{4}x^2+x+1=\dfrac{1}{4}(x^2+4x+4)$

$\qquad =\dfrac{1}{4}(x+2)^2$

이므로 $x=-2$이다.

답 ③

11 $y=\dfrac{1}{4}x^2-x=\dfrac{1}{4}(x^2-4x+4-4)$

$\qquad =\dfrac{1}{4}(x-2)^2-1$

따라서 x의 값이 증가할 때 y의 값은 감소하는 x의 값의 범위는 $x<2$이다.

답 ④

12 이차함수 $y=\dfrac{1}{2}x^2+1$의 그래프를 x축의 방향으로 -3만큼 평행이동한 그래프의 식은 $y=\dfrac{1}{2}(x+3)^2+1$이다.

이 식의 그래프가 점 $(-1,\ m)$을 지나므로

$m=\dfrac{1}{2}\times 2^2+1=3$이다.

답 3

13 $y=-3x^2+12x+k=-3(x^2-4x+4-4)+k$

$\qquad =-3(x-2)^2+12+k$

따라서 이차함수 $y=-3x^2$의 그래프를 x축의 방향으로 2만큼, y축의 방향으로 $12+k$만큼 평행이동한 것이므로 $m=2$, $12+k=5$에서 $k=-7$이다.

따라서 $m+k=2+(-7)=-5$이다.

답 -5

14 이차함수 $y=2x^2$의 그래프를 x축의 방향으로 m만큼, y축의 방향으로 n만큼 평행이동하면 $y=2(x-m)^2+n$이다. 이때

$y=2x^2+16x+29=2(x^2+8x+16-16)+29$

$\qquad =2(x+4)^2-3$

이므로 $m=-4$, $n=-3$이다.

따라서 $m+n=-4+(-3)=-7$이다.

답 ①

⑤ **이차함수 $y=ax^2+bx+c$의 그래프와 x축, y축과의 교점** P.59

01 답 $2,\ 5,\ -5,\ (-5,\ 0),\ \dfrac{15}{2},\ \left(0,\ \dfrac{15}{2}\right)$

02 (1) $x^2+4x+4=0$, $(x+2)^2=0$에서 $x=-2$이므로 x축과의 교점의 좌표는 $(-2,\ 0)$이다.

또 $x=0$일 때, $y=4$이므로 y축과의 교점의 좌표는 $(0,\ 4)$이다.

(2) $5x^2-3x=0$, $x(5x-3)=0$에서 $x=0$ 또는 $x=\dfrac{3}{5}$

이므로 x축과의 교점의 좌표는 $(0,\ 0)$, $\left(\dfrac{3}{5},\ 0\right)$이다.

또 $x=0$일 때, $y=0$이므로 y축과의 교점의 좌표는 $(0,\ 0)$이다.

(3) $-x^2+5x+14=0$에서

$x^2-5x-14=0$, $(x+2)(x-7)=0$이므로

$x=-2$ 또는 $x=7$이다.

따라서 x축과의 교점의 좌표는 $(-2,\ 0)$, $(7,\ 0)$이다.

또 $x=0$일 때, $y=14$이므로 y축과의 교점의 좌표는 $(0,\ 14)$이다.

(4) $x^2-16=0$, $(x+4)(x-4)=0$이므로

$x=-4$ 또는 $x=4$이다.

따라서 x축과의 교점의 좌표는 $(-4,\ 0)$, $(4,\ 0)$이다.

또 $x=0$일 때, $y=-16$이므로 y축과의 교점의 좌표는 $(0,\ -16)$이다.

답 풀이 참조

03 $y=0$일 때, $x^2-5x-6=0$, $(x+1)(x-6)=0$이므로

$x=-1$ 또는 $x=6$이다.

따라서 A$(-1,\ 0)$, B$(6,\ 0)$ 또는 A$(6,\ 0)$, B$(-1,\ 0)$

이므로 $\overline{AB}=6-(-1)=7$이다.

답 ③

04 $y=-x^2+4x+a$의 그래프가 점 $(3,\ 0)$을 지나므로

$0=-9+12+a$, 즉 $a=-3$이다.

따라서 $y=-x^2+4x-3$이고 $x=0$일 때, $y=-3$이므로 구하는 점의 y좌표는 -3이다.

답 ①

05 $x^2-6x+8=0$에서 $(x-2)(x-4)=0$이므로

$x=2$ 또는 $x=4$이다.

이때 $p>q$이므로 $p=4$, $q=2$이다.

또 $x=0$일 때, $y=8$이므로 $r=8$이다.

따라서 $p+q+r=4+2+8=14$이다.

답 ②

06 $-2x^2+12x-10=0$에서 $x^2-6x+5=0$,

$(x-1)(x-5)=0$이므로 $x=1$ 또는 $x=5$이다.

따라서 A$(1,\ 0)$, B$(5,\ 0)$이다.

$y=-2x^2+12x-10=-2(x^2-6x+9-9)-10$

$\qquad =-2(x-3)^2+8$

이므로 C$(3,\ 8)$이다.

따라서 $\triangle ABC = \dfrac{1}{2} \times 4 \times 8 = 16$이다.

답 ④

6 이차함수의 식 구하기 (1) P.60

01 $x=-1$, $y=-5$를 대입하면
$-5=4a+3$, $4a=-8$이므로 $a=-2$이다.
답 1, 3, -1, -5, -2, $-2(x-1)^2+3$

02 ㉠에서 $a+b=7$ ...... ㉢
㉡에서 $4a+2b=12$, $2a+b=6$ ...... ㉣
㉢, ㉣을 연립하여 풀면 $a=-1$, $b=8$이다.
답 -15, -8, $4a+2b-15$, -1, 8, $-x^2+8x-15$

03 이차함수의 그래프의 식을 $y=a(x-2)^2+1$이라고 하면
그래프가 점 $(-2, 3)$을 지나므로
$3=16a+1$에서 $a=\dfrac{1}{8}$이다.
따라서
$y=\dfrac{1}{8}(x-2)^2+1=\dfrac{1}{8}(x^2-4x+4)+1=\dfrac{1}{8}x^2-\dfrac{1}{2}x+\dfrac{3}{2}$
이다.
답 $y=\dfrac{1}{8}x^2-\dfrac{1}{2}x+\dfrac{3}{2}$

04 주어진 이차함수의 그래프의 꼭짓점의 좌표가 $(1, 1)$이므로 이차함수의 그래프의 식을 $y=a(x-1)^2+1$로 놓을 수 있다.
이때 이 그래프가 점 $(3, 3)$을 지나므로
$3=4a+1$에서 $a=\dfrac{1}{2}$이다.
따라서 $y=\dfrac{1}{2}(x-1)^2+1=\dfrac{1}{2}x^2-x+\dfrac{3}{2}$에서
$b=-1$, $c=\dfrac{3}{2}$이므로 $4a+2b+c=\dfrac{3}{2}$이다.
답 $\dfrac{3}{2}$

05 이차함수의 그래프의 식을 $y=a(x-1)^2-3$이라고 하면
이 그래프가 점 $(3, 5)$를 지나므로
$5=4a-3$에서 $a=2$이다.
즉, $y=2(x-1)^2-3$이다.
따라서 이 식에 $x=0$을 대입하면 $y=2-3=-1$이므로
구하는 점의 좌표는 $(0, -1)$이다.
답 ②

06 이차함수의 그래프가 점 $(0, 3)$을 지나므로 $c=3$이다.
$y=ax^2+bx+3$에 $x=1$, $y=0$을 대입하면
$a+b+3=0$이다. ...... ㉠
$y=ax^2+bx+3$에 $x=-2$, $y=-1$을 대입하면
$4a-2b+3=-1$에서 $2a-b+2=0$이다. ...... ㉡
㉠, ㉡을 연립하여 풀면 $a=-\dfrac{5}{3}$, $b=-\dfrac{4}{3}$이다.
따라서 $a-b+c=-\dfrac{5}{3}-\left(-\dfrac{4}{3}\right)+3=\dfrac{8}{3}$이다.
답 ③

7 이차함수의 식 구하기 (2) P.61

01 답 1, 22, 12, 2, 4, $2(x+1)^2+4$

02 축의 방정식이 $x=-2$이므로 이차함수의 그래프의 식을
$y=(x+2)^2+q$라고 하면 이 그래프가 점 $(0, 2)$를 지나므로 $2=4+q$에서 $q=-2$이다.
따라서 $y=(x+2)^2-2=x^2+4x+2$에서
$a=4$, $b=2$이므로 $a+b=4+2=6$이다.
답 6

03 답 4, 2, 2, -8, 1, $(x+2)(x-4)$

04 축의 방정식이 $x=3$이므로 이차함수의 그래프의 식을
$y=a(x-3)^2+q$라고 하면 이 그래프가 두 점 $(1, 1)$, $(2, -5)$를 지나므로 $1=4a+q$, $-5=a+q$이다.
두 식을 연립하여 풀면 $a=2$, $q=-7$이다.
즉, $y=2(x-3)^2-7=2x^2-12x+11$이다.
따라서 $a=2$, $b=-12$, $c=11$이므로
$ac+b=2\times11+(-12)=10$이다.
답 10

05 이차함수의 그래프가 두 점 $(-2, 0)$, $(6, 0)$을 지나므로
이차함수의 그래프의 식을 $y=a(x+2)(x-6)$이라고 하자.
이 그래프가 점 $(0, 3)$을 지나므로
$3=-12a$에서 $a=-\dfrac{1}{4}$이다.
따라서 $y=-\dfrac{1}{4}(x+2)(x-6)=-\dfrac{1}{4}x^2+x+3$에서
$b=1$, $c=3$이므로 $a(b+c)=-1$이다.
답 ①

06 이차함수의 그래프의 식을 $y=ax(x+4)$라고 하면 이 그래프가 점 $(1, -1)$을 지나므로

$-1=5a$에서 $a=-\dfrac{1}{5}$이다.

따라서 $y=-\dfrac{1}{5}x(x+4)=-\dfrac{1}{5}x^2-\dfrac{4}{5}x$에서

$b=-\dfrac{4}{5}, c=0$이므로

$a-b-c=-\dfrac{1}{5}-\left(-\dfrac{4}{5}\right)-0=\dfrac{3}{5}$이다.

답 ④

⑧ 이차함수 $y=ax^2+bx+c$에서 a, b, c의 부호   P.62

01 답 (1) $<, <, <$ (2) $>, <, >$

02 그래프가 아래로 볼록하므로 $a>0$이다.
축이 y축의 오른쪽에 있으므로 $b<0$이다.
y축과의 교점이 원점의 위쪽에 있으므로 $c>0$이다.
답 $a>0, b<0, c>0$

03 ① 그래프가 위로 볼록하므로 $a<0$이다.
② 축이 y축의 왼쪽에 있으므로 $b<0$이다.
③ y축과의 교점이 원점이므로 $c=0$이다.
④ $a<0, c=0$이므로 $ac=0$이다.
⑤ $x=-1$일 때의 함숫값이 0보다 크므로
   $a-b+c>0$이다.
답 ②

04 그래프가 아래로 볼록하므로 $a>0$이고 축이 y축의 왼쪽에 있으므로 $b>0$이다.
또 y축과의 교점이 원점의 아래쪽에 있으므로 $c<0$이다.
따라서 다음이 성립한다.
① $ab>0$ ② $bc<0$ ③ $ca<0$
$x=-2$일 때의 함숫값은 0보다 작고,
$x=2$일 때의 함숫값은 0보다 크다.
따라서 다음이 성립한다.
④ $4a-2b+c<0$ ⑤ $4a+2b+c>0$
답 ①

05 $a<0, b>0, c<0$이다.
따라서 $y=cx^2+bx+a$의 그래프는 $c<0$이므로 위로 볼록하고 b, c의 부호가 서로 다르므로 축이 y축의 오른쪽에 있다.
또 $a<0$이므로 y축과의 교점이 원점의 아래쪽에 있다.
따라서 절대로 지날 수 없는 사분면은 제2사분면이다.
답 제2사분면

중단원 실전 마무리   PP.63~67

01 ②, ⑤   **02** 4   **03** ①, ⑤   **04** 1   **05** ⑤
06 ④   **07** ④   **08** ③   **09** 5   **10** ④, ⑤
11 6   **12** 3   **13** ⑤   **14** ⑤
15 $a>0, b<0, c=0$ **16** ③   **17** ①
18 21   **19** ④   **20** ②   **21** $a>0, p>0, q>0$
22 ④   **23** $a=3, b=2$ **24** 16
25 $y=-2x+2$ **26** -2 **27** -15
28~31 풀이 참조

01 이차함수는 $y=ax^2+bx+c(a, b, c$는 상수, $a\neq 0)$의 꼴이다.
② $y=x(x+1)=x^2+x$
③ $y=2x^2+3-2(x^2+1)=2x^2+3-2x^2-2=1$
⑤ $y=\dfrac{1}{2}x(x+1)=\dfrac{1}{2}x^2+\dfrac{1}{2}x$

02 $f(1)=1+1=2, f(-1)=1+1=2$이므로
$f(1)+f(-1)=4$이다.

03 ② $x<0$일 때 x의 값이 증가하면 y의 값도 증가하고,
   $x>0$일 때 x의 값이 증가하면 y의 값은 감소한다.
③ y축에 대하여 대칭이다.
④ 점 $\left(-\dfrac{1}{3}, -\dfrac{1}{9}\right)$을 지난다.

04 $8=16a$에서 $a=\dfrac{1}{2}$이다.
따라서 $y=\dfrac{1}{2}x^2$이므로 $2=\dfrac{1}{2}k^2, k^2=4$에서 $k=\pm 2$이다.
그런데 $k>0$이므로 $k=2$이다.
따라서 $ak=\dfrac{1}{2}\times 2=1$이다.

05 주어진 이차함수의 그래프의 꼭짓점의 좌표가 $(2, 0)$이므로 $b=2$이다.
따라서 $y=a(x-2)^2$이다.
이 그래프가 점 $(0, 5)$를 지나므로 $5=4a$에서 $a=\dfrac{5}{4}$이다.
따라서 $a+b=\dfrac{5}{4}+2=\dfrac{13}{4}$이다.

06 그래프가 위로 볼록하므로 x^2의 계수가 음수이다.
그런데 x^2의 계수의 절댓값이 작을수록 그래프의 폭이 넓어지므로 ④ $y=-\dfrac{1}{3}x^2$이다.

07 x축에 대하여 대칭인 이차함수의 그래프의 식이

$$y=-\left(\frac{1}{4}x^2-2\right)=-\frac{1}{4}x^2+2$$이므로

$a=-\frac{1}{4}$, $q=2$이다.

이차함수 $y=-\frac{1}{4}x^2+2$의 그래프가 점 $(-4, b)$를 지나

므로 $b=\left(-\frac{1}{4}\right)\times16+2=-2$이다.

따라서 $abq=\left(-\frac{1}{4}\right)\times(-2)\times2=1$이다.

08 평행이동시킨 그래프의 식이 $y=2(x-m)^2+1+n$

이므로 $m=2$이고, $1+n=4$에서 $n=3$이다.

09 주어진 이차함수의 그래프의 꼭짓점의 y좌표가 1이므로

$a^2-6a+6=1$에서

$a^2-6a+5=0$, $(a-1)(a-5)=0$,

즉 $a=1$ 또는 $a=5$이다.

그런데 $a=1$이면 주어진 함수는 이차함수가 아니므로

$a=5$이다.

10 $a>0$, $b<0$이므로 이차함수 $y=(x-a)^2+b$의 그래프는

아래로 볼록하고 꼭짓점의 좌표가 제4사분면 위에 있다.

11 주어진 이차함수의 그래프의 꼭짓점의 좌표가 $(2, 6)$

이므로 $A(2, 6)$이고 $C(2, 0)$이다.

따라서 $\triangle ABC=\frac{1}{2}\times6\times2=6$이다.

12 $y=x^2-3x+a=x^2-3x+\frac{9}{4}-\frac{9}{4}+a$

$=\left(x-\frac{3}{2}\right)^2-\frac{9}{4}+a$

에서 꼭짓점의 y좌표가 0보다 크므로

$-\frac{9}{4}+a>0$에서 $a>\frac{9}{4}$이다.

$y=x^2-3x+a$의 그래프가 점 (a, a)를 지나므로

$a=a^2-3a+a$, $a^2-3a=0$, $a(a-3)=0$,

즉 $a=0$ 또는 $a=3$이다.

그런데 $a>\frac{9}{4}$이므로 $a=3$이다.

13 이차함수 $y=-x^2+14x+a$의 그래프가 점 $(6, 0)$을 지

나므로

$0=-36+84+a$에서 $a=-48$이다.

즉, $y=-x^2+14x-48$이다.

$-x^2+14x-48=0$, $x^2-14x+48=0$,

$(x-6)(x-8)=0$이므로 $x=6$ 또는 $x=8$이다.

따라서 다른 한 점의 좌표는 $(8, 0)$이다.

14 구하는 이차함수를 $y=ax^2+bx+c$라고 하자.

이 그래프가 점 $(0, -5)$를 지나므로 $c=-5$이다.

또 두 점 $(5, 0)$, $(4, 3)$을 지나므로

$0=25a+5b-5=0$에서 $5a+b=1$ ······ ㉠

$3=16a+4b-5$에서 $4a+b=2$ ······ ㉡

㉠, ㉡을 연립하면 $a=-1$, $b=6$이다.

따라서

$y=-x^2+6x-5=-(x^2-6x+9-9)-5$

$=-(x-3)^2+4$

이므로 축의 방정식은 $x=3$이다.

15 그래프가 아래로 볼록하므로 $a>0$이다.

축이 y축의 오른쪽에 있으므로 $b<0$이다.

y축과의 교점이 원점이므로 $c=0$이다.

16 주어진 이차함수의 그래프는

$a>0$이므로 아래로 볼록하고,

$c>0$이므로 원점의 위쪽에서 y축

과 만난다.

또 꼭짓점이 제4사분면 위에 있으

므로 이차함수 $y=ax^2+bx+c$

의 그래프의 모양은 오른쪽 그림과 같다.

따라서 이 이차함수의 그래프가 지나지 않는 사분면은 제3

사분면이다.

17 $y=-\frac{1}{3}x^2+4x+k=-\frac{1}{3}(x^2-12x+36-36)+k$

$=-\frac{1}{3}(x-6)^2+12+k$

이므로 주어진 이차함수의 그래프의 꼭짓점의 좌표는

$(6, 12+k)$이다.

따라서 꼭짓점이 제4사분면 위에 있으려면 $12+k<0$이어

야 하므로 $k<-12$이다.

18 $y=x^2-4x+10=(x-2)^2+6$에서 $A(2, 6)$이다.

또 $y=x^2+x$에 $y=12$를 대입하면 $x^2+x=12$에서

$x^2+x-12=0$, $(x+4)(x-3)=0$이므로

$x=-4$ 또는 $x=3$이다. 따라서

$B(-4, 12)$, $C(3, 12)$ 또는 $B(3, 12)$, $C(-4, 12)$

이므로 $\triangle ABC=\frac{1}{2}\times7\times(12-6)=21$이다.

19 그래프가 위로 볼록하므로 $a<0$이고 축이 y축의 왼쪽에

있으므로 $b<0$이다.

또 y축과의 교점이 원점의 아래쪽에 있으므로 $c<0$이다.

① $a<0$ ② $ab>0$ ③ $c<0$ ⑤ $abc<0$

20 그래프가 아래로 볼록하므로 $a>0$이고, 축이 y축의 왼쪽에 있으므로 a와 $-b$는 서로 같은 부호이다.
즉, a와 b는 서로 다른 부호이므로 $b<0$이다.
따라서 기울기가 양수이고 y절편이 음수이므로 일차함수 $y=ax+b$의 그래프는 제2사분면을 지나지 않는다.

21 이차함수의 그래프가 제1, 2, 3사분면만을 지나므로 그래프의 모양은 오른쪽 그림과 같다.
이때 그래프가 아래로 볼록하므로
$a>0$이고 꼭짓점의 좌표가
$(-p, -q)$이므로
$-p<0, -q<0$에서 $p>0, q>0$이다.
따라서 $a>0, p>0, q>0$이다.

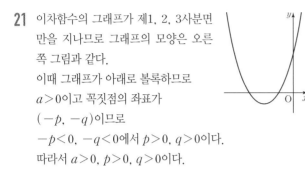

22 직선 $x=4$를 축으로 하므로 이차함수의 그래프의 식은
$y=\dfrac{3}{16}(x-4)^2+q$라고 하자.
이 그래프가 점 $(0, 2)$를 지나므로 $2=3+q$에서 $q=-1$이다.
따라서 이차함수의 그래프의 식이 $y=\dfrac{3}{16}(x-4)^2-1$이므로 꼭짓점의 좌표는 $(4, -1)$이다.

23 $y=2x^2-4ax+4a^2-2b-10$
$\quad=2(x^2-2ax+a^2-a^2)+4a^2-2b-10$
$\quad=2(x-a)^2+2a^2-2b-10$
$y=-x^2+3bx-2b^2+a$
$\quad=-\left(x^2-3bx+\dfrac{9}{4}b^2-\dfrac{9}{4}b^2\right)-2b^2+a$
$\quad=-\left(x-\dfrac{3}{2}b\right)^2+\dfrac{1}{4}b^2+a$
꼭짓점이 일치하므로
$a=\dfrac{3}{2}b$ $\qquad\cdots\cdots$ ㉠
$2a^2-2b-10=\dfrac{1}{4}b^2+a$ $\qquad\cdots\cdots$ ㉡
㉠을 ㉡에 대입하면 $2\times\dfrac{9}{4}b^2-2b-10=\dfrac{1}{4}b^2+\dfrac{3}{2}b$
양변에 4를 곱하면
$18b^2-8b-40=b^2+6b$, $17b^2-14b-40=0$,
$(17b+20)(b-2)=0$이므로
$b=-\dfrac{20}{17}$ 또는 $b=2$이다.
그런데 b는 정수이므로 $b=2$이다.
$b=2$를 ㉠에 대입하면 $a=\dfrac{3}{2}\times2=3$이다.

24 $C(a, -6)(a>0)$이라고 하면 $D\left(a, -\dfrac{1}{2}a^2\right)$이다.
□ABCD가 정사각형이므로 $\overline{BC}=\overline{CD}$에서
$2a=-\dfrac{1}{2}a^2+6$, $\dfrac{1}{2}a^2+2a-6=0$, $a^2+4a-12=0$,
$(a+6)(a-2)=0$이고, $a>0$이므로 $a=2$이다.
따라서 정사각형 ABCD의 한 변의 길이가
$2a=2\times2=4$이므로 구하는 넓이는 $4\times4=16$이다.

25 주어진 이차함수의 꼭짓점의 좌표는 $(-a, 2a+2)$이다.
구하는 일차함수의 식을 $y=-2x+b$라고 하면 이 그래프가 점 $(-a, 2a+2)$를 지나므로 $2a+2=2a+b$이다.
즉, $b=2$이다.
따라서 구하는 일차함수의 식은 $y=-2x+2$이다.

26 (가)에서 $k<0$이다.
(나)에서 $-k^2-16=-4k^2+k+k$, $3k^2-2k-16=0$,
$(k+2)(3k-8)=0$이므로 $k=-2$ 또는 $k=\dfrac{8}{3}$이다.
그런데 $k<0$이므로 $k=-2$이다.

27 $y=x^2-2x+a=(x^2-2x+1-1)+a$
$\quad=(x-1)^2-1+a$
에서 축의 방정식이 $x=1$이고 $\overline{AB}=8$이므로
$A(-3, 0), B(5, 0)$ 또는 $A(5, 0), B(-3, 0)$이다.
따라서 $y=(x+3)(x-5)=x^2-2x-15$이므로
$a=-15$이다.

28 (1) $y=x^2+2x-7=(x^2+2x+1-1)-7$
$\quad=(x+1)^2-8$
따라서 꼭짓점의 좌표가 $(-1, -8)$이므로
$p=-1, q=-8$이다. $\qquad\cdots\cdots$ ❶
(2) $x=0$일 때, $y=-7$이므로 $r=-7$이다. $\qquad\cdots\cdots$ ❷
(3) $p=-1, q=-8, r=-7$이므로
$p+q-r=-1-8+7=-2$이다. $\qquad\cdots\cdots$ ❸

단계	채점 기준	배점 비율
❶	(1) p, q의 값을 구한다.	60 %
❷	(2) r의 값을 구한다.	20 %
❸	(3) $p+q-r$의 값을 구한다.	20 %

29 $y=x^2+2x-8=(x^2+2x+1-1)-8=(x+1)^2-9$
이므로 $A(-1, -9)$이다. $\qquad\cdots\cdots$ ❶
$x^2+2x-8=0$에서 $(x+4)(x-2)=0$이므로
$x=-4$ 또는 $x=2$에서
$B(-4, 0), C(2, 0)$이다. $\qquad\cdots\cdots$ ❷
따라서 $\triangle ACB=\dfrac{1}{2}\times6\times9=27$이다. $\qquad\cdots\cdots$ ❸

단계	채점 기준	배점 비율
❶	점 A의 좌표를 구한다.	30 %
❷	두 점 B, C의 좌표를 구한다.	40 %
❸	△ABC의 넓이를 구한다.	30 %

30 y축을 축으로 하고 y축과 만나는 점의 y좌표가 3이므로 이차함수의 그래프의 식을 $y=ax^2+3$으로 놓을 수 있다. ...... ❶

이 그래프가 점 $(5, -22)$를 지나므로

$-22=25a+3$, $25a=-25$에서 $a=-1$이다. ...... ❷

따라서 이차함수 $y=-x^2+3$의 그래프가 점 $(2, k)$를 지나므로 $k=-4+3=-1$이다. ...... ❸

단계	채점 기준	배점 비율
❶	이차함수의 그래프의 식을 $y=ax^2+3$으로 놓는다.	40 %
❷	a의 값을 구한다.	30 %
❸	k의 값을 구한다.	30 %

31 이차함수 $y=x^2-4$의 그래프와 x축에 대하여 대칭인 그래프의 식은 $y=-x^2+4$이다.

그런데 두 점 C, A는 각각의 꼭짓점이므로

$A(0, 4)$, $C(0, -4)$이다. ...... ❶

또 $0=x^2-4$에서 $x^2=4$이므로

$x=-2$ 또는 $x=2$이다.

따라서 $B(-2, 0)$, $D(2, 0)$이므로 ...... ❷

$\square ABCD=2\triangle ABD=2\times\left(\dfrac{1}{2}\times4\times4\right)=16$ ...... ❸

단계	채점 기준	배점 비율
❶	두 점 A, C의 좌표를 구한다.	40 %
❷	두 점 B, D의 좌표를 구한다.	40 %
❸	$\square ABCD$의 넓이를 구한다.	20 %

I 실수와 그 계산

PP.69~72

01 ①	02 ⑤	03 ②	04 ③	05 ③
06 ④	07 ③	08 ⑤	09 12	10 ③
11 ④	12 ②	13 ①	14 $\dfrac{2\sqrt{2}}{3}$ cm	
15 ④	16 2.667	17 ③	18 ②	19 $\dfrac{4}{3}$
20 ③	21 ②	22~25 풀이 참조		

01 $\sqrt{81}=9$이므로 $\sqrt{81}$의 음의 제곱근은 -3, 즉 $a=-3$,
$\sqrt{16}=4$이므로 $\sqrt{16}$의 양의 제곱근은 2, 즉 $b=2$이다.
따라서 $ab=(-3)\times2=-6$이다.

02 ㄱ. 0의 제곱근은 0이다.
ㄴ. -4는 음수이므로 -4의 제곱근은 없다.
ㄷ. $(-2)^2=4$로 양수이므로 제곱근이 2개이다.
ㄹ. $1.44=1.2^2=(-1.2)^2$이므로 1.44의 제곱근은 1.2, -1.2로 2개이고, 그 합은 0이다.

03 ② $\sqrt{(-a)^2}=|-a|=a$이다.

04 ① $(-\sqrt{6})^2\times(-\sqrt{3^2})=6\times(-3)=-18$
② $\sqrt{49}\div(-\sqrt{7})^2=7\div7=1$
③ $-\left(\sqrt{\dfrac{1}{2}}\right)^2+\sqrt{\left(-\dfrac{3}{2}\right)^2}=-\dfrac{1}{2}+\dfrac{3}{2}=1$
④ $(-\sqrt{5})^2-\sqrt{4^2}=5-4=1$
⑤ $\sqrt{(-3)^2}+\sqrt{16}=3+4=7$

05 $147=7^2\times3$이므로 $\sqrt{\dfrac{147}{a}}=\sqrt{\dfrac{7^2\times3}{a}}$이다.
따라서 $\sqrt{\dfrac{147}{a}}$이 정수가 되도록 하는 자연수 a의 값 중 가장 작은 값은 3이다.

06 $\sqrt{12-x}$가 자연수가 되기 위해서는 $12-x$가 어떤 자연수의 제곱이 되어야 한다.
이때 $12-x$는 12보다 작은 자연수이므로 $12-x=1$, 4, 9이다.
따라서 $x=11$, 8, 3이므로 그 합은 $11+8+3=22$이다.

07 ① $2=\sqrt{2^2}=\sqrt{4}$이므로 $\sqrt{3}<2$이다.
② $-4=-\sqrt{4^2}=-\sqrt{16}$이므로 $-4<-\sqrt{15}$이다.
④ $\dfrac{1}{2}>\dfrac{1}{3}$에서 $\sqrt{\dfrac{1}{2}}>\sqrt{\dfrac{1}{3}}$이므로 $-\sqrt{\dfrac{1}{2}}<-\sqrt{\dfrac{1}{3}}$이다.

⑤ $0.1=\dfrac{1}{10}=\sqrt{\dfrac{1}{100}}$이므로 $\sqrt{\dfrac{1}{3}}>0.1$이다.

08 ① 순환소수는 무한소수이지만 유리수이다.
② 근호 안의 수가 유리수의 제곱으로서 근호를 쓰지 않고 나타낼 수 있으면 유리수이다.
③ 유리수를 소수로 나타내면 유한소수 또는 순환소수가 된다.
④ 순환소수는 정수 또는 유한소수로 나타낼 수 없지만 유리수이다.

09 $\overline{\text{AD}}$는 직각을 낀 두 변의 길이가 각각 1, 3인 직각삼각형의 빗변이므로 피타고라스 정리에 의하여
$\overline{\text{AD}}=\overline{\text{AP}}=\sqrt{3^2+1^2}=\sqrt{10}$이다.
$\overline{\text{AE}}$는 직각을 낀 두 변의 길이가 각각 1, 1인 직각삼각형의 빗변이므로 피타고라스 정리에 의하여
$\overline{\text{AE}}=\overline{\text{AQ}}=\sqrt{1^2+1^2}=\sqrt{2}$이다.
따라서 $a=-2-\sqrt{10}$, $b=-2+\sqrt{2}$이므로
$(a+2)^2+(b+2)^2=(-\sqrt{10})^2+(\sqrt{2})^2=10+2=12$이다.

10 $4-\sqrt{15}>0$, $\sqrt{15}-4<0$이므로
$\sqrt{(4-\sqrt{15})^2}-\sqrt{((\sqrt{15}-4)^2}$
$=(4-\sqrt{15})-\{-(\sqrt{15}-4)\}$
$=4-\sqrt{15}+\sqrt{15}-4=0$

11 $\sqrt{5}\sqrt{10}\sqrt{15}=\sqrt{5\times10\times15}=\sqrt{2\times3\times5^3}=5\sqrt{30}$
따라서 $a=5$, $b=30$이므로 $a+b=5+30=35$이다.

12 $\dfrac{\sqrt{12}}{\sqrt{5}}\div\dfrac{\sqrt{2}}{\sqrt{15}}=\dfrac{\sqrt{12}}{\sqrt{5}}\times\dfrac{\sqrt{15}}{\sqrt{2}}=\sqrt{\dfrac{12}{5}\times\dfrac{15}{2}}=\sqrt{18}=3\sqrt{2}$
따라서 $a=3$이다.

13 $\dfrac{\sqrt{3}}{2}\times\dfrac{\sqrt{6}}{\sqrt{5}}\div\dfrac{\sqrt{15}}{\sqrt{8}}=\dfrac{\sqrt{3}}{\sqrt{4}}\times\dfrac{\sqrt{6}}{\sqrt{5}}\times\dfrac{\sqrt{8}}{\sqrt{15}}$
$=\sqrt{\dfrac{3\times6\times8}{4\times5\times15}}=\sqrt{\dfrac{12}{25}}=\dfrac{2\sqrt{3}}{5}$
따라서 $a=\dfrac{2}{5}$, $b=3$이므로
$10a+b=10\times\dfrac{2}{5}+3=7$이다.

14 (직육면체의 부피)=(가로의 길이)×(세로의 길이)×(높이)
이므로 $12\sqrt{2}=x\times3\sqrt{3}\times2\sqrt{3}$이다.
따라서

$$x=12\sqrt{2}\div3\sqrt{3}\div2\sqrt{3}=12\sqrt{2}\times\frac{1}{3\sqrt{3}}\times\frac{1}{2\sqrt{3}}$$

$$=\frac{2\sqrt{2}}{3}\,(\mathrm{cm})$$

15 $\dfrac{3}{\sqrt{24}}=\dfrac{3}{2\sqrt{6}}=\dfrac{3\sqrt{6}}{2\sqrt{6}\times\sqrt{6}}=\dfrac{3\sqrt{6}}{12}=\dfrac{\sqrt{6}}{4}$이므로 $a=\dfrac{1}{4}$,

$\dfrac{3}{\sqrt{12}}=\dfrac{3}{2\sqrt{3}}=\dfrac{3\sqrt{3}}{2\sqrt{3}\times\sqrt{3}}=\dfrac{3\sqrt{3}}{6}=\dfrac{\sqrt{3}}{2}$이므로 $b=\dfrac{1}{2}$

이다.

따라서 $ab=\dfrac{1}{4}\times\dfrac{1}{2}=\dfrac{1}{8}$이다.

16 $\sqrt{1.92}+\sqrt{1.64}=1.386+1.281=2.667$이다.

17 ① $\dfrac{2}{\sqrt{2}}=\dfrac{2\sqrt{2}}{\sqrt{2}\times\sqrt{2}}=\dfrac{2\sqrt{2}}{2}=\sqrt{2}$

② $\sqrt{18}-\sqrt{8}=3\sqrt{2}-2\sqrt{2}=\sqrt{2}$

③ $\sqrt{0.5}=\sqrt{\dfrac{1}{2}}=\dfrac{\sqrt{2}}{2}$

④ $\sqrt{10-8}=\sqrt{2}$

⑤ $\sqrt{50}+\sqrt{2}-\dfrac{10}{\sqrt{2}}=5\sqrt{2}+\sqrt{2}-5\sqrt{2}=\sqrt{2}$

18 $6\sqrt{2}-2a+8+3\sqrt{2}a=(-2a+8)+(6+3a)\sqrt{2}$

이 식의 값이 유리수가 되려면 $6+3a=0$이어야 한다.

따라서 $a=-2$이다.

19 $\dfrac{2}{\sqrt{3}}+\dfrac{12}{\sqrt{27}}-\dfrac{2\sqrt{2}}{\sqrt{6}}=\dfrac{2\sqrt{3}}{3}+\dfrac{12}{3\sqrt{3}}-\dfrac{2\sqrt{12}}{6}$

$$=\dfrac{2\sqrt{3}}{3}+\dfrac{12\sqrt{3}}{9}-\dfrac{2\sqrt{3}}{3}$$

$$=\dfrac{4\sqrt{3}}{3}$$

따라서 $A=\dfrac{4}{3}$이다.

20 $\sqrt{3}+4\sqrt{7}-\sqrt{12}-\sqrt{63}=\sqrt{3}+4\sqrt{7}-2\sqrt{3}-3\sqrt{7}$

$$=-\sqrt{3}+\sqrt{7}$$

따라서 $a=-1$, $b=1$이므로 $a+b=(-1)+1=0$이다.

21 $\dfrac{6}{\sqrt{2}}(\sqrt{2}+\sqrt{3})-\dfrac{\sqrt{27}-\sqrt{72}}{\sqrt{3}}$

$$=\dfrac{6\sqrt{2}}{2}(\sqrt{2}+\sqrt{3})-\dfrac{3\sqrt{3}-6\sqrt{2}}{\sqrt{3}}$$

$$=3\sqrt{2}(\sqrt{2}+\sqrt{3})-(3-2\sqrt{6})$$

$$=6+3\sqrt{6}-3+2\sqrt{6}$$

$$=3+5\sqrt{6}$$

22 $ab<0$이므로 a와 b는 서로 다른 부호이고, $b-a<0$이므로 $a>0$, $b<0$이다. $\qquad\qquad$ ⋯⋯ ❶

따라서 $a>0$, $-b>0$, $a-b>0$, $2b-a<0$이므로

⋯⋯ ❷

$\sqrt{a^2}+\sqrt{(-b)^2}-\sqrt{(a-b)^2}+\sqrt{(2b-a)^2}$

$=a+(-b)-(a-b)+(2b-a)$

$=a-b-a+b-2b+a$

$=a-2b$ $\qquad\qquad\qquad\qquad$ ⋯⋯ ❸

단계	채점 기준	배점
❶	주어진 조건을 이용하여 a, b의 부호를 구한다.	2점
❷	주어진 식을 간단히 하기 위해 근호 안에 있는 식의 부호를 구한다.	2점
❸	식을 간단히 한다.	1점

23 $A=\left(8-\dfrac{1}{2}\right)\times\dfrac{2}{3}\div\dfrac{1}{3}=\dfrac{15}{2}\times\dfrac{2}{3}\times3=15$ ⋯⋯ ❶

따라서 A의 제곱근은 $\pm\sqrt{15}$이다. $\qquad\qquad$ ⋯⋯ ❷

단계	채점 기준	배점
❶	주어진 식을 정리하여 A의 값을 구한다.	3점
❷	A의 제곱근을 구한다.	2점

24 (1) $\sqrt{288}=\sqrt{2^5\times3^2}=\sqrt{(2^2\times3)^2\times2}=12\sqrt{2}$이므로

$a=12$이다. $\qquad\qquad\qquad\qquad$ ⋯⋯ ❶

(2) $\dfrac{3}{\sqrt{18}}=\dfrac{3}{3\sqrt{2}}=\dfrac{1}{\sqrt{2}}=\dfrac{\sqrt{2}}{2}$이므로 $b=2$이다. ⋯⋯ ❷

(3) $\sqrt{\dfrac{b}{a}}=\sqrt{\dfrac{2}{12}}=\sqrt{\dfrac{1}{6}}=\dfrac{\sqrt{6}}{6}$ $\qquad\qquad$ ⋯⋯ ❸

단계	채점 기준	배점
❶	(1) a의 값을 구한다.	2점
❷	(2) b의 값을 구한다.	2점
❸	(3) $\sqrt{\dfrac{b}{a}}$의 값을 구한다.	1점

25 직육면체의 높이를 $x\,\mathrm{cm}$라고 하면

$\sqrt{12}\times\sqrt{6}\times x=12\sqrt{5}$, $\sqrt{72}\times x=12\sqrt{5}$,

$6\sqrt{2}\times x=12\sqrt{5}$이므로

$x=\dfrac{12\sqrt{5}}{6\sqrt{2}}=\dfrac{2\sqrt{5}}{\sqrt{2}}=\dfrac{2\sqrt{10}}{2}=\sqrt{10}\,(\mathrm{cm})$이다. ⋯⋯ ❶

따라서 구하는 겉넓이는

$2\times\{(\sqrt{12}\times\sqrt{6})+(\sqrt{6}\times\sqrt{10})+(\sqrt{12}\times\sqrt{10})\}$

$=2(6\sqrt{2}+2\sqrt{15}+2\sqrt{30})$

$=(12\sqrt{2}+4\sqrt{15}+4\sqrt{30})\,(\mathrm{cm}^2)$

이다. $\qquad\qquad\qquad\qquad\qquad\qquad$ ⋯⋯ ❷

단계	채점 기준	배점
❶	직육면체의 높이를 구한다.	3점
❷	직육면체의 겉넓이를 구한다.	2점

II 인수분해와 이차방정식

> **01** ②   **02** ④   **03** -4 **04** ①   **05** ③
>
> **06** ②   **07** $(x+3)(x-3)$ **08** ⑤   **09** ⑤
>
> **10** $a=x+4$, $b=x-4$ 또는 $a=x-4$, $b=x+4$
>
> **11** ④   **12** ③   **13** ①   **14** ④   **15** ⑤
>
> **16** ③   **17** ③   **18** $x=3\pm2\sqrt{6}$
>
> **19** $x=-1$ 또는 $x=-5$ **20** ⑤   **21** ④
>
> **22~25** 풀이 참조

01 좌변을 전개하면
$$(2x+5)^2-(x-3)^2$$
$$=(4x^2+20x+25)-(x^2-6x+9)$$
$$=4x^2+20x+25-x^2+6x-9$$
$$=3x^2+26x+16$$
우변을 전개하면
$$(3x+a)(bx+8)=3bx^2+(24+ab)x+8a$$
이때 $3x^2+26x+16=3bx^2+(24+ab)x+8a$이므로
$3=3b$, $16=8a$에서 $a=2$, $b=1$
따라서 $a+b=2+1=3$이다.

02 $(-3x+2y)(x-4y)-2(x+y)^2$
$$=(-3x^2+14xy-8y^2)-2(x^2+2xy+y^2)$$
$$=-3x^2+14xy-8y^2-2x^2-4xy-2y^2$$
$$=-5x^2+10xy-10y^2$$

03 $(x+a)(x-3)=x^2+(a-3)x-3a=x^2-x-b$이므로 $a-3=-1$, $-3a=-b$이다.
따라서 $a=2$, $b=3a=6$이므로 $a-b=-4$이다.

04 $321^2-320\times322=321^2-(321-1)(321+1)$
$$=321^2-(321^2-1)$$
$$=1$$

05 $x=\dfrac{1}{\sqrt{2}+1}=\dfrac{\sqrt{2}-1}{(\sqrt{2}+1)(\sqrt{2}-1)}=\sqrt{2}-1$
$y=\dfrac{1}{\sqrt{2}-1}=\dfrac{\sqrt{2}+1}{(\sqrt{2}-1)(\sqrt{2}+1)}=\sqrt{2}+1$
$\dfrac{y}{x}+\dfrac{x}{y}=\dfrac{\sqrt{2}+1}{\sqrt{2}-1}+\dfrac{\sqrt{2}-1}{\sqrt{2}+1}$
$$=\dfrac{(\sqrt{2}+1)^2}{(\sqrt{2}-1)(\sqrt{2}+1)}+\dfrac{(\sqrt{2}-1)^2}{(\sqrt{2}+1)(\sqrt{2}-1)}$$
$$=(\sqrt{2}+1)^2+(\sqrt{2}-1)^2$$
$$=(2+2\sqrt{2}+1)+(2-2\sqrt{2}+1)$$
$$=6$$

06 $a^2-8a-20=(a+2)(a-10)$이므로
$A=2$, $B=-10$ 또는 $A=-10$, $B=2$이다.
따라서 $A+B=-10+2=-8$이다.

07 어두운 부분의 넓이는 x^2-9이므로 두 일차식의 곱으로 나타내면 $(x+3)(x-3)$이다.

08 ① $x^2-4=(x+2)(x-2)$
② $x^2+x-2=(x+2)(x-1)$
③ $2x^2+3x-2=(x+2)(2x-1)$
④ $x^2-x-6=(x+2)(x-3)$
⑤ $x^2-4x+4=(x-2)^2$

09 $15x^2-7x-2=(5x+1)(3x-2)$이므로
$a=1$, $b=-2$이다.
따라서 $a-b=1+2=3$이다.

10 $ab=\dfrac{2x^2-32}{2}=x^2-16=(x+4)(x-4)$이므로
$a=x+4$, $b=x-4$ 또는 $a=x-4$, $b=x+4$이다.

11 $23\times76-23\times73=23\times(76-73)=23\times3=69$

12 ㄱ. $(x-1)(x+2)=x^2+3$을 정리하면 $x^2+x-2=x^2+3$에서 $x-5=0$이므로 일차방정식이다.
ㄴ. $x^2=9$는 $x^2-9=0$이므로 이차방정식이다.
ㄷ. $(x-3)^2=2$는 $x^2-6x+9=2$, $x^2-6x+7=0$이므로 이차방정식이다.
ㄹ. x^2-4x+3은 등호가 없으므로 이차방정식이 아니다.

13 $x=-1$을 $x^2-ax+12=0$과 $x^2-2x+b=0$에 각각 대입하면
$1+a+12=0$에서 $a=-13$,
$1+2+b=0$에서 $b=-3$이다.
따라서 $a+b=-16$이다.

14 $x^2+2x-8=0$에서 $(x-2)(x+4)=0$이므로
$x=-4$ 또는 $x=2$이다.
$x^2+x-6=0$에서 $(x-2)(x+3)=0$이므로
$x=-3$ 또는 $x=2$이다.
따라서 두 이차방정식을 동시에 만족시키는 해는 $x=2$이다.

15 ① $(x-3)^2=0$
② $(2x-1)^2=0$

③ $x^2+x+\dfrac{1}{4}=0,\ \left(x+\dfrac{1}{2}\right)^2=0$

④ $x^2-10x+25=0,\ (x-5)^2=0$

⑤ $2(x^2-2x-3)=0,\ 2(x-3)(x+1)=0$

16 ③ $\dfrac{7}{4}$

17 $x=\dfrac{-(-4)\pm\sqrt{(-4)^2-4\times2\times(-3)}}{4}=\dfrac{4\pm2\sqrt{10}}{4}$

$\qquad =\dfrac{2\pm\sqrt{10}}{2}$

에서 $a=2$, $b=10$이므로 $a+b=12$이다.

18 이차방정식의 양변에 20을 곱하면

$4x(x-1)=5(x+1)(x-3)$

$4x^2-4x=5(x^2-2x-3)$

$4x^2-4x=5x^2-10x-15,\ x^2-6x-15=0$

따라서

$x=\dfrac{-(-6)\pm\sqrt{(-6)^2-4\times1\times(-15)}}{2}=\dfrac{6\pm4\sqrt{10}}{2}$

$\qquad =3\pm2\sqrt{6}$이다.

19 $x^2-ax-(a+1)=0$의 x의 계수와 상수항을 서로 바꾸면

$x^2-(a+1)x-a=0$

이 방정식에 $x=-2$를 대입하면

$4+2(a+1)-a=0,\ 4+2a+2-a=0$이므로

$a=-6$이다.

$a=-6$을 $x^2-ax-(a+1)=0$에 대입하면

$x^2+6x+5=0,\ (x+1)(x+5)=0$이다.

따라서 $x=-1$ 또는 $x=-5$이다.

20 $x=-1$을 $(a+2)x^2-(a^2-4)x-2(a+2)=0$에 대입

하면 $a+2+a^2-4-2a-4=0,\ a^2-a-6=0$,

$(a+2)(a-3)=0$이므로 $a=-2$ 또는 $a=3$이다.

그런데 $a=-2$이면 이차방정식이 되지 않으므로 $a=3$이

다. $a=3$을 $(a+2)x^2-(a^2-4)x-2(a+2)=0$에 대

입하면 $5x^2-5x-10=0,\ x^2-x-2=0$,

$(x+1)(x-2)=0$이므로 $x=-1$ 또는 $x=2$이다.

따라서 다른 한 근은 2이다.

따라서 a의 값과 다른 한 근을 더한 값은 $3+2=5$이다.

21 $x=-1$을 $2x^2+3ax+a-4=0$에 대입하면

$2-3a+a-4=0,\ -2a=2$

이므로 $a=-1$이다.

$a=-1$을 $2x^2+3ax+a-4=0$에 대입하면

$2x^2-3x-5=0,\ (x+1)(2x-5)=0$이므로

$x=-1$ 또는 $x=\dfrac{5}{2}$이고 $b=\dfrac{5}{2}$이다.

따라서 $a+b=-1+\dfrac{5}{2}=\dfrac{3}{2}$이다.

22 직육면체의 겉넓이는 합동인

직사각형의 세 쌍의 넓이의 합

과 같으므로 우선 가로, 세로

의 길이가 $x+3$, $x-3$인 직

사각형의 넓이는

$(x+3)(x-3)=x^2-9$

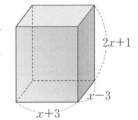

...... ❶

가로, 세로의 길이가 $x+3$, $2x+1$인 직사각형의 넓이는

$(x+3)(2x+1)=2x^2+7x+3$ ...... ❷

가로, 세로의 길이가 $x-3$, $2x+1$인 직사각형의 넓이는

$(x-3)(2x+1)=2x^2-5x-3$ ...... ❸

따라서 직육면체의 겉넓이는

$2\{(x^2-9)+(2x^2+7x+3)+(2x^2-5x-3)\}$

$=2(5x^2+2x-9)$

$=10x^2+4x-18$ ...... ❹

단계	채점 기준	배점
❶	두 변의 길이가 $x+3$, $x-3$인 넓이를 구한다.	1점
❷	두 변의 길이가 $x+3$, $2x+1$인 넓이를 구한다.	1점
❸	두 변의 길이가 $x-3$, $2x+1$인 넓이를 구한다.	1점
❹	직육면체의 겉넓이를 구한다.	2점

23 $1-2^2+3^2-4^2+\cdots+9^2-10^2$

$=(1+2)(1-2)+(3+4)(3-4)+\cdots$

$\qquad +(9+10)(9-10)$ ...... ❶

$=-(1+2)-(3+4)-\cdots-(9+10)$

$=-(1+2+3+4+\cdots+9+10)$ ...... ❷

$=-55$ ...... ❸

단계	채점 기준	배점
❶	주어진 식을 인수분해 공식을 이용하여 나타낸다.	2점
❷	주어진 식을 간단히 정리한다.	2점
❸	계산한 값을 구한다.	1점

24 0이 아닌 어떤 정수를 x라고 하면

$(x+2)^2=2(x+2)$ ...... ❶

$x^2+4x+4=2x+4,\ x^2+2x=0,\ x(x+2)=0$

이므로 $x=-2$ 또는 $x=0$이다. ...... ❷

그런데 $x\neq0$이므로

0이 아닌 어떤 정수는 -2이다. ...... ❸

단계	채점 기준	배점
❶	이차방정식을 세운다.	2점
❷	이차방정식을 푼다.	2점
❸	어떤 정수를 구한다.	1점

25 어두운 부분의 넓이가 45이므로
$10 \times 8 - (10-x)(8-x) = 45$이다. ······ ❶
$80 - 80 + 18x - x^2 = 45$, $x^2 - 18x + 45 = 0$,
$(x-3)(x-15) = 0$이므로
$x = 3$ 또는 $x = 15$이다. ······ ❷
그런데 x는 8보다 작은 양수이므로 $x = 3$이다. ······ ❸

단계	채점 기준	배점
❶	이차방정식을 세운다.	2점
❷	이차방정식을 푼다.	2점
❸	x의 값을 구한다.	1점

III 이차함수

PP.77~80

01 (1) $y = 2x^2$ (2) 10초   **02** ⑤
03 (1) ㄷ (2) ㄹ (3) ㄴ (4) ㄱ   **04** ④   **05** ④
06 ③, ④   **07** ②, ④   **08** ②   **09** ①   **10** ①
11 ④   **12** ③   **13** ⑤   **14** ⑤   **15** ③
16 ④   **17** ⑤   **18** -2 또는 6
19 $y = -x^2 + 2x - 2$ **20** (2, 9)
21 $b = -6$, $c = 8$, $k = -1$ **22~25** 풀이 참조

01 (1) y는 x^2에 정비례하므로 $y = ax^2$이다.
$x = 1$일 때, $y = 2$이므로 $y = ax^2$에 대입하면
$2 = a \times 1^2$, $a = 2$이다.
따라서 $y = 2x^2$이다.
(2) 활강한 거리가 200 m이므로
$200 = 2x^2$, $x^2 = 100$, $x = \pm 10$이고
$x > 0$이므로 $x = 10$(초)이다.

02 $f(1) = 1 - 2 + 1 = 0$, $f(-1) = 1 + 2 + 1 = 4$이므로
$f(1) + f(-1) = 0 + 4 = 4$이다.

03 (1), (2)의 그래프는 $y = ax^2$에서 $a > 0$인 경우이고 ㄷ과 ㄹ 중에서 절댓값이 큰 것이 폭이 더 좁으므로 (1)의 그래프는 ㄷ, (2)의 그래프는 ㄹ이다.
(3), (4)의 그래프는 $y = ax^2$에서 $a < 0$인 경우이고 ㄱ과 ㄴ 중에서 절댓값이 큰 것이 폭이 더 좁으므로 (4)의 그래프는 ㄱ, (3)의 그래프는 ㄴ이다.

04 평행이동하여 완전히 포갤 수 있는 이차함수의 그래프는 모두 x^2의 계수가 같다.

05 (1) 이차함수 $y = -\dfrac{3}{2}x^2$의 그래프를 x축의 방향으로 -3만큼 평행이동한 그래프이므로 이차함수의 식은
$y = -\dfrac{3}{2}(x+3)^2$이다.
(2) 이차함수 $y = -\dfrac{3}{2}x^2$의 그래프를 x축의 방향으로 4만큼 평행이동한 그래프이므로 이차함수의 식은
$y = -\dfrac{3}{2}(x-4)^2$이다.

06 이차함수 $y = ax^2$의 그래프가 아래로 볼록하므로
$a > 0$이다.
또 이차함수 $y = 4x^2$의 그래프보다 폭이 넓고,
이차함수 $y = \dfrac{2}{5}x^2$의 그래프보다 폭이 좁으므로
a의 절댓값은 4보다 작고 $\dfrac{2}{5}$보다 크다.
따라서 $\dfrac{2}{5} < a < 4$이므로 ③ $\dfrac{1}{2}$, ④ 3이다.

07 ① 이차함수 $y = -2x^2$의 함숫값의 범위는 $y \leq 0$이다.
③ 이차함수 $y = -2(x-3)^2$의 그래프는 점 $(-3, -72)$를 지난다.
⑤ 이차함수 $y = \dfrac{2}{3}x^2$의 그래프와 x축에 대하여 대칭인 그래프의 식은 $y = -\dfrac{2}{3}x^2$이다.

08 $y = -x^2 + 2x + 2 = -(x-1)^2 + 3$
① y축과 만나는 점의 좌표는 $(0, 2)$이다.
③ 꼭짓점의 좌표는 $(1, 3)$이다.
④ $x < 1$일 때, x의 값이 증가하면 y의 값도 증가한다.
⑤ 이차함수 $y = -x^2$의 그래프를 x축의 방향으로 1만큼, y축의 방향으로 3만큼 평행이동한 것이다.

09 꼭짓점이 제2사분면 위에 있고 $a < 0$이므로 위로 볼록하고 $c < 0$이므로 이차함수의 그래프의 y축과의 교점이 x축보다 아래쪽에 있다.
따라서 이 이차함수의 그래프가 지나지 않는 사분면은 제1사분면이다.

10 주어진 일차함수의 그래프에서 $a > 0$, $b < 0$이다.
따라서 $y = ax^2 - b$의 그래프는 $a > 0$이므로 아래로 볼록하고 $-b > 0$이므로 y축과 교점이 원점의 위쪽에 있다.

11 $y = \dfrac{1}{2}x^2 - 2x + 3 = \dfrac{1}{2}(x-2)^2 + 1$
따라서 (x^2의 계수) > 0이므로 $x < 2$일 때, x의 값이 증가하면 y의 값은 감소한다.

12 축의 방정식이 $x=-3$이므로 이차함수의 식을
$y=a(x+3)^2+q$로 놓을 수 있다.
이 그래프가 점 $(-2, 0)$을 지나므로
$0=a(-2+3)^2+q$에서 $a+q=0$ ······ ㉠
또 이 그래프가 점 $(1, 15)$를 지나므로
$15=a(1+3)^2+q$에서 $16a+q=15$ ······ ㉡
㉠, ㉡을 연립하여 풀면 $a=1$, $q=-1$이다.
따라서 구하는 이차함수의 식은
$y=(x+3)^2-1=x^2+6x+8$이므로
$a=1$, $b=6$, $c=8$이다.
따라서 $a+b-c=1+6-8=-1$이다.

13 $y=(2x+1)^2-x(ax+3)=(4-a)x^2+x+1$
따라서 이차함수가 되려면 $4-a \neq 0$이므로 $a \neq 4$이다.

14 $y=2x^2-8x+6$
$\quad =2(x^2-4x+4-4)+6$
$\quad =2(x-2)^2-2$
이므로 꼭짓점의 좌표는 $(2, -2)$이다.
일차함수 $y=2x+b$의 그래프가 점 $(2, -2)$를 지나므로
$-2=4+b$, $b=-6$이다.

15 이차함수 $y=x^2-2ax+b$의 그래프의 꼭짓점의 좌표가
$(4, 2)$이므로
$y=(x-4)^2+2=x^2-8x+18=x^2-2ax+b$
따라서 $-2a=-8$, $a=4$, $b=18$이므로
$a+b=4+18=22$이다.

16 이차함수 $y=-2x^2+3$의 그래프가 점 $(1, n)$을 지나므로
$n=-2+3=1$이다.

17 ① $y=-x^2-6x-17=-(x+3)^2-8$
그래프의 꼭짓점이 x축보다 아래에 있고, 그래프가 위
로 볼록하므로 그래프는 x축과 만나지 않는다.
② $y=(x+3)^2+2$
그래프의 꼭짓점이 x축보다 위에 있고, 그래프가 아래
로 볼록하므로 그래프는 x축과 만나지 않는다.
③ $y=-3(x-1)^2-1$
그래프의 꼭짓점이 x축보다 아래에 있고, 그래프가 위
로 볼록하므로 그래프는 x축과 만나지 않는다.
④ $y=x^2-4x+4=(x-2)^2$
그래프의 꼭짓점이 x축 위에 있으므로 그래프는 x축과
한 점에서 만난다.
⑤ $y=-2(x+1)^2+3$
그래프의 꼭짓점이 x축보다 위에 있고, 그래프가 위로 볼
록하므로 그래프는 x축과 서로 다른 두 점에서 만난다.

18 꼭짓점의 좌표가 $(2, 0)$이므로 이차함수의 식을
$y=a(x-2)^2$으로 놓을 수 있다.
이 그래프가 점 $(0, 2)$를 지나므로
$x=0$, $y=2$를 $y=a(x-2)^2$에 대입하면
$2=a(0-2)^2$, $4a=2$, $a=\dfrac{1}{2}$이다.
따라서 주어진 이차함수의 식은 $y=\dfrac{1}{2}(x-2)^2$이고,
이 그래프가 점 $(p, 8)$을 지나므로
$8=\dfrac{1}{2}(p-2)^2$, $p^2-4p+4=16$
$p^2-4p-12=0$, $(p+2)(p-6)=0$
따라서 $p=-2$ 또는 $p=6$이다.

19 $y=2x^2-4x+1$
$\quad =2(x^2-2x+1-1)+1$
$\quad =2(x-1)^2-1$
이므로 꼭짓점의 좌표는 $(1, -1)$이다.
구하는 이차함수의 식을 $y=a(x-1)^2-1$이라고 하면
이 그래프가 점 $(0, -2)$를 지나므로
$-2=a(0-1)^2-1$, $a=-1$이다.
따라서 이차함수의 식은
$y=-(x-1)^2-1=-x^2+2x-2$이다.

20 그래프가 두 점 $(0, 5)$, $(5, 0)$을 지나므로 이차함수
$y=-x^2+ax+b$에 $x=0$, $y=5$를 대입하면 $b=5$이다.
또 $x=5$, $y=0$을 대입하면
$0=-5^2+a \times 5+5$, $5a-20=0$, $a=4$이다.
따라서 주어진 이차함수는
$y=-x^2+4x+5=-(x-2)^2+9$이므로
꼭짓점의 좌표는 $(2, 9)$이다.

21 x^2의 계수가 1인 이차함수의 그래프가 x축 위의 두 점
$(2, 0)$, $(4, 0)$을 지나므로
$y=(x-2)(x-4)$에서 $y=x^2-6x+8$이다.
따라서 $b=-6$, $c=8$이다.
또 이 그래프가 점 $(3, k)$를 지나므로
$k=3^2-6 \times 3+8=-1$이다.

22 이차함수 $y=ax^2+bx+c$의 그래프가 점 $(0, 3)$을 지나
므로 $c=3$이다. ······ ❶
즉, 이차함수 $y=ax^2+bx+3$의 그래프가 두 점
$(-1, 0)$, $(3, 0)$을 지나므로
$0=a-b+3$ ······ ㉠
$0=9a+3b+3$ ······ ㉡
㉠, ㉡을 연립하여 풀면 $a=-1$, $b=2$이다. ······ ❷

단계	채점 기준	배점
❶	c의 값을 구한다.	2점
❷	a, b의 값을 구한다.	3점

23 (1) 점 C의 좌표가 $(k, 0)$이므로 점 D의 좌표는
$(k, -k^2+5)$이다.
$y=-x^2+5$의 그래프가 y축에 대하여 대칭이므로 점
A의 좌표는 $(-k, -k^2+5)$, 점 B의 좌표는
$(-k, 0)$이다. ...... ❶
따라서 □ABCD의 둘레의 길이는
$2\times(\overline{AB}+\overline{BC})=2\{(-k^2+5)+2k\}$
$=-2k^2+4k+10$ ...... ❷
(2) $-2k^2+4k+10=12$
$2k^2-4k+2=0$, $k^2-2k+1=0$
$(k-1)^2=0$, $k=1$이다. ...... ❸
따라서 점 C의 좌표는 $(1, 0)$이다. ...... ❹

단계	채점 기준	배점
❶	(1) 세 점 A, B, D의 좌표를 k에 대한 식으로 나타낸다.	2점
❷	□ABCD의 둘레의 길이를 k에 대한 식으로 나타낸다.	1점
❸	(2) k의 값을 구한다.	1점
❹	점 C의 좌표를 구한다.	1점

24 $y=x^2+4x=(x+2)^2-4$
이므로 A$(-2, -4)$이다.
...... ❶

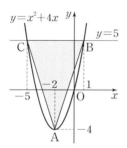

$y=x^2+4x$의 그래프와 직선
$y=5$의 교점의 x좌표를 구하
면 $5=x^2+4x$,
$x^2+4x-5=0$에서

$(x+5)(x-1)=0$이므로 $x=-5$ 또는 $x=1$이다.
즉, B$(-5, 5)$, C$(1, 5)$ 또는 B$(1, 5)$, C$(-5, 5)$이다.
...... ❷
따라서 △ABC$=\dfrac{1}{2}\times6\times9=27$이다. ...... ❸

단계	채점 기준	배점
❶	점 A의 좌표를 구한다.	2점
❷	두 점 B, C의 좌표를 구한다.	1점
❸	△ABC의 넓이를 구한다.	2점

25 □AOBC가 정사각형이므로 $\overline{AB}$와 $\overline{CO}$는 길이가 같고 서
로 다른 것을 수직이등분한다.
즉, 점 B의 x좌표와 y좌표가 같다. ...... ❶
이때 점 B의 좌표를 B$\left(a, \dfrac{1}{2}a^2\right)(a>0)$이라 하면
$a=\dfrac{1}{2}a^2$, $a^2-2a=0$, $a(a-2)=0$에서
$a>0$이므로 $a=2$이다.
따라서 A$(-2, 2)$, B$(2, 2)$, C$(0, 4)$이므로 ...... ❷
□AOBC$=\dfrac{1}{2}\times\overline{AB}\times\overline{CD}=\dfrac{1}{2}\times4\times4=8$이다. ...... ❸

단계	채점 기준	배점
❶	점 B의 x좌표와 y좌표가 같음을 안다.	2점
❷	세 점 A, B, C의 좌표를 구한다.	2점
❸	□AOBC의 넓이를 구한다.	1점

알기 쉬운 내용 정리와 **다양한** 문제 풀이로 완성하는

나만의 학습 노하우 나노!!

나만의 학습 노하우,
수학에 자신감을 갖는 학습 비법!

나노

중학 수학 3-1

정답 및 해설

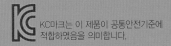